LES PERSPECTIVES DE MANAGEMENT

Richard Déry

Les perspectives de management
Richard Déry

Catalogage avant publication de Bibliothèque et Archives nationales du Québec et Bibliothèque et Archives Canada

Déry, Richard

Les perspectives de management

Comprend des réf. bibliogr.

ISBN 978-2-923710-09-9

1. Gestion. 2. Sociologie des organisations. 3. Efficacité organisationnelle. 4. Gestion - Cas, Études de. I. Titre.

HD33.D47 2010 658 C2010-941721-6

Éditions JFD inc.
CP 15 Succ. Rosemont
Montréal (Qc)
H1X 3B6
Téléphone: 514-999-4483
Courriel: info@editionsjfd.com

ISBN: 978-2-923710-09-9
Dépôt légal : 3e trimestre 2010
Bibliothèque et Archives nationales du Québec
Bibliothèque et Archives Canada

Tableau de la couverture:
L'étonnante lueur, œuvre de Doris Gravel

Dans cet ouvrage, le masculin est utilisé comme représentant des deux sexes, sans discrimination à l'égard des hommes et des femmes, et dans le seul but d'alléger le texte.

Les Éditions JFD inc. ont remis un don à l'Association forestière Québec métropolitain afin que tous les arbres nécessaires à la production de ce livre soient plantés.

Imprimé au Québec

TABLE DES MATIÈRES

PARTIE V:
LES CHANTIERS DU MANAGEMENT

PARTIE VI:
LES CAS

INTRODUCTION

Nous vivons dans une société d'organisations. Pas moyen d'y échapper, car les organisations sont maintenant le lieu par excellence dans lequel les humains passent l'essentiel de leur vie, et cela, de la naissance à la mort[1]. Ainsi, de la garderie à la maison de retraite, en passant par l'école et une très grande diversité de milieux de travail, les humains vivent et interagissent au sein de différentes organisations. Du coup, les humains n'ont pas d'autres choix que d'apprendre à y vivre et, surtout, ils doivent sans cesse tenter de résoudre le toujours épineux problème que leur pose la collaboration qui est au principe de la vie en organisation[2]. Comment composer avec la diversité humaine qui compose l'organisation? Comment les humains peuvent-ils se fondre dans un collectif, tout en préservant leur individualité? Comment s'organisent-ils pour survivre collectivement, tout en se réalisant individuellement? Comment peuvent-ils être tout à la fois infiniment efficaces et profondément humains?

LA COMPLEXITÉ DES ORGANISATIONS CONTEMPORAINES

Vivre en milieu organisé n'est donc pas simple, loin de là. En fait, après avoir été pendant des siècles relativement simples et gouvernées par un management profondément traditionnel, les organisations sont devenues, au cours de l'histoire, de plus en plus complexes ce qui a, du coup, nécessité l'invention de formes contemporaines de management. Cette complexité,

---

[1] Ainsi, selon Henry Mintzberg: «Notre monde est devenu, pour le meilleur et pour le pire, une société d'organisations. Nous sommes nés dans le cadre d'organisations et ce sont encore des organisations qui ont veillé à notre éducation de façon, à ce que plus tard, nous puissions travailler dans des organisations. Dans le même temps, les organisations ont pris en charge nos besoins et nos loisirs. Elles nous gouvernent et nous tourmentent (et, par moment, les deux à la fois). Et, notre dernière heure venue, ce seront encore des organisations qui s'occuperont de nos funérailles.» Mintzberg, H., *Le management,* Paris: Éditions d'Organisation, 1990: 13.

[2] J'emprunte à Crozier et Friedberg l'idée selon laquelle l'organisation est tout à la fois une solution et un problème à résoudre. À ce propos, ils écrivent: «[Les organisations] ne constituent rien d'autre que des solutions toujours spécifiques, que des acteurs relativement autonomes, avec leurs ressources et capacités particulières, ont créées, inventées, instituées pour résoudre les problèmes posés par l'action collective et, notamment, le plus fondamental de ceux-ci, celui de la coopération en vue de l'accomplissement d'objectifs communs, malgré leurs orientations divergentes.» Crozier, M. et E. Friedberg, *L'acteur et le système,* Paris: Seuil, 1977: 13.

qui fut à l'origine des formes contemporaines de management, a d'abord été causée par le nombre continuellement croissant de personnes aux objectifs, intérêts, valeurs et besoins variés, voire même contradictoires, qui constituent les organisations. Cette complexité fut également causée par l'intensification des pressions d'une multitude de groupes d'intérêts qui, logés dans l'environnement, ont tous souhaité peser sur les orientations des organisations et en tirer profit. Enfin, la complexité des organisations contemporaines fut le fruit des relations humaines, relations qui, au fil du temps, sont devenues de plus en plus ambigües, voire conflictuelles.

La complexité des organisations contemporaines n'est pas sans poser problème aux gestionnaires qui doivent apprendre à y faire face et, surtout, à y adapter les organisations dont ils ont la responsabilité. C'est, d'ailleurs, précisément l'une des tâches du management contemporain que de décoder la complexité, de la traduire en actions possibles et d'en tirer profit. De plus, pour s'assurer que la complexité ne débouche pas sur une anarchie organisationnelle dans laquelle chacun poursuivrait ses propres projets au détriment du collectif, les gestionnaires doivent donner une direction générale à l'organisation, direction qui favorise la collaboration et permet de viser autant l'atteinte d'objectifs individuels que la réalisation de buts communs[3].

LES PERSPECTIVES DE MANAGEMENT

Pour composer avec la richesse et la complexité des organisations, mais aussi pour relever les défis sans cesse changeants posés par les transformations de l'espace social et économique contemporain, deux grandes formes opposées de management, à savoir le management technique et le management social, furent constituées. Ces deux formes contemporaines de management représentent une émancipation de l'emprise de la tradition qui, jusqu'au début du XXe siècle, a dominé l'univers concret des organisations. Ainsi, autant le management technique que sa forme sociale sont en rupture avec l'ordre institué par la tradition. Cela dit, si les deux formes contemporaines de management partagent la même ambition, soit d'être la référence absolue en matière d'administration et de gouverne des organisations, elles se démarquent très nettement l'une de l'autre. Ainsi, alors que, dans le management technique, l'accent est mis sur les techniques et les processus formels de management, dans le management social, l'attention

[3] J'évoque implicitement, ici, certains des éléments de la définition que Barnard donne des organisations, soit: «An organization comes into being when (1) there are persons able to communicate with each other (2) who are willing to contribute action (3) to accomplish a common purpose.» Barnard, C.I., *The Functions of the Executive*, Cambridge, Mass. : Harvard University Press, 1938 : 82.

porte plutôt sur les dimensions sociales et humaines de la vie au sein des organisations et sur la nécessité d'y adapter les techniques de management. Toutefois, bien qu'elles soient opposées, les formes contemporaines de management peuvent se combiner de façon à offrir aux gestionnaires un panorama riche de la réalité de la vie organisée et un éventail pertinent de moyens à mettre en œuvre pour que les organisations contemporaines soient tout à la fois efficaces et humaines. En fait, en combinant les deux formes contemporaines de management, les gestionnaires ont alors à leur disposition cinq perspectives d'action et de réflexion[4], soit:

- La perspective technique
- La perspective politique
- La perspective symbolique
- La perspective psychologique
- La perspective cognitiviste

Au regard de chacune de ces perspectives, le rôle du gestionnaire est particulier. C'est ainsi qu'il tient le rôle d'un expert en planification, organisation, direction et contrôle dans la perspective technique, celui d'un négociateur impliqué au centre des inévitables conflits organisationnels dans la perspective politique, celui de guide qui incarne l'identité et les valeurs organisationnelles dans la perspective symbolique, celui de leader à l'écoute des attentes de son personnel dans la perspective psychologique et, enfin, celui d'un décideur qui combine des informations, des interprétations et des théories afin d'assurer le succès de l'organisation. Bien sûr, gagné à la pertinence de la diversité des perspectives de management, le gestionnaire pourra tenir plus d'un rôle et même les combiner pour ainsi donner une couleur particulière à sa pratique.

Chacune des perspectives de management permet aussi d'interpréter de façon particulière le problème que représente la collaboration organisationnelle. Ainsi, en mobilisant l'une ou l'autre des perspectives, il est possible, comme l'indique le tableau 1, de formuler le problème de la vie en organisation sous la forme d'une variété de questions, questions qui sont, en fait, autant de pistes de solutions pratiques au problème de la collaboration organisationnelle. De plus, chacune des perspectives offre également aux gestionnaires une solution qui prend la forme d'une logique d'action qu'il

---

[4] Sur la pertinence d'une approche de la gestion fondée sur la multiplicité des regards voir notamment: De Bruyne, P., *Esquisse d'une théorie de l'administration des entreprises,* Paris: Dunod, 1963. Allison, G.T., *Essence of Decision. Explaining the Cuban Missile Crisis,* Boston, Little Brown, 1971; *Images de l'organisation, 2e édition,* Québec: Presses de l'Université Laval, 1999; Bolman, L. G. et T. E. Deal, *Repenser les organisations pour que diriger soit un art,* Paris: Maxima, 1996 [Bolman, L. G. et T. E. Deal, *Reframing Organizations. Artistry, Choice and Leadership,* San-Francisco : Jossey-Bass, 1991].

conviendrait de respecter et de mobiliser dans les actions administratives. C'est ainsi, qu'alors que la perspective technique attire l'attention sur les objectifs à atteindre comme logique d'action tant individuelle que collective, la perspective politique met de l'avant les intérêts que poursuivent les membres de l'organisation et les groupes qui font pression sur elle, la perspective symbolique se fonde sur les valeurs des membres de l'organisation, la perspective psychologique centre plutôt le regard sur les attentes que les uns et les autres cherchent à satisfaire en participant au destin de l'organisation et, enfin, la perspective cognitiviste met l'accent sur le savoir que construisent et mobilisent les membres de l'organisation au fil de leurs interactions.

Tableau 1
Les perspectives de management

PERSPECTIVES	RÔLES DES GESTIONNAIRES	QUESTIONS	LOGIQUES D'ACTION
TECHNIQUE	Expert	Comment accroître l'efficacité organisationnelle? Quelles méthodes peuvent maximiser les performances organisationnelles?	Les objectifs
POLITIQUE	Négociateur	Quelles sont les bases du pouvoir dans l'organisation? Quels sont les enjeux des conflits organisationnels?	Les intérêts
SYMBOLIQUE	Guide	Quelle est l'identité de l'organisation? Quels sont les rôles et les tâches les plus valorisés dans l'organisation?	Les valeurs
PSYCHOLOGIQUE	Leader	Quel est le climat psychologique de l'organisation? Quelles sont les attentes des membres de l'organisation?	Les attentes
COGNITIVISTE	Décideur	De quels savoirs disposons-nous pour développer l'organisation? Nos pratiques favorisent-elles l'apprentissage organisationnel?	Les savoirs

Par ailleurs et comme le montre le tableau 2, chacune des perspectives de management offre aussi une image particulière de la réalité des organisations et propose aux gestionnaires des habiletés de gestion et des leviers d'action susceptibles de favoriser l'efficacité de leurs actions.

Tableau 2
Les organisations, les habiletés et les leviers

PERSPECTIVES	IMAGES DE L'ORGANISATION	HABILETÉS DE GESTION	LEVIERS D'ACTION
TECHNIQUE	Une machine productive	Planifier Organiser Diriger Contrôler	Les objectifs La délégation L'autorité Le budget
POLITIQUE	Un système politique	Influencer Négocier Arbitrer	Le pouvoir Les règles Les enjeux
SYMBOLIQUE	Une culture partagée	Rassembler Intégrer Guider	Les valeurs La vision Les symboles
PSYCHOLOGIQUE	Un espace marqué par des forces inconscientes	Motiver Communiquer *Coacher*	Les besoins Les compétences Le leadership
COGNITIVISTE	Un système d'apprentissage	Traiter l'information Former Décider	Le savoir L'apprentissage La gestion des connaissances

Pour véritablement appréhender avec efficacité toute la complexité des organisations contemporaines, les gestionnaires ont tout intérêt à mobiliser et à combiner l'ensemble des perspectives de management. En les combinant, les gestionnaires ont alors accès à une diversité de regards et c'est précisément cette diversité qui est requise pour composer avec la complexité des organisations contemporaines. De plus, en s'ouvrant à la diversité des perspectives de management, les gestionnaires ont à leur disposition un éventail de pratiques et de grilles d'interprétation, ce qui peut accroître leur capacité à résoudre le problème de la collaboration organisationnelle.

PRÉSENTATION DE L'OUVRAGE

Les perspectives de management sont au cœur de ce livre. D'abord, la première partie met, en quelque sorte, la table à la description de chacune des perspectives. Le premier chapitre retrace l'histoire des théories du management et permet de constater que le management contemporain s'est largement développé autour de l'opposition entre la perspective technique de management et un management social qui met au jour les différentes dimensions sociales et humaines de la vie en organisation.

Avec le second chapitre, nous passons de l'univers des théories du management à celui des pratiques concrètes de gestion. Prenant la forme d'un questionnaire, ce chapitre permet de mettre au jour les préférences pour l'une ou l'autre des perspectives de management. Prendre conscience de son inclinaison pour une perspective particulière facilite alors l'ouverture d'esprit pour ce qu'a à offrir chacune des perspectives.

La seconde partie est constituée d'un seul chapitre qui décrit le management traditionnel avec lequel les formes contemporaines de management sont en rupture. Brosser, même à grands traits, cette forme historique de management permet alors de mieux prendre la mesure du chemin parcouru par le management contemporain et d'ainsi mettre en évidence tout ce qui le démarque de la tradition qui, jusqu'au début du XXe siècle, a régné sans partage sur les organisations. De plus, prendre connaissance du management traditionnel permet de mettre au jour, tout au côté des styles contemporains, un autre style de management, à savoir le style paternaliste.

La troisième partie est entièrement consacrée à la perspective technique. Lui concéder une telle place témoigne de son importance historique en management. En effet, la perspective technique est souvent vue comme étant le cœur du management, ce qu'il convient de parfaitement maîtriser pour prétendre à l'excellence, mais aussi, ce face à quoi il faut savoir prendre ses distances pour construire des organisations à visage humain.

La quatrième partie met en scène les perspectives sociales et humaines. La partie s'ouvre par un chapitre sur le management social qui met de l'avant la nécessité de prendre en considération les dimensions sociales et humaines de l'organisation et d'y adapter les pratiques de management. Puis, la partie comprend un chapitre sur chacune des perspectives sociales et humaines.

La cinquième partie porte sur quelques-uns des principaux chantiers du management, là où toutes les perspectives entrent en jeu et offrent leur plein potentiel. En parcourant les chantiers que sont l'identité organisationnelle, la philosophie de direction, la stratégie concurrentielle, la structure organisationnelle et la prise de décision, le lecteur comprend tout l'intérêt qu'il y a à mobiliser l'ensemble des perspectives de management plutôt que de s'enfermer dans le cadre très restreint de l'une d'elles.

Enfin, la dernière partie rassemble des cas de management dans lesquels se trouvent décrits des problèmes administratifs. Pour les résoudre, le lecteur peut alors mobiliser les perspectives de management, mettre en action les habiletés et les leviers qu'elles offrent et, ainsi, ouvrir de véritables chantiers de management.

En terminant, je tiens à remercier mes collègues Yves-Marie Abraham, Luc Bélanger-Martin, Marc Cardinal, Catherine Lebrun, Anne Mesny, Cédric Prince et Ève-Marie Thibault qui m'ont permis de reprendre ici leur cas de management. Je tiens, tout particulièrement, à remercier Luc Bélanger-Martin qui, tout au long de la rédaction de ce livre, a contribué, par ses nombreux et judicieux commentaires, aux idées qui y sont développées. Je tiens aussi à remercier mon éditeur qui m'a permis remanier mes précédents livres parus aux Éditions JFD, à savoir *Le management*, *Le tétraèdre stratégique* et *Le management: perspectives et dimensions* et d'en intégrer des parties dans le présent livre. Finalement, j'aimerais remercier ma conjointe Doris qui a lu et commenté les multiples versions de ce livre. Sans son aide, ce livre n'aurait jamais vu le jour.

PARTIE I

LE MANAGEMENT

Cette première partie se découpe en deux chapitres. Le premier explore l'histoire des théories contemporaines du management. Cette histoire se présente sous les traits d'un va-et-vient entre une réalité administrative qui pose de multiples problèmes d'organisation et de gestion et un ensemble de théories conçues pour les résoudre. Comme l'illustre le schéma suivant, de ce jeu d'aller et retour entre le réel et la théorie émergent deux formes contemporaines de management, à savoir le management technique et le management social. Chacune de ces formes de management s'ouvre sur des perspectives de réflexion et d'intervention qui, à leur tour, façonnent des styles concrets de management.

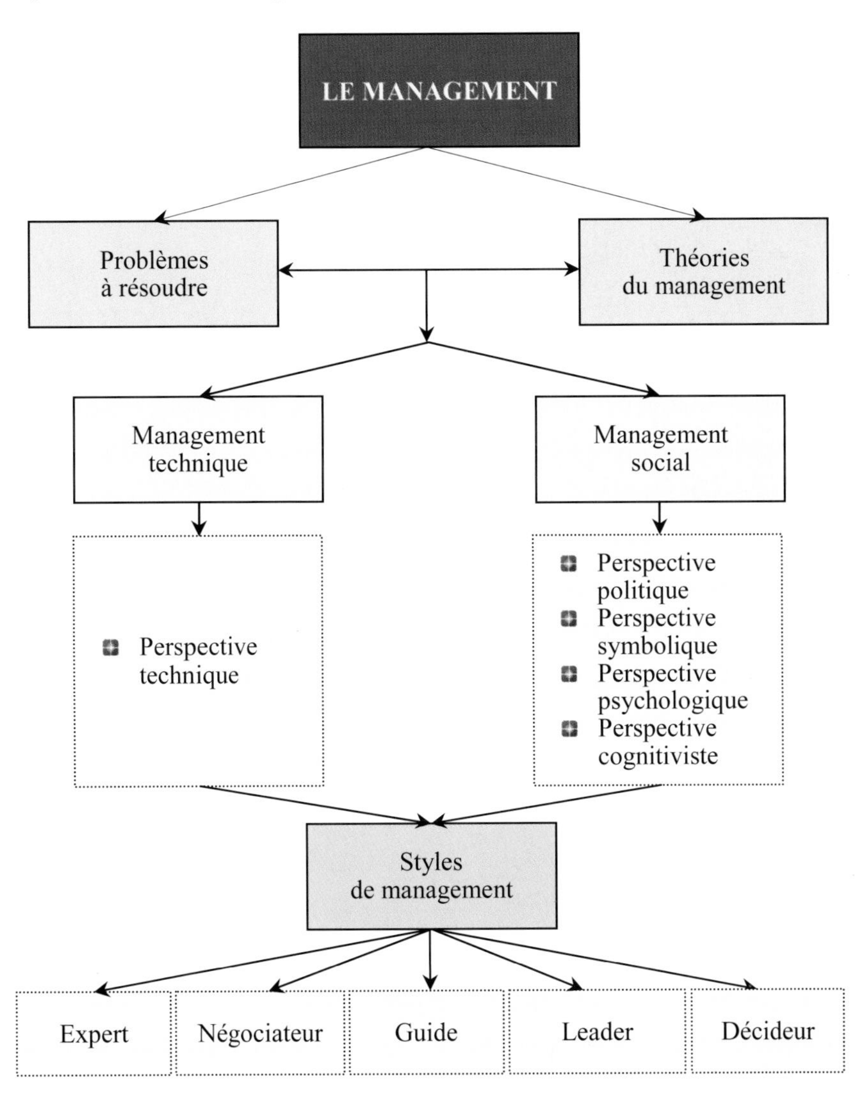

À l'aide d'un questionnaire, le chapitre 2 propose aux lecteurs de mettre au jour leur préférence pour l'un ou l'autre des styles contemporains de management.

Chapitre 1

THÉORIES DU MANAGEMENT

Le management est fondamentalement un art pratique qui oscille, selon la célèbre formule du philosophe Saint-Simon, entre «le gouvernement des hommes et l'administration des choses[1]». Historiquement, les gestionnaires ont relevé ce double défi en mobilisant un savoir tacite, fruit de l'expérience concrète et de relations de compagnonnage[2]. Ainsi, dans l'exercice de leur métier et en fonction de leur contexte toujours particulier, les gestionnaires construisaient un savoir pratique qu'ils utilisaient pour gouverner les humains et administrer les choses. Bien que largement tacite, intuitif et singulier, ce savoir pratique et traditionnel a fait ses preuves. Il a permis, bien avant les Temps présents et l'ère des grandes organisations complexes, de construire et de développer des organisations qui, sous plus d'un aspect, n'auraient rien eu à envier à celles d'aujourd'hui. Toutefois, depuis le début du XXe siècle, les gestionnaires ne s'en contentent plus. En effet, tout au long du XXe siècle, les théoriciens du management ont cherché à s'émanciper de l'emprise du management traditionnel et de son savoir pratique en traduisant les pratiques de management en connaissances formelles utilisables dans tous les contextes d'action. Au fil du siècle, cet effort de traduction a permis de constituer un ensemble de théories dont peuvent maintenant disposer tous les gestionnaires pour comprendre leurs pratiques et, surtout, pour en accroître l'efficacité. Bien sûr, rien ne les oblige à s'en remettre aux théories construites pour leur venir en aide. Ils peuvent continuer de mobiliser le savoir pratique qu'inévitablement ils construisent en pratiquant leur métier[3]. Mais, et sans pour autant nier l'utilité de leur savoir

---

[1] Pour un survol de l'œuvre de Saint-Simon, voir: Musso, P., *Saint-Simon et le saint-simonisme,* Paris: PUF (Que sais-je?), 1999.

[2] Sur la réalité de ce savoir tacite, voir: Hayek, F. A. *Droit, Législation et Liberté,* Paris: PUF, 1980. Voir également: Polanyi, M. *The Tacit Dimension.* New York: Double Day, 1966.

[3] Sur le caractère inévitable de la construction d'un savoir pratique, voir: Schön, D., *The Refexive Practicionner. How Professionals Think in Action.* New York: Basic Book, 1988; Argyris, C., *Knowledge for Action,* San Francisco: Jossey-Bass, 1993; Argyris, C., *Reasonning, Learning and Action,* San Francisco: Jossey-Bass, 1982.

tacite, ils peuvent aussi enrichir leurs pratiques concrètes d'un savoir plus formel, accessible à tous, indépendamment du contexte dans lequel ils se trouvent.

Après la rupture avec la tradition, l'histoire des théories du management emprunte deux directions opposées. Soit, imprégnées de la logique mécanique et formelle qui est au principe de l'administration des choses, elles ouvrent la voie à une ingénierie du social dans laquelle le souci de l'efficacité technique et économique l'emporte largement sur la reconnaissance des dimensions sociales et humaines de l'organisation. Soit, elles centrent l'attention sur ces dimensions et pavent alors le chemin conduisant à une gouverne humaine des organisations.

Ainsi, toute l'histoire des théories contemporaines du management peut s'interpréter comme une perpétuelle tension entre l'administration des choses et le gouvernement des humains, entre un management technique qui met l'accent sur le recours à des processus formels d'administration et un management social qui se fonde sur l'importance d'une compréhension et d'une prise en compte des dimensions sociales et humaines pour gouverner les organisations.

Au terme de la trajectoire historique du management, il est possible de se cantonner dans l'une ou l'autre des grandes formes contemporaines de management, tant ce qu'elles ont à offrir se présente sous les traits d'un ensemble cohérent et autosuffisant de consignes de gestion. Il est aussi possible de les combiner pour ainsi profiter de ce que chacune d'elles a de stimulant et de particulier à offrir. Enfin, il est également possible de tourner le dos aux deux formes de management contemporain pour ainsi en revenir à la forme historique de management qu'est le management traditionnel.

HISTOIRE DES THÉORIES CONTEMPORAINES DU MANAGEMENT

Animée par la tension entre le management technique et le management social, l'histoire contemporaine du management se découpe en quatre périodes de développements théoriques, à savoir les périodes de fondation, d'expansion, de reformulation et, enfin, de refondation. À chacune de ces périodes, nombre de théories, tant du côté du management technique que de celui du management social, furent constituées. De plus, comme le montre le tableau 1.1, les périodes de développements théoriques correspondent à l'émergence de différents stades de développement socio-économique qui, chacun, ont posé aux gestionnaires un défi administratif particulier à relever.

Tableau 1.1
Les périodes de développement
du management

PÉRIODES DE DÉVELOPPEMENT THÉORIQUE	STADES DE DÉVELOPPEMENT SOCIO-ÉCONOMIQUE	DÉFIS ADMINISTRATIFS
1900-1944 **FONDATION**	Industrialisation de masse	Production
1945-1975 **EXPANSION**	Société de consommation	Croissance
1976-1989 **REFORMULATION**	Turbulences économiques	Compétition
1990- **REFONDATION**	Société de l'information	Légitimation

Le croisement des périodes de développement théorique avec les stades socio-économiques, d'une part, et les défis administratifs à relever, d'autre part, marque le fait que le management est une pratique réflexive contextualisée. Ainsi, le management mobilise toujours du savoir, explicite ou non, pour résoudre les problèmes du moment. Au fil du XXe siècle, en fonction des différents contextes socio-économiques qui se sont présentés à lui, le management a eu à relever des défis particuliers et c'est précisément pour qu'ils le soient que les théories du management furent constituées. D'un certain point de vue, les théories du management sont donc des solutions réflexives conçues pour relever les défis pratiques posés par les différents contextes socio-économiques contemporains.

LA PÉRIODE DE FONDATION

Amorcée à la fin du XVIIIe siècle, l'industrialisation des sociétés s'accélère au XIXe siècle et, dès le début du XXe siècle, on assiste à l'émergence de très grandes organisations industrielles qui, peu à peu, foisonnent et parviennent à dominer tout le paysage économique. Pour faire face aux nombreux problèmes qu'implique la production de masse qui est au principe de la constitution des grandes organisations industrielles, les humains doivent inventer de nouvelles façons de faire là où, jusqu'alors, dominaient les logiques artisanales héritées du passé. C'est dans ce contexte de profonds bouleversements des traditions qu'émergent les théories du management.

D'entrée de jeu, les théories du management se présentent sous le double visage d'une technique formelle de l'action collective efficace et d'un management social qui cherche à comprendre la nature humaine et à y adapter les nouvelles techniques d'organisation du travail. Comme le montre le tableau 1.2, chacune de ces formes de management met en scène deux courants théoriques.

Tableau 1.2
Les théories de la période
de fondation du management

LA PÉRIODE DE FONDATION DU MANAGEMENT 1900-1944	
LE MANAGEMENT TECHNIQUE	**LE MANAGEMENT SOCIAL**
L'organisation scientifique du travail	Les relations humaines au travail
L'analyse des temps et des mouvements La standardisation du travail La logistique L'efficacité organisationnelle La chaîne de montage	Les relations informelles Les groupes de travail La communication La motivation au travail
L'administration générale et industrielle	La direction humaine des organisations
Les fonctions administratives Les processus administratifs Les principes de gestion	Les objectifs communs La coopération au travail Les systèmes de communication Le partage du pouvoir

Le management technique

Du côté du management technique, le problème de l'organisation et de la gestion de la production de masse est abordé sous l'angle d'une ingénierie du social avec la mise au point d'une technique d'organisation scientifique du travail conçue par des ingénieurs industriels et par la conception d'une doctrine d'administration générale et industrielle, doctrine qui, elle aussi, est le fruit d'un ingénieur industriel.

La technique d'organisation scientifique du travail sert de point de départ et d'assise fondatrice au management technique. Principalement développée et popularisée par l'ingénieur américain Frederick Winslow Taylor, cette technique visait à accroître la productivité des usines par la mise en œuvre d'une standardisation des méthodes de travail et par l'établissement d'un nouveau métier au sein des usines, à savoir celui de gestionnaire[4].

À partir d'une étude minutieuse des temps de travail, des mouvements des ouvriers et des compétences requises pour accomplir efficacement des tâches standardisées, Taylor identifiait la meilleure méthode de travail et concevait ce que devait être l'ouvrier idéal pour l'accomplir. C'était la naissance du *one best way*, celle d'une organisation systématique et productive d'un travail maintenant parcellisé en tâches simples à accomplir et à évaluer. Au regard de cette technique, le métier de gestionnaire prenait un tout autre sens que celui qu'il avait jusqu'alors. En effet, jadis confiné à un simple rôle de surveillant d'ouvriers qui avaient le plein contrôle de leur métier, le gestionnaire devenait l'organisateur des tâches des uns et des autres, un spécialiste du recrutement, de la formation et de la dotation du personnel et, enfin, un contrôleur qui s'assurait que les standards fixés pour l'atteinte d'un optimum de productivité soient respectés.

L'œuvre de Taylor fut rapidement suivie par nombre d'ingénieurs industriels, notamment par Gantt qui met au point des techniques qui facilitent la planification des opérations et la logistique organisationnelle[5], par Emerson qui attire l'attention des gestionnaires sur l'importance de toujours mettre l'accent sur la poursuite de l'efficacité organisationnelle par le recours à la standardisation du travail et à la formalisation des procédures administratives[6], par les Gilbreth qui raffinent la technique d'analyse des temps et des mouvements au travail[7] et, enfin, par Henry Ford qui, en inaugurant la première chaîne de montage de l'histoire, donne à l'organisation scientifique du travail son développement le plus spectaculaire.

Complémentaire à la technique d'organisation scientifique du travail, la doctrine d'administration générale et industrielle est mise au point par l'ingénieur français Henri Fayol[8]. Selon cet ingénieur, pour être efficaces

---

[4] Voir: Taylor, F.W., *Shop Management*, New York: Harper and Row, 1903 et Taylor, F.W., *The Principles of Scientific Management,* New York: Harper & Brothers, 1911. Voir aussi: Pouget, M., *Taylor et le taylorisme,* Paris: PUF (Que sais-je?), 1998.

[5] Voir: Gantt, H.L., *Organizing for Work,* New York: Harcourt, Brace Javanovitch, 1919.

[6] Voir: Emerson, H., *The Twelve Principles of Efficiency,* New York: Engineering Magazine Co., 1913.

[7] Voir: Gilbreth, F. B. et L.M. Gilbreth, *Applied Motion Study,* New York: Sturgis and Walton, 1917.

[8] Voir: Fayol, H., *Administration industrielle et générale,* Paris: Dunod, 1918.

les organisations devaient, d'abord, miser sur un ensemble de fonctions, soit: (1) *la fonction technique* qui regroupe les tâches qui, de nos jours, constituent la fonction de gestion des opérations et de la logistique, notamment la fabrication et la transformation des matières premières en produits; (2) *la fonction commerciale* qui réunit les tâches qui, de nos jours, constituent la fonction de marketing, notamment la vente; (3) la *fonction financière* qui regroupe les tâches de gestion financière, en particulier la recherche et la gestion des capitaux; (4) *la fonction de sécurité* qui comprend les tâches aujourd'hui réalisées, d'un côté, par la fonction de gestion des ressources humaines et de l'autre, par la fonction d'entretien des biens et des immeubles; (5) *la fonction comptable* qui regroupe les tâches comptables, entre autres, la confection des états financiers, la gestion des inventaires, les analyses quantitatives et les calculs de coût de revient et, enfin (6) *la fonction administrative* qui comprend les actions de prévoyance, d'organisation, de commandement, de coordination et de contrôle. Puis, toujours selon Fayol, les gestionnaires devaient porter une attention toute particulière à la fonction administrative qui, à la différence des autres fonctions, est de nature générale. C'est dire que tous les gestionnaires, quelle que soit leur fonction, devraient aussi accomplir la fonction administrative qui est maintenant connue sous l'acronyme PODC qui désigne les processus administratifs de planification, d'organisation, de direction et de contrôle. Enfin, la doctrine administrative repose sur un ensemble de principes de gestion que devrait mettre en œuvre le gestionnaire, soit: (1) miser sur la division du travail; (2) doubler l'autorité de responsabilités à assumer; (3) maintenir la discipline au travail; (4) rechercher l'unité de commandement; (5) s'assurer qu'il y ait une unité de direction; (6) rechercher la subordination des intérêts particuliers à l'intérêt général; (7) verser une rémunération juste et équitable; (8) miser sur la centralisation des pouvoirs; (9) respecter la hiérarchie; (10) promouvoir l'ordre en toute chose; (11) traiter le personnel avec justice et équité; (12) rechercher la stabilité du personnel; (13) inciter le personnel à faire preuve d'initiative et, enfin (14) toujours cultiver l'union du personnel.

Largement popularisée aux États-Unis par deux des dirigeants de la *General Motors*, Mooney et Reiley[9] et, en Grande-Bretagne, par le militaire de carrière Urwick[10], la doctrine administrative de Fayol sera doublée par une réflexion sur les structures d'entreprise lorsqu'un autre des dirigeants de la *General Motors,* Alfred Sloan[11], y mettra en place des logiques de décen-

---

[9] Voir: Mooney, J.D. et A.C. Reiley, *The Principles of Organization,* New York: Harper and Row, 1939.

[10] Voir: Urwick, L., *Scientific Principles of Organization,* New York: AMA, 1938.

[11] Ce n'est qu'en 1963 que Sloan relatera l'histoire de ses innovations administratives à la *General Motors.* Voir: Sloan, A.P. Jr., *My Years with General Motors,* New York: Doubleday, 1963.

tralisation des pouvoirs et un découpage entre les rôles hiérarchiques qui ont l'autorité des décisions et les rôles-conseils qui regroupent les postes d'analystes qui ont pour fonction de conseiller ceux et celles qui doivent ultimement prendre les décisions.

Dès sa naissance, le management technique prend donc la forme d'une ingénierie du social qui est à la fois pragmatique et rationaliste et qui s'emploie à construire des organisations très formelles où la technique domine la réflexion et l'action et vise un maximum d'efficacité.

Le management social

Du côté du management social, le problème que pose l'industrialisation massive de la sphère économique aux organisations est appréhendé de façon psychosociologique. D'une part, le travail y est vu comme étant un vecteur central autour duquel se tisse un réseau d'interactions fait de relations informelles autant que de rapports d'autorité formelle, de vie au sein de groupes informels d'appartenance autant que de travail au sein d'unités administratives, d'expressions de sentiments autant que de transmissions d'informations et, enfin, de motivation au travail fondée sur la reconnaissance et le respect plutôt que sur la seule rémunération financière. D'autre part, la direction générale y est pensée en termes d'objectifs communs à réaliser, de relations de coopération, de systèmes ouverts de communication et de partage du pouvoir. Ainsi, dès la période de fondation, le management social se construit en opposition au management technique et s'emploie à montrer ses limites, tout en mettant de l'avant la nécessité d'embrasser du regard les dimensions sociales et humaines de la vie en organisation pour atteindre une gestion vraiment efficace.

Historiquement, le management social émerge d'une expérience réalisée entre 1927 et 1932 dans une des usines de la *Western Electric Company,* la *Hawthorne Works,* située en banlieue de Chicago. Dirigée par les universitaires Elton Mayo et Fritz Roethlisberger et par un praticien William Dickson, cette expérience est rapidement devenue célèbre et a ouvert le chemin à ce qu'il est maintenant convenu d'appeler l'*École des relations humaines*[12].

Au départ, l'expérience visait, par l'introduction de nouvelles conditions de travail, tels des pauses, de meilleurs horaires de travail, l'instauration du droit de discuter librement sur les lieux de travail, l'amélioration de la qua-

[12] Voir: Mayo, E., *The Human Problems of an Industrial Civilization,* New York: Macmillan, 1933; Mayo, E., *The Social Problems of an Industrial Civilization*. Cambridge: Harvard University Press, 1945; Roethlisberger, F.J. et W.J. Dickson, *Management and the Worker*, Cambridge, Mass.: Harvard University Press, 1939.

lité de l'éclairage et autres aménagements de travail, à accroître la productivité des ouvriers et à réduire les effets néfastes de l'organisation scientifique du travail, notamment le désintéressement des ouvriers, l'absentéisme et le roulement du personnel.

Concrètement, l'équipe de recherche a conduit des entrevues auprès des 2000 employés de l'usine, dans le but de mettre au jour ce que les ouvriers pensaient de leur travail et des moyens à mettre en œuvre pour le rendre plus agréable et, conséquemment, plus productif. En outre, l'équipe a conçu une expérimentation qui mettait en présence, d'une part, un groupe d'ouvriers sur lequel était testé diverses conditions de travail et, d'autre part, un groupe témoin pour lequel il n'y avait aucune modification des conditions de travail.

L'un des tests réalisés auprès des ouvriers consistait à améliorer l'éclairage dans l'environnement de travail du groupe test tout en le maintenant intact pour le groupe témoin. À la surprise des chercheurs, autant le groupe test que le groupe témoin s'avéraient plus productifs. De plus, lors de ce test et de bien d'autres encore, dans le groupe test, les gains de productivité étaient au rendez-vous même lorsque les chercheurs supprimaient les nouvelles conditions de travail pour en revenir aux conditions de départ et, même, à des conditions inférieures à la situation d'origine. Enfin, l'équipe de recherche constata que, d'une équipe de travail à l'autre, la productivité pouvait être très variable et que, au sein d'une même équipe, elle restait stable et avait parfois tendance à s'établir au niveau de l'ouvrier le moins productif de l'équipe et, cela, même dans les cas où il y avait des incitatifs financiers visant à accroître la productivité des ouvriers.

Pour expliquer les résultats paradoxaux de leur recherche, l'équipe de chercheurs a alors formulé des hypothèses qui, par la suite, sont devenues les assises mêmes du management social. D'abord, les ouvriers seraient plus productifs lorsque la direction s'occupe d'eux et écoute leur point de vue. C'est dire toute l'importance des relations humaines et de la communication au travail comme facteurs de motivation et de productivité. Puis, à l'évidence, la rémunération financière et les conditions matérielles et objectives de travail ne représenteraient pas le principal facteur de motivation au travail. En fait, les ouvriers seraient tout particulièrement à la recherche de considération au travail et d'estime de soi. Enfin, au sein des groupes de travail, les ouvriers se donneraient des normes informelles de productivité que tous devraient suivre sous peine d'exclusion du groupe.

Au regard de leurs découvertes à l'usine Hawthorne, les chercheurs en sont aussi venus à concevoir le rôle de gestionnaire en termes de leadership plutôt qu'en termes d'expert qui détient une autorité formelle sur ses subordonnés. Selon cette conception, le leader devrait être à l'écoute de son personnel et, ce faisant, il deviendra bien davantage un fin psychologue sensible aux sentiments et aux préoccupations de son personnel qu'un expert qui sait manier des techniques d'organisation du travail.

L'apport de l'école des relations humaines se présente donc sous la forme d'une critique des fondements du management technique. À l'opposé de ce dernier, le management des relations humaines met de l'avant la nécessité de prendre en compte la réalité profondément sociale et humaine des organisations. Dès lors, le défi de la productivité au travail ne pourrait se réduire à une logique formelle de l'efficacité technicienne. C'est qu'il y aurait de l'humain et du social dans la machine productiviste. En effet, tout au côté de l'univers formalisé que s'emploient à construire les ingénieurs du management technique, se profilerait un tout autre monde, celui de l'informel fondé sur une logique des sentiments, logique qui marquerait le désir des humains de se regrouper, de communiquer librement, de se réaliser collectivement autant qu'individuellement et d'être reconnu pour autre chose que de simples facteurs de production, en particulier pour des êtres humains riches et complexes.

Le chemin de l'école des relations humaines sera celui qu'emprunteront les théoriciens du second courant théorique, notamment Chester Barnard et Mary Parker Follett, qui feront de la prise en compte de la richesse des humains le vecteur autour duquel se déploie une direction humaine des organisations. Pour sa part, Mary Parker Follett voit les organisations comme un tissu de processus sociaux, processus qui témoigneraient du fait que les humains aiment se regrouper pour mieux affirmer leur pouvoir collectif, le partager, communiquer, créer et se réaliser[13]. Toutefois, pour que ces processus prennent corps et se combinent au sein d'organisations qui ne seraient pas confinées dans l'ombre des hiérarchies formelles, mais qui, au contraire, se vivraient au grand jour et cohabiteraient en toute harmonie avec les nécessités des rouages économiques et techniques, encore faudrait-il que les gestionnaires les reconnaissent et construisent sur eux une véritable philosophie de gestion. C'est ce que fera un dirigeant de l'*American Telephone and Telegraph,* Chester Barnard, qui, en 1938, proposa que le management se donne un code d'éthique, mise sur la communication ouverte et franche, recherche sans cesse l'équilibre entre les intérêts économiques de l'organisation et les valeurs de ses membres et reconnaisse qu'il ne peut y avoir de développement harmonieux des organisa-

---

[13] Voir: Follett, M.P., *Creative Experience*, Londres: Longmans, Green and Co, 1924.

tions sans une collaboration qui ne nie pas les valeurs des uns et les intérêts des autres[14].

La dualité du management

Au terme de la première période de développement, il ressort que les théories du management social s'opposent terme à terme à celles du management technique. Ainsi, là où le management technique conçoit une organisation scientifique du travail qui soit susceptible de générer d'importants gains de productivité, le management social met au jour les insuffisances tant pratiques que théoriques de cette conception purement mécaniste du travail en dévoilant le caractère profondément social et humain des liens qui se tissent autour du travail. De plus, alors que les théoriciens du management technique construisent une véritable grammaire formelle de l'action efficace, grammaire qui s'articule autour des verbes planifier, organiser, diriger et contrôler, le management social insiste plutôt sur la nécessité de penser la direction des organisations en termes de relations humaines et de leadership. C'est sur cette franche opposition que s'inaugure la seconde période de développement théorique.

LA PÉRIODE D'EXPANSION

Au lendemain de la Seconde Guerre mondiale, alors que le défi de la production a été largement relevé et cède maintenant sa place à celui d'une croissance économique qui s'échelonnera sur une longue période de trente ans, que l'économiste français Jean Fourastié qualifiera de «trente glorieuses»[15], la dualité du management est toujours à l'ordre du jour. C'est ainsi que le management social s'oppose encore et toujours au management technique et que la tension entre une logique du gouvernement des humains et celle d'une administration des choses persiste.

Tout en construisant de nouvelles théories à partir des fondations érigées lors de la première période, les deux formes de management de la période d'expansion poussent encore plus loin les réflexions théoriques sur les techniques de management et sur les dimensions sociales et humaines des organisations. Toutefois, elles se démarquent des théories précédentes, notamment par l'accent mis sur l'organisation plutôt que sur les seules pratiques de gestion et d'organisation du travail. Comme en témoigne le tableau 1.3, ce changement d'objet d'étude caractérise tout particulièrement

---

[14] Voir: Barnard, C.I., *The Functions of the Executive,* Cambridge, Mass: Harvard University Press, 1938.

[15] Voir: Fourastier, J. *Les Trente Glorieuses, ou la révolution invisible de 1946 à 1975*, Paris: Fayard, 1979.

les développements théoriques du management social. Pour sa part et sans pour autant l'occulter, le management technique porte encore très largement son regard sur les pratiques de gestion.

Tableau 1.3
Les théories de la période
d'expansion du management

LA PÉRIODE D'EXPANSION DU MANAGEMENT 1945-1975	
LE MANAGEMENT TECHNIQUE	**LE MANAGEMENT SOCIAL**
La direction générale des organisations	La psychosociologie du travail administratif
L'institution administrative Les rôles des dirigeants La direction par objectifs La stratégie et la structure L'organisation humaine	La décision administrative L'environnement psychosociologique des organisations Les rôles de gestion
La planification stratégique	La psychologie du comportement organisationnel
La formulation des stratégies L'allocation des ressources Le contrôle stratégique	La motivation La personnalité Le leadership La démocratie organisationnelle
Le design organisationnel	La sociologie du travail et de l'organisation
Les structures L'adaptation à l'environnement	Les jeux de pouvoir Les valeurs au sein des groupes La bureaucratie L'aliénation au travail La contingence
Le développement organisationnel	La psychanalyse et les organisations
Le changement planifié L'analyse socio-technique Les groupes de travail La résolution de conflits La qualité de vie au travail	L'inconscient L'intériorité et la direction L'intériorité et l'organisation

Il ressort également de ce tableau que, du côté du management social, de nouvelles perspectives d'étude voient le jour, à savoir la psychosociologie du travail administratif, la psychologie du comportement organisationnel, la sociologie du travail et des organisations et la psychanalyse appliquée aux organisations. Du côté du management technique, alors que les théories de la première période sont développées plus finement, il est surtout à noter que les théoriciens ne furent pas insensibles aux critiques formulées lors de la période de fondation. En effet, certaines problématiques propres au management social sont maintenant incorporées au management technique, notamment dans les théories du développement organisationnel qui transforment nombre des enseignements de l'école des relations humaines en véritables techniques de direction humaine des personnes. Ainsi, bien que le clivage entre les deux formes de management persiste et serve toujours de moteur au développement théorique, par cette «humanisation» du management technique, il tend à s'amenuiser.

Le management technique

Si Frederick Winslow Taylor et Henri Fayol ont nettement dominé l'imaginaire théorique de la période de fondation du management technique, c'est maintenant au tour de Peter F. Drucker de marquer de son empreinte le destin du management technique[16]. En effet, au cours de cette période d'expansion des idées fondatrices du management technique, aucun autre théoricien n'a si clairement dominé et influencé l'imaginaire théorique. D'ailleurs, sa contribution est à ce point étincelante et influente qu'elle vaudra à Drucker le titre de «pape du management». En fait, Drucker reprend là où s'étaient arrêtés les fondateurs en intégrant au management technique certaines des idées du management social et en proposant également nombre d'idées novatrices. L'une de ces dernières, consiste à voir le dirigeant comme un actif intangible de grande valeur, voire même comme étant le facteur décisif du succès économique des organisations[17].

---

[16] Au cours de sa carrière, Peter Drucker a publié près de 40 livres et des centaines d'articles, dont plusieurs dans la prestigieuse revue américaine *Harvard Business Review.* Ses principaux ouvrages sont: Drucker, P. F., *The Concept of the Corporation,* New York: Harper & Row, 1946; Drucker, P. F., *La pratique de la direction des entreprises.* Paris: Les Éditions d'organisation, 1957, [*The Practice of Management,* New York: Harper & Row, 1954]; Drucker, P. F., *The Effective Executive,* Londres: Heinemann, 1967; Drucker, P. F., *Management: Task, Responsibilities, Practices,* New York: Harper & Row, 1974.

[17] Il est à noter que les recherches de Berle et Means avaient montré, dès les années 1930, que les gestionnaires prenaient de plus en plus de place au détriment des actionnaires et des entrepreneurs qui, jusqu'alors, avaient totalement dominé le jeu économique. Voir: Berle A.A. et G.C. Means, *The Modern Corporation and Private Property,* New York: Harcourt Brace Josanovitch, 1933. Voir aussi le classique de Galbraith qui a fait du pouvoir des gestionnaires la caractéristique centrale du jeu économique d'après-guerre: Galbraith, J.K., *The New Industrial State,* Londres: Hamish Hamilton, 1967. Voir, enfin, les travaux de l'historien Chandler qui prend acte de ce pouvoir en opposant la main visible des gestionnaires à la classique main invisible smithienne, Chandler, A., *The Visible Hand,* Cambridge: Mass.: Harvard University Press, 1977.

Selon Drucker, le travail des dirigeants comprend une très grande diversité de rôles dont certains prolongent ceux définis à la précédente période alors que d'autres sont inédits. Premièrement, les dirigeants devraient définir clairement les objectifs qui guident l'action des membres de l'organisation. Ces objectifs devraient couvrir les huit domaines clés de l'organisation que sont la situation sur le marché, l'innovation, la productivité, les ressources financières et matérielles, la rentabilité, l'autorité et les responsabilités des gestionnaires, le travail et le comportement du personnel et la responsabilité sociale de l'organisation. Ces objectifs devraient aussi être déclinés en termes de travail à accomplir et, ainsi, servir de base à une direction par objectifs qui responsabilise tous les membres de l'organisation. Deuxièmement, les dirigeants devraient définir la mission de l'organisation en prenant en considération que les clients recherchent toujours une valeur ajoutée que l'organisation devrait impérativement leur offrir. Cette mission devrait guider les choix stratégiques de l'organisation. Par la suite, lorsque les dirigeants ont formulé la stratégie de l'organisation, il conviendrait d'y adapter la structure. De plus, la stratégie organisationnelle devrait témoigner de la vision et de l'audace des dirigeants et éviter le piège qui consiste à reproduire sans fin les succès passés. En ce qui concerne la structure, non seulement devrait-elle être conséquente des choix stratégiques, elle devrait également ne comporter que peu de paliers hiérarchiques de façon à ce que la communication organisationnelle soit véritablement efficace et humaine. Troisièmement, les dirigeants devraient organiser le travail en ne perdant jamais de vue que le personnel n'est pas une dépense à inscrire à l'état des résultats, mais bien un actif qui, par son savoir, peut faire la différence entre le succès et l'échec de l'organisation. De plus, il serait de la responsabilité des dirigeants de bien former le personnel, notamment en assumant pleinement un rôle de mentor. Quatrièmement, de façon à ce que l'organisation puisse avoir une unité d'ensemble et qu'elle devienne une véritable communauté dotée d'une culture propre, il serait du devoir des dirigeants de bien communiquer avec le personnel et d'être attentif à tout ce qui peut le motiver. La direction devrait aussi établir un lien de confiance avec le personnel et encourager une participation franche et ouverte. Cinquièmement, les dirigeants devraient mettre en place des systèmes de mesure du rendement en lien avec les objectifs à atteindre. Ces mesures de rendement ne devraient cependant pas se limiter à l'ordre des quantités, car nombre de clients privilégient la qualité. Sixièmement, il serait de la responsabilité des dirigeants de créer une organisation qui soit non seulement techniquement et économiquement rentable, mais qui soit également humaine. Enfin, puisque les organisations sont des institutions centrales dans le monde contemporain, les dirigeants devraient assumer des responsabilités sociales importantes.

Si les idées de Drucker cernent bien les rôles que doivent assumer les dirigeants et combinent, d'une certaine façon, les deux formes de management de la période précédente, il reste que, pour pleinement profiter de la croissance économique, les dirigeants devraient aussi apprendre à détourner leur attention de la seule organisation pour ainsi mieux embrasser du regard l'environnement économique qui se fait de plus en plus complexe et varié. Pour que les organisations puissent s'y adapter, les théoriciens de la période soutiennent que les dirigeants devraient mettre l'accent sur la planification stratégique[18]. Cette planification devrait être conçue de telle façon qu'elle permette à l'organisation de miser sur ses forces et de tirer avantage des occasions qu'offre l'environnement[19]. De plus, les théoriciens soulignent l'importance de prolonger la planification stratégique au niveau des opérations par une planification de l'allocation des ressources[20]. Enfin, les gestionnaires devraient mettre en œuvre un contrôle stratégique qui informe sur le degré d'atteinte des cibles anticipées[21].

Par ailleurs, si, comme l'affirme Drucker, la réflexion sur les structures organisationnelles doit suivre celle sur les orientations stratégiques[22], c'est sans surprise qu'après avoir défriché le territoire stratégique, les théoriciens du management technique s'attellent au design des structures organisationnelles[23]. Ainsi, selon eux, dès que la planification stratégique a fixé dans un plan d'action les grandes orientations générales à réaliser, il s'agirait de passer à l'étape suivante, à savoir le design organisationnel. À cette étape, les gestionnaires devraient adapter la structure de leur organisation aux exigences qui découlent du plan stratégique. Les gestionnaires y parviendraient en concevant divers mécanismes de coordination, en constituant des unités administratives cohérentes et conséquentes des pressions de l'environnement d'affaires, en mettant en œuvre des systèmes de rémunération adéquats et en s'assurant que la hiérarchie puisse compter sur un nombre suffisant de rôles de décision et de conseillers pour assurer l'unité et la performance du corps social de l'organisation. Cette unité du corps social fait, d'ailleurs, l'objet d'une réflexion particulière en termes de développement organisationnel. Ainsi, selon les théoriciens de ce dernier courant du management technique de la période, à l'étape du développement orga-

---

[18] Voir: Ansoff, H. I., *Corporate Strategy,* New York: McGraw-Hill, 1965.
[19] Voir: Andrews, K. R., *The Concept of Corporate Strategy*, Homewood, Ill.: Irvin, 1971.
[20] Voir: Bower, J. L., *Managing the Resource Allocation Process: A Study of Planning and Investment,* Cambridge, Mass.: Graduate School of Business Administration, Harvard University, 1970.
[21] Voir: Anthony, R. N., *Planning and Control System: a Framework for Analysis,* Cambridge, Mass.: Graduate School of Business Administration, Harvard University, 1965.
[22] Voir aussi: Chandler, A., *Strategy and Structure,* Mass.: Harvard University Press, 1962.
[23] Voir notamment: Galbraith, J. R., *Organization Design,* Reading Mass.: Addison-Wesley, 1977; Dalton, G. E., Lawrence P. R. et J.W. Lorsch, *Organizational Structure and Design,* Homewood, Ill.: The Dorsey Press, 1970; Lawrence P.R. et J.W. Lorsch, *Organization and Environment,* Cambridge, Mass.: Graduate School of Business Administration, Harvard University, 1967.

nisationnel, les gestionnaires devraient s'assurer que les relations humaines au sein des groupes de travail soient harmonieuses[24], qu'il y ait un arrimage entre les jeux sociaux des membres de l'organisation et les aménagements techniques de travail[25], que l'organisation soit un lieu qui offre une qualité de vie[26], que soit mis en œuvre des processus rationnels de gestion des conflits[27] et, surtout, que le développement de l'organisation soit véritablement planifié[28].

Le management social

Devant le raffinement du management technique, le management social n'est pas en reste et c'est en prenant appui sur un grand nombre de disciplines des sciences du social et de l'humain, que les théoriciens de la période s'emploient à montrer les limites du management technique et à esquisser de nouvelles solutions administratives qui, toutes, logent l'humain aux premiers rangs de la réflexion et de l'action.

C'est d'abord l'étude empirique du comportement administratif qui inaugure la seconde période du management social. Prenant appui sur la psychosociologie naissante, Herbert A. Simon[29], dont la contribution va ouvrir le chemin au développement de la cognition organisationnelle et lui valoir un prix Nobel d'économie, montre que, loin d'accomplir mécaniquement des processus techniques de management, les gestionnaires seraient plutôt, d'abord et avant tout, des décideurs ayant une rationalité limitée qui concevraient des arrangements psychosociologiques susceptibles de faire en sorte que l'organisation deviennent un vaste système de traitement d'informations. Pour que ce traitement soit le plus efficace possible et étant donné que tous les humains ont une capacité limitée de traitement d'informations, les gestionnaires construiraient des environnements de travail dans lesquels des facteurs d'ordre psychosociologique, tels l'influence, la loyauté, la communication, l'autorité, les systèmes de rémunération et les valeurs tiendraient une place centrale. En fait, selon Simon, ces facteurs psychosocio-

---

[24] Voir: Argiris, C., «T-Group for Organizational Effectiveness», *Harvard Business Review,* Mars-Avril, 1964; Beckhard, R.E., *Organizational Development: Strategies and Models,* Reading, Mass.: Addison-Wesley, 1969; Schein, E.H., *Process Consultation: its Role in Organizational Development,* Reading, Mass.: Addison-Wesley, 1969.

[25] Voir: Trist, E.L. et K.W., Bamforth, «Some Social and Psychological Consequences of the Longwall Method of Coal Getting», *Human Relations,* vol 4: 3-338, 1951.

[26] Voir: Davis, L.E. et A.B. Cherns (eds.), *The Quality of Working Life,* New York: The Free Press, 1975.

[27] Voir: Walton, R.E., *Interpersonal Peacemaking: Confrontation and Third Party Consultation,* Reading, Mass.: Addison-Wesley, 1969.

[28] Voir: Bennis, W.G., *Changing Organizations,* New York: McGraw-Hill, 1966; Bennis, W.G., *Organization Development: its Origins and Prospects,* Reading, Mass.: Addison-Wesley, 1969.

[29] Voir: Simon, H.A., *Administrative Behavior,* New York: The Free Press, 1947. Voir aussi: March, J.G et H.A. Simon, *Organizations,* New York: Wiley, 1958.

logiques permettraient de simplifier et d'orienter le traitement de l'information et pourraient accroître la qualité des décisions administratives.

Dans la foulée des travaux de Simon, Henry Mintzberg montrera, à la fin de la période, que si la finalité de l'action administrative est bel et bien la prise de décision, cette finalité se réaliserait par l'exercice concret et quotidien de rôles de gestion[30]. Ainsi, selon lui, plutôt que d'accomplir des processus formels de planification, d'organisation, de direction et de contrôle, les dirigeants réaliseraient quotidiennement des rôles interpersonnels, informationnels et décisionnels[31]. De plus, ces rôles comporteraient un flot continu d'activités quotidiennes brèves, variées et fragmentées. Enfin, les dirigeants auraient tendance à privilégier la communication orale à l'écrit, les relations informelles à celles formelles et l'action à l'analyse.

Par ailleurs, prenant le relais du management des relations humaines, la psychologie du comportement organisationnel formulera, elle aussi, des critiques au management technique. Ainsi, selon les théoriciens de ce second courant, le management devrait loger au centre de la réflexion et de l'action, la motivation, en prenant en compte les besoins humains[32], la personnalité et l'énergie psychologique dont tous les humains sont pourvus[33] et les facteurs susceptibles de transformer le travail en véritable objet de motivation[34]. Les gestionnaires devraient aussi faire preuve de leadership en reconnaissant que les humains veulent se dévouer et se dépasser sur les lieux de travail[35], qu'ils sont à la recherche de relations démocratiques[36] et qu'il n'existe pas une telle chose qu'un leadership universel qui pourrait garantir, dans toutes les situations, des relations de travail harmonieuses et productives[37].

S'inscrivant également dans la foulée de l'école des relations humaines, la sociologie du travail et des organisations est, elle aussi, très critique des théories du management technique. Pour ce courant théorique, loin de se

---

[30] Voir: Mintzberg, H., *The Nature of Managerial Work,* New York: Harper and Row, 1973. Voir également la théorie des rôles de gestion sur laquelle Mintzberg prend appui pour construire sa théorie: Katz, D. et R.L. Kahn, *The Social Psychology of Organizations,* New York: Wiley and Sons, 1966.

[31] Les dix rôles identifiés par Mintzberg sont les rôles interpersonnels de symbole, de leader et d'agent de liaison; les rôles informationnels d'observateur actif, de diffuseur et de porte-parole et, enfin, les rôles décisionnels d'entrepreneur, de régulateur, de répartiteur de ressources et de négociateur.

[32] Voir: Maslow, A.H., *Motivation and Personality,* New York: Harper and Row, 1954.

[33] Voir: Argyris, C., *Personality and Organization,* New York: Harper & Row, 1957

[34] Voir: Herzberg, F., *Work and the Nature of Man,* Cleveland: World publ., 1960.

[35] Voir: McGregor, D., *The Human Side of Enterprise,* New York: McGraw-Hill, 1960.

[36] Voir: Likert, R. *New Patterns of Management,* New York: McGraw-Hill, 1961; Likert, R., *The Human Organization: Its Management and Value,* New York: McGraw-Hill, 1967.

[37] Voir: Blake, R.R. et J.S. Mouton, *The Managerial Grid,* Houston: Gulf publ., 1964.

réduire à des hiérarchies formelles qu'animeraient des processus administratifs formels, les organisations seraient des espaces éminemment sociaux dans lesquels on retrouverait, notamment, des jeux de pouvoir[38], des valeurs partagées[39] et des rapports de domination[40]. De plus, sous la loupe des sociologues de l'organisation, le management technique serait, entre autres, la cause de l'aliénation au travail[41], de dysfonctionnements administratifs[42] et de la bureaucratisation des organisations[43], bureaucratisation qui empêcherait les organisations de s'adapter aux exigences changeantes de l'environnement[44].

Finalement, le dernier courant théorique du management social de cette période attire l'attention sur le fait que les dirigeants seraient, comme tous les humains, largement dominés par des forces inconscientes et que leur monde intérieur imprègnerait tout à la fois leurs pratiques et les organisations qu'ils dirigent[45]. Les dirigeants ne seraient donc pas aussi rationnels que ce que soutiennent les théoriciens du management technique.

La dualité du management

Au terme de la seconde période de développement, il apparaît que si le management social s'oppose toujours au management technique, ce dernier semble de plus en plus se nourrir des critiques formulées à son endroit. En effet, au cours de la période, nombre de critiques qui lui furent adressées par les théoriciens du management social de la première période sont intégrées au management technique qui, du coup, tend à se donner un visage nettement plus humain. Comme nous allons maintenant le voir, cette tendance va clairement s'accélérer au cours de la troisième période de développement théorique.

---

[38] Voir: Cyert, R.M. et J.G. March, *A Behavioral Theory of the Firm,* Englewood Cliffs, New Jersey: Prentice Hall, 1963.
[39] Voir: Dalton, M. *Men Who Manage,* New York: John Wiley, 1959.
[40] Voir: Miliband, R., *The State in Capitalist Society,* Londres: Quartet, 1973.
[41] Voir: Braverman, H., *Labor and Monopoly Capital,* New York: Monthly Review Press, 1974.
[42] Voir: Blau, P.M., *Bureaucracy in Modern Society,* New York: Random House, 1956.
[43] Voir: Crozier, M., *Le phénomène bureaucratique,* Paris: Seuil, 1963.
[44] Voir: Burns, T. et G.M. Stalker, *The Management of Innovation,* Londres: Tavistock, 1961.
[45] Voir: Zaleznik, A., *Human Dilemmas of Leadership,* New York: Harper and Row, 1966; Zaleznik, A. et M.F.R. Kets de Vries, *Power and the Corporate Mind,* Boston: Houghton Mifflin, 1975.

LA PÉRIODE DE REFORMULATION

Après plus de trente de gestion de la croissance, la question du management pouvait apparaître comme étant définitivement réglée. La recette était maintenant connue, acceptée par les praticiens et largement diffusée dans des manuels pédagogiques qui la codifiaient et la déclinaient en techniques formelles et humaines de gestion des organisations complexes[46].

Pour construire des organisations qui soient tout à la fois efficaces et humaines, les gestionnaires devaient miser autant sur la raison technicienne que sur le tissu social et psychologique de leur collectif. Ils pouvaient mobiliser les techniques des deux premières périodes de développement et ils pouvaient aussi tendre l'oreille aux discours des théoriciens du management social qui les enjoignaient à humaniser leurs pratiques.

Tout allait donc pour le mieux dans le meilleur des mondes. Ne restait donc qu'à réaliser le toujours précaire et délicat équilibre entre les deux formes de management. C'était sans compter la turbulence économique, particulièrement la récession des années 1970, les crises du pétrole et la montée en puissance des économies du Japon et de l'Allemagne. Du coup, la recette qui semblait achevée ne l'était plus. Elle a donc été remise au fourneau.

Du côté du management technique, l'organisation cessa alors de n'être qu'une réalité psychosociale à planifier stratégiquement et à développer humainement, pour devenir un espace assiégé qui n'a d'autre choix, pour survivre, que d'adopter des stratégies compétitives, de miser sur la qualité de sa production, de se définir une identité propre et gagnante et d'en revenir à la pleine maîtrise d'habiletés de base. Du côté du management social, le travail des précédentes périodes se poursuit et de nouvelles dimensions des organisations sont mises au jour, notamment la cognition organisationnelle et l'économie des organisations.

Par ailleurs, après le travail et sa gestion, lors de la première période, l'organisation, lors de la seconde, c'est maintenant, comme on peut le constater au tableau 1.4, au tour de l'environnement d'affaires des organisations d'occuper le devant de la scène, et de susciter de nombreuses réflexions théoriques.

---

[46] Parmi les principaux manuels pédagogiques qui prétendaient offrir une synthèse achevée du management, voir notamment: Laurin, P., (dir.), *Le management. Textes et cas,* Montréal: McGraw-Hill, 1973; Koontz, H. et C. O'Donnell, *Management. Principes et méthodes de gestion.* Paris: McGraw-Hill, 1980 [*Essentials of Management*, New York, McGraw-Hill, 1978].

Tableau 1.4
Les théories de la période
de reformulation du management

LA PÉRIODE DE REFORMULATION DU MANAGEMENT 1976-1989	
LE MANAGEMENT TECHNIQUE	**LE MANAGEMENT SOCIAL**
Le management stratégique	La sociologie des organisations et de leur environnement
◘ Le leadership stratégique ◘ L'environnement stratégique ◘ Les ressources stratégiques ◘ Les activités stratégiques	◘ L'écologie des organisations ◘ L'institutionnalisation des organisations ◘ L'ancrage culturel du management
Le management de la qualité totale	L'analyse politique des organisations
◘ Le processus de gestion ◘ Les principes de gestion ◘ L'amélioration continue	◘ Les parties prenantes ◘ Le pouvoir et les configurations structurelles
Le management des cultures organisationnelles	La cognition du travail administratif et des organisations
◘ La gestion à la japonaise ◘ Les cultures performantes	◘ Les biais cognitifs ◘ La cognition organisationnelle ◘ L'apprentissage organisationnel
Les habiletés de management	L'économie des organisations
◘ Le changement ◘ La négociation ◘ Le sens commun	◘ Les coûts d'agence ◘ Les coûts de transaction

Le management technique

D'entrée de jeu, le management technique prend acte de la nouvelle donne économique. Selon les théoriciens de la période, notamment Michael E. Porter, il ne s'agit plus, pour les dirigeants, de planifier stratégiquement la croissance de leur organisation, mais bien de développer un véritable management stratégique[47]. La compétition atteignant maintenant des niveaux d'intensité inédits, les organisations ne pourraient donc plus se contenter d'anticiper rationnellement leur avenir. Elles devraient plutôt s'engager dans un jeu stratégique dont l'enjeu est leur survie même. Du coup, la pensée stratégique devient, en quelque sorte, une obsession de chaque instant[48] et certains théoriciens de la période vont jusqu'à soutenir qu'elle devrait concourir à la formation d'un méta-management dont la mission serait de gouverner l'ensemble des pratiques de management[49]. D'ailleurs, sous l'impulsion des théoriciens de la période, la pensée stratégique dévore tout sur son passage et transforme tout en objet stratégique. Ainsi, le leadership des dirigeants est vu comme étant une des sources de l'avantage concurrentiel dont doivent maintenant se doter les organisations[50]. L'environnement est représenté comme un espace de rivalités stratégiques entre des concurrents, rivalités attisées par des forces dynamiques, tels les jeux stratégiques des fournisseurs, des clients, des concurrents potentiels et des gouvernements[51]. Les ressources, particulièrement celles qui sont intangibles et difficilement imitables, comme peut l'être, par exemple, la culture d'une organisation, deviennent, elles aussi, une autre source potentielle d'avantage concurrentiel[52]. Enfin, les activités font l'objet d'une réflexion particulière lorsqu'elles sont représentées sous la forme d'une chaîne de valeur qui permet de distinguer les activités qui sont créatrices de valeur de celles qui ne le sont pas[53]. Alors que les premières devraient être entretenues et développées, car elles pourraient être la source d'un avantage concurrentiel, les secondes devraient plutôt être soit éliminées, soit imparties à des sous-traitants.

Par ailleurs, pour se tailler une place enviable dans l'environnement d'affaires de la période, les organisations devraient non seulement user de stratégies et de tactiques à saveur militaire, mais, aux dires des théoriciens de la qualité totale, ils devraient aussi tirer les leçons de l'expérience japonaise et se mettre à réfléchir en termes de qualité totale et, surtout, mettre

[47] De tous les théoriciens du management stratégique, c'est Michael E. Porter qui, au cours de la période, a exercé la plus grande influence.

[48] Voir: Noël, A., «Strategic Cores and Magnificent Obsessions. Discovering Strategy Formation Through Daily Activities of CEOs», *Strategic Management Journal,* vol. 10: 30-49, 1989.

[49] Voir: Hafsi, T., «Du Management au Méta-management: les subtilités du concept de stratégie», *Gestion*, Vol. 10, no 1, février 1985.

[50] Voir: Kotter, J. *The Leadership Factor.* The Free Press, 1988.

[51] Voir notamment: Porter, M.E., *Competitive Strategy: Techniques for Analysing Industries and Competitors,* New York: The Free Press, 1980.

[52] Voir notamment: Barney, J. B. «Organizational Culture. Can it be a Source of Sustained Competitive Advantage?», *Academy of Management Review,* Vol. 11, No. 3: 656-665, 1986.

[53] Voir: Porter, M.E., *Competitive Advantage: Creating and Sustaining Superior Performance:* New York: The Free Press, 1985.

en œuvre des processus et des principes de gestion qui puissent favoriser l'amélioration continue des procédés de production[54].

Si la montée en puissance de l'économie japonaise a conduit le management à raffiner ses techniques, particulièrement en matière de gestion de la qualité, l'exemple japonais aura aussi des répercussions en termes de réflexions identitaires. Ainsi, nombre de théoriciens de la période considèrent que pour faire face à la mondialisation des marchés, les organisations ne peuvent plus se contenter de miser sur des processus administratifs aussi raffinés soient-ils. Les organisations devraient maintenant s'ouvrir aux nouvelles techniques de gestion à la japonaise et incorporer à leurs pratiques les cercles de qualité, le *kanban*, le juste à temps, le *jidoka*, etc.[55] Pour d'autres, il faudrait aller encore plus loin et doter les organisations de cultures fortes, performantes, voire excellentes[56]. Pour certains, notamment Peters et Waterman[57], cette nécessité découlerait des dysfonctionnements induits par les processus administratifs mis de l'avant par le management technique. Selon eux, le management technique aurait tendance à rechercher les économies d'échelle au détriment de l'emploi, à faire une fixation sur les coûts au détriment des possibilités de revenus, à avoir un parti pris pour l'analyse au détriment de l'action, à donner préséance aux plans formels, aux contrôles, aux structures, à la productivité et aux chiffres plutôt qu'aux humains, à donner priorité à la prise de décision plutôt qu'à l'exécution, à privilégier l'image comptable à la réalité d'entreprise et, enfin, à toujours miser sur la croissance au mépris des compétences organisationnelles.

Pour faire face à la mondialisation des marchés, les organisations devraient plutôt prendre le parti de l'action, favoriser l'expérimentation, être à l'écoute des clients en leur offrant des produits différenciés de qualité et un service impeccable, favoriser l'autonomie et l'esprit d'innovation en misant sur des leaders innovateurs, en reconnaissant le droit à l'erreur et en met-

---

[54] Voir, en particulier: Deming W.E., *Out of the Crisis,* Cambridge, Mass: MIT Center for Advanced Engineering Study, 1982; Juran, J. *Planning for Quality,* New York: The Free Press, 1988.

[55]Ces techniques de gestion furent développées chez Toyota. Alors que les cercles de qualité visent le partage de l'information entre les ouvriers de façon à accroître la qualité de la production, le kanban est un système de contrôle qui fait le suivi de la production, le juste à temps est une technique de gestion serrée des inventaires et le jidoka est la technique qui permet aux ouvriers de la production, dès qu'ils constatent un problème, de stopper la chaîne de montage. Voir: Ohno, T., *Workplace Management,* Cambridge, Mass.: Productivity Press, 1982; Ohno, T., *Toyota Production System,* Cambridge, Mass.: Productivity Press, 1988.

[56] Voir, notamment: Deal, T.E. et A.A. Kennedy, *Corporate Cultures,* Reading, Mass.: Addison-Wesley, 1982; Ouchi, W.G., *Theory Z: How American Business Can Meet the Japanese Challenge,* Reading, Mass.: Addison-Wesley, 1981; Pascale, R.T et A.G. Athos, *The Art of Japanese Management,* New York: Warner Book, 1981; Peters, T. et R. Waterman, *In Search of Excellence,* New York: Harper & Row, 1982.

[57] Voir: Peters, T. et R. Waterman, *In Search of Excellence,* New York: Harper & Row, 1982.

tant en place des structures souples et flexibles, asseoir la productivité sur la motivation du personnel, miser sur la participation du personnel, mobiliser le personnel autour d'une valeur centrale, fonder l'action sur les compétences organisationnelles, préserver une structure simple et souple, tabler sur le travail de petites équipes autonomes et, finalement, combiner la souplesse et la rigueur, la décentralisation et la centralisation[58]. Pour plusieurs théoriciens du management technique, ces cultures fortes et performantes ne seraient donc pas seulement un rempart identitaire pour faire face aux assauts d'une concurrence qui se ferait de plus en plus vive, mais bien une tentative de reformulation de tous les enseignements du management technique.

Mais voilà, si l'éveil stratégique, la gestion de qualité totale et l'édification d'une culture organisationnelle forte et performante s'avèrent utiles et nécessaires, cela ne semble pourtant pas suffisant pour assurer l'avenir des organisations. Ainsi, selon d'autres théoriciens du management technique, les gestionnaires devraient surtout incarner les nouvelles réalités socio-économiques dans des habiletés concrètes de gestion, notamment en matière de changements organisationnels[59] et de négociation[60]. Enfin, plusieurs théoriciens prônent la reformulation des techniques de gestion en termes d'habiletés tirées du sens commun[61], telles l'habileté à clarifier les attentes, à faire l'éloge du travail des uns et des autres, à réprimander parfois, mais surtout à ne ménager aucun encouragement au dépassement, à être proactif, à ne pas perdre de vue les objectifs à atteindre et, finalement, à toujours avoir une pensée positive.

Le management social

À l'instar de leurs collègues du management technique, les théoriciens du management social logent, eux aussi, l'environnement organisationnel au centre de leurs réflexions. C'est tout particulièrement le cas de la sociologie des organisations qui braquent maintenant ses projecteurs sur les relations entre les organisations et leur environnement. D'abord, les sociologues de l'organisation conçoivent cette relation selon les termes du darwinisme et proposent une véritable écologie des populations organisationnelles dans lesquelles les organisations lutteraient sans cesse pour assurer leur survie[62].

---

[58] Voir: Peters, T. et R. Waterman, *In Search of Excellence,* New York: Harper & Row, 1982.

[59] Voir: Kanter R.M., *The Change Master,* New York: Simon & Schuster, 1983.

[60] Voir: Fisher, W. et M. Ury, *Getting to Yes,* Boston: Houghton Mifflin Company, 1981.

[61] Voir: Blanchard, K. et S. Johnson, *The One Minute Manager,* New York: Berkley Publ. Group, 1983; Covey, S.R., *The Seven Habits of Highly Effective People,* New York: Simon and Schuster, 1989.

[62] Voir: Hannan, M.T. et Freeman, J.F., «The Population Ecology of Organizations». *American Journal of Sociology,* vol. 82: 929-964, 1977. Aldrich, H., *Organizations and Environments,* Englewood Cliffs, N.J.: Prentice-Hall, 1979.

Puis, d'autres théoriciens mettent de l'avant, qu'en relation avec leur environnement, les organisations institutionnaliseraient diverses pratiques, règles et procédures et que, ce faisant, elles gagneraient en légitimité et en accès aux ressources requises pour leur développement[63]. Enfin, plusieurs théoriciens montrent que les pratiques de management auraient un ancrage culturel et que, forcément, il n'existerait pas une telle chose qu'une technique universelle de management[64].

Pour sa part, l'analyse politique des organisations centre également l'attention sur l'environnement en levant le voile sur le jeu des groupes de pression qui tenteraient d'infléchir les orientations des organisations de façon à ce qu'elles incorporent leurs intérêts particuliers dans les pratiques de gestion[65]. De plus, l'analyse politique montre que les structures organisationnelles prendraient la forme de configurations structurelles et qu'elles ne seraient pas de simples représentations formelles de liens de coordination entre des postes de travail et des unités administratives, mais seraient, en fait de véritables milieux de vie marqués autant par les jeux politiques au sein de l'organisation que par ceux de diverses coalitions dont plusieurs des membres opèreraient de l'extérieur des structures organisationnelles[66].

Le troisième courant théorique du management social de la période poursuit l'œuvre d'Herbert A. Simon en questionnant les possibilités de prendre des décisions rationnelles. Selon les chercheurs, non seulement les humains auraient-ils une rationalité limitée, mais ils auraient aussi tendance à biaiser cognitivement la réalité[67]. Puis, les organisations ne seraient pas seulement des lieux de traitement d'informations, elles seraient aussi des espaces sociaux d'interprétation[68]. Enfin, les organisations seraient également des espaces d'apprentissage dans lesquels il serait possible de retrouver plusieurs styles d'apprentissage[69].

---

[63] Voir: DiMaggio, P.J. et W.W. Powell, «The Iron Cage Revisited: Institutional Isomorphism and Collective Rationality in Organizational Fields», *American Sociological Review,* 1985, vol. 48: 134-149; Zucker, L., *Institutional Patterns and Organizations: Culture and Environment,* Cambridge, Mass.: Ballinger, 1988.

[64] Voir: Hofstede, G., *Cultural Consequences: International Differences in Work-Related Values,* Beverly Hills: Sage, 1980; d'Iribarne, P., *La logique de l'honneur,* Paris: Seuil, 1989.

[65] Voir: Freeman, R.E., *Strategic Management. A Stakeholder Approach,* Boston: Pitman, 1984.

[66] Voir: Mintzberg, H., The *Structuring of Organization*, Englewood Cliffs, N.J: Prentice-Hall, 1979; Mintzberg, H., *Power in and Around Organizations*, Englewood Cliffs, N.J: Prentice-Hall, 1983.

[67] Voir: Kahneman, D, Slovic, P. et A. Tversky (eds.), *Judgment under Uncertainty: Heuristics and Biases,* Cambridge: Cambridge University Press, 1982.

[68] Voir: Weick, K.E., *The Social Psychology of Organizing,* Reading, Mass.: Addison-Wesley, 1979.

[69] Voir: Argyris, C. et D.A. Schön, *Organizational Learning. A Theory of Action Perspective,* Reading, Mass.: Addison-Wesley, 1978.

Le dernier courant de la période marque l'entrée en scène d'un nouveau regard dans l'histoire des théories du management, soit l'économie organisationnelle. Sous ce regard, d'une part, les organisations ressortent comme un tissu de relations contractuelles entre des agents libres et volontaires. Au cœur de ces relations, la concentration du pouvoir dans les mains des gestionnaires paraît être tout particulièrement problématique dans la mesure où elle pourrait se solder, selon les économistes qui se sont penchés sur la question, par une perte d'efficacité économique[70]. En effet, selon eux, les gestionnaires auraient tendance à privilégier la satisfaction de leurs propres intérêts au détriment de ceux des propriétaires et des actionnaires et, conséquemment, de toute l'organisation. Dans un tel contexte, il appartiendrait aux propriétaires et aux actionnaires de mettre en œuvre des systèmes de rémunération et de contrôle pour ainsi faire en sorte que les intérêts des gestionnaires s'harmonisent avec les leurs, ce qui, forcément, représente un coût qui viendrait diminuer l'efficacité économique de l'organisation.

Une seconde théorie économique appliquée à l'univers des organisations et de la gestion est celle des coûts de transaction qui a valu à son principal théoricien, Oliver E. Williamson, un prix Nobel[71]. Selon cette théorie, les organisations auraient tendance à se substituer au mécanisme de coordination des échanges économiques qu'est le marché en raison d'une économie des coûts de transaction que peut procurer une hiérarchie organisationnelle. En effet, en retenant l'hypothèse que les humains ont une rationalité limitée et qu'ils ont tendance à se livrer à des jeux politiques au détriment du collectif, l'organisation, parce qu'elle institue un contrat avec tous ceux et celles qui veulent contribuer à son développement achèterait, en quelque sorte, leur loyauté et pourrait dès lors, mettre en œuvre des processus d'organisation et de gestion du travail qui se solderaient par une croissance de la rationalité et conséquemment, par des gains d'efficacité économique.

La dualité du management

Au terme de la troisième période de développement des théories du management, il est clair que la dualité entre les deux formes contemporaines de management perdure. Les relations entre les deux formes sont également encore au rendez-vous. D'une part, le management technique assimile toujours les critiques et les utilise pour construire de nouvelles techniques, techniques dans lesquelles les dimensions humaines et sociales prennent de

---

[70] Voir: Jensen, M.C. et W.H. Meckling, «Theory of the Firm: Managerial Behaviour, Agency Cost, and Ownership Structure», *Journal of financial Economics,* vol.3: 305-360, 1976.

[71] Voir: Williamson, O.E., *Markets and Hierarchies,* New York: The Free Press, 1975. Il est à noter que Williamson a construit sa théorie sur la base des travaux d'un autre lauréat du prix Nobel d'économie, Ronald H. Coase. Voir: Coase, R.H., «The Nature of the Firm», *Economica,* Vol. 4: 386-405, 1937.

plus en plus de place. D'autre part, les théoriciens du management social prennent également acte des transformations opérées par le management technique et, du coup, déplacent leur regard vers de nouveaux horizons, levant alors le voile sur de nouvelles dimensions que pourra éventuellement assimiler le management technique.

LA PÉRIODE DE REFONDATION

De l'accord de libre-échange nord-américain à la constitution du vaste marché européen, sans oublier l'émergence des économies jadis communistes et l'ascension fulgurante de la Chine au rang des grandes puissances industrielles, au lendemain de la chute du mur de Berlin, l'économie se fait globale et c'est la terre entière qui devient le nouveau terrain de jeu concurrentiel. Devant l'ampleur de la tâche, les reformulations de la précédente période paraissent être bien insuffisantes. Il faut dire que les Temps présents, loin de se réduire à un autre épisode de turbulence économique, se donnent des allures de mutation sociale. D'ailleurs, les transformations de la société sont telles que les théoriciens du social ne cessent de forger de nouvelles étiquettes pour les désigner et marquer leur importance. Ainsi, dans le paysage intellectuel de la présente période, nous retrouvons pêle-mêle les étiquettes d'hypermodernité[72], de modernité avancée[73], de nouvel esprit du capitalisme[74], de refondation du monde[75], de modernité réflexive[76], de société d'information[77], de nouvel empire[78], de cyberculture[79], de société d'hyperconsommation[80], d'économie de la connaissance[81], de société du risque[82], d'économie numérique[83] et de démocratie technique[84], pour n'en nommer que quelques-unes. À leur façon, toutes ces étiquettes

---

[72] Voir: Lipovetsky, G., *Les temps hypermodernes*, Paris: Grasset, 2004 et Aubert, N. (dir.), *L'individu hypermoderne*, Paris: Éres, 2004.
[73] Voir: Giddens, A., *Les conséquences de la modernité.* Paris: L'Harmattan, 1994.
[74] Voir: Boltanski, L. et E. Chiapello, *Le nouvel esprit du capitalisme,* Paris: Gallimard, 1999.
[75] Voir: Guillebaud, J.C., *La refondation du monde,* Paris: éditions du seuil, 1999.
[76] Voir: Beck, U., A. Giddens et S. Lash, *Reflexive Modernization.* Cambridge: Polity Press, 1994.
[77] Voir: Castells, M., *The Information Age: Economy, Society and Culture.* Oxford: Blackwell, 1996; Mattelart, A., *Histoire de la société d'information,* Paris: Éditions de La Découverte, 2001.
[78] Voir: Harndt, M. et A. Negri, *Empire,* Paris: Exils Éditeur, 2000.
[79] Voir: Lévy, P., *Cyberculture,* Paris: Odile Jacob, 1997.
[80] Voir: Lipovetsky, G., *Le bonheur paradoxal. Essai sur la société d'hyperconsommation*, Paris: Gallimard, 2006
[81] Voir: Foray, D., *L'économie de la connaissance,* Paris: Éditions de La Découverte, 2001.
[82] Voir: Beck, U., *La société du risque. Sur la voie d'une autre modernité.* Paris: Aubier, 2001.
[83] Voir: Tapscott, D., *The Digital Economy,* New York: McGraw-Hill, 1996; Tapscott, D. et A.D. Williams, *Wikinomics,* New York: Portfolio, 2006.
[84] Voir: Latour, B., *Politiques de la nature. Comment faire entrer les sciences en démocratie*, Paris: Éditions de La Découverte, 1999; Callon, M., Lascoumes, P. et Y. Barthe, *Agir dans un monde incertain. Essai sur la démocratie technique,* Paris: Seuil, 2001; Stengers, I., *Sciences et pouvoirs: la démocratie face à la technoscience.* Paris: Éditions de La Découverte, 1997.

désignent le caractère radical des transformations de la société actuelle, transformations qui commanderont une refondation du management. En effet, à l'ère de la société d'information, le management ne peut plus être ce qu'il était et les reformulations d'hier semblent quelque peu dérisoires devant l'immensité des défis que le management doit maintenant relever.

À l'image de la société de consommation et de compétition dont elle prend le relais, la société d'information commande toujours un management tout à la fois technique et social, mais le management doit apprendre à composer avec une toute nouvelle réalité sociale. Il en va, d'ailleurs, de sa légitimité. Le management n'a donc d'autres choix que de se lancer dans un vaste chantier de refondation et de s'adapter à une société qui est maintenant fébrile, faite d'instantanéité et d'urgence, une société où tout s'accélère et dans laquelle chacun revendique toujours plus de droits, de changements, de consommation, de plaisirs, de réflexions, de performances, de loisirs, de sécurité, de qualité de vie, d'autonomie, etc. Toujours plus de tout, dans toutes les sphères de la vie sociale et privée, et si possible, encore davantage et à peu de frais, deviennent des slogans de chaque instant. Si ces demandes procurent un certain espoir en l'avenir, au présent, elles suscitent souvent de l'anxiété, de l'insécurité et du stress tout en s'accompagnant d'un repli sur soi et d'une consommation effrénée. La vie sociale se déroule donc à pleine vitesse et se fait globale, tout en s'incarnant localement et à chaque instant. Elle devient aussi sans cesse plus juridique et étend à chaque recoin de la société une logique des droits individuels et des contrats et, sans y prendre garde, elle abdique une part de son humanité au monde des réseaux numériques et des systèmes experts de toutes sortes. De plus, les humains incarnent au quotidien de nouvelles contradictions qui vont, d'abord, de la consommation débridée au souci écologique, puis de l'individualisme sans borne au désir de se regrouper en tribus communautaires et responsables et, enfin, du ludisme sans frein à une quête de créativité sans fin. Oui, à n'en pas douter, la société actuelle paraît conduire les humains vers des univers qui seront radicalement différents de tout ce qu'ils ont, jusqu'à ce jour, construit et expérimenté. Ce qu'il y a de sûr toutefois, c'est que la société actuelle met en action une refondation de toutes les dimensions de l'action humaine, à savoir ses dimensions politique, technologique et économique et que ces refondations vont entraîner la refondation du management[85]. C'est donc dire, aussi, qu'après avoir d'abord posé en objet d'étude le travail et sa gestion lors de la première période de développement, puis l'organisation et l'environnement d'affaires lors des deux périodes suivantes, les théoriciens du management doivent maintenant loger la société tout entière au centre de leurs

[85] Sur ces trois dimensions de l'action humaine, voir: Arendt, H., *Condition de l'homme moderne,* Paris: Calmann-Levy, 1983.

réflexions. C'est là, le seul moyen pour concevoir des solutions légitimes aux nouveaux problèmes de société.

D'abord, le management devra apprendre à composer avec la nouvelle réalité politique qui est au principe de l'actuelle société d'information. Ainsi, les enjeux qui, hier encore, prenaient place au niveau de la société et se tranchaient dans le respectable cénacle démocratique des parlements d'États vont de plus en plus se débattre dans l'espace hiérarchique des organisations. C'est donc dans l'arène organisée que les grandes questions politiques du «mieux vivre ensemble» seront débattues et c'est aussi là que seront conçues les solutions que tous attendent. Ce faisant, il est à prévoir que les organisations se politiseront encore davantage et deviendront le lieu par excellence de tous les débats de société[86]. C'est aussi reconnaître que ce qu'hier encore tous attendaient de l'État providence, c'est maintenant des organisations qu'ils l'exigeront. C'est d'elles que les citoyens organisés attendront la sécurité et la prospérité qui jadis étaient au cœur des programmes politiques. C'est au sein des organisations que la question des droits de la personne sera désormais posée et c'est encore là que la justice sociale et le partage devront trouver des réponses. C'est aussi au sein même des organisations que les toujours délicates questions de l'intégration citoyenne et du partage intergénérationnel trouveront écho, seront redéfinies et, surtout, puisque telle est la tâche du management, devront trouver des réponses. Politisées comme jamais dans leur histoire, les organisations d'aujourd'hui devront alors substituer à la logique d'une direction hiérarchique qui l'a si bien servie jusqu'à nos jours une logique de la gouverne qui n'aura d'autres choix que de faire une large place à l'éclosion d'une variété indéfinie et croissante de groupes de pression qui, hier encore, frappaient aux portes de l'État pour faire entendre leur voix et qui aujourd'hui exigent un droit de parole au sein des organisations. Dans ce monde politisé comme jamais auparavant, les gestionnaires devront alors clairement faire preuve d'habiletés politiques. Plus que jamais, ils seront jugés sur leurs capacités à réaliser le bien commun, à concilier les exigences contradictoires des uns et les espoirs flous des autres. Confrontés à une tâche d'une complexité à laquelle ils n'ont pas été préparés[87], les gestionnaires devront pourtant s'y résoudre, leurs actions seront dorénavant scrutées à la loupe déformante de tous ceux et celles qui attendent maintenant d'eux qu'ils soient les porteurs de la réalisation des projets de société. La nouvel-

[86] Voir: Aktouf, O., *La stratégie de l'autruche. Post-mondialisation, management et rationalité économique,* Montréal: Écosociété, 2002 et Payaud, M. et A.C. Martinet, «Frénésie, monotonie et atonie dans les organisations liquéfiées: régénérer les formes et rythmes de la politique d'entreprise», *Management International,* 2007, 11(3): 1-16.
[87] Pour un regard critique sur la formation des futurs gestionnaires, voir: Mintzberg, H., *Managers Not MBAs. A Hard Look at the Soft Practice of Managing and Management Development*, San Francisco: Berrett-Koehler, 2004.

le réalité politique implique donc une sérieuse refondation du management et il est clair que c'est là un immense défi à relever.

Puis, le management devra apprendre à composer avec la nouvelle réalité technologique dans laquelle les objets techniques paraissent être au centre des relations sociales et acquérir le statut d'indispensables alliés des humains, voire même de véritables partenaires dans la construction d'un monde nouveau. Dans ce dernier, le lien social, jadis réservé aux seules relations entre les humains, semble se modifier pour inclure ces nouveaux partenaires techniques dont l'intelligence, même artificielle, ne fait maintenant plus de doute[88]. Les structures hiérarchiques d'hier risquent alors de se transformer en forum hybride, en technodémocratie, où les humains feront alliance avec leurs objets techniques et esquisseront progressivement la constitution d'une société dans laquelle le clivage entre les humains et les objets sera repensé[89]. D'ailleurs, les nouvelles technologies, particulièrement celles de l'information, ouvrent déjà des horizons jusqu'alors insoupçonnés. La constitution d'Internet, par exemple, transforme et façonne une toute nouvelle réalité[90]. L'hypertexte, la circularité informationnelle et une cognition imagée bousculent la linéarité de l'écrit qui a si longtemps borné la pensée humaine. C'est dire que les objets techniques de la société d'information participent à une redécouverte de l'esthétisme, tout autant qu'à l'élaboration d'une nouvelle façon de connaître et de s'informer. La société technique qui, peu à peu, prend forme appelle aussi à une redéfinition de l'éthique qui se montre sous un jour nouveau, car avec leurs nouveaux alliés, les humains ont maintenant une puissance sans limites. S'ils peuvent tout construire, même la vie, ils peuvent aussi tout détruire et la société d'information en est donc aussi une de haut risque[91]. À l'image de la réalité politique, les bouleversements technologiques commandent donc, eux aussi, une refondation du management.

Enfin, le management devra apprendre à composer avec la nouvelle réalité économique qui prend de plus en plus la forme d'une économie numérique, financiarisée, globalisée et fondée sur une consommation devenue débridée[92]. Une économie de l'information prend donc le relais de l'industria-

---

[88] Sur l'intelligence artificielle, voir, entre autres: Kurzwell, R., *The Age of Spiritual Machines*, Londres: Penguin, 1999.

[89] Voir: Callon, M., Lascoumes, P. et Y. Barthe, *Agir dans un monde incertain. Essai sur la démocratie technique*, Paris: Seuil, 2001; Stengers, I., *Sciences et pouvoirs: la démocratie face à la technoscience*. Paris: Éditions La Découverte, 1997.

[90] Sur Internet, voir: Flichy, P., *L'imaginaire d'internet*, Paris: Éditions de La Découverte, 2001.

[91] Voir, notamment: Beck, U., *La société du risque. Sur la voie d'une autre modernité*. Paris: Aubier, 2001.

[92] Sur la consommation débridée, voir: Lipovetsky, G., *Le bonheur paradoxal. Essai sur la société d'hyperconsommation*, Paris: Gallimard, 2006.

lisme et de la société de consommation d'hier et, du coup, l'immatériel acquiert une matérialité toute marchande. Sous le regard de l'économie numérique, la croissance n'a plus de limite, si ce n'est celle des ressources cognitives d'humains enchevêtrés dans un réseau numérique mondial. Le savoir devient alors tout à la fois ressource, mode de transformation et produit dans des usines d'imaginaire où les producteurs matérialisent leur savoir dans des produits immatériels qu'ils s'empressent de consommer au moyen d'un réseau informationnel. Les transformations économiques ne se limitent toutefois pas à la dématérialisation numérique des produits. Des investisseurs atomisés et regroupés sous des bannières financières prennent le relais des propriétaires d'hier et donnent une toute nouvelle légitimité au métier de gestionnaires dont le rôle ne cesse de se redéfinir, coincés qu'ils sont entre la démocratie boursière qui, d'anticipations en spéculations, se fait tyrannique et s'invente des produits dérivés totalement immatériels, et la hiérarchie qui s'aplatit socialement pour mieux s'étendre géographiquement. Enfin, la globalisation planétaire des marchés annonce des lendemains qui chantent. En termes strictement financiers, cela semble, en effet, être une très bonne nouvelle. En fait, dans l'univers économique rien n'est jamais acquis, ni simple, ni noir ou blanc. Si la globalisation des marchés et l'élimination progressive des multiples barrières tarifaires qui freinent toujours l'avancé d'un marché mondial a de quoi réjouir ceux et celles qui n'y voient qu'une multiplication exponentielle de la demande, ces facteurs impliquent aussi une croissance tout aussi exponentielle de la concurrence à laquelle le management n'aura d'autre choix que de s'ajuster.

À l'évidence, la société contemporaine est donc en pleine mutation et il n'est pas surprenant de voir le management s'engager sur le chemin d'une refondation de façon à assurer sa légitimité en tant que solution pratique aux problèmes des Temps présents. Cette refondation ne sera pas simple à accomplir et, bien qu'elle soit présentement en cours et donc inachevée et incertaine, il est néanmoins possible, comme en témoigne le tableau 1.5, d'en esquisser les premières tentatives théoriques.

Tableau 1.5
Les théories de la période
de refondation du management

LA PÉRIODE DE REFONDATION DU MANAGEMENT 1990-	
LE MANAGEMENT TECHNIQUE	**LE MANAGEMENT SOCIAL**
La refondation des pratiques classiques	La critique sociologique du management
▪ La gestion de projet ▪ Les meilleures pratiques et le *benchmarking* ▪ La logistique ▪ La réingénierie des processus ▪ La gestion de la diversité ▪ La gestion juridique ▪ Les tableaux de bord	▪ L'ancrage social des techniques ▪ Les modes en gestion ▪ Critique de l'utilitarisme
Le management des connaissances	La critique philosophique du management
▪ La gestion des connaissances ▪ Les systèmes intégrés de gestion ▪ La gestion du capital intellectuel	▪ L'éthique des affaires ▪ L'épistémologie des sciences de la gestion ▪ L'humanisme
Le management de la créativité	La critique psychologique du management
▪ La gestion des équipes créatives ▪ La gestion des organisations créatives ▪ La gestion des villes créatives	▪ La psychopathologie au travail ▪ Les émotions et la décision ▪ La créativité
La responsabilité sociale d'entreprise	La critique citoyenne du management
▪ Le développement durable ▪ L'éthique appliquée ▪ La responsabilité sociale	▪ Les environnementalistes ▪ Les altermondialistes

Il ressort de ce tableau qu'alors même qu'il tente de refonder ses pratiques en faisant entrer dans son architecture des réalités jusqu'alors absentes, telles les connaissances, la créativité et la responsabilité sociale, le management technique est l'objet de vives critiques sociologiques, philosophiques, psychologiques et citoyenne qui, toutes, mettent en cause sa légitimité en tant que solution aux problèmes que pose la société actuelle.

Le management technique

Le management technique entreprend son œuvre de refondation par un retour sur les processus administratifs classiques qui sont au cœur de son architecture. Il s'agit, en quelque sorte, de refonder les processus de planification, d'organisation, de direction et de contrôle à la lumière des nouvelles exigences de la société. Selon les théoriciens du premier courant théorique de la période, puisque tout est éphémère et que les consommateurs ont des exigences sans cesse fuyantes et changeantes, les organisations et leur gestion devraient être repensées en termes de projets dans lesquels les processus administratifs classiques prendraient une diversité de colorations[93]. C'est dire que la refondation des pratiques classiques passerait, notamment, par un nouveau regard sur l'unité des processus administratifs unité qui se jouerait maintenant à l'échelle fluide des projets, plutôt qu'à celle rigide d'une structure hiérarchique stable et permanente[94].

Une fois que le cadre flexible et fluide dans lequel devraient prendre place les pratiques de management est défini, les théoriciens s'engagent alors dans la refondation de chacun des processus administratifs. Premier des processus classiques, la planification est refondée autant en termes stratégiques qu'opérationnels. Au niveau stratégique, si elle doit, plus que jamais, se vêtir d'une aura stratégique qui tourne le dos aux prétentions techniques et rigides des premières périodes[95], la planification devrait surtout se fonder sur les meilleures pratiques en vigueur chez les concurrents. Pour y parvenir, les organisations devraient participer à des regroupements d'organisations qui mettent en commun et comparent leurs pratiques de façon à faciliter la diffusion rapide des meilleures pratiques[96]. Au niveau de la planification opérationnelle, c'est la logistique qui fait l'objet de la réflexion. En fait, dans un monde en profondes transformations, les questions de logistique deviendraient aussi cruciales que celles d'ordre stratégique, car, les organisations doivent maintenant composer avec une demande mondiale,

---

[93] Sur la gestion de projet, voir le guide classique construit par le *Project Management Association*: *Guide du corpus de connaissances en management de projet (Guide PMBOK),* Newton Square, Pennsylvanie: Project Management Association, 2008.

[94] Voir: Goshal S. et C.A Bartlett, *The Individualized Corporation. A Fundamentally New Approach to Management,* New York: Harper Business Book, 1997.

[95] Pour une critique de ces prétentions, voir: Mintzberg, H., *The Rise and Fall of Strategic Planning,* New York: The Free Press, 1994.

[96] Ces pratiques de mise au jour des meilleures pratiques ont donné naissance au *benchmarking*. Voir: Harrington, H.J. et J.S. Harrington, *High Performance Benchmarking. 20 Steps to Success,* New York: McGraw-Hill, 1995; Finnigan, J.P. *The Manager's Guide to Benchmarking: Essential Skills for the New Competitive-cooperative Economy,* San Francisco: Jossey-Bass, 1996.

demande qui est très souvent le fruit d'hyperconsommateurs devenus totalement infidèles, changeants, capricieux à l'excès et avides de nouveautés et d'expériences émotionnelles, de qualité, de bas prix et de produits de masse qui, paradoxalement, doivent être personnalisés et authentiques[97].

Le processus classique d'organisation du travail fait, lui aussi, l'objet d'une refondation. Sous l'étiquette de réingénierie des processus d'affaires, les organisations sont conviées à opérer une véritable révolution de leurs pratiques administratives[98]. Essentiellement, les théoriciens de la réingénierie proposent de remettre en cause les apprentissages du passé, de revoir l'ensemble des processus organisationnels de façon à les simplifier, à rapprocher les organisations de leurs clients et ultimement, à débureaucratiser les organisations par la mise au rancart de nombre de règles et procédures routinières qui alourdiraient les opérations et freineraient l'initiative.

Les pratiques de direction sont également à revoir. D'un côté, les théoriciens reconnaissent que les organisations sont un lieu de métissage et conséquemment, que les gestionnaires devraient apprendre à gérer la diversité, notamment la diversité interculturelle[99] et intergénérationnelle[100]. De l'autre, ils prennent acte du fait que les organisations deviennent des espaces où se débattent maintenant nombre d'enjeux de société et anticipent alors que les gestionnaires devront acquérir des compétences juridiques. En outre, ils soutiennent que les organisations deviendront de plus en plus des sociétés de droit fondées sur des logiques contractuelles dans lesquelles, les rôles d'ombudsman et d'éthicien prendront de plus en plus de place[101].

Enfin, le contrôle doit lui aussi être refondé. Cette refondation, les théoriciens du management de la période la conçoivent en termes de tableaux de bord qui comprennent quatre volets, à savoir les volets financier, client, apprentissage et processus[102]. Chacun de ces volets devrait alors être constitué d'un nombre limité d'indicateurs tant financiers que non financiers. S'agissant de contrôle de gestion, l'introduction de ces derniers est une véritable petite révolution.

---

[97] Voir: Tixer, D., Matte, H. et J. Colin, *La logistique d'entreprise, vers un management plus compétitif*, Paris: Dunod, 1998.
[98] Voir le livre des fondateurs de ce courant de pensée: Hammer, M. et J. Champy, *Reengineering the Corporation: A Manifest for Business Revolution*. New York: Harper Collins Publishers. 1993.
[99] Voir: Chevrier, S., *Le management interculturel,* Paris: PUF (Que sais-je?), 2003; Davel, E., Dupuis, J.-P. et J.-F. Chanlat (dirs.), *Gestion en contexte interculturel,* Québec: Presses de l'Université Laval, 2008.
[100] Voir: Lambert, J., *Management intergénérationnel,* Paris: Lamarre, 2009.
[101] Voir: Sitkin, S.B. et R.J. Bies, *The Legalistic Organization,* Londres: Sage, 1994.
[102] Voir: Kaplan, R. et D.P. Norton, *The Balanced Scoreboard,* Boston, Mass.: Harvard Business School Press, 1996; Kaplan, R. et D.P. Norton, *The Strategy Focused Organization,* Boston, Mass.: Harvard Business School Press, 2001.

Si refonder les processus classiques de management s'avère être une nécessité pour composer avec les transformations de la société, cette seule refondation, qui est essentiellement de nature défensive, est loin d'être suffisante. Les théoriciens de la période l'ont compris et c'est ainsi qu'ils ont conçu un management des connaissances, management qui tire clairement avantage de la logique informationnelle qui est principe de la société actuelle. D'abord, ils proposent aux gestionnaires le recours à différents mécanismes susceptibles de favoriser la traduction du savoir tacite en connaissances explicites, ce qui, du coup, permettrait non seulement de tirer profit de l'intelligence de l'ensemble des membres de l'organisation, mais favoriserait également une gestion efficace des connaissances organisationnelles[103]. Puis, ils participent à la conception des systèmes intégrés de gestion, systèmes fondés sur les nouvelles technologies de l'information qui permettent une intégration et une gestion des connaissances et des routines administratives. Enfin, les théoriciens conçoivent la connaissance en termes de capital intellectuel dont il serait possible de tirer profit[104].

Si les Temps présents sont à la connaissance, ils sont également propices à la créativité et, ça aussi, les théoriciens de la période l'ont compris comme en témoignent leurs réflexions sur la gestion de la créativité des équipes de travail, des organisations et des villes[105].

Enfin, le management technique tente de s'adapter aux critiques qui fusent de toute part par la mise au point d'un cadre théorique dans lequel la responsabilité sociale d'entreprise se présente sous la forme d'une obligation de gestion, obligation en termes de responsabilité sociale, de développement durable et d'éthique des affaires[106].

---

[103] Voir: Nonaka I. et H. Takeuchi, *The Knowledge-Creating Company,* New York: Oxford University Press. 1995; Pfeffer, J. et R. Sutton, *The Knowing-Doing Gap: How Smart Companies Turn Knowledge into Action,* Boston, Mass.: Harvard Business School Press, 2000; Quinn, J. B., *Intelligent Enterprise. A Knowledge and Service Based Paradigm for Industry.* New York: The Free Press, 1992; Senge, P., *The Fifth Discipline: The Art and Practice of the Learning Organization,* New York: Doubleday, 1990.

[104] Voir: Teece, D. J., *Managing the Intellectual Capital,* New York: Oxford University Press, 2001; Spender, J.-C., *Industry Recipes. The Nature of Managerial Judgment.* Oxford: Blackwell, 1989.

[105] Voir: Amabile, T. M., Conti, R., Coon, H., Lazenby, J. & Herron, M., «Assessing the Work Environment for Creativity», *Academy of Management Journal*, 39 (5): 1154-1184, 1996; Florida, R., *The rise of the Creative Class. And How it's Transforming Work, Leisure, Community and Everyday Life,* New York: Basic Books, 2002; Bilton, C. *Management and Creativity: From Creative Industries to Creative Management,* Oxford: Blackwell, 2006; Bilton, C. et S. Cummings, *Creative Strategy,* New York: Wiley, 2010.

[106] Voir: Den Hond, F., de Bakker, F.G.A. et P. Neergaard (eds.), *Managing Corporate Social Responsibility in Action: Talking, Doing and Measuring*, Burlington, Ashgate Publishing Company, 2007; Pauchant, T., *Pour un management éthique et spirituel,* Montréal: Fides, 2000; Dupuis, J.-C. et C. le Bas (dirs.), *Le management responsable,* Paris: Économica, 2005.

Le management social

Alors même que le management technique est en pleine refondation et cherche toujours à se donner une nouvelle légitimité, il est l'objet de virulentes critiques tant sociologiques que philosophiques, psychologiques et même citoyennes.

La critique sociologique lève d'abord le voile sur l'ancrage social des techniques de management qui, sous ce regard, ressortent comme des discours de performance qui ne donneraient pas forcément les fruits escomptés[107]. Puis, les sociologues prennent pour objet d'étude les principales techniques de management et montrent que leur conception, leur diffusion et leur déclin s'apparenteraient bien davantage au phénomène des modes et à un processus de production et de mise en marché de biens de consommation de masse qu'à une véritable démarche rationnelle de production de connaissances valides[108]. Enfin, la critique sociologique, tout en dénonçant les effets pervers dont les techniques de management seraient porteuses, met, entre autres en cause, le productivisme, le pouvoir, le vide de sens et le culte de l'urgence qu'elles impliqueraient[109].

La critique philosophique emprunte le même sentier que celui des sociologues, mais centre plutôt son attention sur les grands enjeux de nature éthique, épistémologique et pragmatique inhérents à la pratique du management. Au niveau éthique, les théoriciens dénoncent les valeurs strictement utilitaristes et marchandes que véhiculeraient nombre de discours managériaux. Ils critiquent également les efforts actuels de mise au point d'une éthique des affaires qu'ils voient comme une tentative de récupération des valeurs morales ambiantes, tentative qui ne questionnerait pas les fondements mêmes des techniques de management[110]. Au niveau épistémologi-

---

[107] Voir: Boussard, V., *Sociologie de la gestion. Les faiseurs de performance,* Paris: Belin, 2008; Segrestin, D., *Les chantiers du manager,* Paris: Armand Colin, 2004.

[108] Voir: Abrahamson, E. et G. Fairchild, «Management Fashion: Lifecycles Triggers, and Collective Learning Process», *Administrative Science Quarterly,* Vol. 44: 708-740, 1999; Abrahamson, E., «Management Fashion», *Academy of Management Review,* Vol. 21: 254-285, 1996; Abrahamson, E., «Managerial Fads and Fashions: the Diffusion and Rejection of Innovations», *Academy of Management Review*, 16, (3) : 586-612, 1991.Alvesson, M. et H. Willmott, (eds.), *Critical Management Studies,* Londres: Sage, 1992. Le Goff, J.P., *Les illusions du management. Pour le retour du bon sens,* Paris: Éditions de La Découverte, 2000; Jackson, B., *Management Gurus and Management Fashions*, New York: Routledge, 2001.

[109] Voir: Aubert, N., *le culte de l'urgence. La société malade du temps*, Paris: Flammarion, 2003; de Gaulejac, V., *La société malade de la gestion. Idéologie gestionnaire, pouvoir managérial et harcèlement social*, Paris: Éditions du seuil, 2005; Le Goff, J.-P., *Les illusions du management. Pour le retour du bon sens,* Paris: Éditions de La Découverte, 2000; Laplante, L., *L'angle mort de la gestion,* Montréal: IQRC, 1995; Caillé, A., *Critique de la raison utilitaire,* Paris, Éditions de La Découverte, 1989.

[110] Voir: Salmon, A., *La tentation éthique du capitalisme,* Paris: Éditions de La Découverte, 2007; Etchegoyen, A., *La valse des éthiques,* Paris: François Boutin, 1991.

que, les chercheurs mettent au jour les logiques de la production des savoirs en management et font dès lors apparaître que les techniques de management seraient le fruit d'un projet épistémologique très particulier, à savoir le projet praxéologique qui vise la construction de règles rationnelles d'action[111]. Tout au côté de ce projet, il existe d'autres projets qui pourraient être mobilisés pour questionner les fondements des techniques et les enrichir de différentes dimensions humaines et sociales[112]. Enfin, au niveau pragmatique, le questionnement de nature philosophique conduit à proposer un certain humanisme à la place de l'utilitarisme comme fondement aux pratiques concrètes de management[113]. Sous ce regard, le management devrait alors reprendre à son compte la maxime sophiste de Protagoras «L'homme est la mesure de toute chose» et faire en sorte que les personnes ne soient jamais réduites à l'ordre des moyens de l'action organisée et que les organisations deviennent des lieux d'émancipation des humains.

Pour sa part, la critique psychologique suit la trajectoire amorcée dans les autres périodes en levant le voile sur les dimensions psychologiques de l'action en organisation et sur la nécessité d'en tenir compte pour une gestion harmonieuse et respectueuse de la nature humaine. À cette période, les psychologues centrent leur attention sur le rôle des émotions dans la prise de décision[114], sur les déterminants de la créativité[115] et sur les conséquences psychopathologiques des techniques de gestion[116].

Finalement, la critique du management technique émerge de la société civile dont, entre autres, les altermondialistes et les environnementalistes se

[111] Voir: Alexandre, V. et Gasparski, W. W. (Ed.), *The Roots of Praxiology*. New-Brunswick, New Jersey: Transaction Publishers, 2000; Ryan, L. V., Nahser, B. F. et Gasparski, W. W. (Ed.), *Praxiology and Pragmatism*. New-Brunswick, New Jersey, Transaction Publishers, 2000.

[112] Voir: Noël, M., *Savoirs en management: hybrides d'action et de connaissance,* Montréal: Éditions JFD, 2009; Déry, R., «Enjeux et controverses épistémologiques dans le champ des sciences de l'administration», dans Bouilloud, J.-P. et Lecuyer, B.-P. (Ed.), *L'invention de la gestion*. Paris: L'Harmattan, 1994, 163-189; Audet, M. et Déry, R., «La science réfléchie: quelques empreintes de l'épistémologie des sciences de l'administration», *Anthropologie et Sociétés*, 1996, 20, (1): 103-123; Déry, R., «L'impossible quête d'une science de la gestion», *Gestion*, 1995, 20, (3): 35-46; Déry, R., «Homo administrativus et son double: du bricolage à l'indiscipline», *Gestion*, 22, 1997, (2): 27-33; Le Moigne, J.-L., «Sur "l'incongruité épistémologique" des sciences de gestion», *Revue française de gestion*, spécial,1993, (96): 123-135; Martinet, A. C. (Ed.), *Épistémologies et Sciences de Gestion*. Paris: Economica, 1990.

[113] Voir: Chanlat, A., «Pourquoi réintroduire le métier au coeur de la gestion contemporaine?», *L'Agora: Métier et Management*, Octobre, (Hors-série), 1995: 2-6; Chanlat, A., «Gestions et humanismes: Une archéologie de la gestion, conférence prononcée lors du 125e anniversaire de l'Université Saint-Joseph, au Liban, en mars 2000; Bédard, R., «Au coeur du métier de dirigeant: l'être et les valeurs», *L'Agora: Métier et Management*, Octobre, (Hors-série), 1995: 38-41.

[114] Voir, notamment: Goleman, D., *Emotional Intelligence,*New York: Bantam, 1995.

[115] Voir: Amabile, T. M., *Creativity in Context*, Boulder, Col.: Westview, 1996; Sternberg, R.J.(ed.), *Handbook of Creativity,* Cambridge: Cambridge University Press, 1999; Pink, D.H., *A Whole New Mind. Why Right-Brainers Will Rule the Future,* New York: Riverhead, 2006.

[116] Voir: Dejours, C. *Observations cliniques en psychopathologie du travail,* Paris: PUF, 2010.

font les porte-paroles. Alors que les premiers dénoncent les abus du libéralisme économique et revendiquent un juste partage des richesses collectives et un commerce équitable, les seconds mettent au jour les ravages écologiques de la croissance économique et réclament un développement durable qui combinerait les logiques économiques, sociales et écologiques[117].

La dualité du management

Tout comme aux précédentes périodes, la dualité entre le management technique et le management social marque la trajectoire théorique du management. En outre, une fois encore le management technique paraît se nourrir des critiques qui lui sont adressées alors que le management social introduit de nouveaux regards et formule de nouvelles critiques.

Par ailleurs, cette dernière période semble aussi se caractériser par une nouveauté dans les relations entre les deux formes de management. En effet, alors que jusqu'à cette dernière période, il y avait toujours un décalage entre les critiques formulées par les théoriciens du management social et leur assimilation par les théoriciens du management technique, en cette période de refondation, les deux formes de management semblent dialoguer en temps réel et ainsi aborder en même temps les mêmes problématiques. C'est ainsi que la créativité, la responsabilité sociale et les connaissances sont abordées simultanément par les théoriciens des deux formes de management. Bien sûr, les théoriciens de chacune des formes abordent ces problématiques sous l'angle qui leur est propre, mais il reste que nous avons là l'amorce d'un dialogue qui pourrait concourir à l'accélération du développement des théories du management.

CONCLUSION

Tout au long de son histoire, le management fut confronté à divers défis. Pour les relever, il s'est abreuvé à nombre de disciplines, notamment la psychosociologie, la psychologie, la sociologie, la science politique, la psychanalyse, l'économique, l'anthropologie et les sciences de la cognition. Ce recours aux disciplines des sciences du social et de l'humain, s'il a permis de mieux comprendre la réalité des organisations et de leur gestion, n'a toutefois pas été suffisant pour relever concrètement les défis que chaque période de développement socio-économique posait au management.

[117] Voir, entre autres: Waridel, L., *Acheter c'est voter,* Montréal, Écosociété: 2005; Saint-Onge, J.-C., *L'imposture néolibérale,* Montréal, Écosociété: 2000; Mander,J., Cavanagh, J. et J. B. Gélinas, *Alternative à la globalisation économique,* Montréal, Écosociété: 2005; Raufflet, E., et A.J. Mills, *The Dark Side: Critical Cases on the Downside of Business,* Greenleaf Publ., 2009; Young, W. et R. Welford, *Ethical Shopping: Where to Shop, What to Buy and What to Do to Make a Difference,* Londres: Vision, 2002.

En effet, comprendre n'est pas l'équivalent d'agir et, pour relever des défis et trouver des solutions à des problèmes concrets, il faut certes comprendre la complexité du réel, mais il faut aussi savoir oser l'action et prendre des risques. Ce saut de l'univers de la compréhension à celui de l'intervention a caractérisé le management technique. Sans relâche, ce dernier a mis de l'avant la nécessité d'intervenir dans le réel pour y relever les défis qu'il posait aux organisations et à ses membres. Ce projet d'intervention qui a été au principe de la trajectoire historique du management technique ne s'est pas pour autant réalisé au détriment de celui d'une compréhension fine et profonde de cette réalité qui posait problème. Comme nous l'avons vu, si au fil de l'histoire des théories du management, il s'est clairement établi une division du travail intellectuel entre les théoriciens qui cherchaient à comprendre les organisations et leur gestion et ceux qui tentaient plutôt de concevoir des techniques efficaces, il s'est aussi institué, entre ces deux groupes de producteurs de savoirs, une coordination naturelle. Cette coordination a pris la forme d'un processus d'assimilation et d'accommodation opéré par les théoriciens de chacune des deux formes de management. Ainsi, alors que les théoriciens du management social assimilaient le regard du management technique pour mieux en montrer les insuffisances et promouvoir une prise en compte des dimensions humaines et sociales de la vie en organisation, les théoriciens du management technique ne cessaient de se nourrir de leurs critiques pour concevoir de nouvelles techniques.

D'un certain point de vue et de façon paradoxale, tant que les deux formes de management seront tout à la fois contradictoires et complémentaires, leur renouvellement sera assuré. D'une part, le management technique assimilera les critiques du management social et s'en accommodera pour conquérir de nouveaux territoires et ainsi, étendre son expertise. D'autre part, le renouvellement du management technique servira de nouveau matériau au management social qui y trouvera là, matière à critiquer. C'est ce va-et-vient perpétuel entre les deux formes de management qui permet de constituer un management qui ne serait jamais réductible à un ensemble de techniques sans âme ou à un ensemble de théories sociales inutilisables.

Solidaires, les deux formes de management s'entrelacent et forment donc, en quelque sorte, l'ADN du management.

Figure 1.1 L'histoire des théories du management

À partir de l'ensemble de ces théories du management, il est alors possible de constituer une indéfinie variété de formes concrètes de management qui seront tout à la fois techniques et sociales. C'est ainsi qu'il est possible de constituer une forme de management qui, autour du management technique, met en action les dimensions humaines et sociales que sont les dimensions politique, symbolique, psychologique et cognitive.

Chapitre 2

LES STYLES DE MANAGEMENT

L'histoire des théories contemporaines de management permet, comme nous l'avons vu au chapitre 1, de constituer deux grandes formes de management, à savoir le management technique et le management social. Chacune de ces formes offre aux gestionnaires des perspectives différentes d'action et de réflexion. C'est ainsi que, d'un côté, le management technique offre aux gestionnaires une perspective qui met l'accent sur les processus formels de gestion et, de l'autre, le management social offre plusieurs perspectives dans lesquelles les dimensions sociales et humaines de la vie organisée occupent une place centrale. En combinant les deux formes contemporaines de management, les gestionnaires ont alors accès à un éventail de cinq perspectives de réflexion et d'action, perspectives qui, toutes, peuvent favoriser la résolution des problèmes organisationnels, soit:

- La perspective technique
- La perspective politique
- La perspective symbolique
- La perspective psychologique
- La perspective cognitiviste

Si chacune de ces perspectives permet d'aborder d'une façon particulière les problèmes organisationnels, elles permettent aussi la constitution d'une diversité d'habiletés pratiques et de leviers d'action. Dans le cours de leurs actions, les gestionnaires contemporains mobilisent, d'une certaine façon, l'ensemble des perspectives de management. Toutefois, chaque gestionnaire a aussi tendance à privilégier l'une ou l'autre des perspectives et, ce faisant, à adopter un certain style de management. Bien sûr, aucun style n'est, en soi, supérieur aux autres, car il n'existe pas une telle chose qu'un style infaillible et universel de management, style qui serait adapté à toutes les situations et à tous les gestionnaires.

Tout en reconnaissant qu'il est particulièrement difficile d'adopter un style de management qui ne nous est pas naturel, chacun de nous peut tout de même enrichir son style naturel en s'ouvrant aux possibilités qu'offrent les autres styles. Pour y parvenir, il faut d'abord prendre conscience de son style naturel de gestion, de celui que l'on préfère. Par la suite, il s'agit d'y incorporer certains aspects des autres styles qui viendront le compléter sans pour autant le dénaturer. C'est ce à quoi nous convie le questionnaire qui suit.

ÉVALUATION DES STYLES DE MANAGEMENT

Pour chacune des questions suivantes, vous devez ordonner les énoncés A, B, C, D et E par ordre de préférence. Alors que le chiffre 1 témoignera que l'énoncé est celui que vous préférez ou alors celui avec lequel vous êtes le plus en accord, le chiffre 5 indiquera plutôt que l'énoncé est celui qui est le plus éloigné de votre préférence ou celui avec lequel vous êtes le moins en accord. Les chiffres 2, 3 et 4 marqueront, bien sûr, les résultats intermédiaires entre les deux pôles opposés du continuum. Inscrivez l'ordre de vos préférences (de 1 à 5) dans les carrés gris sous les énoncés et au-dessus des lettres A, B, C, D et E.

QUESTION #1
Lors de l'analyse des situations de gestion, je préfère centrer mon attention sur:

Les objectifs généraux de l'organisation	Les intérêts des membres de l'organisation	Les valeurs des membres de l'organisation	Les besoins des membres de l'organisation	Le savoir des membres de l'organisation
A	**B**	**C**	**D**	**E**

QUESTION #2
La planification doit principalement prendre appui sur:

Les données objectives de l'environnement	Les données informelles de l'organisation	La sagesse des membres de l'organisation	La volonté subjective du personnel	Les interprétations du personnel
A	**B**	**C**	**D**	**E**

QUESTION #3
Pour construire un avantage concurrentiel, il est préférable de miser sur:

Les ressources tangibles de l'organisation	Le pouvoir des membres de l'organisation	L'expérience des membres de l'organisation	La motivation des membres de l'organisation	Le savoir des membres de l'organisation
A	**B**	**C**	**D**	**E**

QUESTION #4
Un plan d'action a plus de chance de se réaliser lorsqu'il est fondé sur:

L'analyse et l'expertise	Le soutien de la haute direction	Les conseils des plus expérimentés	Le soutien du personnel de base	Le savoir des membres de l'organisation
A	**B**	**C**	**D**	**E**

QUESTION #5
Il est préférable que la planification soit principalement:

Un processus objectif	Un processus de négociation	Une occasion de rassemblement	Une occasion de participation	Un processus d'apprentissage
A	**B**	**C**	**D**	**E**

QUESTION #6
Pour mener à terme un changement, je préfère miser sur:

Un plan d'action et sur ma rigueur	Mes relations d'influence et mon pouvoir	Les façons de faire de l'organisation	La volonté et la motivation du personnel	Mon interprétation de la réalité organisationnelle
A	**B**	**C**	**D**	**E**

QUESTION #7
Je préfère confier des mandats à la personne:

La plus efficace	La plus influente	La plus expérimentée	La plus empathique	La plus curieuse
A	**B**	**C**	**D**	**E**

QUESTION #8
Une structure c'est d'abord et avant tout:

Un ensemble de tâches et de rôles	Un partage des pouvoirs entre des groupes	Le reflet de l'histoire de l'organisation	Un système d'interactions sociales	Un système de traitement de l'information
A	**B**	**C**	**D**	**E**

QUESTION #9
Coordonner c'est d'abord et avant tout:

Mettre en œuvre le cadre administratif	Négocier et gérer des conflits	Construire un esprit de corps	Mobiliser le personnel	Transmettre des informations
A	**B**	**C**	**D**	**E**

QUESTION #10
La communication organisationnelle doit principalement être:

Un processus d'informations	Un processus d'influence	Un partage de valeurs	Un échange de sentiments	Un échange d'interprétations
A	**B**	**C**	**D**	**E**

QUESTION #11
Les personnes résistent au changement principalement parce qu'il:

N'a pas été bien expliqué	Menace le pouvoir de certains	Chamboule les routines et la tradition	Est une source d'insécurité psychologique	Est ambigüe et incomplet
A	**B**	**C**	**D**	**E**

QUESTION #12
Les personnes sont principalement motivées par:

Les incitatifs financiers et matériels	Le pouvoir et le prestige	Le respect et l'estime des autres	Le travail et les défis à relever	Le sens qu'elles donnent à leur travail
A	**B**	**C**	**D**	**E**

QUESTION #13
Le contrôle de gestion doit principalement être:

Un système d'information	Un outil de récompense et de sanction	Un rituel nécessaire et stimulant	Un incitatif au dépassement	Un système d'apprentissage
A	**B**	**C**	**D**	**E**

QUESTION #14
Les principaux défis de l'organisation sont:

La construction d'un avantage concurrentiel	L'établissement d'une saine gouvernance	La constitution d'une identité commune	La gestion des ressources humaines	L'apprentissage organisationnel
A	**B**	**C**	**D**	**E**

QUESTION #15
Parmi l'ensemble des rôles de gestion, je préfère:

Planifier, organiser et contrôler	Négocier, influencer et arbitrer	Rassembler, intégrer et guider	Communiquer, motiver et *coacher*	Interpréter, apprendre et décider
A	**B**	**C**	**D**	**E**

QUESTION #16
Les principales qualités que je valorise sont:

La performance, l'efficacité et le professionnalisme	La combativité, la fougue et la détermination	Le respect, la loyauté et la sagesse	La motivation, l'écoute et l'empathie	La curiosité, la créativité et le jugement
A	**B**	**C**	**D**	**E**

QUESTION #17
Les principaux leviers d'action sont:

Les objectifs, les budgets et l'autorité	Le pouvoir, les ressources et les règles	Les visions, les valeurs et les symboles	Les défis, la reconnaissance et les sentiments	La connaissance et l'information
A	**B**	**C**	**D**	**E**

QUESTION #18
Le titre que je préfère est celui de:

Expert	Négociateur	Guide	Psychologue	Décideur
A	**B**	**C**	**D**	**E**

QUESTION #19
Une organisation c'est principalement:

Une machine productive	Un système politique	Une culture partagée	Un espace de satisfaction des besoins	Un système d'apprentissage
A	**B**	**C**	**D**	**E**

QUESTION #20
La pratique de la gestion est fondamentalement une réalité:

Technique	Politique	Symbolique	Psychologique	Cognitive
A	**B**	**C**	**D**	**E**

De façon à faciliter l'interprétation des résultats, les réponses à chacune des questions doivent être reportées dans le tableau 2.1. De plus, il faut indiquer, au bas du tableau, le total de chacune des colonnes de façon à faire apparaître une note globale. C'est cette dernière qui servira d'indicateur du style de management qui est préféré parmi les cinq qui font l'objet du questionnaire.

Tableau 2.1
Les réponses au questionnaire

QUESTIONS	A	B	C	D	E
#1					
#2					
#3					
#4					
#5					
#6					
#7					
#8					
#9					
#10					
#11					
#12					
#13					
#14					
#15					
#16					
#17					
#18					
#19					
#20					
TOTAL					

Bien que ce questionnaire n'ait rien de scientifique, il permet tout de même d'amorcer une réflexion sur les différentes perspectives du management, sur les habiletés qu'elles mettent en jeu et sur les leviers qu'elles proposent. Le questionnaire cherche notamment à mettre au jour les préférences pour l'un ou l'autre des styles de management suivants:

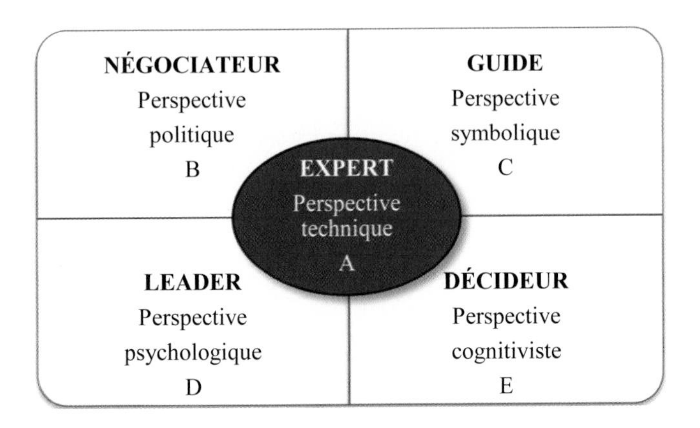

Figure 2.1: Les styles de management

Le gestionnaire ou l'étudiant qui se livre candidement au jeu du questionnaire arrive à mettre au jour sa préférence pour l'un ou l'autre de ces styles, puisque l'addition des chiffres de chacune des colonnes fait apparaître un ordre de préférence en matière de style de management. C'est ainsi que plus le total est faible, plus cela indique une préférence pour le style et, inversement, plus le total est élevé, moins le style de management paraît correspondre aux préférences du répondant. Bien sûr, tout cela n'est qu'indicatif et la réalité pratique du management contemporain est nettement plus complexe que ce que permet de mettre au jour un tel questionnaire. Cela dit, le questionnaire a tout de même l'avantage d'indiquer les styles que chacun doit tout particulièrement développer.

Par ailleurs, le style d'expert est logé au centre de la figure 2.1, car comme en témoigne l'histoire des théories contemporaines du management, le management technique, duquel est tiré ce style, a historiquement eu tendance à assimiler tous les regards portés sur lui. Au regard des pratiques concrètes de management, cela se traduit par la capacité qu'a l'expert de se nourrir des autres styles. C'est tout particulièrement vrai, comme nous le verrons au chapitre 7, lorsque l'expert se lance dans des relations de direction.

PARTIE II

LA PERSPECTIVE TRADITIONNELLE

Cette seconde partie porte sur la perspective traditionnelle et ne comporte qu'un seul chapitre. Ce chapitre témoigne de la présence, tout au côté des deux formes contemporaines de management, d'une troisième forme de management, à savoir le management traditionnel. Cette forme historique avec laquelle le management contemporain est en rupture offre elle aussi une solution au problème de l'action organisée. Toutefois, à la différence des formes contemporaines, le management traditionnel n'est pas fondé sur des théories explicites. En fait, c'est le savoir tacite et la tradition qui lui servent d'assises réflexives. Cela dit, à l'instar des formes contemporaines, le management traditionnel offre, lui aussi, un style de management, le style paternaliste, dont les caractéristiques ont été partiellement assimilées par le management contemporain sous la forme du style de guide que façonne la perspective symbolique.

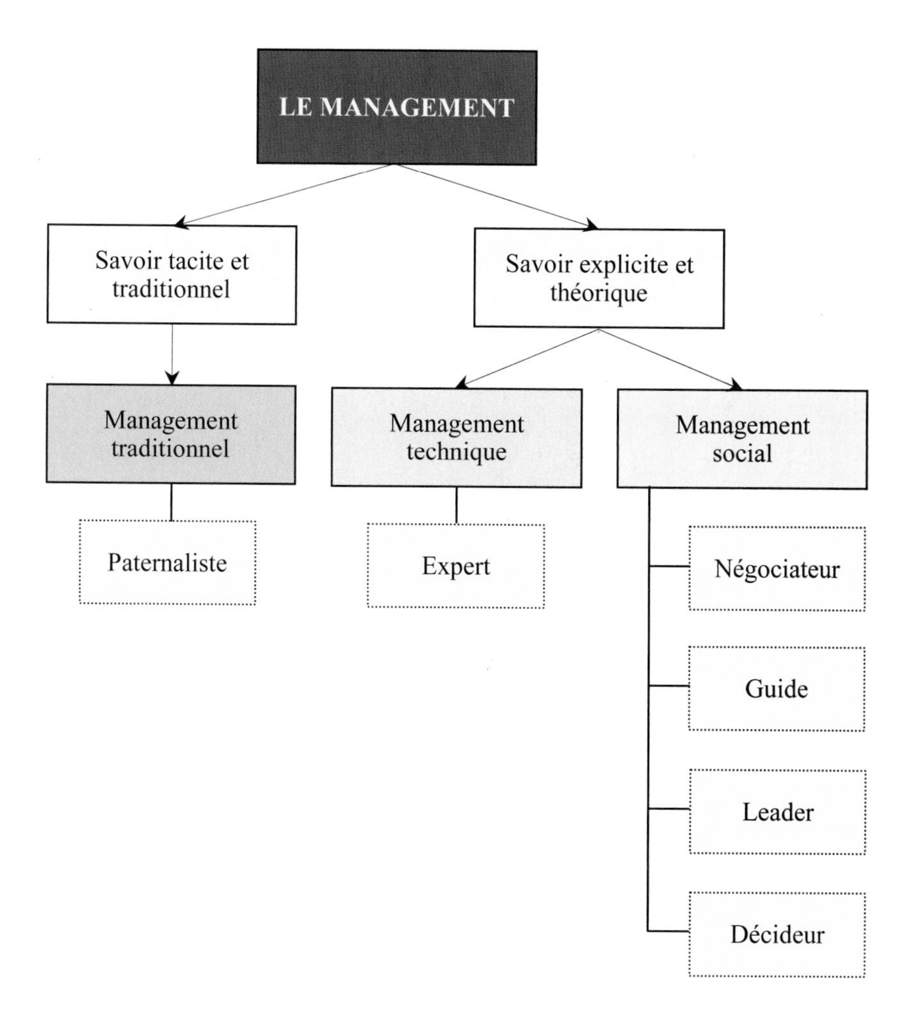

Chapitre 3

LE MANAGEMENT TRADITIONNEL

Première des formes de management à avoir historiquement exercé son emprise sur le monde des organisations, le management traditionnel a été, depuis plus d'un siècle, sévèrement critiqué par les théoriciens des deux formes contemporaines de management, lorsqu'il ne fut pas, tout simplement, ignoré, comme s'il n'était qu'une forme mineure de management, voire une quantité négligeable et insignifiante. C'est que pour les théoriciens du management technique, le management traditionnel a le tort d'être précisément ce qu'il est, à savoir une forme traditionnelle d'action qui, de ce fait, condamne les organisations à vivre au passé et les prive d'une pensée rationnelle qui pourrait les rendre véritablement efficaces et adaptées aux exigences des Temps présents. Pour leur part, les théoriciens du management social lui reprochent sa conception autoritaire et paternaliste des relations humaines. Selon ces théoriciens, une telle conception a fait son temps et, surtout, elle nie la richesse et la complexité des humains, et freine leur émancipation. En outre, toujours selon les théoriciens du management social, tout en rejetant l'autoritarisme et le paternalisme qui le caractérisent, il est possible d'intégrer les acquis du management traditionnel au sein d'une perspective vraiment contemporaine de management, soit la perspective symbolique. Malgré ces critiques teintées de mépris ou d'ignorance, le management traditionnel demeure toujours actif dans les organisations contemporaines, surtout dans l'univers des PME, là où il est toujours la forme dominante de management. Dans ces organisations, le management traditionnel construit un monde autoritaire et paternaliste qui prend la forme d'une communauté dans laquelle tous doivent se fondre[1].

---

[1] Comme l'évoque Nisbet, par définition, la communauté s'oppose aux relations sociales individualistes qui caractérisent les organisations contemporaines: «La force des liens communautaires tient essentiellement à ce qu'ils s'opposent, à l'intérieur d'un même contexte social, aux relations de type non communautaire, elles-mêmes fondées soit sur la concurrence ou le conflit, soit sur l'utilité ou le consentement contractuel. L'impersonnalité et l'anonymat relatif de ces liens font ressortir l'étroitesse et la nature personnelle des liens communautaires.» Nisbet, R. A., *La tradition sociologique,* Paris: PUF, 2005: 70.

Par ailleurs, comme l'indique le tableau 3.1, outre sa constitution sociale de forme communautaire[2], l'organisation traditionnelle se distingue notamment par un holisme suivant lequel le tout est plus que la somme des parties[3] et par une hiérarchie paternaliste fondée sur la tradition[4].

Tableau 3.1
L'organisation traditionnelle

CARACTÉRISTIQUES	DESCRIPTION
UNE TOTALITÉ	■ L'organisation est plus que la somme de ses membres. ■ Prédominance des objectifs de l'organisation sur la volonté de ses membres. ■ L'organisation est jugée supérieure à ses membres, car elle leur est antérieure.
UNE COMMUNAUTÉ	■ L'organisation est fondée sur des relations sociales de nature communautaire. ■ La communauté organisationnelle est tout à la fois contraignante et sécurisante. ■ Les relations sont empreintes de paternalisme et d'affectivité. ■ La tradition est au fondement des relations entre les membres de l'organisation.
UNE HIÉRARCHIE TRADITIONNELLE	■ La légitimité de la hiérarchie est fondée sur le respect des traditions de l'organisation. ■ La hiérarchie traditionnelle est incontestable. ■ La hiérarchie traditionnelle institue entre tous une distance respectueuse.

[2] Sur le caractère communautaire des univers traditionnels, Nisbet écrit: «La notion de communauté est fondée sur une conception de l'homme qui envisage celui-ci dans sa totalité plutôt que dans chacun des rôles qu'il peut occuper dans l'ordre social. Du point de vue psychologique, la force de l'appartenance à la communauté résulte de ce que celle-ci, répondant à des motivations plus profondes que la simple volonté ou l'intérêt, réussit à submerger la volonté individuelle.» Nisbet, R. A., *La tradition sociologique,* Paris: PUF, 2005: 70.

[3] Le caractère holiste des collectifs traditionnels a notamment été mis de l'avant par Saint-Thomas, qui le considérait comme étant l'un des fondements éthiques de la communauté chrétienne: «Toute partie se trouve à exister en vue du tout. Toujours le tout est meilleur que ses parties et en est la fin.» Voir aussi Aristote qui considérait, du fait de son antériorité, que la société était supérieure à ses membres: «Une citée est par nature antérieure à une famille et à chacun de nous. Le tout, en effet, est nécessairement antérieur à la partie (...). Il n'est pas naturel que la partie l'emporte sur le tout.» (Aristote, *Politiques*, I: 2; III: 17).

[4] Sur la domination traditionnelle, voir: Weber, M., *Économie et société*, Paris: Plon, 1971. Selon Weber: «Nous qualifions une domination de *traditionnelle* lorsque sa légitimité s'appuie (...) sur le caractère sacré de dispositions transmises par le temps («existant depuis toujours») et des pouvoirs du chef. Le détenteur du pouvoir (ou divers détenteur du pouvoir) est déterminé en vertu d'une règle transmise. On lui obéit en vertu de la dignité personnelle conférée par la tradition.» (p.232)

L'ORGANISATION TRADITIONNELLE

Dans les organisations traditionnelles, les traditions et les conventions, les us et les coutumes, les rites et les usages, les routines et les habitudes, le respect de la hiérarchie et des personnes, la loyauté et la confiance, le partage et le don, les valeurs communes et les liens affectifs, l'oral et les relations directes, le pragmatisme et l'expérience dominent l'action et l'engage dans une quête continue de cohésion sociale à laquelle tous doivent se soumettre sous peine d'isolement, de marginalisation, voire d'exclusion. Surtout, le management traditionnel érige un monde organisé où le respect du passé, de l'histoire, de ce qui a toujours été pensé, dit, fait et vécu l'emporte sur l'excitation du moment présent et la fébrile anticipation d'un avenir prétendument radieux. Par cette soumission au passé, le management traditionnel exprime alors une perpétuelle recréation du monde d'alors, de jadis et de naguère, un réenchantement du monde. Renouer avec le souvenir vivace des origines, toucher quotidiennement au temps béni de la création collective et vivre tout naturellement la douce nostalgie de l'intuition fondatrice, de ce moment où tout était possible, surtout l'impossible, n'est toutefois pas de l'ordre d'un passéisme vieillot. En effet, le retour aux sources exalte l'action quotidienne et lui donne une profondeur et une richesse que seule la filiation historique peut pourvoir. Par cette filiation, chaque geste et chaque projet s'inscrivent dans l'histoire de l'organisation et, par là, acquièrent une dimension symbolique qui va bien au-delà de l'efficacité technicienne ou d'une logique instrumentale selon laquelle l'action ne serait qu'un moyen au service d'une fin et n'aurait de valeur qu'au regard de ses conséquences. Ainsi, dans l'organisation traditionnelle, l'action ne se réduit pas à la poursuite d'un objectif, mais doit plutôt s'insérer dans une trame historique où elle se fait répétition symbolique des actions nobles qui ont présidé à la constitution de l'organisation. Par cette répétition des actions fondatrices, la filiation historique laisse son empreinte sur chacun et peut revendiquer, en tout temps, sa paternité, son droit d'aînesse. C'est dire que dans ce monde de traditions, hors la référence obligée à hier, aujourd'hui et demain sont forcément vides de sens et ne sont plus que de l'ordre de l'instrumentation, d'une logique productiviste de l'efficacité et de l'utile. Inscrire dans le quotidien et dans la durée ce qui a toujours été et devrait toujours être est donc l'essence même du management traditionnel, ce qui en fait sa noblesse et sa richesse et si, dans l'organisation traditionnelle, tout se conjugue au passé et se décline en traditions, il n'en demeure pas moins que c'est au présent et pour l'avenir que chacun perpétue le passé et trouve ainsi un sens à son action. En outre, perpétuer les traditions est une marque de profond respect envers ceux et celles qui, dans le passé, ont permis, par leurs actions, l'existence du présent. Ce respect est toutefois largement de l'ordre de l'irréfléchi, de la soumission tacite à la sagesse des anciens, de l'attachement affectif aux valeurs passées, aux façons de faire ancestrales, aux croyances fondatrices[5]. Mais, qu'il soit ou non de l'ordre du tacite, ce respect de la tradition est essentiel au maintien de la cohésion de l'organisation traditionnelle. Tous doivent respecter la tradition et comprendre qu'elle ne se discute pas, ne se modifie pas, ou si peu. La tradition se partage, s'assimile et s'intègre au quotidien de chacun et, surtout, elle ne souffre d'aucun écart à la norme, plus précisément aux règles et aux conventions qu'elle incarne.

Résolument ancré dans un passé qu'il convient de respecter et de perpétuer, le management traditionnel est donc le fruit d'une sédimentation d'expériences individuelles et collectives. Il est aussi le résultat inattendu d'une lente évolution où le surgissement d'une fortuite nouveauté est délicatement incorporé aux pratiques coutumières, à ce qui a toujours été fait, à ce qui doit prévaloir pour toujours et à jamais. C'est dire que si, au fil du temps, la tradition est enrichie des expériences concrètes des uns et des autres, cet enrichissement n'est jamais recherché pour lui-même, ni même valorisé. Cela peut surprendre l'esprit moderne gagné aux bienfaits de la nouveauté et aux vertus du changement, mais dans l'organisation traditionnelle, il n'y a pas de quête de progrès, puisque l'idéal de vie loge dans le passé, là où tout a commencé et où tout était possible. Enrichir la tradition n'est donc pas un projet ni même quelque chose de souhaitable, mais c'est simplement l'inévitable conséquence de l'expérience concrète, fruit du hasard et d'une très lente évolution où la nouveauté ne sera finalement assimilée et intégrée que si elle peut faire corps avec l'organisation traditionnelle, que si elle peut s'y fondre sans la transformer, ni la pervertir et sans lui donner une impulsion et une direction qu'elle n'a pas.

Sous la gouverne du management traditionnel, l'organisation en est donc une de traditions où tout doit s'inscrire dans le respect de l'histoire et contribuer à sa cohérence identitaire, à sa consolidation par le maintien d'un lien social qui soit tout à la fois riche, profond et durable. La cohérence identitaire est, d'ailleurs, recherchée sans relâche tant pour la sécurité ontologique que procure un milieu fait de routines, de stabilité et de recréation permanente que pour l'utopie d'un éternel recommencement. L'organisation traditionnelle actualise ainsi un idéal identitaire où chacun peut se réaliser et se voir offrir le soutien du collectif pourvu qu'il en respecte les

---

[5] Selon Boudon et Bourricaud, «Chaque fois que nous nous en tenons, ou que nous déférons à une manière d'être, de faire ou de sentir, sous le seul prétexte qu'«on a toujours agi ainsi», on peut parler de tradition. *Mos Majorum* (la coutume des anciens), *magister dixit* (le maître l'a dit), expriment cette soumission à l'autorité du passé. Elle prend souvent la forme d'un acquiescement tacite et pour ainsi dire préréflexif.» Boudon, R. et F. Bourricaud, *Dictionnaire critique de la sociologie,* Paris: PUF, 1982, 574.

traditions et qu'il accepte de fusionner au sein d'une communauté qui lui est supérieure et qui l'est précisément parce qu'elle est antérieure à l'action de chacun.

Au regard du management traditionnel, le gestionnaire se fait rassembleur en incarnant le passé et en prônant le respect inconditionnel de la tradition. Détenteur de la légitimité que lui confère la tradition, le gestionnaire doit lui aussi s'y conformer de façon à ce qu'il puisse, ensuite, exiger de chacun une soumission respectueuse de l'héritage qu'elle représente. Dans l'organisation traditionnelle, c'est donc la tradition et non pas la personne du gestionnaire qui fait autorité. C'est elle qui procure la légitimité, qui dicte les conduites, qui filtre les événements et qui fournit les clés d'intelligibilité du réel en formulant, à la fois, les questions et les réponses dans une perpétuelle maïeutique du quotidien. La tradition ne peut donc être transgressée, et aspirer à la commande de l'organisation, c'est la respecter, l'incarner et la partager.

Autour de la tradition qui lui donne toute sa consistance, le management traditionnel actualise un ensemble de valeurs, un éthos, qui consolide la force des liens sociaux au sein de l'organisation et, par là, l'identité de chacun des membres de la communauté. Comme l'illustre la figure 3.1, l'éthos administratif de l'organisation traditionnelle comprend cinq valeurs fondamentales, soit la tradition, l'amour du métier, le culte du pragmatisme, l'attachement aux relations personnelles et le respect de l'ordre hiérarchique.

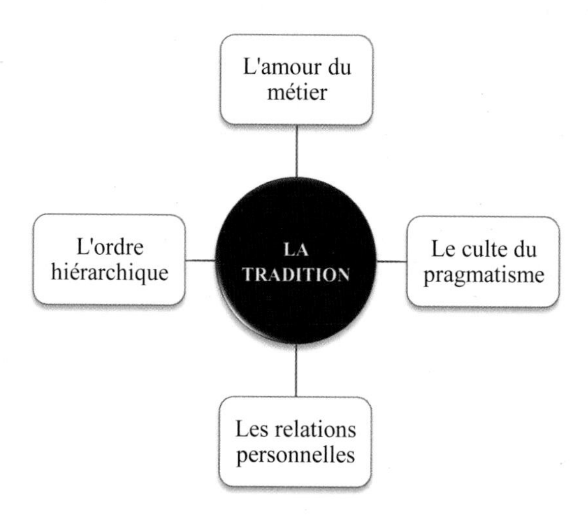

Figure 3.1: L'éthos administratif du management traditionnel

L'EMPRISE DE LA TRADITION

Vecteur identitaire de l'organisation traditionnelle, la tradition est, comme l'indique le tableau 3.2 un don que tous ont l'obligation de recevoir et de rendre, un savoir pratique largement tacite et un apprentissage par imitation, compagnonnage et par socialisation.

Tableau 3.2
La tradition

CARACTÉRISTIQUES	DESCRIPTION
UN DON	La tradition est un don. Chacun a l'obligation d'accepter la tradition. Chacun a l'obligation de transmettre à d'autres la tradition qu'il a reçue.
UN SAVOIR	La tradition est une sagesse pratique. La sagesse pratique est constituée de connaissances qui sont essentiellement tacites. La tradition comprend des règles d'action et des croyances qui sont, elles aussi, souvent tacites.
UN APPRENTISSAGE	La tradition s'apprend par imitation des comportements et du savoir-faire des anciens. L'apprentissage de la tradition met en action des relations de compagnonnage. La tradition est célébrée lors de fêtes et de rites ce qui favorise la socialisation des nouveaux. La tradition doit être respectée par tous et tout écart à la norme est sanctionné.

La transmission de la tradition

La tradition est d'abord un don que chacun a l'obligation de recevoir, de préserver et de rendre[6]. Toutefois, en tant que responsable légitime, c'est le gestionnaire qui en est le premier fiduciaire. Préserver la tradition pour les

[6] Sur la logique du don, voir: Mauss, M., «Essai sur le don», *Sociologie et anthropologie,* Paris: PUF, 1950: 143-279. De plus, selon René Alleau «Le mot «tradition» (en latin *traditio*, «acte de transmettre») vient du verbe *tradere*, «faire passer à un autre, livrer, remettre». Littré en a distingué quatre sens principaux: «Action par laquelle on livre quelque chose à quelqu'un»; «transmission de faits historiques, de doctrines religieuses, de légendes, d'âge en âge par voie orale et sans preuve authentique et écrite»; «particulièrement, dans l'Église catholique, transmission de siècle en siècle de la connaissance des choses qui concernent la religion et qui ne sont point dans l'Écriture sainte»; «Tout ce que l'on sait ou pratique par tradition, c'est-à-dire par une transmission de génération en génération à l'aide de la parole ou de l'exemple.» *in* «Tradition», *Encyclopédie Universalis,* 2006.

générations futures est sa principale obligation, car c'est elle qui a historiquement fait la richesse de l'organisation, c'est d'elle que vient le succès présent et, même si ni lui ni personne au sein de l'organisation ne peut vraiment en rendre explicitement et totalement compte, tous ressentent de manière vive et très réelle qu'elle est leur bien le plus précieux, celui qui fait la différence et, cela, sans pour autant que personne ne sache avec précision ce qu'est cette différence qui fait précisément toute la différence[7]. D'ailleurs, ce caractère très largement tacite de la tradition contribue à sa préservation puisque, cantonnée dans l'ombre de la réflexivité, elle échappe à toute discussion, à toute contestation, à toute reformulation ou à toute modification consciente qui, voulant la perfectionner, viendrait forcément l'altérer, voire même la pervertir[8].

Par ailleurs, sous l'étiquette très générale de «tradition» se cache, en fait, toute une sagesse pratique constituée de savoir-faire, de règles, de croyances, de valeurs et d'une histoire riche d'expériences passées, d'exemples à suivre et de solutions à reproduire. La tradition est donc un ensemble complexe de savoir pratique qui, tout en étant très largement de l'ordre du tacite, du non verbalisé et même de l'inconscient, n'en a pas moins passé l'épreuve du temps et fait la démonstration de sa valeur, de sa pertinence et de son efficacité[9]. Si la tradition résiste à l'épreuve du temps, ce n'est donc

[7] Comme le souligne le philosophe de l'action Maurice Blondel: «(…) la tradition (...) incarne une vie qui comprend à la fois sentiments, pensées, croyances, aspirations et actions. Elle livre (...) ce dont les générations successives ont également à se pénétrer et ce qu'elles ont à léguer (...). Dès lors, elle implique communion spirituelle d'âmes qui sentent, pensent et veulent, sous l'unité d'un même idéal (…) et elle est, par là même aussi, condition de progrès dans la mesure où elle permet de faire passer de l'implicite vécu à l'explicite connu quelques parcelles du lingot de vérité qui ne saurait jamais être complètement monnayé: car (...) la tradition (...) précède toute synthèse reconstructive et survit à toute analyse réfléchie.» *in* Lalande, A. (dir.), *Vocabulaire technique et critique de la philosophie*, Paris: PUF, 1926.

[8] Sur le caractère tacite de la tradition, Hayek écrit: «Tout homme qui grandit dans une culture donnée trouvera en lui-même des règles – ou peut découvrir qu'il agit en accord avec des règles – et reconnaîtra semblablement que les actions des autres sont conformes ou non conformes à diverses règles. Ceci, bien entendu, ne prouve ni qu'elles soient permanentes ou fassent inaltérablement partie de la «nature humaine», ni qu'elles soient innées, mais seulement qu'elles font partie d'un héritage culturel qui a des chances d'être assez constant, en particulier aussi longtemps qu'elles ne sont pas formulées en mots et, par conséquent, ne sont pas discutées ou examinées consciemment.» Hayek, F. A. *Droit, Législation et Liberté. Règles et ordre,* Paris: PUF, 1980: 22.

[9] À ce propos Hayek écrit: «Le premier attribut que la plupart des règles de conduite possédaient originellement est qu'elles sont observées dans l'action sans être connues de l'acteur sous forme de mots («verbalisées» ou explicite). Elles se manifesteront dans une régularité d'action, qui peut être explicitement décrite, mais cette régularité ne résulte pas de ce que les personnes qui agissent soient capables de les exprimer ainsi. Le second attribut est que de telles règles viennent à être observées par le fait qu'elles confèrent au groupe qui les pratique une puissance supérieure, et non pas parce que cette conséquence est prévue par ceux que ces règles guident. Bien que de telles règles finissent par être généralement acceptées parce que leur application produit certains effets, elles ne sont pas obéies avec l'intention de produire ces effets-là – effets que la personne agissante peut aussi bien ignorer.» Hayek, F. A. *Droit, Législation et Liberté. Règles et ordre,* Paris: PUF, 1980: 21-22.

pas par pure inertie. En fait, outre la sécurité qu'elle offre, la tradition donne une prise sur le réel, elle permet d'agir efficacement, sans que cette efficacité devienne une obsession, ni même un objectif à poursuivre. Sans cette efficacité, d'ailleurs, la tradition n'aurait jamais pu traverser le temps. Toutefois, les ressorts de cette efficacité restent à l'abri du regard, car ils sont enfouis dans l'être, là où le savoir existe, mais ne trouve pas les mots pour se dire. Cela dit, même si la tradition est très largement de l'ordre du savoir tacite, du non verbalisé et de l'implicite, il incombe tout de même au gestionnaire et à tous les membres de l'organisation traditionnelle de trouver les moyens appropriés pour la transmettre. Il en va, en fait, de la survie même du caractère traditionnel de l'organisation.

Puisque la pérennité de l'organisation traditionnelle repose sur la transmission de ses traditions, il est aisé de comprendre qu'en cette matière, une logique de la contrainte s'impose à tous. Plus particulièrement, la transmission de la tradition s'inscrit dans une logique du don selon laquelle chacun a l'obligation de recevoir en héritage les traditions construites par les générations passées. En contrepartie, la génération qui les reçoit a pour devoir de les transmettre aux générations futures. Dans cette course à relai où la tradition joue le rôle de témoin, le gestionnaire sert tout à la fois de médiateur, d'exemple à suivre et de courroie de transmission entre le passé et le présent. C'est notamment à lui qu'il revient d'incarner la tradition et de mettre en place les conditions et les mécanismes de sa transmission. Toutefois et bien que son action soit déterminante, au regard de la tradition, la marge de manœuvre du gestionnaire est plutôt mince. D'une part, il tire son autorité de sa propre soumission aux traditions et ne peut donc pas s'en écarter. D'autre part, puisque son action a valeur d'exemple et de symbole pour tous, le gestionnaire sait très bien qu'au-delà des résultats qu'il obtient, c'est ce qu'il fait qui est observé et qui a de la valeur. S'il s'écarte de la tradition, il prend alors le risque de perdre son pouvoir, puisque c'est précisément en l'incarnant avec respect et fidélité qu'il a l'autorité légitime de la commande de l'organisation. Le gestionnaire n'a donc d'autre choix que d'incarner le plus fidèlement la tradition et de susciter ainsi fierté et soumission, non pour sa propre personne ou son savoir, mais bel et bien pour ces traditions que lui et tous les autres membres de l'organisation doivent respecter et honorer.

L'imitation

Exemple à suivre, celui que tous observent puisqu'il sert d'étalon de mesure, de modèle à imiter, le gestionnaire, par ses valeurs, son comportement, sa manière d'être et de faire oriente forcément la conduite de chacun. Tout ce qu'il est, dit et fait peut être observé et imité[10]. Mais, il n'est pas le seul à être ainsi scruté à la loupe. Les anciens, tous ceux et celles qui ont déjà reçu et assimilé la tradition et qui, de ce fait, méritent le respect de tous sont aussi des exemples à suivre, des guides qui savent ce qu'il convient de faire pour perpétuer la tradition. Eux aussi ont un savoir à transmettre et, ce savoir, qui est le plus souvent implicite et porté par l'action, s'acquiert principalement par l'observation et l'imitation. Les nouveaux comprennent d'ailleurs très vite qu'ils ne peuvent aspirer à une pleine reconnaissance que s'ils acquièrent le savoir et les valeurs des anciens. Et puisque ces valeurs et ce savoir sont largement encastrés dans l'action, les nouveaux n'ont alors d'autre choix que d'imiter les anciens. Ce faisant, ils enchâssent, à leur tour, la tradition dans l'action et, du coup, ils recréent le monde dans lequel leurs actions, maintenant devenues traditionnelles, trouvent tout leur sens.

Le compagnonnage

Dans l'organisation traditionnelle, la transmission de la tradition ne se limite pas à une lente et patiente observation de ce que font et disent les anciens. En effet, le transfert des savoirs et des valeurs passe aussi par des relations de compagnonnage où le maître guide l'élève, où l'artisan prend sous son aile un apprenti, où le plus vieux forme le plus jeune, où le supérieur parraine le subordonné de façon à en faire un membre à part entière de l'organisation. Dans cette relation, la parole côtoie le geste et ce qui est dit importe alors autant que ce qui est fait. Surtout, bien au-delà de l'acquisition des rudiments d'un travail ou d'un métier, c'est précisément l'apprentissage de cette relation qui importe et qui fait que le nouveau devient un véritable membre de l'organisation. En effet, tout au long de la relation de compagnonnage, les plus jeunes doivent apprendre à respecter la distance qui les sépare des anciens. Ainsi, même lorsqu'ils en sauront autant qu'eux et même s'ils arrivent à surpasser les performances des anciens, ils ne deviendront jamais supérieurs aux anciens, ni même leur égal. C'est que toujours, ils auront une dette envers les anciens qui leur ont ou-

---

[10] Comme nous le rappelle Hayek, le savoir acquis par l'observation est très largement un savoir tacite: «Apprendre par expérience» (...) est un processus qui ne débute pas par un raisonnement, mais d'abord par l'observance, la diffusion, la transmission et le développement des pratiques, qui ont prévalu parce qu'elles réussissaient; cette réussite n'étant, le plus souvent, pas de procurer un avantage discernable à l'individu qui agissait, mais plutôt d'accroître les chances de survie du groupe auquel il appartenait. Dans le cas des hommes, le résultat de ce processus ne sera pas une connaissance exprimable, bien que nous puissions la décrire en termes de règles: l'homme ne peut traduire par des mots ce qu'il sait, il est simplement capable de s'y conformer en pratique. L'esprit ne fabrique point tant des règles qu'il ne se compose de règles pour l'action; c'est-à-dire d'un complexe de règles qu'il n'a pas faites, mais qui ont fini par gouverner l'action des individus parce que, lorsqu'ils les appliquaient, leurs actions s'avéraient plus efficaces, mieux réussies que celles d'individus ou de groupes concurrents.» Hayek, F. A. *Droit, Législation et Liberté. Règles et ordre,* Paris: PUF, 1980: 21-22.

vert le chemin, qui leur ont tout montré, tout donné, notamment leur statut au sein de l'organisation. En fait, devenus membres de l'organisation, les plus jeunes ne pourront s'acquitter de leur dette qu'en léguant, à leur tour, le fruit de leur apprentissage à des plus jeunes dont ils auront maintenant acquis la noble charge.

L'impossibilité de rendre la dette encourue par la relation de compagnonnage contribue à maintenir le pouvoir des anciens qui, toujours, peuvent revendiquer la paternité du succès de ceux et celles qu'ils ont accueillis au sein de l'organisation et patiemment formés. Ces derniers ne peuvent alors qu'être éternellement reconnaissants de leur apprentissage ce qui, en plus de contribuer à solidifier l'autorité des anciens, perpétue les liens hiérarchiques traditionnels qui président à la cohésion de l'organisation traditionnelle et c'est, finalement, ce qui importe plus que tout. De cela aussi, les plus jeunes, lorsqu'ils seront devenus des anciens, seront reconnaissants et ils en feront, d'ailleurs, la démonstration en perpétuant une tradition qui, à terme, leur conférera, à eux aussi, une incontestable autorité et un prestige indéniable.

Par ailleurs et bien qu'elle soit clairement hiérarchique, la relation de compagnonnage n'en est pas moins fondée sur un profond et sincère respect mutuel. Chacun respecte l'obligation de l'autre, soit l'obligation de transmettre la tradition pour le supérieur et celle de la recevoir pour le subordonné. C'est d'ailleurs ce respect qui importe et s'engager dans une relation de compagnonnage, c'est fondamentalement parcourir le chemin d'une certaine logique de l'honneur où chacun n'a d'autre choix que d'accomplir son devoir. Cela dit, chemin faisant, le subordonné acquiert tout autant son métier que les traditions de l'organisation. Surtout, le subordonné acquiert, du fait de son assimilation des traditions, un véritable statut au sein de la hiérarchie traditionnelle. Par sa maîtrise de la tradition, il devient membre à part entière de l'organisation et doit, du coup, en partager les obligations, dont la principale est précisément de transmettre à son tour ce qu'il a reçu en héritage.

Les cérémonies, les fêtes et les rituels

Dans l'organisation traditionnelle, le partage de la tradition se fait aussi par de multiples cérémonies, fêtes et rituels qui ponctuent la vie organisée. Là c'est la célébration de l'anniversaire de la fondation de l'organisation, ici c'est la cérémonie en l'honneur des membres qui ont accumulé un grand nombre d'années de service au sein de l'organisation et, plus loin, tous se rassemblent pour souligner le passage de certains rites tels l'entrée au service de l'organisation, l'accession à un titre ou le départ à la retraite. Toutes ces cérémonies, fêtes et célébrations sont toujours l'occasion de rappeler à chacun l'importance de l'organisation et de ses traditions. Ils sont, en fait, la démonstration que l'organisation est un tout dans lequel chacun doit se fondre pour avoir droit d'y participer et recevoir en échange une reconnaissance, une protection et une force. D'ailleurs, dans l'organisation traditionnelle, participer à ces rassemblements collectifs n'a rien d'optionnel. En fait, si tous sont toujours poliment invités à prendre part aux festivités et aux diverses cérémonies, chacun comprend très vite qu'il n'a pas d'autre choix que d'y assister, qu'il s'agit là d'obligations, car refuser d'y participer, c'est alors témoigner du peu d'attachement affectif à l'organisation et à ses traditions, ce qui n'est pas sans conséquence dont l'exclusion n'est pas la moindre.

Les cérémonies, fêtes, rituels et autres célébrations n'ont donc pas pour objet premier de souligner les mérites des uns et des autres, mais plutôt la force de l'organisation et de ses traditions. Bien sûr, il arrive que les mérites d'une personne soient soulignés lors d'une fête ou d'une cérémonie, mais c'est bien davantage le respect des traditions que le mérite personnel qui est alors souligné.

Les sanctions et le conformisme

Si, pour lui assurer la pérennité à laquelle elle aspire, l'organisation traditionnelle mise très largement sur l'apprentissage volontaire de la tradition, cela n'est toutefois pas suffisant. Ainsi et tout au côté des relations d'apprentissage, se trouve des sanctions qui les encadrent, inspirent la crainte et imposent une tradition qui s'incarne dans des règles et des normes sociales[11]. Dans l'organisation traditionnelle, chacun ressent donc très bien la présence de ces règles et de ces normes sociales qu'il convient de respecter, qu'il ne faut surtout pas transgresser sous peine de souffrir du regard des uns et de la pression des autres, voire même d'être l'objet de sanctions qui peuvent aller de la mise à l'écart jusqu'à l'exclusion. Par l'usage de sanctions strictes et le plus souvent sans appel, la force de l'organisation s'impose aux consciences individuelles et chacun est alors

[11] Les règles sociales sont toujours contraignantes et s'imposent, en quelque sorte, aux individus qui n'ont d'autre choix que de s'y soumettre. Ainsi, selon Durkheim «Une règle (…) n'est pas seulement une manière d'agir habituelle; c'est, avant tout, une manière d'agir obligatoire, c'est-à-dire soustraite, en quelque mesure, à l'arbitraire individuel. Or, seule une société constituée jouit de la suprématie morale et matérielle qui est indispensable pour faire la loi aux individus; car la seule personnalité morale qui soit au-dessus des personnalités particulières est celle que forme la collectivité. Seule aussi, elle a la continuité et même la pérennité nécessaire pour maintenir la règle par-delà les relations éphémères qui l'incarnent journellement.» Durkheim, É., *De la division du travail social,* Paris: PUF, 1996: v.

contraint de s'y fondre, de se conformer à ses normes et à ses règles et d'y être solidaire[12].

Dans l'organisation traditionnelle, l'espace de liberté est donc plutôt restreint, puisque tous doivent se fondre dans le grand tout organisé, tous doivent être solidaires des traditions qui le gouvernent et personne ne doit sortir du rang, tenter de se faire une vie à l'écart du collectif et chercher à y cultiver une individualité qui serait contraire à la conscience commune. Chacun ressent donc vivement la pression de l'organisation et si cette pression sociale est toujours invisible, elle n'en est pas moins très réelle comme l'expérimentent tous ceux et celles qui osent la défier. Ainsi, que l'un des membres de l'organisation sorte du rang et enfreigne les normes et règles sociales que tous tiennent pour symboliques du respect de la tradition et c'est alors le recours aux sanctions qui vient rapidement rétablir l'harmonie et aussi servir d'exemple à ceux et celles qui tenteraient, eux aussi, de s'écarter de l'enceinte de ce qui est socialement tolérable.

L'AMOUR DU MÉTIER

Dans l'organisation traditionnelle, le travail ne se réduit pas à un enchevêtrement d'activités à accomplir en vue d'accomplir une fin productive et n'est pas davantage une fin en soi. C'est que dans ce monde, le travail est d'abord et avant tout au service des traditions qu'il convient de respecter et de perpétuer. En outre, ce n'est pas le travail qui assure à chacun une place au sein de l'organisation, mais bien l'insertion dans le rang hiérarchique de la communauté organisationnelle, insertion conséquente du respect des traditions qu'elle impose. C'est d'ailleurs précisément ce rang qui procure satisfaction et fierté et c'est encore lui qui commande le respect et pas vraiment la productivité du travail, ni même le travail en lui-même. Cela dit, l'organisation traditionnelle a beau ne pas loger le travail et la productivité au centre de son éthos, ce n'est pas pour autant un monde de paresse dans lequel le travail n'aurait aucune importance. En fait, tous doivent accomplir un métier fait de devoirs, de souci constant pour la réalisation d'une œuvre de qualité et de respect pour les outils que son exercice exige.

Les caractéristiques du travail au sein de l'organisation traditionnelle sont donc, comme le souligne le tableau 3.3, une logique de l'honneur, une recherche constante de l'œuvre de qualité et un respect pour les outils de travail.

[12] Pour désigner le type de solidarité qui caractérise les relations sociales propres aux communautés, Émile Durkheim parle de «solidarité mécanique», soit une forme de solidarité qui ne tolère pas d'écarts aux normes et règles sociales, qui exige que tout comportement individuel se fonde sur une conscience commune et que tout écart soit sanctionné par des peines.

Tableau 3.3
Le métier

CARACTÉRISTIQUES	DESCRIPTION
UNE LOGIQUE DE L'HONNEUR	◘ Le travail implique un sens du devoir. ◘ Chaque travail a ses exigences et elles doivent être respectées. ◘ Chaque travail a ses limites et elles ne doivent pas être transgressées.
L'ŒUVRE DE QUALITÉ	◘ La recherche d'une œuvre de qualité l'emporte sur la quête de productivité. ◘ L'œuvre de qualité doit s'inscrire dans la durée. ◘ L'œuvre de qualité est partie prenante d'une recherche constante de pérennité de l'organisation.
LE RESPECT DES OUTILS	◘ Pour produire une œuvre de qualité, il faut que chacun respecte les outils de son travail. ◘ Chacun connaît les possibilités et les limites de ses outils. ◘ Les outils acquièrent une dimension identitaire en étant considérés comme des compagnons de travail.

La logique de l'honneur

Dans l'organisation traditionnelle, le sens du travail a ceci de bien particulier qu'il est fait de devoirs à réaliser dont le principal n'est pas d'être productif, mais bien d'accomplir avec dignité et honneur son métier[13]. Cela peut sembler flou à l'esprit moderne gagné aux vertus de la productivité et aux bienfaits des fines descriptions de tâche et pourtant, accomplir avec honneur son métier est toujours une réalité très précise. Dans le cadre de son métier, chacun sait très bien ce que l'on attend de lui, ce qu'il est possible d'exiger en termes de devoirs à accomplir, d'activités à réaliser et d'œuvres à produire. Chacun sait aussi ce qu'il ne faut pas exiger, ce qui ne se fait pas et ne doit surtout pas se faire. C'est donc dire que, sans pour autant être formalisés, les métiers sont tout de même codifiés par la tradition et, dès lors, bien accomplir un métier, c'est respecter cette tradition qui l'a codifié et c'est précisément cela qui impose le respect et qui est honorable. Dans un tel contexte, travailler c'est alors bien autre chose que de réaliser une performance puisqu'il s'agit surtout de se comporter avec dignité et honneur en respectant le moindre des devoirs inhérents à l'accomplissement d'un métier rendu légitime par la tradition. Du coup, refuser d'accomplir une tâche alors même qu'elle est constitutive du métier à ac-

[13] Sur cette logique de l'honneur, voir: d'Iribarne, P., *La logique de l'honneur,* Paris: Éditions du seuil, 1989.

complir équivaut à tourner le dos à la tradition, ce qui, dans une organisation traditionnelle, ne se fait pas et peut même conduire au déshonneur. De même, un gestionnaire qui aurait l'insouciance d'exiger de ses subalternes plus et surtout autre chose que ce à quoi les oblige leur métier perdrait forcément leur respect, puisque, ce faisant, il témoignerait lui-même d'une certaine ignorance, voire d'un certain mépris pour ce qui est pourtant au principe même de leur relation, à savoir la tradition. Refuser d'accomplir une tâche qui ne serait pas constitutive du métier à accomplir ce n'est donc pas la mépriser ni même faire acte d'insubordination, mais c'est plutôt témoigner, devant tous, d'un profond respect pour son métier et pour la tradition qu'il incarne. Prétendre être membre d'une organisation traditionnelle et y être reconnu implique donc de tirer une certaine fierté des devoirs à y accomplir. En fait, chacun doit développer un véritable amour pour son métier, et cela, quel qu'il soit.

L'œuvre de qualité

Si, dans l'organisation traditionnelle, accomplir son métier ne se réduit pas à la réalisation d'un travail, il en va de même pour son résultat. En effet, dans ce type d'organisations, c'est bien davantage la qualité de l'œuvre réalisée que la productivité du travail qui importe. Cela dit, le souci de productivité n'est pas pour autant absent ou méprisable, mais devant la qualité de l'œuvre à réaliser, le rendement est forcément second et il doit s'incliner devant ce que la maîtrise d'un métier permet de concrétiser. D'une certaine façon, la quête de qualité est un souci constant et incarne bien le proverbe populaire qui énonce qu'«un travail qui mérite d'être fait mérite d'être bien fait». En outre, pour les membres de ce monde, produire une œuvre de qualité, c'est étendre le respect de son métier à ce qu'il permet de réaliser. C'est aussi se respecter soi-même et respecter l'organisation qui, justement, permet d'être soi-même par la possibilité offerte à tous de se réaliser dans l'œuvre collective.

Le souci constant pour la qualité masque, par ailleurs, la véritable obsession de l'organisation traditionnelle, soit une perpétuelle quête d'immortalité, puisque produire une œuvre de qualité, c'est précisément créer une parcelle d'éternité qui, du fait de sa qualité, s'inscrira dans la durée, défiera le temps et, par là, assurera la pérennité du monde et suscitera forcément le respect. Du coup, produire en grande quantité et à très grande vitesse des produits éphémères qui, aussitôt mis au monde, sont rapidement consommés et à jamais oubliés ne fait pas partie de l'idéal de l'organisation traditionnelle qui aspire plutôt à la pérennité. Pour ce monde, durer importe toujours bien davantage que de performer et pour y arriver, les membres l'organisation traditionnelle ne connaissent qu'un moyen, qui a d'ailleurs déjà fait ses preuves, soit produire des œuvres de qualité.

La durabilité de l'œuvre de qualité, sa capacité à défier le temps, s'inscrit donc tout naturellement dans un monde social fondé sur l'immuable et la tradition. Produire une telle œuvre contribue même à la stabilité de l'organisation traditionnelle puisque cela l'ancre dans la permanence et offre alors le sentiment de sécurité que tous recherchent. De plus, au regard des membres de l'organisation, l'œuvre est productive précisément parce qu'elle est durable. Ici, la productivité n'est donc pas une affaire de rentabilité, mais bien de durabilité. Ce qui importe c'est d'inscrire dans la durée ce qui est fait et cela n'est possible que si ce qui est fait est de qualité.

Le respect des outils

Dans l'organisation traditionnelle, chacun est responsable de ses outils et doit les respecter puisque, sans eux, produire une œuvre durable et de qualité est impossible. Respecter ses outils est donc une obligation et elle consiste à bien les connaître et, surtout, à reconnaître leurs limites autant que leur potentiel. C'est aussi, tout comme dans le cas des personnes, ne pas exiger d'eux ce qu'ils ne peuvent réaliser. C'est encore ne pas leur imputer un possible échec, mais bien accepter qu'ils ne sont qu'un prolongement du corps et de l'esprit et qu'en dernière analyse, c'est toujours celui ou celle qui les manipule qui est l'ultime responsable de l'œuvre qu'ils contribuent à réaliser.

Dans l'organisation traditionnelle, les outils ne sont donc pas que des ressources qu'il faut consommer pour obtenir un résultat. Ils ne sont pas réductibles à de simples moyens au service d'une fin instrumentale. Ils sont plutôt de véritables compagnons de travail qu'il convient d'apprivoiser et de traiter avec beaucoup de respect. D'ailleurs, lorsqu'ils sont traités avec respect, les outils font corps avec celui ou celle qui les manie et ce que l'œil peu avisé peut interpréter comme de la dextérité est, en fait, bien davantage le témoin d'un respect, d'une telle complicité entre l'outil et les personnes que, l'instant d'un regard, ils semblent ne faire plus qu'un. C'est ainsi que, traités avec respect, les outils acquièrent une dimension qui va bien au-delà de leur réalité instrumentale. Ils deviennent constitutifs de l'identité de ceux et celles qui font bien davantage que les utiliser puisqu'ils construisent avec eux une véritable relation identitaire.

LE CULTE DU PRAGMATISME

Pour le gestionnaire traditionnel, la vie organisée doit non seulement être fondée sur une tradition qui s'incarne dans des métiers, elle doit aussi être une réalité profondément pratique, un monde très concret qui ne laisse pas de place à l'analyse sans fin, à la théorisation des moindres parcelles de l'espace organisé et à une généralisation excessive qui, par abstraction débridée, gommerait tout ce que son monde a de si particulier et d'unique et qui, par là, ne ferait que le travestir et le pervertir. C'est que le gestionnaire traditionnel voue un véritable culte au pragmatisme. Sous ce culte, règne alors sans partage un anti-intellectualisme primaire. Ici, tout doit se conjuguer au concret et à l'observable, tout doit être médiatisé par les sens et avoir une résonance pratique, une application tangible et immédiate qui, tradition oblige, devra se fondre dans le décor traditionnel en y occupant une place qui, fondamentalement, ne le modifiera pas, mais au contraire s'y intègrera parfaitement.

Sous le règne du pragmatisme, les théories, les concepts, les systèmes formels et les hypothèses qui n'en finissent plus d'anticiper abstraitement le futur sont toujours regardés avec beaucoup de suspicion, voire même avec un mépris certain. L'abstraction, la généralisation, l'extrapolation, tout cela ne trouvent donc pas grâce aux yeux des membres du monde traditionnel et relèvent, en fait, d'un autre monde, le monde formel, là où le gestionnaire traditionnel ne veut surtout pas conduire le sien. Son monde, celui qu'il a l'obligation de préserver pour les générations futures est, en effet, tout autre. C'est un lieu d'expériences concrètes, de savoir tacite et de routines immuables. C'est surtout un monde dont la connaissance ne doit pas être un outil de transformation du réel, mais bien le témoin vivant d'une tradition à respecter, à reproduire et à transmettre.

Le pragmatisme est donc le nécessaire complément de la tradition qui, mise en action dans l'accomplissement des métiers, indique le chemin qu'il convient de parcourir de façon à assurer au collectif la pérennité à laquelle il aspire. Au regard du pragmatisme, l'organisation traditionnelle est alors essentiellement un univers concret fait de réalités pratiques et tangibles à assimiler et à respecter.

Par ailleurs, comme l'indique le tableau 3.4, le culte du pragmatisme se décline en observations constantes de la réalité concrète, en quête de toutes les qualités qui caractérisent les personnes et les choses et dans un souci permanent de toujours lier le savoir au contexte dans lequel il sera utilisé.

Tableau 3.4
Le pragmatisme

CARACTÉRISTIQUES	DESCRIPTION
L'OBSERVATION	■ Observer les caractéristiques concrètes de l'organisation plutôt que de construire des abstractions. ■ Miser sur les sens plutôt que sur l'analyse. ■ Accorder de l'attention à tout ce qui est particulier plutôt que général.
LA RECHERCHE DE QUALITÉS	■ Mettre au jour les qualités qui s'inscrivent dans la beauté de la tradition. ■ Rechercher les qualités des personnes comme des choses. ■ Miser sur des relations de qualité.
L'ADAPTATION AU CONTEXTE	■ Toujours comprendre le contexte de l'action. ■ Contextualiser tous les problèmes. ■ Adapter l'action au contexte.

L'observation

Toujours pragmatique, c'est par l'observation constante et directe de son organisation que le gestionnaire traditionnel se donne un savoir pratique qui lui permet de perpétuer la tradition. D'ailleurs, tout devient objet d'observations propices à la constitution d'un savoir *expérientiel* que le gestionnaire peut, par la suite, tacitement mobiliser pour résoudre des problèmes toujours concrets et très pratiques.

Pour bien comprendre son organisation et la respecter, le gestionnaire traditionnel doit, par ailleurs, construire une relation familière avec tout ce qui la caractérise. Pour y parvenir, il doit interagir personnellement et directement avec tout ce que son organisation a de concret à comprendre. Il doit donc miser sur l'éveil de ses sens, de tous ses sens. Voir, entendre, toucher, sentir et goûter sont d'ailleurs ses instruments privilégiés de connaissance et il n'est donc pas surprenant que le gestionnaire soit fréquemment qualifié d'«homme de terrain» et que son savoir soit assimilé à du «gros bon sens». Le gros bon sens est très précisément ce qu'il recherche en appréhendant concrètement son organisation et il ne peut l'obtenir qu'en établissant une relation profondément empirique et personnelle avec elle. Ce n'est que comme cela qu'il peut prétendre la comprendre dans ce qu'elle a d'unique et de concret.

Par l'observation minutieuse, le gestionnaire traditionnel cherche à comprendre empiriquement ce que chaque parcelle de son organisation a de particulier. L'observation nécessite donc l'éveil de tous les sens qui, seuls, permettent de mettre au jour les caractéristiques très concrètes de ce qu'il observe, de ce qu'il cherche à comprendre et à reproduire. C'est ainsi que tous les membres de l'organisation, plutôt que d'être pensés en termes de ressources abstraites et interchangeables sont plutôt vus comme des personnes réelles et concrètes, toutes différentes les unes des autres, avec un nom particulier, une histoire de vie singulière, un Moi unique, occupant un rang social précis et significatif et ayant aussi une vie sociale propre. De la même manière, au terme de son observation directe et familière, un marché n'est pas une réalité abstraite où une offre croiserait une demande à un point d'équilibre aussi stationnaire que précaire, mais bien un espace matériel et social concret et précis où il est possible de transiger des biens et des services qui ont des caractéristiques réelles qu'il convient de comprendre. En outre, les transactions sur le marché ne prennent pas la forme d'une rencontre formelle entre un producteur et un consommateur où l'argent servirait de médiateur instantané, mais bien celle d'une rencontre très personnelle entre des personnes très concrètes et familières qui s'échangent des paroles, des gestes, des opinions et des sentiments. C'est également une relation qui est très souvent physique, relation où il y a des odeurs, des couleurs et mille et un petits détails que seule l'observation fine et minutieuse de la réalité peut mettre au jour.

La contextualisation

Parce qu'elle permet de comprendre tout ce que son organisation a de particulier et d'unique, l'observation pave alors la voie à une compréhension fine et pratique du contexte d'action d'où émergent les problèmes à résoudre. Pour le gestionnaire traditionnel, c'est d'ailleurs cette connaissance toute personnelle du contexte de son action qui donne la pleine mesure de son savoir. C'est parce qu'il connaît personnellement son organisation qu'il peut légitimement y intervenir. Pour lui, les problèmes à résoudre ne sont jamais de l'ordre du général et de l'universel. Bien au contraire, les problèmes ont toujours une dimension unique, dimension qui est affaire de contexte. Là, c'est une machine qui a déjà fait l'objet d'une réparation et dont le mauvais fonctionnement s'explique du fait de l'usage particulier qui en est fait et de l'apprenti qui en a fait la réparation. Ici, l'absentéisme de l'un se comprend et se pardonne, puisque c'est le fait de l'un des vieux de la vieille qui a déjà beaucoup servi et qui éprouve des problèmes de santé qu'il tente de dissimuler alors que personne n'est dupe, pas même lui. Plus loin, ce sont les comptes clients qui montent en flèche, mais puisque ce sont des clients qui sont liés à l'organisation depuis toujours, il n'y a pas lieu de s'en inquiéter.

C'est donc la connaissance directe, fine et très personnelle du contexte qui permet de comprendre pourquoi tout ce qui, au premier regard, paraît poser problème n'en est pas forcément un. C'est aussi cette connaissance du contexte qui explique que ce qu'une personne qui n'en serait pas familière interpréterait comme de l'arbitraire et du népotisme pourrait n'être, en fait, que des adaptations à des contextes toujours particuliers, toujours profondément humains.

L'ATTACHEMENT AUX RELATIONS PERSONNELLES

Porté par le pragmatisme qui lui sert de théorie de la connaissance, le gestionnaire traditionnel cultive et entretient des relations très personnelles avec les membres de son organisation. Dans celle-ci, toutes les relations doivent être profondément personnelles, directes et concrètes. Ici, les relations formelles n'ont donc pas droit de cité, elles n'ont pas de poids moral et elles n'ont pas force de loi. Seule importe la chaleur du lien direct et personnel et, surtout, la connaissance de première main que cette relation permet de construire. Mais l'attachement aux relations personnelles n'est pas qu'une affaire de connaissance et de chaleur humaine, c'est aussi, comme l'indique le tableau 3.5, tout à la fois une philosophie paternaliste de gestion, un puissant moyen de contrôle social et la voie royale pour susciter une loyauté à toute épreuve.

Tableau 3.5
Les relations personnelles

CARACTÉRISTIQUES	DESCRIPTION
LE PATERNALISME	■ L'autorité est incontestable. ■ L'autorité se manifeste souvent par des relations bienveillantes et chaleureuses. ■ L'autorité maintient une distance hiérarchique proche de la condescendance.
LE CONTRÔLE SOCIAL	■ Les relations personnelles permettent de faire respecter l'autorité morale de la tradition. ■ Par les relations personnalisées, il est possible d'observer les comportements et de faire des rappels à l'ordre.
LA LOYAUTÉ	■ Les relations doivent témoigner d'un attachement affectif aux valeurs de l'organisation. ■ Les relations doivent être empreintes d'un climat de confiance. ■ Les relations personnelles soudent la nécessaire loyauté entre les membres de l'organisation.

Le paternalisme

Pleinement conscient de la noblesse de son rang, le gestionnaire traditionnel entretient avec les membres de l'organisation des relations empreintes d'autorité et de bienveillance, mais aussi de condescendance. D'abord, pour le gestionnaire, faire preuve d'une autorité qui ne souffre d'aucune possibilité d'insubordination et de contestation n'est pas une question de pouvoir personnel, mais bien la conséquence directe de l'emprise de la tradition sur l'organisation. En effet, puisque le pouvoir administratif prend sa source dans la tradition, imposer le respect de l'autorité c'est réaffirmer la légitimité de l'autorité de la tradition. Ainsi, respecter l'autorité c'est reconnaître que la tradition ne se conteste pas, que chacun lui doit allégeance. De même, contester l'autorité n'est pas ici une affaire personnelle, un choc de personnalités ou un conflit entre des intérêts individuels divergents, mais bien une remise en cause de la tradition qui, toujours, doit présider aux relations hiérarchiques.

Puis, par sa bienveillance, le gestionnaire entretient la chaleur tout humaine de liens sociaux qui doivent être aussi affectifs que féconds. Pour lui, l'organisation doit, en fait, être une véritable famille dont il a certes la charge, mais dont il se sent surtout personnellement et affectivement responsable. Habité par une empathie toute fraternelle, il ressent toujours vivement ce qui arrive à l'un ou l'autre des membres de l'organisation. Si d'aventure quelque chose arrive à l'un d'eux, il le ressent et se sent toujours directement concerné. Ainsi et tant que la tradition est respectée, il est solidaire de ce que vivent les membres de l'organisation. C'est dire que son paternalisme allie aussi bien la chaleur humaine que l'empathie, la fraternité, la gentillesse, la sensibilité et une sollicitude de chaque instant où, toutefois, l'empathie sincère se mue parfois en contrôle social.

Enfin, le paternalisme qui tient lieu, ici, de philosophie de gestion est aussi très fréquemment condescendant. Par son attitude, parfois méprisante et hautaine, mais le plus souvent protectrice et enveloppante, le gestionnaire marque, non pas sa grandeur et sa hauteur, mais bien celle de la tradition qui instaure, pour le bien de tous, la distance hiérarchique qui le sépare des autres. Par son attitude condescendante, le gestionnaire ne fait donc que rappeler à chacun qu'ils doivent tenir leur rang et, par là, respecter encore et toujours la tradition qui les unit.

Le contrôle social

L'organisation traditionnelle repose sur un partage de valeurs communes et c'est bien le rôle premier du gestionnaire que de s'assurer que tous y adhèrent, que personne ne les prend à la légère. Par ses relations directes et personnelles, le gestionnaire est à même d'observer le comportement de chacun et d'ainsi jouer son rôle de gardien du respect de ces valeurs communes. D'une part, en contact direct avec chacun, il montre, par son comportement, le chemin qu'il convient d'emprunter pour avoir le droit d'y contribuer et escompter une légitime reconnaissance. D'autre part, par son souci d'observation des moindres détails de ce qui fait la vie organisée, le gestionnaire peut en temps réel et de manière directe et personnelle faire les rappels à l'ordre qui s'imposent, conseiller ceux et celles qui en ont besoin, offrir son aide lorsque le besoin s'en fait sentir et imposer les sanctions que les écarts à la tradition pourraient entraîner.

Cela dit, le gestionnaire n'est pas le seul à tenir ce rôle de gardien de la tradition. En effet, dans l'organisation traditionnelle, tous sont solidaires de ses valeurs puisqu'il n'y a pas de place à la dissidence, à l'individualité, ou si peu. C'est donc dire que chacun est aussi responsable du maintien des valeurs communes. Chacun doit personnellement s'investir dans cette responsabilité commune. Surtout, c'est tout le groupe social qui a l'obligation de faire sentir son poids moral sur chacun de ses membres. Du coup, s'écarter du droit chemin, plus précisément de la tradition, c'est forcément affronter personnellement le groupe et encourir ses sanctions.

La loyauté

L'attachement affectif à l'organisation, l'allégeance à ses valeurs, la confiance réciproque et une indéfectible fidélité témoignent de la loyauté des personnes qui contribuent au destin de l'organisation traditionnelle. En fait, liés les uns aux autres par une solidarité fondée sur la ressemblance et le partage d'un éthos commun, les membres de l'organisation traditionnelle s'attendent à ce que tous fassent preuve de loyauté envers le groupe. Là aussi, les relations personnelles directes et franches qu'entretient le gestionnaire traditionnel jouent un rôle décisif. En effet, par sa connaissance personnelle des membres de l'organisation, mais aussi par son respect des traditions qui en assure la cohésion, le gestionnaire suscite la loyauté. En s'engageant personnellement, avec franchise et honnêteté, dans ses relations avec les membres de l'organisation, le gestionnaire réduit, en quelque sorte la distance hiérarchique qui est au principe de sa relation aux autres et, par là, crée un climat de confiance, climat propice à l'éclosion de la loyauté. Cela dit, ce n'est pas tant une loyauté toute personnelle qui est recherchée qu'une fidélité envers un monde qui offre une sécurité et un climat de confiance que seules des relations personnelles franches et durables peuvent pourvoir.

Par ailleurs, l'exigence de loyauté ne vaut pas que pour les membres de l'organisation, mais s'étend à tous ceux et celles avec lesquels elle entretient des relations. Ainsi, connaître ses clients et ses fournisseurs, les connaître personnellement et en toute empathie est une condition nécessaire à l'établissement d'une relation de loyauté. En outre, connaître personnellement ses clients et ses fournisseurs depuis longtemps importe bien davantage que la rentabilité économique de la relation, puisque c'est là un moyen de contribuer à la pérennité d'un monde dont c'est précisément le principal projet.

LE RESPECT DE L'ORDRE HIÉRARCHIQUE

L'organisation traditionnelle en est un qui est très profondément hiérarchique. Comme en témoigne le tableau 3.6, dans l'organisation traditionnelle, tout, mais alors là vraiment tout, doit y être répertorié, classé et, surtout, ordonné au regard d'une tradition qui sert de véritable étalon de mesure. C'est donc dire que rien n'échappe à l'ordonnancement hiérarchique. En effet, les personnes, les objets, les actions, les idées, les valeurs et les événements doivent tous trouver leur rang au sein d'une hiérarchie qui ne tolère pas que quoi que ce soit sorte du rang et échappe, ainsi, à l'ordre hiérarchique.

Tableau 3.6
L'ordre hiérarchique

CARACTÉRISTIQUES	DESCRIPTION
LE SOUCI DE L'ORDONNANCEMENT	▪ Tout dans l'organisation fait l'objet d'une mesure de façon à établir des ordres de grandeur. ▪ La tradition sert d'étalon de mesure pour fixer les rangs des personnes, comme des idées et des choses. ▪ Une fois établis les rangs sont immuables.
LA HIÉRARCHISATION DU RÉEL	▪ Chacun dans l'organisation occupe un rang dont il ne peut s'échapper. ▪ Entre les rangs sociaux, il existe toujours une distance hiérarchique infranchissable. ▪ Les idées, les valeurs, les ressources, les outils, etc. sont classés et logés au sein d'une hiérarchie.
L'IMPORTANCE DE LA HIÉRARCHIE	▪ Le rang d'une personne, d'une chose ou d'une idée permet toujours de saisir son importance et sa signification au regard de la tradition. ▪ Chaque position hiérarchique est honorable, car elle est établie à partir de la tradition.

En matière de hiérarchie comme en tout autre matière dans l'organisation traditionnelle, c'est donc encore et toujours la tradition qui joue le rôle clé. C'est elle qui détermine le rang des uns et des autres et instaure une distance que rien ne peut réduire. C'est aussi sous son regard que certaines actions sont tenues pour nobles et honorables alors que d'autres seront plutôt jugées méprisables et à proscrire. C'est encore elle qui servira à qualifier la valeur et le degré d'importance des événements, des objets et des idées. Rien n'échappe donc à son emprise et tout se solde par la dotation d'un rang, d'une position sociale et d'un statut particulier au sein d'une hiérarchie immuable. En outre, l'ordre hiérarchique infiltre même les divers paliers des structures hiérarchiques et c'est ainsi qu'à un même échelon hiérarchique chacun pourra se voir attribuer un rang bien précis selon, par exemple, son ancienneté ou son appartenance à un groupe social ou alors selon tout autre critère qui traduit en termes concrets la tradition qui fonde l'organisation[14]. Ainsi, pour comprendre la distance hiérarchique qui sépare une personne d'une autre, il faut toujours s'en remettre à la tradition et à elle seule. Il faut bien comprendre que dans ce monde de soumission à la tradition, c'est elle qui fait la grandeur d'une personne et non l'inverse. C'est toujours la tradition qui fixe les distances et les personnes n'y sont pour rien, ou alors pour si peu. Ainsi, lorsque c'est l'ancienneté qui détermine le rang hiérarchique, que peuvent bien y changer les personnes qui souscrivent à l'emprise de la tradition? Rien, si ce n'est d'attendre que le temps fasse son œuvre et joue en leur faveur. De même, lorsque c'est l'appartenance à un groupe social particulier ou à une famille qui détermine le rang hiérarchique, ceux et celles dont l'appartenance ne leur procure pas un rang favorable n'ont d'autre choix que d'accepter le poids moral d'une tradition qui les défavorise ou alors de quitter l'organisation pour un autre qui leur serait plus favorable.

Une fois l'ordre hiérarchique fixé, chacun n'a donc d'autre choix que de l'accepter. En effet, l'ordre hiérarchique ne se conteste pas puisqu'il repose sur la légitimité de la tradition et c'est elle qui est le fondement de l'organisation. Il est donc hors de question de sortir du rang puisque cela équivaudrait à remettre en cause la tradition, ce qui ne se fait pas et peut conduire à des sanctions. Chacun doit apprendre à tenir son rang et cela vaut autant pour les gestionnaires que pour les autres. Personne ne doit tenir le rang de quelqu'un d'autre, ni aspirer à un autre rang que celui que lui confère la tradition. De même, il est inadmissible de s'abaisser à remplir les obliga-

---

[14] Selon Tönnies, il existerait trois grands types de communautés, à savoir les communautés fondées sur les liens de sang, telles la famille, les communautés de lieu, tel le village et les communautés de l'esprit, tels les groupes d'amis. Dans chacune de ces communautés, la hiérarchie est présente et seul le critère traditionnel d'ordonnancement diffère de l'une à l'autre. Voir: Tönnies, F., *Communauté et société,* 1887.

tions d'un rang inférieur puisque cela aussi est une forme de rejet de la tradition. Tenir son rang, voire même en être heureux et reconnaissant, est ici la règle d'or, un impératif de la vie traditionnelle, une question d'honneur et de respect d'une tradition qui fonde l'action de tous.

Par ailleurs, tout comme pour la loyauté, ce qui vaut pour les membres de l'organisation vaut également pour tous ceux et celles avec lesquels elle interagit. En effet, l'ordre hiérarchique s'étend à tout ce qui la touche de près ou de loin et étend sa logique d'ordonnancement même hors des frontières de l'organisation. C'est ainsi que les clients seront classés et ordonnés selon un ordre hiérarchique traditionnel et pas forcément selon les bénéfices qu'ils procurent à l'organisation. Sans surprise, l'organisation accordera généralement beaucoup de valeur et d'importance aux anciens clients, ceux qui, par leur loyauté, ont acquis le respect de l'organisation traditionnelle. De même, les fournisseurs qui, depuis toujours, alimentent l'organisation en ressources seront, eux aussi, considérés comme de véritables partenaires dans l'édification de l'organisation.

CONCLUSION

Au terme de cette exploration de l'éthos du management traditionnel et de l'organisation qu'il érige, il est légitime de se demander si un tel éthos existe bel et bien dans l'univers très concret des pratiques organisées. À cette question, il convient de répondre oui et non. En effet, il est possible de trouver des organisations qui sont, du moins en partie, animées par certaines des caractéristiques de cet éthos et il est même possible de trouver des traces de cet éthos dans toutes les organisations qu'elles soient ou non traditionnelles. Cela dit, à l'évidence, cet éthos caractérise bien davantage l'univers de la petite et moyenne entreprise que celui de la très grande entreprise. En effet, les organisations de petites et de moyennes tailles sont nettement plus propices à l'emprise de la tradition que les grandes entreprises dont la taille rend très difficile le genre de contrôle social direct et personnel que nécessite l'édification d'une organisation traditionnelle.

Par ailleurs, puisque l'éthos traditionnel décrit ici est une construction théorique, un idéal type, il est clair qu'aucune organisation n'y correspond parfaitement.

PARTIE III

LA PERSPECTIVE TECHNIQUE

Cette troisième partie est consacrée à la perspective technique de management et comporte six chapitres. La description de l'éthos du management technique ouvre la partie, suivie d'un chapitre sur chacune des habiletés du management technique, à savoir la planification, l'organisation, la direction et le contrôle. La partie se termine par un court chapitre dans lequel le lecteur est invité à poser un diagnostic sur ses habiletés techniques de management. En outre, ce dernier chapitre lève le voile sur certains des leviers d'action propres au management technique, soit les objectifs, la délégation, l'autorité et le budget.

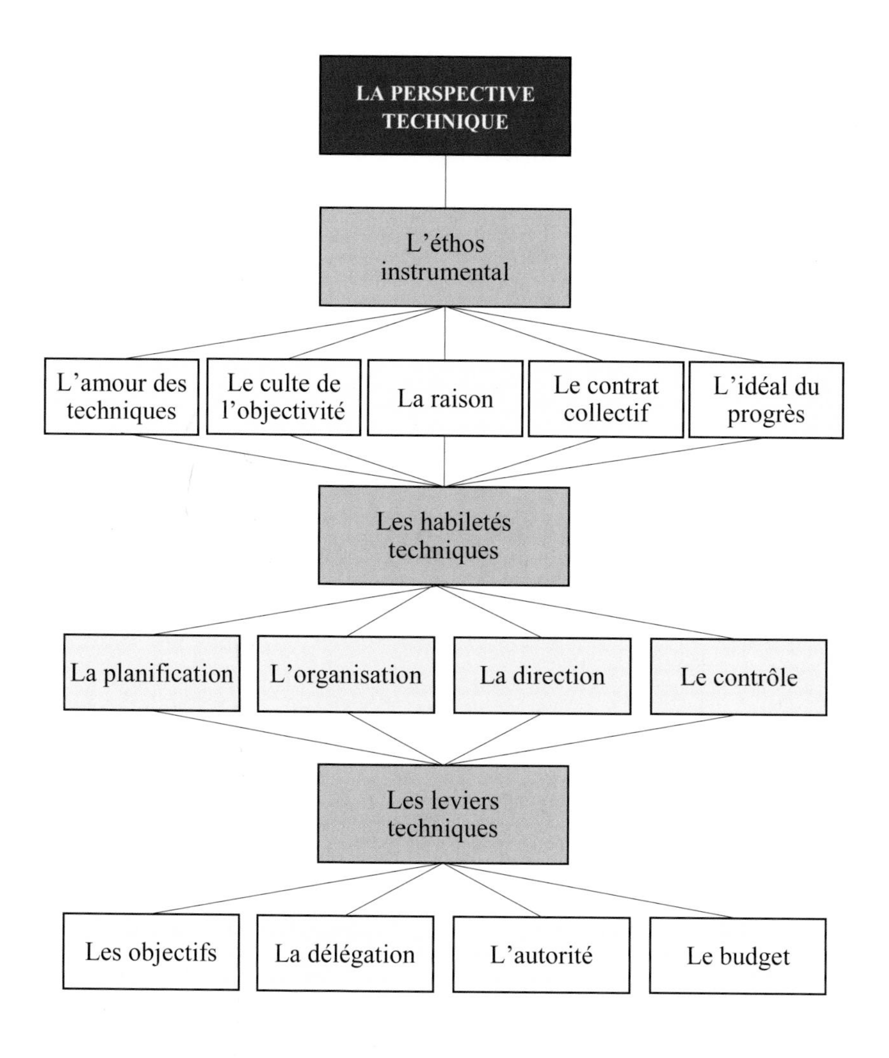

Chapitre 4

LE MANAGEMENT TECHNIQUE

Le management technique, comme nous l'avons vu au chapitre 1, est l'une des deux grandes formes contemporaines de management. Historiquement, c'est lui qui a pris le relai du management traditionnel qui, jusqu'alors, régnait sans partage sur l'espace administratif des organisations. Au regard du management technique, le management traditionnel méritait d'être rejeté, car il avait le tort de n'être que pure pratique, qu'action insouciante de son savoir et qui, de ce fait, ne pouvait offrir un véritable progrès. C'est précisément là qu'intervient le management technique puisqu'il extrait le savoir des pratiques où l'avait confinée la tradition. Puis, il formalise ce savoir tacite sous les traits de théories explicites et d'énoncés formels. Enfin, en misant sur un savoir rationnel, les théoriciens du management technique pouvaient le peaufiner, le perfectionner sans relâche et le combiner à d'autres savoirs de façon à en accroître la portée et l'efficacité.

En libérant le savoir administratif de sa mise en œuvre par des pratiques traditionnelles et routinières, le management technique donnait forme à sa prétention toute contemporaine à gouverner les organisations de façon véritablement rationnelle et efficace. Dans sa forme pure, le management technique est donc d'abord cela, un savoir très formel et perfectible qu'il est possible de traduire sous la forme de techniques. Mobilisés dans l'action, le savoir formel et les techniques qui en découlent visent la collaboration rationnelle de chacun et la mise en place d'un collectif d'individus libres et volontaires qui s'unissent pour donner forme à une organisation technique. Cette organisation, comme l'indique le tableau 4.1 se distingue tout particulièrement par sa rationalité instrumentale, par la constitution d'un contrat collectif fondé sur la raison et par sa hiérarchie rationnelle.

Tableau 4.1
L'organisation technique

CARACTÉRISTIQUES	DESCRIPTION
LA RATIONALITÉ INSTRUMENTALE	◘ L'efficacité est au cœur de l'organisation et au service de l'atteinte d'objectifs communs. ◘ La raison s'inscrit dans des techniques qui visent l'efficacité organisationnelle. ◘ Tout doit être réfléchi et formalisé en vue de l'atteinte d'un maximum d'efficacité.
UN CONTRAT RATIONNEL	◘ L'organisation est fondée sur des relations sociales de nature contractuelle et utilitaire. ◘ Le contrat collectif est fondé sur la raison d'individus libres et consentants. ◘ Les relations sociales sont empreintes de rigueur et de professionnalisme. ◘ Le contrat collectif est tout à la fois contraignant et habilitant.
UNE HIÉRARCHIE RATIONNELLE	◘ La légitimité de la hiérarchie est fondée sur la raison et les compétences. ◘ La hiérarchie n'est contestable qu'au regard de la raison et dans un souci de maximisation de l'efficacité organisationnelle. ◘ La hiérarchie rationnelle institue entre tous une distance contractuelle empreinte de professionnalisme.

L'ORGANISATION TECHNIQUE

Le management technique construit une organisation très formelle où la technique, la logique, la raison, l'objectivité, les normes, les règles, les procédures, les processus et les principes formels dominent l'action et lui insufflent une exigence d'efficacité maximale. Le management technique construit donc une organisation faite de rigueur et d'analyse où rien ne doit être laissé au hasard, à la routine et à la tradition. Ici, tout doit être pensé, raisonné, calculé, mesuré et réfléchi.

La cohérence logique de l'organisation technique est recherchée et construite sans relâche, et ce, autant pour la beauté d'une géométrie du social que pour l'idéal d'un progrès décliné et mesuré en termes d'efficacité maximale. Car, c'est bien là une clé centrale, sous la domination du management technique, l'organisation actualise à chaque instant un idéal de progrès technique et économique, progrès qui serait annonciateur d'une meilleure organisation et qui le serait très précisément parce qu'elle aurait été pensée rationnellement en vue d'atteindre toujours plus d'efficacité technique et économique.

Au regard du management technique, l'organisation est alors une surface plane et malléable sur laquelle le gestionnaire peut dessiner en toute conscience et de façon rationnelle et compétente un univers structuré, une vaste machinerie sociale aux rouages administratifs et engrenages humains sans fin[1]. Dans l'organisation qui émerge de ses plans, tous ont alors une place, celle qui convient parfaitement à leurs compétences, une place précise au service d'une quête infinie d'efficacité maximale.

Le management technique met donc en action une rationalité instrumentale[2] où non seulement l'ordre des fins précède et oriente l'ordre des moyens, mais où l'accent est essentiellement porté sur le choix des moyens techniques en vue de l'atteinte de cet optimum d'efficacité tant recherché. Dans cette perspective, le gestionnaire est un formaliste qui joue tout à la fois le rôle d'architecte de l'organisation, de bâtisseur de son tissu social, de gardien de sa pureté logique et de porte-étendard d'un progrès qui serait d'autant plus réaliste qu'il serait le fruit délibéré de son action rationnelle[3].

Pour parvenir à construire une organisation qui soit véritablement aussi efficace que ce qu'il recherche, le gestionnaire formel fonde son action technique sur un ensemble de valeurs, un éthos instrumental, qui témoigne de sa passion pour la Raison, de son amour des techniques, de son culte de

---

[1] Sur le caractère mécanique de l'organisation technique, voir: Morgan, G., «Le règne de la mécanisation. L'organisation vue comme une machine», *in Images de l'organisation,* Québec: Presses de l'Université Laval, 1989: 9-32.

[2] Sur la rationalité instrumentale, voir: Weber, M., *Économie et société*, Paris: Plon, 1971. Selon Weber, la rationalité instrumentale qu'il nomme la «rationalité en finalité» ou *zweckrational* caractérise l'action de celui ou celle qui «oriente son activité d'après les fins, moyens et conséquences subsidiaires et qui confronte en même temps rationnellement les moyens et les fins, la fin et les conséquences subsidiaires et enfin les diverses fins possibles entre elles» (p.23). De plus, «l'activité sociale peut être déterminée de façon rationnelle en finalité par des expectations du comportement des objets du monde extérieur ou de celui d'autres hommes, en exploitant ces expectations comme «conditions» ou comme «moyens» pour parvenir rationnellement aux fins propres, mûrement réfléchies, qu'on veut atteindre.» (p.22). Voir aussi Boudon, R., «Action», *in Traité de sociologie,* Paris: PUF, 1992, qui reprend en ces termes la définition de Weber: «Est rationnel tout comportement Y dont on peut dire X avait de bonne raison de faire Y car (...) Y était le meilleur moyen pour X d'atteindre l'objectif qu'il s'était fixé.» (p.37)

[3] Cette prétention toute moderne selon laquelle l'action réfléchie serait porteuse d'un monde meilleur du seul fait de la réflexion a bien été mise en évidence et aussi critiquée par Hayek, F. A. dans *Droit, Législation et Liberté. Règles et ordre,* Paris: PUF, 1980. Selon Hayek, cette conception tout à la fois rationaliste et interventionniste, conception qu'il nomme «constructiviste», «(...) soutient que les institutions humaines ne serviront les desseins humains que si elles ont été délibérément élaborées en fonction de ces desseins; souvent même, que la simple existence d'une institution prouve qu'elle a été créée dans un certain but; et, toujours, que nous devrions remodeler notre société et ses institutions de telle sorte que toutes nos actions soient entièrement guidées par des objectifs connus.» (pp. 9-10).

l'objectivité et de sa croyance dans les vertus de l'idéal du Progrès des modernes. En outre, comme en témoigne la figure 4.1, à cet éthos, s'ajoute une soumission à l'organisation, car le gestionnaire lui reconnaît une puissance qui le dépasse et une volonté à laquelle lui et tous les membres de l'organisation seraient tenus de se soumettre afin de profiter pleinement de ses bienfaits. En fait, cette puissance n'a rien de mystique, car elle est le fruit de la négociation rationnelle entre les membres de l'organisation, négociation qui se solde par la mise au jour d'un intérêt général au service duquel l'action de chacun serait dédiée. Cet intérêt général conduit donc, en quelque sorte, à une soumission librement consentie, à un contrat collectif signé entre des individus libres et consentants qui, par leur travail, recherchent des relations professionnelles et rigoureuses.

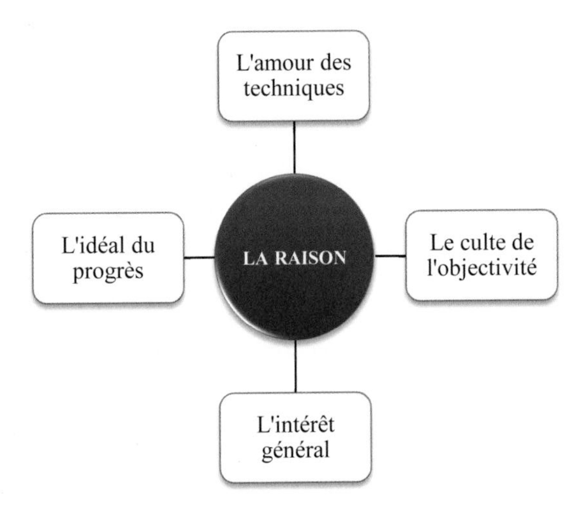

Figure 4.1: L'éthos administratif du management technique

Animé par la raison instrumentale chacune des valeurs de l'éthos du management technique est alors portée par «l'esprit des lumières» de cette raison et c'est ainsi que la technique se fonde sur la raison instrumentale pour y puiser une légitimé que, sans elle, elle ne saurait incarner; que l'objectivité s'impose tout à la fois comme le fruit de la raison et comme une cible qu'elle seule permet d'atteindre; que le progrès se présente sous les allures d'un paradis sécularisé par la raison qui, du coup, le rend accessible à tous; et que, fondé sur la volonté rationnelle de chacun, l'intérêt général de l'organisation prend corps et donne un sens à l'action de chacun.

LE POUVOIR DE LA RAISON

Chez le gestionnaire de l'organisation technique, il n'y a de passion que pour la Raison[4]. Son organisation n'a de sens que si elle est pensée et raisonnée dans les moindres détails. Tout doit y être inventorié, décrypté, mesuré, calculé, classé, analysé et expliqué avec finesse, objectivité et jugement[5]. Rien ne doit échapper à la puissance de la Raison. Pour le gestionnaire formel, l'action n'a d'ailleurs de valeur que fondée sur la Raison et sa réflexion rationnelle est sans limite. Elle couvre tout le territoire de l'action organisée, chaque aspect, chaque dimension de l'organisation.

Tableau 4.2
La raison instrumentale

CARACTÉRISTIQUES	DESCRIPTION
L'ACCENT SUR L'ANALYSE	▪ Avant d'agir, il faut tout analyser et tout formaliser. ▪ L'explication prend souvent la forme d'une modélisation causale dans laquelle les problèmes à résoudre sont découpés en termes de causes et de conséquences.
LA RATIONALITÉ DE L'ACTION	▪ L'action n'est jugée rationnelle que si l'ordre des fins qu'elle poursuit précède et oriente le choix des moyens à mettre en œuvre. ▪ L'action doit toujours être consciente, délibérée et raisonnée. ▪ L'action doit tendre vers un maximum d'efficacité.
LA QUÊTE DE MAXIMISATION	▪ La relation qui unit les fins de l'action aux moyens requis pour les réaliser doit en être une de maximisation. ▪ Pour maximiser les objectifs à atteindre, il faut se livrer à un inventaire minutieux et rigoureux des possibilités d'action et des moyens à mettre en œuvre.

Comprendre et expliquer l'organisation dont on lui confie la responsabilité n'est toutefois pas la finalité de l'action de l'ingénieur du social. S'il fait œuvre de Raison, c'est dans l'unique but de transformer et de modeler rationnellement et techniquement l'organisation afin qu'elle soit totalement

[4] Pour une histoire de la Raison, voir: Granger, G.-G., *La raison,* Paris: PUF, 1955 et Saint-Sernin, B., *La raison,* Paris: PUF, 2003.

[5] Nous retrouvons là le sens étymologique de raison qui en latin, *ratio*, signifie calcul, mais désigne aussi les facultés de compter, d'ordonner, d'organiser, de classer, etc. Raison signifie aussi «argument», «motif», ou plus précisément elle désigne des arguments et des motifs logiques.

efficace. Pour lui, l'organisation est un éternel projet perfectible qu'il s'emploie à réaliser par son action rationnelle. Sans relâche et animé de cet espoir de perfection, il mobilise toujours la Raison et met alors au jour les moyens requis pour réaliser les fins de son univers formel. Rationnel, le gestionnaire de l'organisation technique fonde donc, en tout temps, son action sur le pouvoir de la Raison. Chez lui, la Raison exerce, d'ailleurs, une emprise envoûtante et rien ne doit être laissé au hasard, dans l'ombre et couvert d'un voile d'inexpliqué, rien ne doit échapper à son processus d'intellectualisation de la réalité, à son œuvre de désenchantement du monde[6]. Dans son univers formel et technique, il n'y a pas de place pour le mystère, ou si peu, car tout se comprend, s'explique et, surtout, tout se transforme et se contrôle rationnellement et techniquement. Comprendre et expliquer, façonner et transformer de manière rationnelle et technique l'organisation font d'ailleurs partie de l'ordinaire, du quotidien, de la perpétuelle quête de Raison et de Progrès du gestionnaire formel.

Dans l'organisation technique, il n'y a donc pas de place pour l'impulsion, la spontanéité, l'intuition et autres mouvements naturels de la passion et du cœur[7]. Le monde du gestionnaire formel est froid et rigide, comme sait si bien l'être la logique qui lui sert d'assise et de raison d'être. C'est dire que l'émotion débridée et l'épanchement de sentiments nobles ou impurs lui sont étrangers. Il va également sans dire qu'il ne fait pas davantage de place à la désinvolture, à la frivolité et à la légèreté de l'être. La vie organisée commande un sérieux de tous et de chaque instant et, selon le gestionnaire formel, dans un monde concurrentiel et impitoyable, il suffit d'un zeste d'insouciance et l'acquis d'années de travail rationnel s'envole en fumée.

Être de raison, le gestionnaire formel doit toutefois se donner les moyens de sa prétention et il y parvient en fondant son action sur un processus technique, une mécanique des choix rationnels, qui doit, à chaque instant, inspirer ses décisions et guider son action. Ce processus qui se veut le gar-

---

[6] Nous devons à Max Weber cette idée de «désenchantement du monde.» Pour lui le désenchantement du monde correspond à «l'élimination de la magie en tant que technique de salut.» Ce désenchantement est le fruit d'un double processus d'intellectualisation et de rationalisation croissante du monde qu'il décrit de la manière suivante: «Elles [l'intellectualisation et la rationalisation] signifient (...) que nous savons ou que nous croyons qu'à chaque instant nous pourrions, pourvu seulement que nous le voulions, nous prouver qu'il n'existe en principe aucune puissance mystérieuse et imprévisible qui interfère dans le cours de la vie; bref que nous pouvons maîtriser toute chose par la prévision.» Voir: Weber, M., *Le savant et le politique,* Paris: Plon, 1959: 70.

[7] Ainsi, selon Peter F. Drucker: «Diriger une affaire n'est pas simplement un don ou une capacité innée. Les éléments et les exigences de cette mission peuvent être analysés et organisés systématiquement (...), les jours des dirigeants «intuitifs» sont comptés. (...) le directeur peut perfectionner son action dans tous les domaines (...) grâce à l'étude systématique des principes, à l'acquisition des connaissances méthodiques et à l'analyse systématique de son action personnelle dans tous les domaines de son travail et de sa mission (...).» Drucker, P.F., *La pratique de la direction des entreprises,* Paris: Dunod, 1957: 8.

de-fou de son action et le garant de la rationalité de ses choix, s'amorce, par la clarification des fins de l'action collective et se clôt par la mise en œuvre d'une possibilité d'action qui soit mathématiquement optimale[8].

Les fins de l'action collective

Soucieux de la rigueur logique de son action, le gestionnaire formel amorce toujours sa démarche rationnelle par une clarification des fins que doit poursuivre son organisation technique. C'est d'ailleurs là, la clé de voûte de la rationalité de son action, car une action sans finalité *a priori*, sans intention délibérée, consciente et raisonnée, n'est que pur réflexe, tradition irréfléchie ou vague intuition, et justifier *a posteriori* les choix qu'il prétend rationnels ne serait que le fruit coupable et inefficace d'une rationalisation psychologique.

Dans l'organisation technique, les fins à poursuivre sont elles-mêmes le fruit d'un choix, ce qui témoigne de la liberté d'action du gestionnaire qui, au nom de l'organisation, s'en fera le porte-parole et le gardien de leur réalisation. Les fins de l'action collective pourront alors prendre de multiples colorations concrètes, mais peu importe leur substance ou leur objet pourvu que l'action soit fondée sur une fin qui l'encadre et l'oriente vers la recherche des moyens optimaux, qui lui donne un sens, une direction et, par là, l'inscrit dans le territoire tant convoité de la rationalité.

Par ailleurs et bien qu'il puisse avoir participé activement à sa détermination, voire même être celui qui en a fait le choix, pour le gestionnaire formel, la finalité de l'action collective n'est jamais vraiment la sienne, plus précisément, par osmose, mimétisme, socialisation, contrat ou par simple loyauté, il fait plutôt siennes les fins de l'organisation pour laquelle il est tout à la fois le concepteur en chef et l'opérateur central. C'est que le gestionnaire formel est un «Homme d'organisation» qui devant la puissance de l'organisation technique s'incline volontiers et se soumet de bonne grâce[9]. Ses joies et ses plaisirs, il les trouve dans les succès de l'organisation. Pour lui et de façon très paradoxale, l'organisation est tout à la fois un enfant qu'il faut guider et un maître qu'il convient de servir. Le gestionnaire formel cultive donc l'oubli de soi pour mieux mettre sous les projecteurs le monde qui donne un vrai sens à son action.

Le gestionnaire formel n'a donc d'autres intérêts que ceux de l'organisation et jamais il ne tourne le dos aux intérêts supérieurs du monde formel au

[8] Voir, par exemple: Benn, S.I. et G.W. Mortimore, «Technical Models of Rational Choice», S.I. Benn et G.W. Mortimore (eds.) *Rationality and the Social Sciences,* London: RKP, 1976: 157-195; Kepner, C. et B. Tregoe, *Le nouveau manager rationnel,* Paris: Interéditions, 1985.
[9] Voir: Whyte, W. H. (Jr.), *L'homme de l'organisation,* Paris: Plon, 1959.

service duquel il consacre sa vie et ses envies. Il ne faut donc pas se méprendre sur les motivations de ce gestionnaire formel. Il n'agit pas pour son propre compte, il ne cherche pas à engranger des profits qui seraient les siens, bien qu'il puisse en profiter, mais là n'est pas le moteur ni l'essentiel de son action. Il est d'abord et avant tout au service de l'organisation et il ne trouve intérêt que dans la réalisation efficace des objectifs de l'organisation. Sa motivation est plutôt à chercher du côté de la conception et de la mise en œuvre rationnelle des moyens et techniques qui assureront l'avenir de l'organisation. Toujours, il recherche l'optimum, la meilleure façon de faire, d'organiser le corps social, d'emménager les lieux physiques, de choisir les techniques les plus performantes. Toujours, il calcule et soupèse les coûts de l'action organisée et les bénéfices qu'elle doit générer. Il recherche le profit non pour le doux plaisir d'accumuler de la richesse matérielle, mais comme mesure objective de l'efficacité de son action, comme indicateur indiscutable de la performance de l'organisation. Il faut dire que le gestionnaire formel sait très bien que sans bénéfice, l'organisation qu'il aura patiemment édifiée et déifiée s'écroulera. La moindre petite marge bénéficiaire, le plus petit gain d'efficacité font donc une énorme différence. Pour le gestionnaire formel, il n'y a pas de petits bénéfices, mais que des petits bénéficiaires et à tout prendre, il choisit toujours le côté des plus gros. Pas qu'il soit obsédé par l'argent et mû par l'appât du gain, mais l'efficacité, témoin concret de cette Raison tant recherchée, est une obsession, une raison d'être.

Pour le gestionnaire formel, la quête d'efficacité technique et économique est sans fin et si rien ne vient la freiner elle tend à occuper tout l'espace social, l'ensemble du territoire organisé[10]. Les chiffres, les plans et les techniques meublent son imaginaire et animent son ordinaire. C'est qu'il a le sens de la mesure, ce gestionnaire, et il sait fort bien que la survie de l'organisation technique commande le souci du détail, ces petites choses qui, mises bout à bout, font toute la différence entre le succès ou l'échec.

Les possibilités d'action

Une fois les fins de l'action posées et bien comprises par tous les membres de l'organisation, le gestionnaire formel peut alors s'engager dans la phase de diagnostic de l'organisation. Il est ainsi à la recherche de toutes les occasions à saisir, à l'affût du plus petit problème à résoudre et, sans relâche,

[10] L'idée selon laquelle la quête d'efficacité technique et économique serait sans fin a été évoquée par deux des fondateurs de la sociologie, à savoir Weber et Durkheim. Voir: Weber, M., *Histoire économique,* Paris: Gallimard, 1981: 321-333 et Durkheim, E., *De la division du travail social,* Paris: PUF, 1996: iii. Cette idée fut reprise et développée par Baechler qui définit l'économie comme étant le fait d'une quête sans fin et sans frein d'efficacité maximale. Voir: Baechler, J., *Les origines du capitalisme,* Paris: Gallimard, 1971.

il scrute les moindres recoins de son organisation dans l'espoir d'identifier des façons d'en accroître l'efficacité. C'est donc dire qu'il est en éveil constant et qu'il cherche à maintenir un contrôle réflexif maximal sur la vie de l'organisation. Dès qu'il a identifié une occasion à saisir, un problème à résoudre ou une meilleure façon de faire, il se lance dans l'inventaire systématique des possibilités d'action. Il veut toutes les connaître de manière à retenir la meilleure, la seule qui lui permet de maximiser avec certitude les fins qu'il a précédemment posées comme cadre de son action. Ne pouvant humainement contempler l'ensemble infini des possibilités d'action qui s'offre à l'organisation et d'ainsi faire un choix incontestablement maximal, il n'en demeure pas moins rationnel en multipliant les systèmes d'information susceptibles de cerner un maximum d'options. L'information devient donc pour lui une ressource essentielle, un moyen au service d'une recherche exhaustive des possibilités d'action.

Au terme de son inventaire, le gestionnaire doit encore évaluer les conséquences de chacune des possibilités que sa recherche aura mises au jour[11]. Car, pour le gestionnaire formel, aucune action n'est en elle-même souhaitable et c'est bien au regard des conséquences tamisées à l'aune des fins poursuivies que chacune des actions est évaluée. En outre, dans l'incertitude, le gestionnaire verra à attribuer une probabilité d'occurrence aux actions potentielles, probabilité qui viendra, en retour, pondérer les conséquences de ses actions[12].

La maximisation des fins

L'inventaire des possibilités d'action étant réalisé, ne reste au gestionnaire formel qu'à retenir l'action qui maximise la finalité recherchée. Pour y parvenir, il pourra compter sur une mécanique rationnelle des choix, mécanique fondée sur l'usage de critères mathématiques de choix. Ainsi, il pourra retenir soit le critère du *maximin* qui lui permet d'opter pour l'action qui maximise les conséquences minimales de ses actions, soit le critère du *maximax* qui vise à choisir l'action qui maximise les conséquences maximales, soit le critère du *minimax* qui oriente le choix vers l'action qui minimise les regrets maximaux qui découlent d'une action ou, enfin, dans les situations marquées par l'incertitude, il pourra jeter son dévolu sur le critè-

---

[11] C'est dire que la quête de rationalité s'inscrit dans le cadre général d'une éthique conséquentialiste, voire même utilitariste. À ce propos, voir: Vergara, F., *Introduction aux fondements philosophiques du libéralisme,* Paris: La Découverte, 1992; Sen, A. et B. Williams, (eds.), *Utilitarianism and Beyond,* Cambridge: Cambridge University Press, 1982; Smart, J.J.C. et B. Williams, *Utilitarianism for & Against.* Cambridge: Cambridge University Press, 1973.

[12] Sur les techniques de décision en situation d'incertitude, voir la théorie statistique de la décision: Finetti, B., «Dans quel sens la théorie de la décision est-elle et doit-elle être normative», *La décision.* CNRS, 1961: 159-169; Savage, L. J., *The Foundations of Statistics,* New York: Dover, 1954; Suppes, P., *Logique du probable,* Paris: Flammarion, 1981.

re de *l'utilité espérée maximale* qui permet de retenir l'action qui maximise l'utilité espérée face aux conséquences probables de ses actions. Qu'il utilise l'un ou l'autre des critères formels importe peu, car dans tous les cas, l'action retenue en sera une qui permet une maximisation et c'est très précisément ce que recherche le gestionnaire formel.

La mise en œuvre du choix maximal

Le gestionnaire ayant fait son choix, il ne lui reste alors qu'à convaincre les membres de l'organisation que son choix est le bon, qu'il est le seul qui se justifie au regard de la Raison, l'unique choix dont la mise en œuvre permet d'atteindre un optimum objectif d'efficacité et que c'est forcément dans l'intérêt général de rechercher cet optimum. Pour obtenir l'adhésion de tous, le gestionnaire formel fera appel à leur raison, mais il pourra aussi faire valoir sa légitime autorité de gestionnaire, de représentant impartial et compétent de l'intérêt général de l'organisation. Tout comme lui, les membres de l'organisation n'auront alors d'autre choix que de s'incliner dignement devant la puissance de la Raison. Du coup, à l'instar du gestionnaire, ils devront volontairement consacrer leurs efforts à la réalisation de l'intérêt général, aux objectifs d'efficacité technique et économique de l'organisation et, par là, réaliser leurs propres intérêts. Si les membres de l'organisation empruntent ainsi le chemin tracé par leur gestionnaire ce n'est pas qu'il soit plus important qu'eux, mais bien parce qu'il incarne l'intérêt général et que, mobilisant leur Raison, ils en reconnaissent le bien-fondé et la légitimité. D'une certaine façon, en soumettant leur volonté à celle du gestionnaire, les membres de l'organisation ne lui obéissent pas de manière personnelle, ce n'est pas à lui, à sa personne, qu'ils vouent un culte, mais à ce qu'il représente, nommément la Raison organisée qui, en échange de leur soumission, serait porteuse du plus grand des bonheurs pour le plus grand nombre, d'un Progrès riche pour chacun[13].

L'AMOUR DES TECHNIQUES

Pour le gestionnaire formel, l'organisation doit prendre une forme technique dans laquelle tout est objet de technique, tout est propice à l'invention technique, au recours à des processus et à des méthodes techniques[14]. La

[13] Il s'agit là d'une des formes de domination définie par Weber, à savoir la domination rationnelle légale. Cette forme repose «sur la croyance en la légalité des règlements arrêtés et du droit de donner des directives qu'ont ceux qui sont appelés à exercer la domination par ces moyens.» Voir: Weber, M., *Économie et société,* Paris: Plon, 1971: 222.

[14] Cette section s'inspire largement de la conception de la technique proposée par Jacques Ellul, à ce propos voir: Ellul, J., *La technique ou l'enjeu du siècle,* Paris: Economica, 1990; Ellul, J., *Le bluff technologique,* Paris: Hachette, 2004; Ellul, J., *Le système technicien,* Paris: Le cherche-midi, 2004.

planification, l'organisation, la direction et le contrôle, tout, mais alors là vraiment tout se décline en techniques qui, rationalité oblige, seront forcément cohérentes et rationnelles. De plus, comme le souligne le tableau 4.3, en se combinant au pouvoir de la Raison, la technique offre alors des possibilités infinies d'accroître l'efficacité de l'organisation et, de ce fait, devient totalement irrésistible. L'organisation se structure alors sous la forme d'un système technicien dans lequel toutes les techniques s'enchevêtrent les unes aux autres et assurent au collectif l'efficacité tant recherchée.

Tableau 4.3
La technique

CARACTÉRISTIQUES	DESCRIPTION
L'EFFICACITÉ	▪ L'efficacité est au fondement de la technique, c'est là sa principale qualité. ▪ Les techniques se combinent les unes aux autres pour former un système technicien efficace. ▪ La technique conditionne les comportements organisationnels en vue de la réalisation d'une plus grande efficacité.
LA RATIONALITÉ DE LA TECHNIQUE	▪ La technique est le fruit de la raison. ▪ Dans l'équation rationnelle qui lie les fins aux moyens, la technique tient le rôle de garant de la maximisation. ▪ La planification, l'organisation, la direction et le contrôle prennent une forme technique.
L'INNOVATION PERPÉTUELLE	▪ L'innovation est un processus sans fin. ▪ L'innovation technique émerge de l'hybridation de diverses techniques. ▪ La technique acquiert une relative autonomie qui ouvre le chemin à de nouvelles innovations.

L'efficacité de la technique

Toujours en quête d'un gain d'efficacité, le gestionnaire formel y arrive en mobilisant des moyens, des instruments, des procédés et des méthodes qui précisément vont permettre un plus grand rendement que celui obtenu par l'action naturelle, intuitive ou spontanée. C'est donc dire que l'amour de la technique équivaut, en fait, à une passion dévorante pour l'efficacité, le rendement et la productivité.

D'une certaine façon, animé par la technique, l'organisation cesse d'être d'abord et avant tout un espace social de coopération en vue de résoudre le problème que pose la vie collective pour ne devenir qu'une formidable machine productive et autonome que les humains ont le droit d'utiliser pourvu qu'ils la servent, c'est-à-dire qu'ils acceptent de participer à la quête d'efficacité qui est au principe du système technicien. En fait, le problème que pose l'action collective demeure, mais, de façon à le résoudre avec efficacité, il est reformulé en termes techniques et commande des solutions également techniques. Du coup, de moyen au service d'une fin, la technique devient tout à la fois le milieu d'action et son ressort principal. Tous doivent composer avec des techniques et agir de façon technique pour vraiment contribuer à l'efficacité de l'organisation.

Pour le gestionnaire formel, ce n'est, donc, que parce que la technique contribue à l'efficacité organisationnelle qu'elle trouve grâce à ses yeux. La technique n'a d'ailleurs de sens que par l'efficacité qu'elle permet. Tel est son rôle premier, son unique rôle et, si elle est toujours de l'ordre des moyens de l'action, elle ne trouve sa pleine justification que dans la relation d'efficacité qu'elle institue entre l'ordre des fins et celui des moyens. Elle n'a de sens que par l'efficacité de cette relation et c'est très précisément ce sens que recherche le gestionnaire formel.

Par ailleurs, fruit de sa raison, la technique a l'avantage, pour le gestionnaire, d'être sous son contrôle. Pour lui, et à la différence des humains, la technique n'a pas d'état d'âme et est toujours perfectible, ce qui l'incite à miser sans relâche sur la technique plutôt que sur les humains. Le gestionnaire formel peut même en venir à perdre de vue la finalité de son action pour ne centrer son attention que sur les seuls moyens de l'action, que sur les promesses d'efficacité de la technique. Du coup, il se mue en technocrate et tend à privilégier les conceptions et solutions techniques des problèmes organisationnels au détriment de leurs dimensions et conséquences sociales, humaines et sociales.

La technique rationnelle

Lorsque le gestionnaire formel combine son amour de la technique au pouvoir de la Raison, il inscrit alors toute son action dans une démarche qui non seulement se veut efficace et productive, mais permet aussi de maximiser le rendement de l'organisation. Car tel est son but, faire en sorte que l'organisation fonctionne à plein régime, qu'elle soit toujours à l'optimum de ses possibilités de rendement, qu'elle puisse même entrevoir de nouveaux horizons riches en promesses de rendements accrus. Sans relâche, il croise donc la technique et la raison pour mettre au jour l'ultime solution technique, l'unique solution qui soit véritablement porteuse de l'efficacité maximale.

En mobilisant la Raison et toujours en quête d'un gain d'efficacité, le gestionnaire invente de nouvelles techniques, les combine aux anciennes et étend leur champ d'application. Peu à peu, tout le territoire de l'organisation se voit couvert par des techniques qui prennent la forme ici de machines, là d'instruments et d'outils et le plus souvent revêtent l'apparence neutre de l'invisibilité des méthodes et des procédures d'organisation sociale de la collaboration de tous. Car il ne faut pas s'y tromper, l'univers de la technique ne se réduit pas au territoire matériel des machines et des outils, mais embrasse aussi celui de l'immatériel, des relations sociales, des façons de faire et de s'organiser. On peut même penser que c'est là que la technique donne son plein rendement, qu'elle démultiplie de façon exponentielle l'efficacité de l'action collective. En effet, en s'inscrivant dans les relations sociales dont elle devient le nécessaire médiateur, la technique les imprègne de telle façon qu'elles deviennent elles-mêmes techniques et, par là, gagnent en efficacité. C'est ainsi, que les relations sociales prennent là la forme de techniques de communication, ici de techniques de coordination et plus loin elles deviennent des techniques de direction et de motivation. À terme, c'est tout le tissu social qui devient matière à technique, voire même matière technique. C'est que sous la direction du gestionnaire formel, tous les membres de l'organisation s'inscrivent dans l'univers technique, au point d'en devenir des rouages dont l'efficacité sera fonction de leur assimilation à la technique. Pour embrasser toutes les potentialités de la technique et récolter les gains d'efficacité qu'elle permet, chaque membre de l'organisation doit donc apprendre à oublier sa subjectivité, pour être un fait objectif, une ressource ou un opérateur qui, dès lors, peut s'inscrire dans l'équation rationnelle de la technique.

L'innovation technique et sa dissémination à toute l'étendue du territoire de l'organisation ne suffisent toutefois pas à assurer les gains escomptés. Pour s'en convaincre, il faut prendre la mesure des conséquences de ces innovations perpétuelles et là aussi la Raison se met au service de la technique. Par elle, le gestionnaire analyse et chiffre la performance de ses techniques, les compare entre elles et recherche les meilleures conditions d'utilisation au regard de leur productivité quantifiée. En outre, il esquisse les combinaisons possibles de ses techniques de façon à toujours accroître leur potentiel d'efficacité. C'est donc dire que le gestionnaire n'évalue pas les techniques en elle-même, mais bien leur incidence sur tout le système technicien dont il cherche à optimiser la performance. Cette évaluation le conduit à prendre la pleine mesure de ce système puisque chaque nouvelle technique s'imbrique aux anciennes, comble un vide et acquiert, du coup, le statut d'évidence, celle de son efficacité, de l'objectivité de sa performance, de sa nécessité au bon fonctionnement de l'organisation qui, sous l'impulsion de la croissance des techniques et de leurs relations, se structure sous la forme d'un système technique ou toutes les relations entre les techniques ont leur importance au regard de l'efficacité. Dès qu'une nouvelle technique voit le jour et qu'elle s'inscrit dans le système technique, elle acquiert un statut d'obligation, de nécessité dont l'organisation ne peut plus faire l'économie, à moins d'accepter une baisse d'efficacité. Faire marche arrière dans le monde de l'innovation technique n'est pas une option, puisque cela équivaut à renoncer à ce que recherche le gestionnaire, à savoir ce gain d'efficacité de la nouvelle technique, mais aussi de tout le système dans lequel elle comblait un vide qui n'est véritablement devenu apparent qu'une fois comblé.

L'innovation technique perpétuelle

Bien que l'organisation consacre l'essentiel de son énergie à accroître son efficacité, l'Alpha et l'Oméga de l'efficacité technicienne et rationnelle est à jamais hors d'atteinte, car dès que la solution technique la plus efficace est mise en œuvre, dès que le système atteint un optimum de rendement, de nouvelles possibilités s'offrent au regard technicien, un nouvel optimum se profile à l'horizon, de nouvelles techniques et d'inédites combinaisons sont maintenant possibles, repoussant d'autant cet optimum d'efficacité, sans pour autant amoindrir la volonté d'y parvenir et d'éventuellement le contrôler. Le jeu technicien maintenant animé par le pouvoir de la Raison est alors sans fin, perpétuellement ouvert et porté par une quête irrésistible d'innovations techniques. En fait, la fin ultime est bel et bien là, mais à jamais hors d'atteinte, toujours repoussée par les tentatives qui visent à la mettre à portée de réalisation et pourtant d'autant plus séduisante qu'elle semble échapper à chaque nouvelle percée technique, à chaque nouvelle approche qui vise à la conquérir. D'une certaine façon, l'amour des techniques, en se combinant au pouvoir de la Raison, est infini et, toujours, le gestionnaire formel peut, par la Raison et son action, affûter ses techniques, étendre leur territoire d'application, les recombiner et en forger de nouvelles. Il peut construire sur ses anciennes techniques, de plus puissantes, de plus efficaces qui, à leur tour, ouvriront le chemin des possibles et séduiront la Raison. Ne pouvant résister à de nouvelles possibilités d'accroître l'efficacité, l'organisation s'engage alors davantage dans une mutation technicienne et, du coup, devient un vaste laboratoire permanent d'expérimentation, un lieu où il est toujours possible de tester l'efficacité des techniques, de découvrir d'inédites applications et, surtout, de choisir la technique la plus efficace, celle qui, au terme de l'analyse que permet le pouvoir de la Raison, se révèlera la plus efficace, celle qui permettra de produire mieux et plus rapidement. Car, en combinant la quête de Raison au potentiel des techniques, il ne s'agit pas seulement de doubler l'action de techniques aussi efficaces soient-elles, mais bien de mobiliser l'action pour rechercher l'optimum technique, l'ultime solution technique. Le gestionnaire formel engage donc son action dans une perpétuelle recherche de techniques rationnelles et puisque rien ne peut échapper à cette recherche, c'est l'organisation dans sa totalité qui, peu à peu, se transforme en système technique dans lequel les humains deviennent à leur tour objet de techniques, notamment de la technique administrative qui vise précisément à soutirer le maximum d'efficacité du travail humain.

La souveraineté de la technique

Tant qu'il recherche l'efficacité, qu'il en fait le fondement même de son action, le gestionnaire contribue à l'émergence d'une organisation profondément technique. Sans remise en cause de la finalité de son action, le gestionnaire abdique alors, d'une certaine façon, sa souveraineté à la logique de la technique. Une fois la finalité de son action bien arrêtée et délimitée au seul territoire de l'efficacité, il ne reste, en effet, au gestionnaire que le seul choix des moyens susceptibles de la réaliser et c'est là que la technique, par l'objectivité de ses performances, impose ses choix, sa logique et son développement. Bien sûr, le gestionnaire peut toujours freiner cette expansion technicienne, mais tant qu'il en récolte les fruits en termes de performance objectivement chiffrable pourquoi le ferait-il? Ainsi, lorsqu'une nouvelle technique voit le jour et, qu'à l'analyse rationnelle, elle se révèle nettement plus efficace que les anciennes, comment le gestionnaire qui a fait de l'efficacité son objectif premier pourrait-il y résister? Comment pourrait-il abdiquer les moyens de l'efficacité sans également renoncer à l'efficacité qui fonde toute son action et lui donne sa pleine légitimité? Ne dit-on pas que «Qui veut la fin prend les moyens»? S'engage alors une course à relai dans laquelle le gestionnaire paraît de moins en moins aux commandes du jeu technicien auquel sa quête d'efficacité a donné vie. Ainsi, dès qu'il prend son envol, le jeu semble s'autodéterminer et se déployer sans fin: les techniques s'ouvrent sur d'autres techniques, sur de nouvelles applications, sur de nouveaux problèmes qui sont alors très vite formulés en termes techniques et qui, de ce fait, commandent des solutions techniques qui, à leur tour, viennent enrichir l'organisation de techniques toujours plus nombreuses et variées. Dans ce jeu, le gestionnaire s'efface peu à peu pour ne tenir qu'un rôle de technicien qui prend la mesure des avancées techniques et s'assure que rien ne vienne freiner cet élan vers de nouveaux sommets d'efficacité. L'appel à toujours davantage de techniques semble donc totalement irrésistible et le gestionnaire formel n'y résiste pas, bien au contraire, il s'en fait le défenseur au nom de la Raison. C'est que, si par la raison, le gestionnaire arrive à concevoir de nouvelles techniques toujours plus performantes, il reconnaît aussi à ses techniques ce pouvoir de la Raison. Peu à peu, c'est donc la technique qui a raison et ce qui n'est pas de l'ordre de la technique doit soit être abandonné, soit transformé pour s'y adapter, voire même être transformé en technique. Il faut dire qu'au regard du gestionnaire, la technique a l'avantage de l'objectivité de sa mesure. Il n'y a pas ici d'incertitude ou d'ambiguïté, la technique donne ou ne donne pas une performance objectivement mesurable. Cette transparence, cette clarté des résultats, cette solidité du jugement facilite le choix technique et conduit, en quelque sorte, à se méfier de ce qui n'est pas de l'ordre de la technique, de ce qui n'offre pas les mêmes certitudes, de ce qui ne peut y être assimilé. Pour le gestionnaire du monde formel, impartir sa souveraineté à la logique de la technique a, donc, l'avantage indéniable de la neutralité, puisque la décision des moyens à mettre en œuvre n'est plus fonction d'une quelconque subjectivité arbitraire, mais découle logiquement des impératifs de la technique qui, d'évidence en évidence, impose sa loi, celle de l'efficacité.

LE CULTE DE L'OBJECTIVITÉ

Pour le gestionnaire formel, l'organisation doit non seulement être fondée sur une Raison qui s'incarne dans un système technique, elle doit aussi être une réalité objective, un monde d'objets, qui ne laisse pas de place à l'interprétation personnelle et à une gestion toute subjective du réel. C'est que le gestionnaire formel voue un véritable culte à l'objectivité qu'il considère comme la voie royale conduisant à la vérité, à la seule connaissance vraie et universelle et, par la suite, à l'action logique et efficace, rationnelle et technique. L'objectivité est donc le nécessaire complément et la conséquence logique de la puissance de la Raison. Ainsi, lorsque cette dernière est mise en action de façon technique, elle indique de manière neutre et impartiale le chemin qu'il convient de suivre de façon à connaître avec exactitude la réalité de l'organisation. Au regard de l'objectivité, l'organisation est donc un monde d'objets, de réalités mécaniques et matérielles à comprendre rationnellement et à manipuler techniquement[15].

Recherchant l'objectivité en toute chose et en tout être, le gestionnaire formel, par l'abstraction et la quantification, se donne un savoir objectif qui lui permet alors de construire un univers artificiel. Dans celui-ci, tout devient objet sur lequel il peut, en toute objectivité, mobiliser son savoir et ainsi exercer son emprise et le gérer de façon totalement neutre et impartiale. Cette objectivité, le gestionnaire formel l'obtient par l'objectivation qui, dans la sphère du savoir, consiste essentiellement à combiner la technique

[15] En philosophie, l'objectivité désigne la «forme sous laquelle la chose en soi, le réel apparaît comme objet.» (Lalande, A. (dir.), *Vocabulaire technique et critique de la philosophie,* Paris: PUF, 1983:701), mais désigne aussi le «caractère d'un objet de pensée valable, le signe de cette validité étant l'universalisme de l'accord des esprits.» (Foulquié, P. et R. Saint-Jean, *Dictionnaire de la langue philosophique,* Paris: PUF, 1978: 489).

et la Raison pour épurer le réel de sa subjectivité de façon à le comprendre. Par la technique de l'objectivation, le gestionnaire formel construit un savoir objectif qui, du seul fait de son objectivité, de sa distanciation de toute subjectivité, serait utilisable en tout temps, en tous lieux et dans toutes les situations. L'objectivation, qui n'est donc rien d'autre que l'objectivité en acte, est une technique rationnelle constituée de trois étapes, à savoir l'abstraction, la quantification et la généralisation.

Tableau 4.4
L'objectivité

CARACTÉRISTIQUES	DESCRIPTION
L'ABSTRACTION	■ La connaissance valide est fondée sur la raison plutôt que sur les sens. ■ Les analyses l'emportent sur les observations et l'ordre du général est préféré à l'ordre du particulier. ■ La réalité abstraite et théorique l'emporte sur la réalité concrète et empirique.
LA QUANTIFICATION	■ Tout doit être mesuré et quantifié. ■ Les quantités l'emportent toujours sur les qualités. ■ Les quantités ont l'apparence de la neutralité.
LA GÉNÉRALISATION	■ Le temps, l'espace et l'argent sont des dénominateurs universels. ■ Les dénominateurs universels permettent d'établir des comparaisons. ■ Tout doit être traduit en termes de temps, d'espace et d'argent.

L'abstraction

Par l'abstraction, le gestionnaire isole de son contexte concret l'élément qu'il cherche à comprendre rationnellement et à gérer efficacement, et lui trouve une caractéristique abstraite qui serait commune à tous les éléments du même type[16]. Au prix de l'abstraction, le gestionnaire se trouve alors en présence d'une réalité certes appauvrie, mais riche d'une caractéristique primaire, d'une constance qui, de ce fait, peut s'étendre à une très grande

[16] L'abstraction désigne, en philosophie, «L'action de l'esprit qui considère séparément ce qui n'est pas séparé, ni même séparable dans la réalité.» (Foulquié, P. et R. Saint-Jean, *Dictionnaire de la langue philosophique,* Paris: PUF, 1978: 3) ou «L'action de l'esprit considérant à part un élément (qualité ou relation) d'une représentation ou d'une notion, en portant spécialement l'attention sur lui, et en négligeant les autres.» Lalande, A., *Vocabulaire technique et critique de la philosophie,* Paris: PUF, 1983: 8)

variété d'objets, ce qui offre des possibilités de gestion qui seraient autrement impraticables.

C'est ainsi que toutes les personnes qui œuvrent au sein de l'organisation, plutôt que d'être vues comme différentes les unes des autres, avec un nom particulier, une histoire de vie singulière, un Moi unique, appartenant à un groupe donné et ayant aussi une vie sociale propre seront pensées en termes de «ressources humaines», marquant ainsi tout à la fois la caractéristique qui intéresse le gestionnaire formel et ce que tous les membres de l'organisation ont, abstraitement, en commun, à savoir le fait d'être une ressource au service de l'organisation[17]. Voir ainsi, dans chaque personne qu'il côtoie, une ressource permet alors au gestionnaire une lecture neutre et impartiale des personnes et un moyen de les gérer objectivement, c'est-à-dire sans tenir compte de ce que chacune a de particulier, d'unique et de subjectif. Dès que le gestionnaire substitut le concept de «ressource» à la réalité complexe de l'être unique qu'est une personne, il peut alors considérer toutes les personnes comme étant, en quelque sorte, identiques et en conséquence, il peut les traiter de la même façon, de l'unique façon qui, à ses yeux, soit vraiment acceptable, c'est-à-dire avec objectivité. De la même manière, au terme de l'abstraction, un marché n'est pas un espace matériel et social concret et précis où les humains transigent, entre autres, des biens et des services clairement identifiables, mais bien une réalité abstraite où une offre croise une demande. Bien sûr, il s'agit là, par le jeu de l'abstraction, d'une simplification de la réalité très concrète du marché qui jamais ne se réduit à cette seule rencontre formelle, puisque le marché concret est aussi la rencontre entre des personnes qui s'échangent des paroles, des gestes, des opinions et des sentiments. C'est également une relation qui est très souvent physique où il y a des odeurs, des couleurs et mille et un petits détails que l'abstraction occulte de façon à saisir en toute objectivité un seul élément de la réalité, celui qui sera géré techniquement de façon à en tirer un rendement maximal.

La quantification

Extraire de l'organisation des abstractions qui seraient néanmoins conformes à sa réalité ne suffit toutefois pas à clairement atteindre l'objectivité tant recherchée, celle qui, seule, peut assurer l'accord de tous et ainsi constituer un fondement solide au déploiement de l'action collective. Pour y parvenir, le gestionnaire formel doit aussi tout quantifier, tout mesurer et

[17] Parfois, le terme de «main d'œuvre» est également utilisé ce qui, là aussi, témoigne à l'évidence de la simplification propre à l'abstraction et de la réduction de la personne à sa seule force de travail. Le concept «d'employé» est aussi utilisé, ce qui double l'abstraction d'un regard profondément utilitariste et instrumental, la personne étant précisément employée à titre de moyen en vue de réaliser une fin.

chiffrer avec la plus grande des précisions. Ainsi, en toute objectivité, les personnes ne se réduisent pas seulement au statut qualitatif de ressource, mais sont aussi considérées comme un actif, un capital humain, ce qui témoigne de la volonté du gestionnaire formel de les quantifier, d'en prendre l'exacte mesure et d'en faire le bilan. Élevées au rang de quantité mesurable, les personnes se voient alors pourvues d'une noblesse que ne saurait couvrir l'abstraction qualitative de ressources. C'est donc dire que d'une certaine façon, dans l'organisation technique, la noblesse ou la valeur humaine est fonction de sa quantification, ce qui est très précisément au principe du processus d'objectivation de la réalité. De la même façon, un marché n'est pas seulement la rencontre abstraite et pourtant très réelle d'une demande et d'une offre, c'est aussi un certain nombre de consommateurs, un volume précis de transactions et un chiffre d'affaires qu'il est possible d'estimer en unité monétaire. Là, bien quantifié, le marché devient digne d'intérêt et s'offre à une gestion rationnelle et technique.

Pour le gestionnaire formel, tourner le dos à l'indéfinie variété des qualités propres à chaque être et objet ne suffit donc pas à atteindre l'objectivité, il lui faut surtout centrer son attention sur ce qui peut être mesuré, chiffré, quantifié[18]. Tout le reste, tout ce qui relève des qualités, de l'individuel, du particulier et du contingent, n'est que de l'ordre du subjectif, de la spéculation, de l'interprétation sans fin, de l'herméneutique des profondeurs, du flou et de l'à-peu-près, de l'ingouvernable et de l'inefficace et doit, dès lors, être tenu hors de la réflexion rationnelle qui guide son action. Seules les quantités sont, pour lui, objectives et susceptibles de jugements exacts et généralisables et donc propices à une gestion efficace. En outre, l'ordre du quantitatif a l'avantage d'être universel, compris par tous, en tout temps et en tous lieux, de la même façon[19], ce qui permet alors d'établir les bases d'une gestion vraiment efficace, neutre et objective.

La généralisation

Parce qu'elle construit un dénominateur commun fondé sur le pouvoir de la Raison, objectif et vraiment universel, la quantification pave alors la voie à la généralisation et, par là, à toutes les opérations logico-mathématiques que la Raison sait si bien accomplir et que la technique matérialise de façon

---

[18] Comme le souligne Peter F. Drucker: «La mesure permet de déterminer ce dont il faut tenir compte. Elle rend les choses visibles et tangibles. Les choses, une fois mesurées, deviennent accessibles et maniables, celles que l'on a omises sont hors de la vue et de l'esprit.» Drucker, P.F., *La pratique de la direction des entreprises*, Paris: Dunod, 1957: 66.

[19] Selon Poincaré, cette «communion universelle des esprits» est, d'ailleurs, une des caractéristiques de l'objectivité. Ainsi, il écrit: «Ce qui est objectif doit être commun à plusieurs esprits, et, par conséquent, pouvoir être transmis de l'un à l'autre.» cité dans Foulquié, P. et R. Saint-Jean, *Dictionnaire de la langue philosophique,* Paris: PUF, 1978: 489.

remarquable dans des processus, des méthodes, des instruments ou des machines. Par exemple, le retour sur investissement comme mesure quantitative de l'efficacité permet de mettre sur un même plan les performances d'une variété d'organisations et de les comparer sans même prendre en compte ce que chacune des firmes a de particulier.

Au terme de son processus d'objectivation, le gestionnaire formel peut donc se livrer à une multitude d'opérations logico-mathématiques. Il peut, en particulier, construire dans le monde concret des équivalences qui, sans l'abstraction, n'auraient pas été possibles. C'est le cas, par exemple, lorsque le gestionnaire soutient que puisque l'argent et les personnes sont des ressources, ils sont interchangeables. C'est également le cas lorsque, reprenant à son compte le célèbre sermon de Benjamin Franklin, le gestionnaire soutient que «le temps c'est de l'argent». Et puisque l'argent et le temps sont quantifiables, il est alors possible, au regard d'un certain budget financier, de soustraire des heures de travail, de les multiplier, de les diviser et surtout les économiser et, ce faisant, de mieux gérer l'organisation.

L'objectivation du temps

Si pour le gestionnaire formel, tous les éléments de l'organisation doivent passer par le filtre de l'abstraction des attributs qualitatifs du réel et être traduits en termes de quantités objectivement mesurables et, partant de là, techniquement gérables, il y a un objet auquel il accorde une attention toute particulière, voire même obsessionnelle, à savoir le temps[20]. C'est que ce dernier est un des objets premiers, un dénominateur commun et universel à l'ensemble des autres objets. En effet, la mesure du temps permet de créer un temps formel, loin du temps naturel et concret, humain et subjectif et qui a la particularité de pouvoir caractériser tous les autres objets. Alors que dans le monde concret et humain, certaines heures passent plus vite que d'autres ou sont plus longues que d'autres, dans l'univers abstrait du temps objectif, une heure, c'est une heure et elles sont toutes mathématiquement identiques les unes aux autres. De plus, le temps abstrait permet des opérations également abstraites, comme l'addition, la soustraction, la division ou la multiplication. Ces opérations sont particulièrement utiles puisque le temps mathématique étant abstrait, il est possible de le combiner à d'autres attributs du réel. C'est ainsi que le gestionnaire pourra juger de l'efficacité de ses ressources humaines sur la base de la productivité mesurée par le temps requis pour réaliser une tâche. Mieux, puisque le temps abstrait est divisible, le gestionnaire pourra chercher à l'économiser, d'autant que devenu abstrait, le temps est aussi de l'argent. Il n'y a donc

[20] Sur l'abstraction du temps, voir, en particulier, le classique de Lewis Mumford, *Technique et civilisation,* Paris: Seuil, 1950. Voir aussi Attali, J., *Histoire du temps*, Paris: Fayard, 1982.

pas une seconde à perdre ou, ce qui est maintenant équivalent, pas d'argent à gaspiller.

Propriété abstraite sous le contrôle du gestionnaire, le temps pourra s'appliquer à tous les aspects de l'organisation. Il y aura donc un temps de travail, un temps de développement de produit, un temps de repos, etc. En fait, il y aura un temps pour tout et ce temps sera toujours objectif, mesuré techniquement, utilisé efficacement et consommé rationnellement, c'est-à-dire avec un souci constant d'économie.

La dévalorisation de la subjectivité

Particulièrement à l'aise dans un monde sinon objectif, du moins objectivé, le gestionnaire formel n'accorde alors de valeur qu'à ce qui est objectif et, du coup, peut dévaloriser tout ce qui relève de l'ordre du subjectif. C'est ainsi qu'aux personnes toutes subjectives aux comportements si souvent imprévisibles, il aura tendance à préférer les structures qui, fruits de sa Raison, ont l'avantage d'être des réalités abstraites et objectives, des objets facilement manipulables et prévisibles. Rien n'est plus simple que de modifier un organigramme ou d'en construire un tout nouveau, plus rationnel et efficace, alors que modifier l'action des personnes est une tâche complexe qui très souvent fait appel à l'intangible, à la passion et demeure, de ce fait, fondamentalement mystérieuse, à tout le moins opaque au décodage objectif qu'offre la Raison. De la même façon, à la complexité des relations entre les personnes, le gestionnaire formel pourra préférer substituer des relations abstraites et formelles, des relations hiérarchiques, des chaînes instrumentales où les personnes sont des moyens, des ressources utilisées en vue d'atteindre une fin, toujours la même, celle de l'efficacité technique et économique maximale. Vouant un véritable culte à l'objectivité, le gestionnaire formel pourra même nier sa propre subjectivité ou, à tout le moins, considérer qu'il peut lui faire entendre Raison. Bien sûr, s'il n'y parvient pas, il peut toujours compter sur la puissance de la technique dont l'efficacité ne dépend d'aucune subjectivité, bien au contraire.

LA POURSUITE DE L'INTÉRÊT GÉNÉRAL

Dans l'organisation technique, le gestionnaire est au centre d'un très curieux paradoxe. En effet, alors qu'il mécanise l'organisation, qu'il la construit de façon rationnelle, technique et objective, que partout il débusque et chasse la subjectivité, qu'il cherche en toute chose et en tout être, l'objet abstrait, quantifiable, généralisable, parfaitement prévisible et manipulable, qu'il vide littéralement l'organisation de tout ce qui fait son humanité, il s'empresse de le doter d'une réalité tout humaine, de le pourvoir de toutes les caractéristiques qualitatives des humains, caractéristiques que pourtant il néglige de considérer chez chacun des membres de l'organisation puisqu'il les voit comme des sources d'incertitude, des entraves à l'efficacité. Dès lors et tout en occultant les actions qui donnent vie à l'organisation, il ne voit plus que sa créature artificielle toute constituée, que la conséquence des actions des uns et des autres et, du coup, il la pose en réalité transcendante qui viendrait, en toute extériorité, dicter à chacun sa volonté et son action. Au terme de ce jeu d'abstraction, l'organisation se présente alors, comme le décrit le tableau 4.5, comme un effet de composition né de la volonté des membres de l'organisation, comme une réalité réifiée qui aurait, en quelque sorte, une vie propre et, enfin, comme une contrainte déterminante.

Tableau 4.5
L'intérêt général

CARACTÉRISTIQUES	DESCRIPTION
UN EFFET DE COMPOSITION	◘ L'intérêt général est la conséquence souvent inconsciente de la volonté des membres de l'organisation. ◘ L'intérêt général prend la forme d'un contrat collectif signé entre des partenaires libres et consentants. ◘ L'intérêt général se décline en une multitude d'objectifs organisationnels.
UNE RÉALITÉ RÉIFIÉE	◘ Les membres de l'organisation considèrent l'organisation comme une réalité ayant une vie propre et indépendante de leurs actions. ◘ Réifiée, l'organisation est chargée d'attributs humains, tels avoir des objectifs, une stratégie, une structure, etc. ◘ Fruit de la volonté générale, l'organisation devient une personne juridique à part entière.
UNE CONTRAINTE DÉTERMINANTE	◘ L'intérêt général l'emporte sur l'intérêt particulier. ◘ Fruit de la volonté générale, l'organisation paraît, de ce fait, supérieure aux membres de l'organisation. ◘ L'intérêt général s'impose, en quelque sorte, à chacun et devient incontestable.

La volonté générale

Abstraction par excellence tout en étant le fruit de l'action très concrète de tous, selon le gestionnaire formel, l'organisation doit s'imposer comme l'expression ultime de la volonté de chacun des membres de l'organisation, comme une réalité qui, située hors et au-dessus des volontés individuelles, les synthétise en intérêt général qui s'incarnerait dans une loi administrative impartiale et qui le serait précisément parce qu'elle serait au-delà des volontés particulières, des intérêts personnels et subjectifs des uns et des autres.

Tous auraient donc intérêt à suivre la loi administrative de l'organisation puisque, tout en étant abstraite, elle se présenterait comme le fait objectif de leur propre volonté, comme le fruit, en fait, de leur volonté commune, de leur action collective. S'écarter de la loi administrative n'aurait alors aucun sens, puisque cela équivaudrait à nier cette volonté commune qui ne l'est que parce qu'elle combine de façon transcendante toutes les volontés individuelles et que chacun s'y soumet[21].

Si dans le monde organisé, nul n'est censé ignorer la loi administrative et si tous doivent donc s'y soumettre c'est, toutefois, au gestionnaire formel qu'incombe la tâche de voir à son application. C'est dire que de façon à ce que la volonté de cet être artificiel soit clairement entendue et largement diffusée, le gestionnaire formel doit jouer le rôle de légitime traducteur et de porte-parole de cet être artificiel et puissant qui commande la soumission de tous, y compris la sienne, et à chaque instant.

La réification

Alors que les humains sont, au terme de leur objectivation, vidés de leur réalité subjective et qualitative pour devenir des ressources comptabilisées à titre d'«actif» ou de «capital humain», mais toujours utilisés comme moyen, l'organisation acquiert, en retour, toute l'essence humaine, toutes les qualités que l'objectivation a occultées au profit de la quantification. Cette réification correspond, en quelque sorte, à une translation au terme de laquelle les humains deviennent des objets et l'organisation un être humain constitué des attributs de l'ontologie humaine. Les humains sont certes chosifiés, mais au profit d'un être artificiel humanisé qui les dépasse et les commande: l'*Organisation*. Réalité transcendante, l'organisation est vue comme étant bien davantage que la somme des parties qui la constituent[22], et c'est maintenant elle, et elle seule, qui a une histoire et des projets

[21] Historiquement, ce paradoxe a bien été mis en évidence par les philosophes, notamment Hobbes et, surtout, Rousseau. Voir: Hobbes, T., *Le Léviathan,* Paris: Éditions Sirey, 1971 et Rousseau, J.-J., *Du contrat social,* Paris: Marabout, 1974.

[22] Ainsi selon Peter F. Drucker: «Par définition, l'entreprise doit pouvoir produire quelque chose de plus, ou de mieux, que les ressources qui la composent. Elle doit être un véritable tout, supérieur à la somme de ses composantes – ou tout au moins différent de cette somme – avec une production supérieure à la somme des biens que l'on y introduit.» Drucker, P.F., *La pratique de la direction des entreprises*, Paris: Dunod, 1957: 12.

d'avenir, qui a des objectifs et une mission et c'est encore elle qui réfléchit et agit en formulant des stratégies et en les mettant en œuvre. Au terme de sa réification, l'organisation a donc tous les attributs qu'avaient les humains avant leur objectivation, mais elle a aussi une puissance qu'aucun d'eux n'avait et chacun peut alors se nourrir de cette puissance en échange d'une soumission librement consentie. Si dans la réalité très concrète, l'organisation ne reste qu'une personne juridique, elle est tout de même aux yeux de chacun une réalité qui commande et le gestionnaire formel est, comme tous les autres, à son service. De cela, d'ailleurs, dépend sa légitime autorité.

En devenant une personne juridique pourvue des attributs de l'ontologie humaine, l'organisation technique acquiert donc une puissance surhumaine. Pour tous, elle est une réalité transcendante dont l'existence ne semble plus être le résultat de leurs actions. Elle est, elle existe en propre et pour elle-même. Mieux, devenue autonome, elle contraint maintenant l'action de tous et offre en retour les fruits de son efficacité. Chacun lui doit obéissance. Sous son règne, c'est l'organisation d'abord, les humains ensuite.

Puissance qui transcende la volonté de chacun, l'organisation technique mérite le respect et doit être obéie à tout instant. Dans ce contexte, le gestionnaire n'est donc que le médiateur de l'intérêt général. C'est à lui qu'incombe la responsabilité de décoder ce qui est bien pour le fonctionnement et l'essor de l'organisation. C'est encore lui qui doit diffuser le fruit de sa lecture et s'assurer que chacun respecte la loi administrative et l'ordre organisé. Toutefois, bien qu'il en soit le porte-parole légitime, qu'il dicte la loi administrative en son nom, le gestionnaire formel, comme les autres, est au service de l'organisation. Lui, comme tous les autres, doit occulter ses désirs pour réaliser ceux de son monde artificiel. Rien n'est plus important que la vie de l'organisation, car le sort de chacun lui est lié. Toujours, elle doit être première et chacun doit se fondre dans ce grand tout pour ne former qu'une seule véritable personne juridique, l'organisation. La fusion des individualités réalisée, l'organisation technique peut alors atteindre son plein potentiel d'efficacité et chacun peut en escompter les fruits.

L'IDÉAL DU PROGRÈS

Si la poursuite effrénée d'efficacité technique et économique commande l'oubli de soi et le sacrifice de la subjectivité au profit de l'objectivité du monde formel, cela n'a véritablement de sens que s'il y a, en retour, une récompense qui soit à la mesure de cette abnégation, que si l'effort soutenu de tous se matérialise dans un réel progrès dont chacun pourrait jouir[23]. C'est d'ailleurs là l'une des principales croyances et l'un des leviers essentiels que manipule le gestionnaire formel. Toujours, il promet que les choses peuvent et vont mieux aller, que demain pourrait et sera forcément meilleur, que le bonheur auquel chacun aspire est à portée de main, qu'il suffit d'y mettre l'énergie et les efforts nécessaires. Si l'organisation demande le sacrifice du présent, il offre donc en retour un avenir aux mille promesses. À n'en pas douter, si chacun y croît et y met les efforts, demain sera radieux, doux et riche. C'est, d'ailleurs, pour cet avenir idéal que chacun occulte une part de son présent et accepte de se soumettre à la logique de l'organisation. C'est dire que dans l'organisation technique, il n'y a pas de place pour la douce nostalgie des temps d'alors, du bon vieux temps de jadis et de naguère. Pour le gestionnaire formel, c'est l'avenir qui est bon, qui est porteur du plus grand bonheur pour le plus grand nombre. Le passé doit donc être transcendé, dépassé et servir de tremplin pour un futur à construire. Le progrès est donc un idéal, mais, comme l'indique le tableau suivant, il est aussi une nécessité et un vecteur de changements perpétuels.

Tableau 4.6
Le progrès

CARACTÉRISTIQUES	DESCRIPTION
UN IDÉAL	◘ Le progrès est, en quelque sorte, un idéal de vie, une promesse en un avenir meilleur. ◘ Le progrès se matérialise en une multitude d'objectifs qui, tous, signifie un plus grand bien-être. ◘ Pour être légitime, l'idéal du progrès doit avoir des manifestations concrètes, telles des augmentations de salaire et une amélioration des conditions de travail.
UNE NÉCESSITÉ	◘ Dans l'organisation, le progrès se décline en objectif de croissance économique. ◘ Dans un univers marqué par la concurrence, la croissance acquiert vite le statut de nécessité.
UN VECTEUR DE CHANGEMENTS	◘ Le progrès puisqu'il est une projection d'un meilleur avenir est un vecteur de changement. ◘ Conjugué au progrès, le changement est vu comme un bienfait. ◘ Puisque le progrès est un idéal perpétuel, le changement est permanent.

[23] Pour une excellente introduction sur l'idéal du progrès, voir: Taguieff, P.-A., *Le sens du progrès*, Paris: Flammarion, 2004.

La croissance économique

Pour atteindre la terre promise, celle de l'efficacité technique et économique, et faire en sorte que tous profitent des bienfaits du progrès, le gestionnaire formel doit garder un œil sur l'horizon, fixer l'avenir et maintenir le cap. Il le sait bien, lui qui a la charge de l'organisation, que si le bonheur loge dans le futur, c'est tout de même au présent qu'il se construit. Il y a donc dans cette poursuite de l'idéal du Progrès, une certaine appropriation et une sécularisation de l'idée chrétienne d'un paradis, d'une vie éternelle à venir qui se gagne au présent. Le progrès auquel prétend l'organisation ne se trouve toutefois pas dans la contemplation ou l'abnégation toute spirituelle, mais dans le travail quotidien, dans le dur labeur propre à la sphère économique[24]. Il ne s'agit pas d'être vertueux, mais industrieux. Et la récompense de tant de travail ne doit pas être sans cesse reportée. C'est bel et bien ici et maintenant que chacun doit jouir des fruits du progrès. Ils doivent donc être perceptibles et ils le seront d'autant plus qu'ils se déclineront en termes matériels, qu'ils prendront la forme de meilleurs aménagements de travail, d'améliorations des conditions d'emploi, de croissance des revenus, etc. C'est donc dire que là aussi, l'objectivation fait son chemin et son œuvre puisque si le progrès est un idéal, il n'a de sens que s'il est aussi réalisable et il ne l'est que s'il est objectif, mesurable et quantifiable. Le progrès, ce monde à venir est, pour l'essentiel, un monde économique et la marche du temps est alors synonyme de croissance[25]. Faire plus, toujours plus et encore plus. Surtout, faire plus de production matérielle, étendre la sphère de l'économique aux moindres recoins de l'organisation. Tout doit être pensé en termes économiques, en termes de ressources et de travail.

L'ordre de la nécessité

Tout comme la technique, la raison et l'objectivité, le progrès économique est donc, pour le gestionnaire formel, une obsession, un souci constant, une

---

[24] Si c'est au Siècle des lumières que l'idée de progrès devient centrale, c'est au XIXe siècle que l'idée se cristallise autour de la seule sphère économique. Ainsi, selon Ellul: «On cessait dès le début du XIXe siècle de parler de progrès de la raison, progrès de la science..., pour parler de progrès tout court. Ce simple changement d'usage traduit la coupure radicale: progrès à ce moment cesse de signifier développement de quelque chose, cesse d'être par conséquent qualifié par ce à quoi il s'applique, le bien ou le mal. Progrès prend une nuance en soi positive: le progrès est bien en soi ce qui augmente, ce qui s'ajoute est valable – et comment alors ne pas comprendre que cette absolutisation du terme par la validation de ce qui augmente est strictement liée à ce qui est justement quantitatif, c'est-à-dire la production économique. C'est sur le modèle de la croissance de la production que le progrès est construit – il n'est plus nécessaire de spécifier de quoi il s'agit.» Ellul, J., *Métamorphose du bourgeois*, Paris: La Table Ronde, 1998: 119-120, [1967]

[25] Comme le souligne Raymond Aron: «L'ordre du changement, désormais seul ordre reconnu, se définit d'abord par la croissance. L'individu des sociétés industrialisées s'attend (...) à l'amélioration régulière de son sort.» Aron, R., *Les désillusions du progrès*. Paris: Gallimard, 1969: 225-226.

motivation première. Pour le gestionnaire formel, l'organisation est d'abord et avant tout une réalité économique et tout doit s'y subordonner, tout doit s'interpréter sous le prisme de la catégorie économique qui est la seule à pouvoir objectivement témoigner de la réalité du Progrès[26]. C'est dire que la vie organisée est de l'ordre de la nécessité, de la survie et progrès aidant, du confort matériel. Au regard de la condition humaine, il convient de privilégier le travail à l'œuvre ou à l'interaction sociale[27]. C'est le travail et lui seul qui procure les biens nécessaires à la survie et au confort[28]. C'est le travail, vecteur central du regard économique, qui porte l'idéal du Progrès et en assure la venue en ce monde. C'est par le travail que le Progrès trouvera place dans l'organisation. Pour le gestionnaire formel, l'œuvre et l'action sociale doivent s'inscrire dans la logique économique, dans un déploiement de l'énergie propre au travail. Par là, le gestionnaire de l'organisation technique est résolument moderne[29]. Loin de l'idéal de la Cité grecque qui méprisait la sphère économique et le travail, loin de la posture toute contemplative de la Cité chrétienne, il met de l'avant un idéal industrieux où le travail, et lui seul est riche en promesses d'avenir[30].

La marche de l'histoire, la prégnance du changement, l'appel à la croissance, la quête effrénée de progrès et la course au bien-être matériel et économique sont donc constitutifs de l'éthos administratif du gestionnaire formel. Pour lui, l'idéal du Progrès s'incarne d'abord et avant tout dans le concret de la sphère économique. Ce n'est pas une idée vague et romantique, c'est un programme concret à réaliser. Ici, il n'y a pas de demimesure, pas d'entre-deux. Si l'organisation n'avance pas, c'est qu'elle recule. D'un côté, il y a la voie du progrès, celle de la croissance économi-

---

[26] C'est d'ailleurs ce qu'exprime très clairement Peter F. Drucker lorsqu'il écrit: «La Direction doit toujours, avant toute action et toute décision, considérer d'abord l'aspect économique. Seuls les résultats économiques qu'elle obtient justifient son existence et son autorité. Il peut y avoir d'importants résultats qui ne sont pas du domaine de l'économie: l'existence correcte des membres de l'entreprise, la contribution au bien-être ou la culture de la communauté, etc. On peut dire pourtant qu'une Direction a failli à sa mission, si elle n'obtient pas des résultats économiques (...).» Voir: Drucker, P.F, *La pratique de la direction des entreprises*, Paris: Dunod, 1957: 7-8.

[27] Dans *La condition humaine* Hannah Arendt, après avoir montré que la condition humaine est constituée des trois dimensions que sont le travail, l'œuvre et l'interaction, soutient que c'est le travail est au centre de la modernité. Voir: Arendt, H., *Condition de l'homme moderne,* Paris: Calmann-Levy, 1983.

[28] Le confort comme matérialisation de l'idéal du Progrès a été tout particulièrement mis de l'avant au Siècle des Lumières, notamment par le fondateur de l'économie politique Adam Smith. Voir: Smith, A., *La richesse des nations,* Paris: Flammarion, 1991.

[29] Ainsi, selon Peter F. Drucker; «La fonction de Direction, organisme de la société spécialement chargé de rendre les ressources productives, c'est-à-dire responsable de l'organisation du progrès économique, reflète donc l'âme profonde de l'âge moderne.» Drucker, P.F., *La pratique de la direction des entreprises*, Paris: Dunod, 1957: 4.

[30] Nous retrouvons ici l'éthique protestante qu'évoquait Max Weber dans son célèbre essai sur l'esprit du capitalisme. Voir: Weber, M., *L'éthique protestante et l'esprit du capitalisme*, Paris: Plon, 1964.

que, et de l'autre le chemin de la régression, celui de l'échec. Pensé en ces termes, le choix est simple et évident, il faut avancer, avancer toujours plus loin, encore plus vite. La destination? Celle du confort, ce genre de confort qui s'obtient par le succès pragmatique et qui se déguste en termes matériels.

CONCLUSION

Au terme de l'exploration de l'éthos instrumental du management technique, il convient d'en tracer les limites. D'abord, cet éthos n'est pas une description empirique de valeurs qui seraient mises en action dans des organisations très concrètes et réelles. En effet, il s'agit ici d'une construction théorique, d'un idéal type dont le principal mérite est de servir d'utopie rationnelle, de fiction heuristique et d'unité de mesure. À ce titre, l'éthos instrumental peut nous être fort utile, car comparé à la réalité empirique, nous sommes à même de prendre la distance qui sépare les pratiques concrètes du modèle théorique. Cela nous permet donc de voir si une organisation est plus ou moins technique, plus ou moins animée par un éthos instrumental, plus ou moins administrée par un gestionnaire formel.

Puis, lorsque nous trouvons des traces de l'éthos instrumental, il est rare que l'on ne trouve pas également la marque de l'éthos traditionnel et l'empreinte du management social. En fait, les organisations concrètes combinent toujours une variété de formes de management.

Enfin, bien qu'aucune organisation ne soit vraiment conforme à l'idéal type que brosse l'éthos instrumental, il est évident que certaines organisations tendent à s'y conformer. C'est notamment le cas des grandes organisations bureaucratiques qui dominent l'espace économique contemporain.

Chapitre 5

LA PLANIFICATION

Formuler avec précision et pertinence la raison d'être de l'organisation, choisir son orientation générale, fixer des objectifs qui donnent un sens au choix des moyens à mettre en œuvre, analyser avec finesse et objectivité toutes les dimensions de l'organisation et de son environnement, esquisser des possibilités d'avenir, clarifier les intentions stratégiques et les objectifs opérationnels qui guideront les conduites de chacun vers la réalisation du bien commun et construire avec rigueur les plans à réaliser sont, au regard du management technique, au cœur de la planification.

Planifier l'avenir de l'organisation est un impératif du management technique qui ne laisse jamais rien au hasard. Bien sûr, l'avenir est forcément incertain, mais pour le gestionnaire gagné aux vertus du management technique, c'est précisément là une raison pour réaliser une planification minutieuse et rigoureuse. Tout prévoir, ne donner prise à aucune surprise et déjà mettre au point des plans d'action qui soient aptes à construire l'avenir est, pour le gestionnaire, une tâche centrale, une tâche qui orientera toute son action.

ESSENCE DE LA PLANIFICATION

Premier moment du cycle administratif du management technique, la planification est pour le gestionnaire le plus fondamental des processus qu'il doit accomplir[1], car c'est par ce processus qu'il donne à l'ensemble de l'organisation une raison d'être, une direction, une finalité et des objectifs qui présideront au déploiement efficace des moyens d'action que sont les

---

[1] Ainsi, Koontz et O'Donnell écrivent: «La planification est la plus fondamentale de toutes les fonctions de gestion, car elle implique le choix de lignes de conduite engageant le futur. Non seulement la planification est-elle une fonction de base de tous les gestionnaires, quel que soit le niveau ou l'entreprise, mais elle préside aussi à l'exécution des (…) autres fonctions de la gestion.» Koontz, H. et C. O'Donnell, *Management. Principes et méthodes de gestion.* Paris: McGraw-Hill, 1980: 57.

autres fonctions, habiletés ou processus du management technique[2], à savoir l'organisation, la direction et le contrôle.

Figure 5.1 : Le cycle administratif du management technique

Par la planification, le gestionnaire tente d'anticiper le futur de façon à y préparer l'organisation, esquisse ce que pourrait être sa situation idéale et utilise des plans tant stratégiques, structurels qu'opérationnels pour orienter l'action, notamment pour donner un sens aux processus d'organisation du travail, de direction des personnes et de contrôle de l'action et des résultats.

Anticiper le futur

Par la planification, le gestionnaire tente d'anticiper rationnellement l'avenir, d'en prévoir les caractéristiques et les tendances et, du coup, d'en réduire l'incertitude. Projetant l'organisation dans l'avenir prévisible, le gestionnaire anticipe les éventuelles conséquences futures des potentielles transformations de l'environnement sur le destin de l'organisation. Il veut mettre au jour les menaces que l'organisation devra affronter, entrevoir à l'avance les problèmes qu'il faudra résoudre et esquisser les défis qu'il faudra relever.

Si la visée profonde de la planification est d'assurer un avenir à l'organisation, son objet premier est, en quelque sorte, le futur qu'il s'agit de prévoir de façon à s'y préparer. Toutefois, entrevoir ce que sera le futur et agir de telle sorte qu'il soit favorable à l'organisation ne suffit pas, car il faut

[2] Pour désigner les éléments constitutifs du cycle administratif du management technique, nous pouvons parler autant de fonctions, de processus que d'habiletés. Dans le premier cas, l'accent est mis sur l'utilité des moments du cycle administratif, dans le second c'est sa technicité qui est ainsi soulignée et dans le troisième ce sont les compétences du gestionnaire qui sont mises de l'avant. Nous pouvons aussi considérer que décliner le management en termes de fonctions équivaut à en faire une lecture organiciste, que de l'évoquer en termes de processus met plutôt au jour son caractère mécanique et que de le décrire en termes d'habiletés évoque le caractère humain du cycle.

aussi le construire plutôt que de le subir. Dans l'univers de la planification, il est donc hors de question d'attendre patiemment l'avenir pour éventuellement y réagir avec efficacité. En effet, la seule prise de conscience d'une éventuelle embûche suffit à déclencher l'action et à esquisser les moyens requis pour l'éliminer d'avance, à concevoir des plans pour qu'elle tourne à l'avantage de l'organisation ou alors à envisager des façons de la contourner ou d'y faire face sans pour autant fragiliser l'efficacité de l'organisation.

Esquisser un monde idéal

La connaissance de l'avenir, plus précisément cette anticipation formalisée sous la forme de prévisions, est utilisée pour façonner au présent un avenir avantageux, avenir posé en idéal à réaliser. Ainsi, après avoir étudié les événements passés, pris la mesure de la situation présente et bien dressé l'inventaire des tendances futures, le gestionnaire esquisse les plans de ce que devrait être la constitution future de l'organisation, acquiert les ressources nécessaires et engage tout l'effort collectif dans la construction de cet idéal planifié.

La planification n'est donc pas que de l'ordre de la prévision et du constat d'éventuelles tendances ou de probabilités toutes plus conditionnelles les unes que les autres. Elle est surtout un processus technique de décision qui, prenant acte des tendances, engage l'action et la réflexion dans l'élaboration d'un idéal formulé sous la forme d'un plan. Ce dernier ne doit jamais se borner à une logique du constat et de la prévision, mais doit toujours s'ouvrir sur l'action, sur ce qu'il faut faire pour construire un avenir qui soit favorable et porteur d'un gain d'efficacité pour l'organisation.

Orienter l'action

Prévoir l'avenir et y esquisser un monde idéal n'ont de sens, pour le gestionnaire formel, que si cela donne prise sur le réel et engage l'action. En effet, il ne suffit pas de planifier un avenir idéal pour qu'il se réalise. Si la planification ne s'accompagne pas d'actions qui donnent vie à l'idéal planifié, elle n'est alors que de l'ordre de la pensée magique et du rêve futile. Pour le gestionnaire, la planification ne trouve sa véritable signification que dans l'action, que dans la possibilité que l'idéal planifié serve à orienter l'action et c'est précisément ce que la planification fait en fixant l'attention de chacun sur les objectifs à atteindre, en clarifiant les attentes des uns et des autres, en orientant les contributions de chacun, en donnant un sens à l'action, en indiquant avec la plus grande des précisions les moyens requis pour réaliser l'idéal et en donnant une cohérence d'ensemble à l'organisation.

L'ÉTHOS INSTRUMENTAL EN ACTION

Portée par l'éthos instrumental du management technique, la planification est, comme l'indique le tableau 5.1, tout à la fois rationnelle, objective technique, au service de l'intérêt général et incarnation de l'idéal du progrès.

Tableau 5.1
L'éthos instrumental et la planification

ÉTHOS	DESCRIPTION
LA RATIONALITÉ	La planification établit les objectifs de l'organisation et esquisse les moyens à mettre en œuvre pour les réaliser.
L'OBJECTIVITÉ	La planification nécessite l'analyse objective de l'environnement de l'organisation et un diagnostic de ses ressources, activités et produits.
LA TECHNIQUE	La planification se décline en un processus technique qui s'amorce par l'analyse de la situation de l'organisation et se termine par la constitution de plans d'action.
L'INTÉRÊT GÉNÉRAL	La planification matérialise l'intérêt général dans des objectifs généraux auxquels les intérêts individuels sont subordonnés.
LE PROGRÈS	La promesse d'un progrès est au fondement même de la planification.

La rationalité de la planification

Premier moment du cycle administratif du management technique, la planification assoit, d'entrée de jeu, l'action administrative en territoire de rationalité[3]. C'est par ce moment clé que l'action organisationnelle se mue en système d'action intentionnel et rationnel. Selon les gestionnaires gagnés

[3] D'ailleurs, Wildavsky fait de la rationalité la valeur symbolique de la planification. Ainsi, selon lui: «La planification n'est pas réellement défendue pour ce qu'elle est, mais pour ce qu'elle symbolise. La planification, identifiée à la raison, est conçue comme étant la méthode pour laquelle l'intelligence est appliquée aux problèmes sociaux. Les efforts de la planification sont supposés être meilleurs que ceux d'autres personnes parce qu'ils ont pour produit des propositions de politiques générales qui sont systématiques, efficientes, coordonnées, cohérentes et rationnelles. Ce sont des termes tels que ceux-ci qui cherchent à donner l'idée de la supériorité de la planification. La vertu de la planification est qu'elle incarne des normes universelles de choix rationnels.» Wildavsky, A. «If Planning is everything maybe It's nothing», *Policy Science*, 1973, 4: 141. Cité par Mintzberg, H., *Grandeur et décadence de la planification stratégique,* Paris: Dunod, 1994: 35 [*The Rise and Fall of Strategic Planning,* New York: The Free Press, 1994].

aux vertus du management technique, sans la planification l'action administrative ne serait qu'activisme, que jeu de rôle, que réflexe adaptatif, que réponse mécanique aux pressions d'un environnement auquel le gestionnaire aurait abdiqué toute volonté et qui, dès lors, serait érigé en finalité de l'action et dicterait forcément sa loi et son ordre. Par la planification, le gestionnaire prend acte de l'environnement organisationnel, mais n'y subordonne pas pour autant l'organisation. Tout au contraire, il cherche à le transformer, à lui imposer ses plans, à ouvrir le chemin des possibles et à ainsi entrevoir tout l'espace futur que peut y occuper l'organisation[4].

Par la planification, le gestionnaire témoigne qu'il est un être réflexif qui veut transformer et modeler l'organisation de façon intentionnelle. En outre, en instituant la planification comme premier moment de son action administrative, le gestionnaire marque, du coup, le primat de la connaissance rationnelle sur l'action proprement dite. Pour lui, il faut penser avant d'agir, connaître avant d'intervenir, concevoir d'abord et exécuter ensuite. La planification est ainsi le moment réflexif par excellence, celui qui trace rationnellement le chemin qui va de la connaissance du réel à l'action concrète[5].

L'objectivité de la planification

Pour le gestionnaire formel, planifier c'est donc d'abord et avant tout connaître et puisqu'il aspire à l'objectivité, la planification se devra d'être objective. Ici, il ne s'agit pas de formuler des souhaits, de rêver à des lendemains qui chantent ou d'énoncer une vision toute subjective de l'avenir de l'organisation. D'ailleurs, rien n'est plus étranger à la planification technique que cet étalage de subjectivité débridée. Élucider les possibles intentions de l'organisation, formuler sa mission et son métier, décliner les objectifs qui en découlent, esquisser les moyens à mettre en œuvre et élaborer l'idéal à réaliser sous la forme d'un plan très concret d'action n'ont rien de commun avec les désirs ou les vœux. Planifier c'est connaître la réalité froide et objective de l'organisation et en tirer, au regard de l'action, les leçons qui s'imposent. Cette connaissance, le gestionnaire l'obtient en posant, d'abord, tout son univers en objet d'étude, en réalité à connaître. Mû

---

[4] Drucker exprime très bien cette idée de la façon suivante: «Une entreprise est créée et dirigée par des hommes et non par des «forces». Les forces économiques posent des limites à ce que la direction peut faire; elles lui fournissent des occasions d'agir. Mais elles ne peuvent à elles seules déterminer ni ce qu'est une affaire, ni ce qu'elle fait. Il n'est rien de plus ridicule que d'affirmer (...) que la direction ne fait qu'adapter l'affaire aux forces qui régissent le marché. La direction ne se contente pas de situer ces «forces», elle les crée par sa propre action.» Drucker, P.F., *La pratique de la direction des entreprises*, Paris: Dunod, 1957: 34.

[5] Pour une réflexion sur la planification pensée en termes de processus de connaissance, voir: Prost, R. et L. Rioux, *La planification. Éléments théoriques pour le fondement de la pratique.* Montréal: Presses de l'Université du Québec, 1977.

par sa quête d'objectivité, le gestionnaire traduit par la suite sa réalité en informations. Ces dernières permettent de construire des hypothèses sur l'avenir de l'organisation et d'en déduire rationnellement les actions à entreprendre[6]. Toutefois, connaître n'est pas la finalité ultime du gestionnaire, mais un passage obligé vers l'éventuelle transformation de l'organisation. C'est que le gestionnaire formel est animé par le désir d'agir sur l'organisation et c'est précisément parce que la connaissance ouvre sur l'action qu'il la recherche en toute objectivité[7].

Par ailleurs, connaître en toute objectivité l'organisation et son environnement est une tâche colossale, voire même impossible à mener à terme tant la réalité organisationnelle est riche, diversifiée et complexe. Le gestionnaire doit donc faire des choix et surtout se donner une démarche qui ne le conduise pas à tout explorer dans les moindres détails et à ainsi accumuler une quantité d'informations à ce point imposante et riche qu'il ne pourra la traiter avec rigueur. Concrètement, le gestionnaire se simplifie la tâche, par le jeu de l'abstraction qui lui permet de construire la réalité en termes de catégories génériques, catégories qui permettent d'agir sur l'organisation.

Lorsque le gestionnaire a terminé la traduction de la réalité en informations abstraites, il s'empresse alors de formaliser davantage sa connaissance en la quantifiant en termes d'unité monétaire et de temps. C'est cet ultime effort de traduction qui, au regard du management technique, assure l'objectivité de la planification. Le fruit de cet effort de quantification est résumé dans le plan objectif par excellence, à savoir le budget. Dans ce plan, les intentions de l'organisation et les ressources requises pour les réaliser sont traduites en unité monétaire et en délais de réalisation.

La technique de la planification

Véritable processus de recherche orienté vers l'action, la planification, comme l'illustre la figure 5.2, prend aussi l'allure d'un processus technique

---

[6] Sur l'importance et la forme que peuvent prendre les hypothèses dans le processus de planification, voir: Mason, R.O. et I.I. Mitroff, *Challenging Strategic Planning Assumptions. Theory, Cases and Techniques,* New York: Wiley, 1981.

[7] Sur la nature de la connaissance produite par le gestionnaire, voir: Audet, M., Le procès des connaissances de l'administration, in M. Audet et J.-L. Malouin (dir.), *La production des connaissances scientifiques de l'administration/The Generation of Scientific Administrative Knowledge.* Québec: Les Presses de l'Université Laval. 1986: 23-56; Audet, M., Landry, M. et R. Déry, «Science et résolution de problème: liens, difficultés et voies de dépassement dans le champ des sciences de l'administration», *Philosophie des sciences sociales,* 1986, 16:409-440; Audet, M. et R. Déry, «La science réfléchie. Quelques empreintes de l'épistémologie des sciences de l'administration», *Anthropologie et Société*, 1996, 20(1): 103-123; Déry, R., «Homo-administrativus et son double: du bricolage à l'indiscipline», *Gestion, revue internationale de gestion*, 1997, vol. 22(2): 27-33; Déry, R., «L'impossible quête d'une science de la gestion», *Gestion, revue internationale de gestion*, septembre 1995: 35-46.

constitué des étapes de diagnostic des performances passées, de la situation de l'organisation et des tendances de l'environnement; de formulation des intentions de l'organisation pour faire face à l'avenir en termes de stratégie à déployer et d'objectifs à concrétiser; et d'élaboration de plans tant stratégiques, structurels qu'opérationnels. Pensée en ces termes, la planification est essentiellement une technique d'analyse et d'anticipation du futur. Comme toutes les techniques, la planification est un instrument au service de l'efficacité et c'est par la rigueur de ses analyses et par la justesse de ses prévisions qu'elle en fait la démonstration.

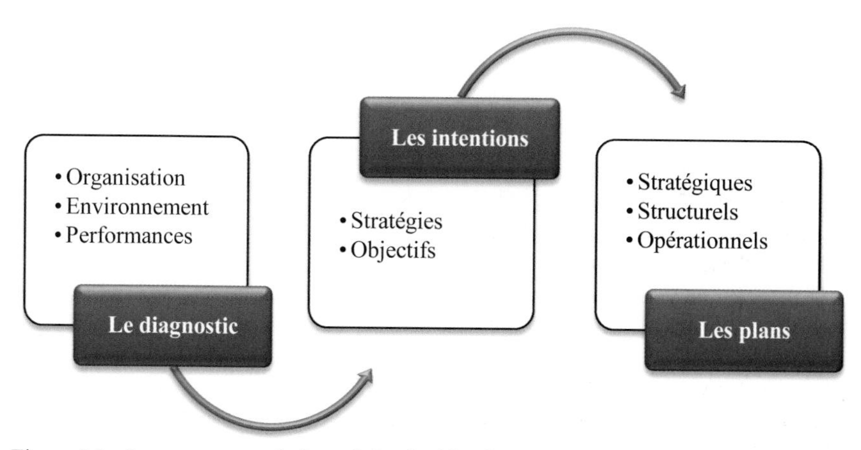

Figure 5.2 : Le processus technique de la planification

Technique qui vise à anticiper l'avenir et à s'y préparer, la planification mobilise aussi une grande variété de techniques, notamment les *analyses de banques de données* qui permettent de construire des modèles statistiques de prévision dans lesquels se trouvent des variables significatives et des déterminants de l'action, les *extrapolations quantitatives* qui, en partant de l'analyse du passé, favorisent la mise au jour de tendances qu'il est possible de projeter sur l'avenir, les *analyses de corrélation* qui indiquent le degré d'interdépendance entre des variables, les *analyses de chemin critique* qui permettent d'ordonner dans le temps un enchaînement d'activités et d'ainsi mieux prévoir l'allocation des ressources, les *simulations* par ordinateur qui permettent de construire des scénarios d'avenir, etc. Toutes ces techniques visent le même objectif, à savoir construire les prévisions à partir desquelles le gestionnaire formulera les plans d'action de l'organisation. Surtout, ces techniques quantitatives ont l'avantage pour le gestionnaire d'être rationnelles et objectives et sont donc susceptibles de créer facilement des consensus et d'orienter avec beaucoup d'efficacité l'action en vue de la réalisation des plans.

Par ailleurs, fruit d'une intense réflexion fondée sur une multitude de techniques, la planification n'est pas pour autant cantonnée dans l'univers de l'abstraction et des outils. En effet, tout en étant de l'ordre de l'analyse, le processus technique de planification va au-devant de l'action en se matérialisant dans des objectifs précis qui la guident et dans des plans détaillés qui l'habilitent.

Dans l'organisation technique, les objectifs ne sont pas des énoncés subjectifs, des rêves ou des visions, ni même des souhaits, mais bien des cibles très concrètes à atteindre, cibles dont le réalisme découle d'un processus de planification rigoureux et rationnel. Les objectifs sont donc, en quelque sorte, des résultats froids. Ils le sont doublement puisque, d'un côté, ils sont le résultat logique du processus de planification et que, de l'autre, tout en étant à l'origine de l'action dont ils représentent la finalité à réaliser, ils en sont aussi le résultat anticipé. Les objectifs sont ainsi des réalités virtuelles que l'action et la durée se chargeront de concrétiser. Il y a donc là une circularité et une dépendance mutuelle entre les objectifs et l'action, car cette dernière n'a de sens que par les premiers qu'elle matérialise et ces objectifs ne peuvent se concrétiser que par l'action. Toutefois, pour que les objectifs deviennent à terme les résultats qu'anticipe la planification, le gestionnaire doit s'assurer qu'ils respectent certains critères conformes à l'éthos instrumental, notamment être objectivement spécifiques, rationnels, techniquement mesurables, cohérents entre eux et réalisables. En outre, pour que les objectifs ne soient pas que de l'ordre de la virtualité et de l'intention, le gestionnaire doit aussi fixer des échéances de réalisation, des délais, qui les inscrivent dans la durée et dans la réalité. Surtout, les objectifs doivent s'inscrire dans un plan qui oriente très concrètement l'action. Le plan est ainsi l'énoncé détaillé des moyens requis pour réaliser les objectifs. Il dresse l'ensemble des actions et des ressources nécessaires pour atteindre les cibles. De plus, puisque le gestionnaire peut fixer un objectif à atteindre à toute action, il est alors possible de multiplier les plans, de formaliser toutes les actions, de toutes les doubler d'une marche à suivre, d'une séquence logique et rationnelle d'opérations tant cognitives que comportementales. C'est dire que, d'une certaine façon, toutes les actions peuvent être programmées pour se fondre dans le programme commun que décrivent les plans. En tant qu'énoncé précis du déroulement de l'action, le plan cherche donc à préciser à l'avance ce qu'il convient de penser d'une éventuelle situation, la façon d'y réagir, les ressources qu'il faut mobiliser, les attitudes et les comportements qui sont requis pour réaliser les objectifs, etc. À cet égard, les règlements qui dictent l'action dans les organisations formalisées sont révélateurs de ce qu'est un plan. En effet, un règlement est un plan administratif qui anticipe une situation qui peut potentiellement faire problème et, si effectivement elle le devient, il énonce ce qu'il convient de faire pour y remédier. Du coup, plus une organisation se formalisera, plus il y aura des règlements, fruit d'une planification qui ne laisse rien au hasard, qui cherche à tout prévoir, à tout anticiper et surtout, qui offre les marches à suivre pour faire face à toutes les situations prévisibles.

Si toute action est susceptible d'être doublée et soutenue par un plan qui l'oriente, le gestionnaire formel regroupe généralement les actions à l'intérieur de trois grands plans, soit les plans stratégiques, structurels et opérationnels. Comme le montre le tableau 5.2, chacun de ces plans cherche à résoudre un problème particulier et offre une solution.

Tableau 5.2
Les plans

PLANS	PROBLÈMES À RÉSOUDRE	SOLUTIONS PLANIFIÉES
STRATÉGIQUES	▪ Le positionnement stratégique de l'organisation ▪ L'avantage concurrentiel	▪ La stratégie ▪ Les objectifs généraux
STRUCTURELS	▪ Le travail et les rôles requis pour mettre en œuvre la stratégie et atteindre les objectifs ▪ Les services administratifs requis par la stratégie	▪ L'organisation du travail ▪ La structure organisationnelle
OPÉRATIONNELS	▪ Les ressources requises par la stratégie et les objectifs ▪ Les activités nécessaires à la réalisation de la stratégie et des objectifs	▪ L'acquisition, le développement et l'allocation des ressources ▪ Les règlements, procédures, programmes et objectifs de travail

Comme l'indique ce tableau, les plans stratégiques concernent le positionnement de l'organisation dans son environnement concurrentiel. Plus précisément, c'est dans les plans stratégiques que les orientations générales de l'organisation sont formulées, soit sa stratégie concurrentielle et ses objectifs généraux. Les plans stratégiques sont considérés comme étant décisifs, car ils engagent la survie même de l'organisation et justifient, en quelque sorte, l'existence de l'organisation et sa légitimité dans l'espace social et économique qu'elle prétend servir. Pour leur part, les plans structurels sont conséquents des plans stratégiques et prennent la forme d'une réflexion sur l'organisation du travail, sur les rôles que chacun doit jouer et sur la structure requise pour réaliser les intentions stratégiques. Enfin, les plans opérationnels centrent l'attention sur les ressources et les activités requises pour donner vie à la stratégie et atteindre les objectifs généraux. C'est dans les plans opérationnels que sont déterminées les ressources nécessaires au fonctionnement de l'organisation et que sont formulés les règlements, les procédures, les programmes et les objectifs de travail.

La planification et l'intérêt général

La planification contribue à la réalisation de l'intérêt général en posant l'organisation comme réalité très concrète, réalité qui serait située hors et au-dessus des volontés individuelles et qui, de là, viendrait orienter et contraindre l'action de chacun. C'est donc l'organisation dont il s'agit de prévoir le destin, c'est d'elle dont il est question dans les plans et c'est toujours elle qui est en cause dans l'idéal que la planification cherche à réaliser. Les intérêts individuels sont certes considérés, mais ils doivent se fondre dans l'intérêt général et y être subordonnés. Du coup, les individus sont vus comme des ressources dont la contribution doit être orientée de façon à réaliser l'intérêt général de l'organisation, le seul qui compte vraiment, car par le jeu ambigu de la combinaison des intérêts individuels, ils synthétisent, en quelque sorte, les intérêts de chacun au sein d'une volonté générale dont l'expression en termes de plan permettrait la réalisation.

L'intérêt général est donc au fondement même du processus de planification. C'est lui qui doit orienter tout le processus de planification. Lorsqu'au terme de son analyse, le gestionnaire clarifie les objectifs de l'organisation, c'est encore de l'intérêt général dont il est question, puisque ces objectifs sont ceux qui contribuent au bien commun. Au regard du gestionnaire, l'intérêt général est à ce point incarné par la réalité de l'organisation, que c'est toujours elle qu'il faut servir, que ce sont ses objectifs qu'il faut atteindre et que ceux des membres de l'organisation doivent forcément s'y subordonner, mieux s'y fondre pour ne faire qu'un et ainsi permettre une meilleure concentration de l'action, voire une fusion de toutes les actions individuelles au sein d'une véritable action collective totalisante et efficace. De même, lorsque le gestionnaire se penche sur la mission de l'organisation, il peut certes contribuer à sa définition, mais, dès sa formulation achevée, il ne la voit plus comme le fruit de sa réflexion libre et volontaire. En effet, elle devient la raison d'être de l'organisation et l'expression d'une volonté générale qui doit tout naturellement s'imposer à la raison et guider l'action de chacun.

Dans le monde technique de la planification, les projets particuliers des uns et des autres n'ont donc droit de cité que s'ils s'inscrivent dans le projet global de l'organisation que formulent les plans. Ainsi, les plans stratégiques, structurels ou opérationnels ne sont jamais considérés comme le fruit d'une volonté individuelle qui tirerait avantage de leur réalisation. Tout au contraire, dans l'univers organisationnel du management technique, il n'y en a que pour l'intérêt général défini en termes rationnels, techniques et objectifs. C'est dire que la stratégie formulée au terme du processus de planification est celle de l'organisation et si tous peuvent bien y reconnaître la marque des gestionnaires qui ont contribué à son élaboration, personne ne doit douter qu'ils n'ont été que des médiateurs et des traducteurs de la volonté de l'organisation, seule volonté qui, pour le bien de tous, doit prévaloir.

La planification comme instrument de progrès

La planification marque le caractère profondément moderne du management formel et sa participation à l'idéal du Progrès. Ici, il y a un passé que le gestionnaire pose en objet d'étude et face auquel il cherche à rompre de façon à construire un avenir efficace. C'est dire qu'entre les regrets du temps d'alors et de jadis et les projets porteurs d'un avenir désirable, le gestionnaire formel fait toujours le choix d'un avenir qu'il construit par la planification et qu'il entrevoit comme l'unique chemin vers l'émancipation de son organisation.

Par la planification, le management s'inscrit donc résolument dans une dynamique de progrès. Ce qui est désiré est toujours devant et accessible par la planification dont le mandat ne se résume pas à l'analyse critique du passé, mais consiste surtout à entrevoir les solutions d'avenir. La planification ne se contente toutefois pas de brosser à grands traits les scénarios d'avenir, elle offre aussi les moyens de le construire en termes de progrès. Croissance, augmentation, amélioration, progression, évolution, développement, perfectionnement, changement, renouvellement et d'autres concepts du même genre vont continuellement ponctuer la formulation des plans et ainsi marquer le fait que c'est l'avenir qui est bénéfique et susceptible de procurer le plus grand bonheur pour le plus grand nombre.

L'avenir peut très bien être morose, turbulent et sombre, toujours, il faudra y faire face avec volonté et l'entrevoir comme porteur d'un progrès d'autant plus réaliste que l'organisation l'ayant anticipé y consacrera les efforts nécessaires. La planification n'est donc pas que de l'ordre de l'analyse froide et rationnelle, elle est aussi un message d'espoir, une ouverture sur un monde meilleur. Cependant, si l'avenir est objectivement sombre, le gestionnaire ne cherche pas à éluder les faits ou à embellir ce qui ne peut l'être. Toujours porté par l'idéal du Progrès, le gestionnaire n'abdique pas pour autant sa souveraineté et tente donc de faire contre mauvaise fortune bon cœur. Ainsi, même dans les cas où l'avenir prévisible ne paraît pas offrir les promesses d'un progrès perceptible, le gestionnaire arrive à inscrire la planification dans l'idéal du Progrès en soulignant qu'il ne s'agit que d'une étape difficile, que parfois, il faut savoir décroître pour mieux prospérer ou qu'il faut pouvoir faire un pas arrière pour mieux rebondir, etc.

CONCLUSION

Au terme de sa planification, le gestionnaire formel a en sa possession des plans d'avenir qui définissent des objectifs à atteindre, plans qui doivent orienter l'action de toute l'organisation. Fruits d'analyses objectives et minutieuses, ces plans ont alors, à ses yeux, valeur de vérité. À tout le moins, ces plans formulent des principes d'action qui découlent d'un éthos que le gestionnaire tient pour valide ce qui leur donne forcément une légitimité formelle.

Sur papier, l'avenir de l'organisation paraît donc assuré. Toutefois, le monde très concret des pratiques organisées n'est jamais réductible à sa planification et, du coup, peut résister aux plans formulés à son propos. D'une certaine façon, pour le gestionnaire formel, le plus dur reste à faire, à savoir mettre en œuvre les plans qu'il a formulés. Il doit donc s'engager plus avant dans son action administrative et il le fera en réalisant les autres processus techniques que sont l'organisation, la direction et le contrôle.

Chapitre 6

L'ORGANISATION

Tout en étant rigoureuse, la planification peut fort bien n'être qu'un moment sans suite, une opération qui fait rêver, une douce illusion d'action qui génère des attentes que seule la frustration viendra éventuellement combler. C'est d'ailleurs pour éviter que la planification ne soit qu'un processus de veines rêveries que le gestionnaire la double d'un processus technique d'organisation des activités. Dans le management technique, organiser les activités consiste essentiellement à concevoir le travail et à le structurer. Concrètement, il faut concevoir une structure rationnelle, cohérente et efficace. Puis, il faut la mettre en œuvre. Enfin, il faut constamment la restructurer et la réorganiser de façon à l'ajuster aux fluctuations de l'environnement et à éviter la bureaucratisation.

ESSENCE DE L'ORGANISATION

Le cœur du processus d'organisation réside dans la conception, la mise en œuvre et l'entretien d'une structure formelle de collaboration des efforts et des talents de chacun des membres de l'organisation. Fondamentalement, mettre en place une structure formelle tient à la nécessité de réaliser les intentions stratégiques, d'être à l'écoute des exigences de l'environnement, de construire une organisation cohérente, d'être économiquement efficace et de composer avec les limites humaines qui rendent si difficile la coordination de personnes aux intérêts, habiletés et connaissances variés[1].

[1] Koontz et O'Donnell définissent ainsi les principes sur lesquels le processus d'organisation est fondé: «Premièrement, la structure doit refléter les objectifs et les plans, puisque les activités dérivent de ceux-ci. Deuxièmement, la structure doit permettre l'exercice de l'autorité dont disposent les membres de la direction de l'entreprise. (...) Troisièmement, la structure de l'organisation doit, comme tout autre plan, refléter son environnement. La structure doit être logique, elle doit permettre aux membres d'un groupe de contribuer efficacement à la réalisation des objectifs de l'ensemble, dans un monde en changement. (...) Quatrièmement, une organisation est formée de personnes. Les regroupements d'activités et le partage d'autorité que prévoit la structure doivent tenir compte des carences et des habitudes des personnes.» Koontz, H. et C. O'Donnell, *Management. Principes et méthodes de gestion.* Paris: McGraw-Hill, 1980: 206-207.

La réalisation des intentions stratégiques

Le processus d'organisation met en œuvre une structure conséquente de la planification. Sans elle, les intentions stratégiques risqueraient d'être des vœux pieux, voire même des illusions nuisibles. Par la mise en place d'une structure formelle, la collaboration est clairement encadrée et orientée vers l'atteinte des objectifs planifiés. Du coup, l'action se met au service de la réalisation d'une œuvre commune rationnellement planifiée. De plus, puisque la structure est tout à la fois conséquente et au service des intentions stratégiques, chacun des rôles qu'elle comprend sera pourvu d'un objectif à atteindre et, par là, contribuera à l'efficacité de l'organisation[2].

L'adaptation à l'environnement

Aucune organisation ne peut survivre en vase clos. Toujours, les organisations doivent tisser des relations avec leur environnement d'affaires. Si ces relations sont, pour l'essentiel, d'ordre stratégique, car elles impliquent la survie économique et la légitimité sociale de l'organisation, elles sont aussi d'ordre structurel. En effet, une organisation doit toujours prendre en compte son environnement dans la constitution même de sa structure. C'est là une façon de marquer la nécessité d'être à l'écoute de l'environnement, d'y lire ses fluctuations, d'entrevoir les occasions à saisir et d'anticiper les adaptations requises pour escompter survivre et prospérer. Concrètement, toutes les organisations se dotent de rôles et de services administratifs qui, au sein même de l'organisation, font écho à la réalité de leur environnement[3]. Ces rôles et services administratifs sont, en quelque sorte, le moyen qu'ont trouvé les organisations pour incorporer la logique de leur environnement à leur réalité. Du coup, l'environnement trouve au sein même de

---

[2] D'ailleurs, pourvoir d'un objectif à atteindre chacun des rôles de la structure organisationnelle est l'une des principales caractéristiques des rôles. Ainsi, selon Koontz et O'Donnell: «Pour qu'un rôle existe et soit significatif pour les individus qui œuvrent au sein de l'organisation, il doit 1) être assorti d'objectifs vérifiables, dont la définition relève (...) de la fonction planification, 2) présenter une idée claire des tâches et des activités qu'il comporte et 3) prévoir une marge de manœuvre ou un secteur d'autorité de sorte que le titulaire sache ce qu'il peut faire pour réaliser ses objectifs. La personne appelée à jouer un rôle doit aussi disposer d'information et d'outil adéquat, si l'on veut que ce rôle soit assumé de façon efficace.» Koontz, H. et C. O'Donnell, *Management. Principes et méthodes de gestion.* Paris: McGraw-Hill, 1980: 195.

[3] Cet arrimage fut au centre de l'étude classique de Lawrence et Lorsch qui ont montré que les organisations se développaient par le double mouvement d'intégration des demandes de l'environnement et de différenciation des activités et services administratifs requis pour y faire face. Ces auteurs décrivent ainsi ce double mouvement: «Les organisations font face à l'environnement en se fractionnant en unités de façon telle que chacune d'elles a pour principale tâche de traiter une partie des conditions externes à l'entreprise. (...) Ces différentes parties du système doivent être liées pour que les objectifs de l'organisation soient atteints. Cette division du travail entre départements et la nécessité d'un effort commun conduisent à divers états de différenciation et d'intégration à l'intérieur de toute organisation.» Lawrence, P. et J. Lorsch, *Adapter les structures de l'entreprise,* Paris: Les Éditions d'organisation, 1989: 26 [*Organization and Environment. Managing Differatition and Integration,* Boston: Harvard University, 1967].

l'organisation une voix et des représentants qui se font l'écho de sa réalité, ce qui permet, en retour, de mieux le décoder et de s'y adapter. C'est ainsi, que dans nombre d'organisations, nous retrouvons, par exemple, des rôles d'analystes dont la tâche consiste à prévoir les tendances de l'environnement et que nous retrouvons également des services administratifs tels ceux de marketing ou de vente qui font écho aux clients que l'organisation a l'obligation de servir si elle veut survivre et prospérer. Nous retrouverons aussi des services de production qui témoignent de l'inscription de l'organisation dans une chaîne de fournisseurs. Cela dit, il n'y a pas que les entreprises commerciales qui doivent incorporer en leur sein la logique de l'environnement. En fait, aucune organisation formelle n'échappe à cette nécessité.

La cohérence d'ensemble

Le processus d'organisation est aussi une nécessité qui dérive du nombre et de la diversité des personnes qui œuvrent au sein de l'organisation. En effet, puisqu'une organisation est constituée d'un grand nombre de personnes qui n'ont pas tous les mêmes objectifs, valeurs, intérêts, besoins, habiletés et connaissances, mettre en place une structure formelle de coordination des interactions entre les uns et les autres permet de s'assurer que la contribution de chacun puisse s'inscrire dans un plan d'ensemble et, par là, participer à la réalisation d'une œuvre véritablement commune[4].

Organiser les interactions entre les membres de l'organisation c'est, en quelque sorte, miser sur la coordination formelle pour tenter de fusionner les individualités en un tout cohérent, efficace et logique. D'ailleurs, ne pas formellement organiser la collaboration au sein de l'organisation peut conduire à un déploiement incohérent des efforts, puisque chacun pourrait alors poursuivre ses propres objectifs sans pour autant lier sa contribution à celles des autres. L'absence de structure formelle peut ainsi conduire l'organisation à des résultats décevants, voire même à ne devenir qu'un rassemblement informe de personnes qui ne partagent ni but, ni moyen collectif pour réaliser une œuvre un tant soit peu commune. Le processus d'organisation joue donc un rôle essentiel puisque sans lui, l'organisation risque de n'être qu'une addition, là il conviendrait d'avoir une multiplication des efforts par une collaboration réfléchie. En outre, bien conçue, la

---

[4] C'est James Mooney, l'un des fondateurs de la doctrine technique du management, qui fait valoir la nécessité de la coordination formelle en évoquant que c'est elle qui favorise le passage des intérêts privés à l'identité collective que doit avoir l'organisation: «Mutuality of interest or, let us say, a common interest, does not, so far as human consciousness is concerned, constitute an identity of interest. The only conceivable means of attaining a true integration of all group of interests in organization is through administrative policies that will make this community of interest a more tangible reality to every member of the group.» Mooney, J., *The Principles of Organization*, New York: Harper and Brothers, 1947: 9.

structure formelle peut permettre autant aux individus qu'à l'organisation de sortir gagnants de la rencontre coordonnée et harmonieuse de chacun. D'une certaine façon, par le processus d'organisation, il s'agit de concrétiser la maxime populaire qui nous dit que «le tout est plus que la somme des parties».

L'efficacité de l'organisation

Au-delà de la cohérence d'ensemble et de la fusion des individualités au sein d'un collectif qui ferait corps autour d'un but et de moyens communs, le processus d'organisation est également une nécessité économique. En effet, organiser formellement l'action collective, c'est reconnaître et tirer avantage de la productivité d'une organisation sociale fondée sur la spécialisation du travail.

Organiser le collectif, c'est donc d'abord diviser et spécialiser le travail de façon à accroître la productivité d'ensemble. Ce gain de productivité est possible puisque chacun en étant spécialisé dans un rôle précis peut alors donner la pleine mesure de son talent et de ses habiletés[5]. De plus, confiné à un rôle bien défini, chacun peut centrer son attention sur ce qu'il convient d'accomplir et d'être ainsi plus productif[6]. Cela dit, les gains de productivité peuvent être éphémères si le gestionnaire ne double pas la division du travail d'une coordination efficace du travail. En effet, si organiser le collectif consiste à lui donner une cohérence d'ensemble qui soit rationnellement justifiable et économiquement rentable, encore faut-il que les gains conséquents d'une division du travail s'inscrivent dans un plan d'ensemble. C'est là le rôle de la coordination de s'assurer que ce qui est préalablement fractionné retrouve à terme une unité d'ensemble. Cette coordination s'impose d'ailleurs comme étant le logique et nécessaire complément de la division du travail puisque si l'idéal égalitaire est que chacun sache exac-

[5] L'accent sur la spécialisation du travail pour accroître la productivité a été au centre de la méthode d'organisation scientifique du travail préconisée par Frederick Winslow Taylor. Cela dit, selon Taylor, la spécialisation du travail en activités simples et complémentaires permettait aussi et peut-être surtout de fonder rationnellement la nécessité du management puisqu'une fois le travail divisé, voire même parcellisé en activités très précises, les véritables gains de productivité étaient conséquents d'une direction administrative qui, seule, avait en sa possession le plan d'ensemble pour recomposer en un tout cohérent ce qui était préalablement émietté. En outre, la division du travail rendait difficile, selon Taylor, la flânerie, puisque, au terme d'un processus de parcellisation du travail, le plein contrôle du travail à faire basculait des mains de l'ouvrier à celles des gestionnaires qui pouvaient alors contrôler à la fois les activités réalisées, les temps requis pour les accomplir et le niveau de performance. Sur la doctrine de Taylor, voir en particulier: Pouget, M., *Taylor et le taylorisme,* Paris: PUF (Que sais-je), 1998.

[6] Sur cette interprétation cognitive de la productivité de la division du travail, voir notamment Simon qui, à partir du constat des limites cognitives de la rationalité des humains, soutient que la division du travail est justement une façon d'y palier puisqu'elle réduit la tâche cognitive à réaliser en restreignant la difficulté des problèmes à résoudre et la quantité d'information requise pour les aborder. Simon, H. A., *Administration et processus de décision,* Paris: Économica, 1983 p.5-6.

tement ce qu'il convient de faire pour inscrire son travail dans la réalisation du projet collectif et le fasse sans qu'aucune coordination formelle ne soit requise, la réalité concrète des organisations est fort différente de cet idéal. Pour que le travail d'un groupe puisse donner les fruits escomptés, une coordination des efforts, des connaissances et des talents de chacun s'impose. Par la coordination formelle, le travail de chacun peut alors s'inscrire dans une œuvre collective et contribuer à l'émergence d'une identité commune. Diviser et coordonner le travail représentent donc les deux pôles structurants autour desquels toute l'organisation prend forme et donne sa pleine mesure.

Composer avec les limites humaines

Si organiser formellement le collectif est une nécessité économique, c'est également une conséquence des limites humaines à superviser efficacement le travail d'un très grand nombre de personnes. Lorsque nous prenons le temps de regarder les organigrammes qui schématisent les structures organisationnelles, nous y trouvons presque toujours plusieurs paliers hiérarchiques et une variété d'unités administratives sur un même palier. Pourtant, l'idéal serait qu'il n'y ait aucun palier hiérarchique ou alors le moins possible. Tendre vers le plus petit nombre de paliers hiérarchiques est idéal, car une structure n'est pas seulement un arrangement social visant la collaboration de tous et de chacun, c'est aussi un instrument formel et, à ce titre, la structure a un coût qu'il convient de minimiser. Plus une organisation comporte de paliers hiérarchiques et d'unités administratives, plus cette organisation aura à supporter les coûts que cette double extension suppose, notamment les coûts de gestion. De plus, une structure étendue autant verticalement qu'horizontalement comporte de nombreux autres désavantages tels des problèmes de communication, de lourdeur administrative et des conflits entre les paliers hiérarchiques et entre les sous-groupes[7].

Si la multiplication des paliers hiérarchiques et des unités administratives n'est pas un idéal, ni en termes sociaux, ni en termes d'efficacité, il faut

---

[7] Koontz et O'Donnell évoquent ces difficultés dans les termes suivants: «Le fait de diviser des activités en départements et en échelons hiérarchiques, créant ainsi des niveaux multiples, ne constitue pas une chose souhaitable en elle-même. Premièrement, l'existence de divers niveaux entraîne des coûts. Plus les paliers sont nombreux, plus on consacrera d'effort et d'argent à leur gestion. (...) Deuxièmement, toute hiérarchie complique la communication. (...) Finalement, la mise sur pied de départements et de nombreux paliers complique la planification et le contrôle.» Koontz, H. et C. O'Donnell, *Management. Principes et méthodes de gestion.* Paris: McGraw-Hill, 1980: 200-201. Pour sa part, Peter F. Drucker déplore la multiplication des niveaux hiérarchiques dans les termes suivants: «Tout échelon supplémentaire rend plus difficile la réalisation d'une direction commune et la bonne entente générale; il déforme les objectifs et égare l'attention. Tout chaînon ajouté à la chaîne apporte des tensions nouvelles et crée de nouvelles sources d'inertie, de frottements et de relâchement.» Drucker, P. F. *La pratique de la direction des entreprises.* Paris: Les Éditions d'organisation, 1957: 211.

chercher ailleurs la raison qui justifie leur existence. Cette raison tient, entre autres, aux limites humaines à superviser le travail d'un grand nombre de personnes ou, pour le dire dans le jargon du management, il y a des limites à l'éventail de subordination que peut assumer avec efficacité un gestionnaire. Ainsi, il est généralement admis que plus le travail à superviser est complexe, varié et changeant et plus l'éventail de subordination sera restreint. Autrement dit, les humains ne peuvent efficacement composer qu'avec un nombre relativement limité de subordonnés. Conséquemment, il faut donc construire des structures qui tiennent compte de ces limites. Ces limites expliquent en grande partie la multiplication des unités administratives sur un même palier hiérarchique et sont également à la source de la constitution des paliers hiérarchiques[8].

L'ÉTHOS INSTRUMENTAL EN ACTION

Tout comme la planification qu'elle concrétise par la constitution d'une structure, le processus d'organisation actualise l'éthos instrumental du management technique en cherchant à être tout à la fois rationnel, objectif, technique au service de l'intérêt général et porteur de l'idéal du progrès.

Tableau 6.1
L'éthos instrumental et le processus d'organisation

ÉTHOS	L'ÉTHOS EN ACTION
LA RATIONALITÉ	Dans l'équation de la rationalité, la structure tient le rôle de moyen au service d'une fin, à savoir les intentions stratégiques et les objectifs qui en découlent.
L'OBJECTIVITÉ	Le processus d'organisation mise sur l'objectivité, notamment par une description fine et rigoureuse des tâches à accomplir.
LA TECHNIQUE	Le processus technique d'organisation s'amorce par un diagnostic des forces et des faiblesses de la structure et se termine par la mise en œuvre d'une structure plus efficace.
L'INTÉRÊT GÉNÉRAL	La structure subordonne les intérêts personnels à l'intérêt général grâce aux mécanismes de coordination et aux services administratifs.
LE PROGRÈS	Les efforts permanents de restructuration visent précisément à s'assurer que l'organisation s'améliore constamment.

[8] À ce propos, voir: Galbraith, J. R., *Organization Design,* Reading, Mass: Addison-Wesley, 1977.

La rationalité de la structure

Au regard du management technique, la structure est essentiellement un instrument au service de la réalisation des objectifs planifiés. Ainsi pensée, la structure formelle s'inscrit dans l'équation de la rationalité en tenant le rôle de moyen. La structure est donc un outil qui, à l'image des plans dont elle découle et qu'elle actualise, doit être conçue selon les termes de la rationalité. C'est dire que la structure ne sera jugée efficace qu'au regard de son arrimage aux intentions qu'elle doit servir. Sous ce regard, une structure n'est pas en soi bonne ou mauvaise, elle est tout simplement cohérente ou non avec les objectifs qu'elle doit concrétiser. De façon à ce que son action soit véritablement rationnelle, le gestionnaire formel doit donc toujours s'assurer que les arrangements structurels qu'il réalise au nom de l'efficacité s'inscrivent logiquement et en droite ligne dans ce qu'il a préalablement planifié. Dans ce contexte, il est hors de question de bricoler la structure pour la simple beauté du bricolage ou par un quelconque souci de cohérence structurelle. Sous l'angle du management technique, la seule cohérence qu'il convient de rechercher est celle qui consiste à faire en sorte que la structure soit conséquente de la planification et que, du coup, tous les rôles et regroupements qui constituent son ossature soient pensés en fonction d'objectifs précis. C'est donc dire qu'un gestionnaire qui se lancerait dans une opération de restructuration sans avoir au préalable bien planifié ne ferait que du bricolage et si à terme son bricolage donne une structure qui semble sur papier plus belle, plus logique et davantage cohérente, cela restera tout de même un bricolage sans véritable signification s'il ne s'assure pas de l'arrimer à une réelle planification.

L'objectivité des tâches

Pour atteindre les objectifs planifiés et ainsi s'inscrire logiquement dans le processus technique de management, le processus d'organisation a pour tâche principale la formalisation du travail et de sa coordination. Formaliser est ici le maître mot. En effet, le gestionnaire ne se contente pas d'organiser le travail sous la forme d'une structure cohérente et conséquente d'une planification, il vise aussi son efficacité et celle-ci passe par sa formalisation. Il faut que la structure soit précise, qu'elle soit logiquement conçue et justifiable autant dans sa forme que par son arrimage au processus de planification. C'est dire qu'ici aussi l'implicite, l'émergeant, l'informel et le tacite n'ont pas leur place ou, plus précisément, ne sont pas recherchés, ni considérés comme des dimensions de l'efficacité du fonctionnement effectif des structures. Tout au contraire, ce sont ces dimensions qu'il s'agit de formaliser. Pour le gestionnaire formel, muer l'implicite en explicite et formaliser les relations qui n'étaient qu'informelles sont des gages d'efficacité et, du coup, ce sont là des tâches centrales qu'il doit accomplir.

Mû par sa quête d'objectivité, le gestionnaire formel cherche toujours à traduire les objectifs à atteindre en rôles précis à accomplir et il définit ces rôles en termes de tâches standardisées. Ce que le gestionnaire formel conçoit c'est un réseau mécanique de rôles précis, réseau dans lequel chacun des rôles doit incarner un objectif planifié et clairement défini. Bien sûr, à terme, des personnes très concrètes tiendront ces rôles, leur donneront vie et leur insuffleront une dimension humaine, mais ce n'est pas ce que recherche le gestionnaire formel. Plus précisément, là n'est pas son intention première. Ce qu'il veut, ce qu'il recherche avant tout, c'est que les rôles qu'il définit soient logiquement liés les uns aux autres et que les personnes qui en héritent s'en tiennent à ce qui est planifié. C'est donc dire que dans sa conception de la structure, le gestionnaire formel ne prend pas vraiment en considération les caractéristiques subjectives des personnes et ne cherche pas à adapter sa conception aux personnes. En fait, il cherche précisément l'inverse, à savoir que les personnes s'adaptent à sa conception mécanique. Pour que cela soit effectivement le cas, il mettra alors en place des programmes de formation du personnel, mais surtout, il établira avec le plus grand soin l'ensemble des qualifications et compétences requises pour tenir les rôles que comporte sa structure et il tentera de combler ces rôles par un processus objectif de sélection du personnel.

Le processus technique d'organisation

Le processus d'organisation, comme l'illustre la figure 6.1, comprend trois étapes, à savoir 1) l'étape du diagnostic des forces et des faiblesses de la structure; 2) l'étape de conception d'une structure idéale et, enfin, 3) l'étape de mise en œuvre d'une nouvelle structure.

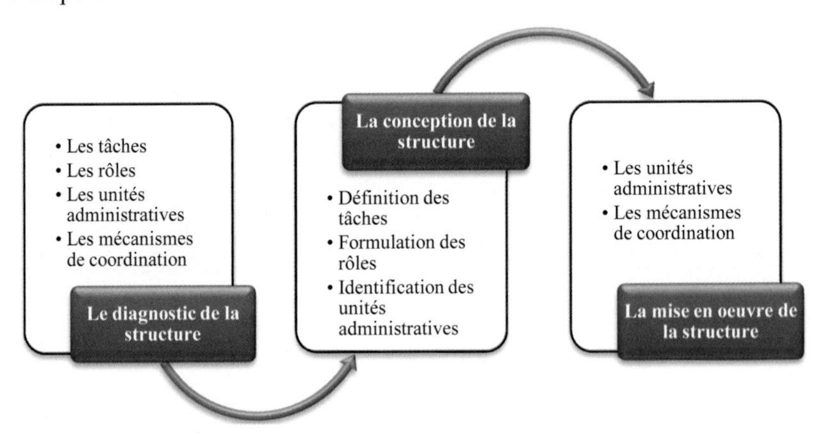

Figure 6.1: Le processus technique d'organisation

Une fois le diagnostic complété, le gestionnaire doit concevoir les transformations à apporter à la structure de l'organisation. Il y arrive en imaginant une structure idéale. D'abord, il identifie l'ensemble des tâches qu'il faudrait réaliser pour atteindre les objectifs planifiés. Puis, il conçoit des regroupements de tâches au sein de différents rôles. Pour chacun des rôles, le gestionnaire définit des niveaux de responsabilités et d'autorité, met au jour les connaissances, les habiletés et les ressources requises pour qu'ils soient efficaces et, bien sûr, leur fixe un objectif. Par la suite, le gestionnaire conçoit le regroupement des rôles au sein de différentes unités administratives de façon à faciliter leur coordination et à profiter d'une synergie entre rôles apparentés. Pour le gestionnaire, cette étape de la conception est cruciale, car regrouper les rôles au sein des différentes unités administratives est tout à la fois une façon de loger à la même enseigne des rôles compatibles, de faciliter la coordination, de profiter d'une synergie conséquente de la proximité de rôles complémentaires et, de finalement, clairement établir que l'organisation entend fonder son action sur des logiques d'action particulières. Finalement, le gestionnaire termine son travail de conception en imaginant les mécanismes de coordination qui seraient appropriés à la réalisation des objectifs organisationnels. Là, le gestionnaire peut compter sur cinq principaux mécanismes de coordination, soit 1) la supervision directe; 2) les règles, normes et procédures de travail; 3) la standardisation des qualifications; 4) les résultats à atteindre et, enfin, 5) les réunions.

Lorsque le travail de conception est achevé, le gestionnaire formel met en œuvre la nouvelle structure en faisant valoir le fait qu'elle tire profit des forces de l'ancienne tout en comblant certaines des lacunes identifiées lors de l'étape du diagnostic.

L'intérêt général et la structure

Au terme de sa mise en œuvre, la structure prend la forme d'une réalité qui serait tout à la fois extérieure et supérieure à chacune des personnes qui y tient un rôle. D'ailleurs, elle est fréquemment représentée par un organigramme dans lequel chacun des rôles est lié formellement aux autres et regroupé au sein de différentes unités administratives. Bien sûr, il est d'usage de souligner qu'il ne faut jamais confondre le territoire avec la carte qui le représente, mais dans l'univers de l'organisation technique c'est très précisément l'objectif du gestionnaire formel que de faire en sorte que rien n'échappe à sa conception et que, du coup, le territoire humain se confonde effectivement avec l'organigramme qui n'est pas, pour lui, une simple représentation, mais bien une conception rationnelle, objective et efficace qu'il convient de concrétiser, car elle est au service de l'intérêt général et que c'est lui qui se trouve en son fondement. C'est dire que dès que la conception de la structure est achevée, chacun est tenu de jouer le rôle qui lui est formellement assigné au nom même de l'intérêt général.

La restructuration: une incessante quête de progrès

Dans l'univers formel du management technique, l'idéal en matière de structuration est que toutes les relations entre les rôles et les unités administratives soient prévues. Lorsque l'imprévisible survient et cela arrive toujours, il faut rapidement ajuster en conséquence la structure et tenter d'intégrer l'imprévisible. D'une conception initiale à ses multiples et incessants ajustements, la structure formelle tend peu à peu à devenir de plus en plus formelle, de plus en plus mécanique, voire même bureaucratique. Pour le gestionnaire formel, la bureaucratisation de l'organisation n'est pas en soi un problème, c'est même fréquemment ce qu'il recherche en multipliant les règles, les normes, les procédures, les standards et les processus formels de travail. Toutefois, lorsque la bureaucratisation ne donne plus les fruits escomptés, lorsqu'elle devient source d'inefficacité et de lourdeur administrative, lorsqu'elle n'incarne plus l'idéal du progrès qu'il recherche, alors là, le gestionnaire relance son processus de conception de la structure et se livre à une restructuration qui, dans le jargon technique du management, est fréquemment qualifié de réingénierie des processus d'affaires ou alors de processus de rationalisation ou de recentrage sur le métier[9]. C'est donc dire que le processus d'organisation est sans cesse ouvert, toujours inscrit dans une quête de perfection, dans une recherche de progrès constant.

CONCLUSION

Structurer l'organisation est une activité des plus stimulantes qui n'est pas sans rappeler le jeu de *Lego* qui, lors de l'enfance, savait captiver l'imaginaire. Comme avec ce jeu, il est possible de faire preuve de beaucoup d'imagination et de prendre plaisir à jouer avec les boîtes structurelles et les relations qui les unissent. Tout comme au temps de l'enfance, le gestionnaire peut construire une infinité de formes structurelles, toutes plus séduisantes les unes que les autres. C'est d'ailleurs là, le principal piège du processus d'organisation. Il peut, en effet, très rapidement devenir une activité de bricolage en quête d'une inaccessible beauté structurelle. Pour éviter ce piège, le gestionnaire doit inlassablement se rappeler que la structure de l'organisation n'est pas une fin en-soi, mais simplement un outil au

[9] Sur la réingénierie des processus d'affaires, voir notamment: Hammer, M. et J. Champy , *Reengineering the Corporation: a Manifest for Business Revolution.* New York: Harper Collins Publishers. Pour ce qui est de la rationalisation et des réflexions requises pour réaliser un recentrage sur le métier, voir: Goshal S. et C.A Bartlett, *The Individualized corporation. A Fundamentally New approach to Management,* New York, Harper Business Book, 1997.

service des intentions stratégiques. Il n'a donc pas à rechercher la perfection, ni la beauté logique. Là n'est pas l'essentiel de la démarche de structuration. Il doit garder le cap sur les intentions stratégiques.

Par ailleurs, la bureaucratisation de l'organisation est le second piège qui guette le processus d'organisation. En effet, au fil de son développement, l'organisation peut accroître ses activités, ses rôles et ses relations formelles sans que cette croissance soit nécessaire, ni même requise pour réaliser les intentions stratégiques. C'est donc dire que le gestionnaire doit constamment s'interroger sur la pertinence des modes de structuration de façon à ne pas laisser l'organisation se bureaucratiser. Il en découle que le processus d'organisation est sans fin et, sans surprise, le gestionnaire qui est conscient du piège que représente la bureaucratisation se livrera à de fréquentes activités de restructuration, de réingénierie des processus et de recentrage de la structure autour des intentions stratégiques de l'organisation.

Chapitre 7

LA DIRECTION

Dans le cadre du management technique, diriger c'est faire preuve de raison, utiliser toutes les techniques qui peuvent accroître l'efficacité des personnes, être objectif, faire passer l'intérêt général avant les intérêts individuels et toujours engager l'organisation sur le chemin du progrès technique et économique. Conscient de son rôle et de ses obligations, l'attention du gestionnaire se porte alors tout naturellement sur les techniques de direction des personnes, sur l'action logique et instrumentale et sur l'ordre formel qui doit régner dans l'organisation. Dans ce contexte, les humains tiennent essentiellement un rôle de ressources qui doivent, comme toutes les autres ressources sur lesquelles compte le gestionnaire, être pensées en termes d'efficacité, d'objectivité et de raison. Du coup, le gestionnaire formel peut parfois avoir tendance à sous-estimer la dimension humaine de l'organisation, à ne pas porter suffisamment d'attention aux émotions, à la passion, aux sentiments, aux forces inconscientes, aux personnalités des uns et des autres, aux jeux politiques qui les stimulent et aux valeurs qui parfois les rassemblent et tantôt les divisent. Cela dit, le gestionnaire a beau tenter de concevoir les personnes en termes de ressources qui doivent jouer un rôle très précis dans l'exécution efficace des plans formels de l'organisation, la dimension humaine et sociale reste irréductible à ses plans et trouve toujours le moyen de faire valoir la nécessité d'une prise en compte de sa réalité. C'est ainsi que là, sous la structure formelle qu'il a si minutieusement conçue et mise en œuvre, le gestionnaire constate l'émergence d'une structure informelle faite de rôles et de relations qu'il n'avait pas anticipés[1]. Plus loin, le gestionnaire sera témoin de l'insatisfaction de certains face à leur rôle formel. Plus loin encore, le gestionnaire assistera à l'émergence de valeurs et de jeux politiques qui ne concordent pas avec la

[1] Sur l'inévitable coexistence d'une structure formelle avec une structure informelle, Herbert A. Simon écrit: «Le terme d'«organisation informelle» renvoie soit aux relations interpersonnelles qui prévalent dans l'organisation et affectent les décisions, mais qui, ou bien sont omises dans le plan formel, ou bien ne sont pas compatibles avec lui. Il faudrait cependant préciser qu'aucune organisation formelle ne fonctionnera vraiment sans s'accompagner d'une organisation informelle.» Simon, H. A., *Administration et processus de décision.* Paris: Économica, 1983, p.132.

culture instrumentale sur laquelle il entend pourtant fonder l'organisation. Ainsi et comme l'ont montré les théoriciens du management social, jamais les organisations ne se laissent réduire à une logique de l'instrumental et du calcul, à l'ordre d'un moyen purement formel et économique. Toujours, les humains font valoir leur réalité et cette réalité est forcément plus complexe que ce qu'il est possible de formellement anticiper. Le gestionnaire doit donc en prendre acte et agir en conséquence puisqu'il en va de l'efficacité même de son action et de celle de l'organisation.

ESSENCE DE LA DIRECTION

L'essence de la direction des personnes est de prendre connaissance du caractère profondément social et humain de l'organisation et d'ajuster en conséquence l'action administrative. Tout en ancrant son action dans la réalité sociale et humaine de l'organisation, le gestionnaire accomplit son rôle de dirigeant lorsqu'il arrive à orienter l'action des uns et des autres vers la réalisation d'objectifs communs, à concrètement mettre en œuvre le cadre administratif qui doit présider aux destinées de l'organisation et, enfin, à combiner l'exercice de l'autorité légitime avec la pratique d'un leadership naturel.

Traduire la complexité humaine en pratiques de direction

De tous les processus du management technique, c'est celui de la direction des personnes qui est le plus perméable au regard du management social. Ainsi, tout en étant imprégnée de l'éthos instrumental, la direction technique des personnes intègre plusieurs des pratiques mises au jour par les théoriciens du management social. Diriger consiste alors à composer avec la réalité profondément humaine et sociale de l'organisation[2]. Cela implique que le gestionnaire reconnaît et comprend la complexité des humains et qu'il adapte ses pratiques de direction à cette connaissance.

---

[2] Il importe, ici, de souligner que l'appellation «réalité humaine» recouvre tout à la fois la dimension individuelle et la dimension sociale des humains. Évoquer ces deux dimensions peut paraître redondant dans la mesure où tous les individus sont des êtres sociaux et qu'il ne peut exister de réalité sociale sans la présence d'individus. Toutefois, cela permet de bien mettre en évidence que la direction doit, certes, composer avec des individus, mais également avec le tissu des relations sociales qui les unit. Cette double réalité a tout particulièrement été bien décrite par Roethlisberger et Dickson: «(...) the human organization of an industrial plant is more than a plurality of individuals, each motivated by sentiments arising from his own personal and private history and background. It is also a social organization, for the members of an industrial plant -executives, technical specialists, supervisors, factory workers, and office workers- are interacting daily with one another and from their associations certain patterns of relations are formed among them. These patterns of relations, together with the objects which symbolize them, constitute the social organization of the industrial enterprise.» Roethlisberger, F. J et W. J. Dickson, *Management and the Worker,* Cambridge, Mass.: Harvard University Press, 1939, p.559.

D'abord, reconnaître toute la complexité de la réalité humaine, c'est admettre que les humains ne se réduisent pas à leur dimension instrumentale. Ils ne sont pas que des ressources manipulables mécaniquement de façon à réaliser des intentions stratégiques. Ils ne sont pas davantage réductibles aux rôles qu'ils doivent tenir au sein d'une structure formelle. En fait, les humains sont incroyablement riches et complexes et, surtout, ils exigent beaucoup en échange de leur participation volontaire à l'organisation[3]. Pour s'en convaincre, le gestionnaire n'a d'ailleurs qu'à jeter un coup d'œil furtif du côté des sciences du social et de l'humain. Là, il constatera très rapidement que ces sciences n'en finissent plus d'explorer toutes les dimensions de la réalité humaine et que, chaque jour, elles produisent des connaissances qui, loin d'épuiser sa richesse, ne font que lever le voile sur son irréductible complexité. Sous les projecteurs des sciences du social et de l'humain, la réalité humaine semble, d'ailleurs, à ce point complexe qu'il est illusoire d'espérer en faire le tour et même de prétendre détenir une vérité dont l'usage serait porteur d'efficacité. Cela dit, pour diriger avec efficacité, le gestionnaire n'a pas à devenir un scientifique du social et de l'humain et n'a pas à prétendre à une quelconque vérité scientifique. Il doit essentiellement comprendre et prendre acte que les humains sont, entre autres, des êtres tout à la fois psychologiques, cognitifs, politiques et symboliques. Il doit reconnaître que les humains ont une vie psychique, qu'ils ont des personnalités, des motivations, des mécanismes de défense, une vie intérieure; qu'ils sont des êtres de réflexion qui construisent des connaissances sur eux et sur leur monde; qu'ils sont également des êtres politiques qui échafaudent des stratégies qui visent à leur donner accès à des positions favorables dans le jeu collectif; et qu'ils sont aussi des êtres pour lesquels la vie symbolique, les valeurs, l'identité sociale et la culture ont beaucoup d'importance. Le gestionnaire doit donc reconnaître l'existence de ces multiples facettes de la réalité humaine, car elles seront toujours présentes dans l'organisation. Ainsi, le gestionnaire peut très bien vouloir ne gérer que la facette économique de l'humain, ne voir que des ressources productives là où se trouvent, en fait, des personnes très concrètes, mais cela ne changera jamais rien au fait que ce sont toujours des personnes riches et complexes avec lesquelles il devra composer et que l'efficacité de son action dépendra

[3] Selon Drucker, les travailleurs exigent toujours bien davantage qu'une rémunération en échange de leur travail: «Le travailleur est un homme tout entier, et non un sous-organe économique de celui-ci. Il exige plus qu'une simple compensation en tant qu'individu, en tant que personne et en tant que citoyen. Il demande à remplir des fonctions et à tenir un rang dans et par son travail. Il demande la réalisation des promesses qui ont été faites à l'individu et qui sont à la base de notre société, entre autres, la promesse de justice avec des chances égales d'avancement. Il demande que son travail soit intelligent et sérieux. Et par-dessus tout le travailleur demande à l'entreprise et à sa direction des niveaux élevés d'action et de rendement, un haut degré de compétence dans la manière dont le travail est organisé et dirigé (par l'entreprise) et des expressions visibles des conceptions de la direction sur ce qu'elle appelle un bon travail.» Drucker, P. F. *La pratique de la direction des entreprises.* Paris: Les Éditions d'organisation, 1957: 280.

toujours de sa connaissance de la réalité humaine et, surtout, de sa capacité à traduire cette réalité en pratiques efficaces de direction.

Par ailleurs, composer avec la complexité des humains ne se réduit pas à assimiler passivement tout le savoir qu'il est possible de construire à leur propos, ni même à en reconnaître la richesse et la pertinence. En effet, la finalité de l'action administrative n'est pas de comprendre les humains et leur réalité sociale, mais bien d'orienter l'action de façon à ce qu'elle donne les résultats attendus, voire même qu'elle en donne davantage et, si possible, encore plus. Si la connaissance du social et de l'humain peut participer à ce projet d'efficacité maximale, alors bien sûr, le gestionnaire s'en nourrira, mais surtout il la subordonnera aux impératifs d'efficacité de son action. C'est dire que jamais la connaissance n'inhibe son action, ni ne freine sa volonté de réaliser ce qu'il doit forcément réaliser, à savoir rendre l'organisation toujours plus productive. Cela peut certes sembler machiavélique aux regards de certains, mais aux yeux du gestionnaire formel, l'organisation n'est qu'un moyen que les humains construisent pour réaliser efficacement des fins collectives et c'est précisément son rôle que de s'assurer qu'ils y parviennent[4]. Ainsi, pour le gestionnaire, connaître pour le plaisir de la connaissance ne fait pas partie de son projet. Il lui faut toujours tirer avantage de cette connaissance et il y arrive en jouant le rôle d'un traducteur qui, comme l'illustre la figure 7.1, traduit d'abord la réalité humaine en connaissances, puis en techniques qu'il peut, enfin, mobiliser dans ses pratiques de direction de façon à orienter la réalité humaine.

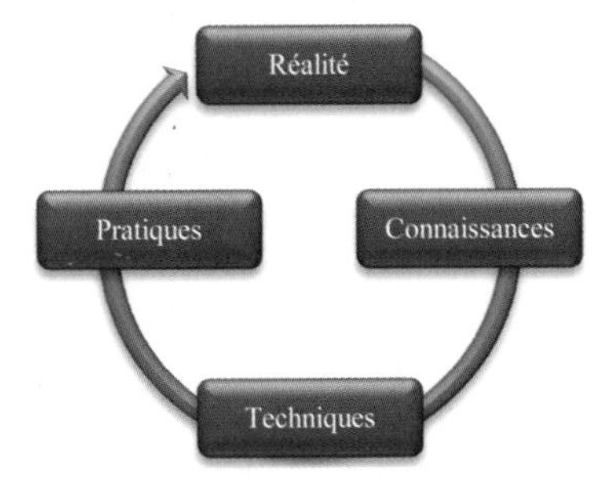

Figure 7.1: Le cycle de la traduction de la réalité humaine en pratiques de direction

[4] Sur l'utilitarisme de la fonction de direction, Drucker se fait tout particulièrement explicite: «La Direction doit toujours, avant toute action et toute décision, considérer l'aspect économique. Seuls les résultats économiques qu'elle obtient justifient son existence et son autorité. Il peut y avoir d'importants résultats qui ne sont pas du domaine de l'économie: l'existence correcte des membres de l'entreprise, la contribution au bien-être ou à la culture de la communauté, etc.... On peut dire pourtant qu'une Direction a failli à sa mission, si elle n'obtient pas des résultats économiques, si elle ne fournit pas les produits et les services demandés par le consommateur au prix qu'il est disposé à payer. Elle a failli, si elle n'a pas amélioré, ou tout au moins maintenu, la capacité de production des biens qui lui ont été confiés.» Drucker, P. F. *La pratique de la direction des entreprises.* Paris: Les Éditions d'organisation, 1957: 7-8.

Au regard de ce cycle de traduction, il ressort que le gestionnaire transforme systématiquement sa connaissance de la réalité humaine en techniques, puis en pratiques de direction. Du coup, le gestionnaire enrichit sans cesse cette réalité du fait même de son action. Ce constat a son importance, puisqu'il signifie que le cycle de traduction est sans fin et qu'il est aussi un cycle de transformation de la réalité humaine. C'est ainsi, comme l'illustre la figure 7.2, que le cycle de traduction se boucle sur lui-même et que ce qui était au départ une activité de connaissance se mue en transformation d'une réalité fuyante qui nécessite d'être sans cesse réinterprétée.

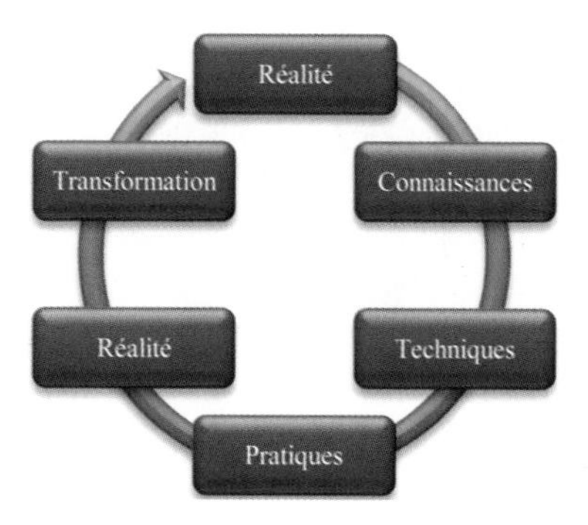

Figure 7.2: Le cycle de transformation de la réalité humaine

Le constat du caractère fuyant de la réalité humaine signifie aussi que quoi que puisse faire le gestionnaire, elle échappera toujours, du moins en partie, à son contrôle, puisqu'elle se trouve constamment modifiée du fait même des tentatives qui visent à la comprendre et à l'orienter. Cela dit, il faut reconnaître qu'il n'est pas dans l'intérêt du gestionnaire de soumettre les membres de l'organisation à son autorité et d'ainsi les priver de volonté et d'initiative pour les réduire au rang d'une ressource inerte, passive et facilement manipulable. En fait, pour le gestionnaire, la soumission n'est ni recherchée, ni souhaitable, car elle priverait alors l'organisation de sa principale richesse, à savoir des personnes douées d'initiative et d'une volonté qui fait toute la différence entre le succès ou l'échec. Ce qu'il recherche et souhaite, c'est l'efficacité de l'organisation et si pour y arriver il doit orienter l'action des uns et des autres, il le fera ce qui ne veut pas dire qu'il doive pour autant soumettre les personnes à son autorité et les priver d'exercer leur volonté. Pour réaliser son projet d'efficacité, le gestionnaire est donc conscient que soumettre les membres de l'organisation à son autorité serait forcément nuisible, que ce serait là une négation de cette réalité humaine qu'il aura, par ailleurs, pris tant de soin à connaître et qu'il a tout intérêt à mettre à contribution.

Finalement et comme l'illustre la figure 7.3, le cycle de traduction nécessite la mobilisation d'habiletés cognitives, techniques et relationnelles. C'est dire que diriger comporte toujours une dimension cognitive qui consiste à comprendre la réalité humaine, une dimension technique qui consiste à traduire les connaissances en techniques et une dimension relationnelle qui recouvre les interactions sociales dans l'organisation.

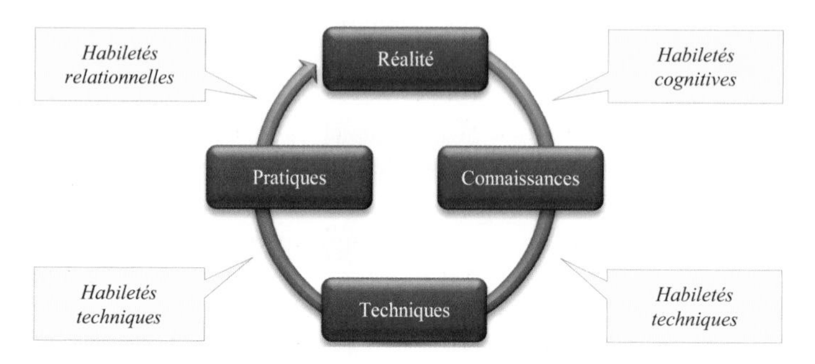

Figure 7.3: Les habiletés encastrées dans le cycle de traduction

Orienter l'action individuelle et collective

Si, du fait même de sa prise de connaissance de la réalité humaine, le gestionnaire se trouve enrichi de techniques et de pratiques de direction des personnes, là n'est toutefois pas l'essentiel. Tout son répertoire de connaissances, de techniques et de pratiques n'a, en effet, de sens que s'il peut l'utiliser pour combiner et orienter l'action individuelle et collective de façon à réaliser les objectifs communs de l'organisation.

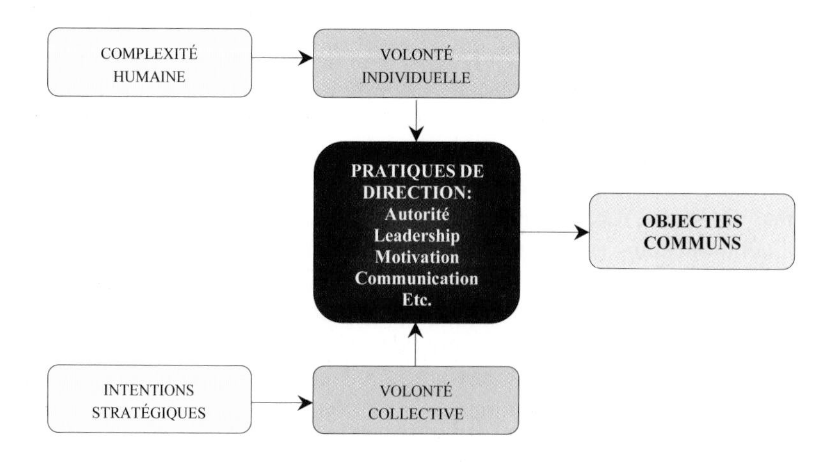

Figure 7.4: Orientation de l'action individuelle et collective

Confronté à la réalité humaine de l'organisation, le gestionnaire sait donc qu'il ne peut gérer les personnes comme s'il s'agissait de ressources semblables à toutes les autres, passives, inertes, manipulables et exploitables, sans autre considération que son souci de performance. À la différence de toutes les autres ressources qu'il mobilise pour réaliser les objectifs de l'organisation, les ressources humaines sont douées d'une volonté, d'un libre arbitre, et rien ne les oblige à se soumettre à l'autorité et aux actions du gestionnaire[5]. Le gestionnaire doit bien s'y résoudre, les ressources humaines ne sont pas comme les autres ressources. Fort de ce constat, il doit apprendre à composer avec la volonté humaine[6]. Sans elle, d'ailleurs, il n'y a tout simplement pas d'action, puisqu'agir ce n'est rien d'autre que matérialiser une volonté. C'est précisément là qu'intervient l'action du gestionnaire qui, soucieux d'action collective, entend bien fusionner les volontés individuelles au sein d'une volonté collective. Son rôle clé consiste alors à s'assurer que tous comprennent que sans objectif commun à réaliser, il ne peut y avoir de véritable action collective et que l'addition des actions individuelles ne peut se muer en action collective que si tous acceptent d'arrimer la réalisation de leurs objectifs personnels à la concrétisation d'un objectif commun[7]. Sous ce regard, diriger consiste donc à formuler l'objectif commun, à le décliner en autant d'objectifs qu'il y a de rôles à tenir, à s'assurer que tous soient conscients de l'importance de réaliser les objectifs et, surtout, qu'ils les réalisent.

---

[5] À ce propos, Drucker écrit: «La fonction ultime de la Direction est de diriger les travailleurs et le travail. (…) Cela exige une organisation du travail, pour le rendre mieux adaptable à des êtres humains, et une organisation des individus, pour les faire travailler de la façon la plus productive et la plus efficace. Il en découle qu'il faut considérer l'être humain comme une ressource (...). Il faut, d'autre part, considérer la ressource humaine comme formée d'êtres vivants, ayant à la différence de toutes les autres ressources, une personnalité, une individualité, un contrôle sur l'efficacité, la qualité et la quantité de leur travail, exigeant par suite des stimulants, des participations, des satisfactions, des primes d'intéressement et des récompenses, des impulsions données par des chefs, un statut et une fonction.» Drucker, P. F. *La pratique de la direction des entreprises.* Paris: Les Éditions d'organisation, 1957: 14.

[6] La nécessité de prendre en compte la volonté humaine pour réfléchir l'action administrative a été énoncée par Herbert A. Simon de la façon suivante: «Un grand nombre de comportements, en particulier le comportement de l'individu au sein d'une organisation administrative, sont intentionnels, c'est-à-dire tournés vers des buts ou des objectifs. Cette intentionnalité opère une intégration dans le modèle de comportement intégration en l'absence de laquelle l'administration n'aurait aucun sens. Car si administrer consiste à «faire faire les choses» par des groupes d'individus, l'«intention» est le principal critère qui entre en ligne de compte pour déterminer ce qu'il faut faire.» Simon, H. A., *Administration et processus de décision,* Paris: Économica, 1983 p.5-6.

[7] Drucker énonce cette idée de la façon suivante: «L'entreprise est une communauté d'êtres humains. Son action est celle d'êtres humains. Une communauté humaine doit être fondée sur des croyances communes. Elle doit symboliser sa cohésion par des principes communs. Autrement, elle se paralyse, devient incapable d'agir, de pouvoir demander à ses membres et obtenir d'eux une action et des efforts.» Drucker, P. F. *La pratique de la direction des entreprises.* Paris: Les Éditions d'organisation.

Formuler avec le plus grand soin les objectifs de l'organisation et les diffuser à l'ensemble de ses membres ne suffit toutefois pas à en assurer la réalisation. Le gestionnaire ne peut compter sur la seule force de sa conception, ni sur l'intensité de ses efforts de communication. Il doit faire bien davantage que de seulement compter sur une soumission librement consentie à son autorité pourtant légitime. Il doit influencer les membres de l'organisation. Il doit les amener à partager ses vues et à faire en sorte que chacun se les approprie et les matérialise dans son action. Toujours, le gestionnaire formel tentera donc de garder le cap sur les objectifs à réaliser et la multiplication des mécanismes d'influence dont il usera n'aura d'autre fin que de favoriser l'adéquation des objectifs individuels aux objectifs collectifs. Communiquer, motiver, mobiliser, former, récompenser, encourager et tout ce que peut impliquer le fait de diriger des personnes s'inscrit toujours pour lui dans cette quête qui vise à orienter l'action des uns et des autres dans le sens d'une action collective.

Mettre en œuvre le cadre administratif

Dans le monde formel, diriger c'est aussi mettre en œuvre le cadre administratif qui doit régir l'action de tous les membres de l'organisation. C'est dire que le gestionnaire doit concrétiser sa planification, donner vie à la structure formelle, assumer son rôle de direction et mettre en place des mécanismes de contrôle de l'action.

Le gestionnaire, nous l'avons vu, amorce la mise en œuvre du cadre administratif en donnant une direction générale à l'organisation. En effet, par la formulation d'une stratégie, il énonce les intentions stratégiques qui doivent encadrer l'action de chacun. Si ce premier geste de direction est décisif, il n'est toutefois pas suffisant. En effet, s'en tenir aux seules intentions stratégiques ne suffit jamais à orienter de façon précise l'action de chacun puisque, d'une part, il s'agit là d'une direction très générale qui n'indique pas forcément ce qu'il convient de faire concrètement et, d'autre part, même lorsque les intentions stratégiques se déclinent en objectifs concrets, rien ne dit que les uns et les autres voudront y subordonner leurs objectifs personnels. En conséquence, diriger c'est aussi aller au-delà des intentions stratégiques. C'est ce que fait le gestionnaire lorsqu'il met en œuvre la structure formelle. Cela dit, si la définition des rôles et le recours à des mécanismes de coordination encadrent davantage l'action que la seule définition des intentions stratégiques, cela n'est pas encore suffisant. En effet, les humains acceptent difficilement de n'être que des interprètes d'un rôle dont ils ne seraient pas les auteurs et ils ne se soumettent pas facilement à l'emprise des mécanismes formels de coordination. En outre, là où le gestionnaire tente de mettre en œuvre une structure formelle, émerge toujours une autre réalité qui échappe à son contrôle, à savoir une structure informelle qu'il n'avait pas prévue ni souhaitée. Cette structure matérialise, en quelque sorte, la maxime populaire qui nous dit «chasser le naturel et il revient au galop». En effet, à l'ombre de la structure formelle, la structure informelle est le tissu des relations sociales que les humains construisent spontanément en interagissant. Naturellement, les humains sont portés les uns vers les autres, indépendamment des relations formelles construites pour orienter leurs actions. Naturellement, les humains se donnent des rôles, construisent des valeurs communes, échafaudent des plans et se rallient à des objectifs qui ne sont pas forcément ceux qu'a formulés le gestionnaire. Les humains n'attendent donc pas qu'on leur dicte leurs pensées et leurs actions pour penser et agir. Ils sont naturellement des êtres d'action et de réflexion. Ils n'attendent pas d'être dirigés pour se donner une direction et ne se soumettent pas spontanément, ni facilement à l'autorité. Les humains sont naturellement libres et entendent bien en profiter, peu importe le cadre administratif dans lequel leurs actions sont contenues et orientées. Bien sûr, ils peuvent aussi jouer selon les règles et accepter de se soumettre à l'autorité. Mais rapidement, ils peuvent aussi prendre goût au jeu organisé et tenter de détourner les règles formelles à leur avantage, en construire de nouvelles et imposer leur jeu là où le gestionnaire tente d'implanter le sien, en l'occurrence le cadre administratif formel qu'il a si minutieusement construit. C'est ainsi que les pratiques de direction, comme l'illustre la figure 7.5, sont, en quelque sorte, coincées entre cette structure informelle qui émerge des interactions naturelles entre les membres de l'organisation et la structure formelle que met en œuvre le gestionnaire.

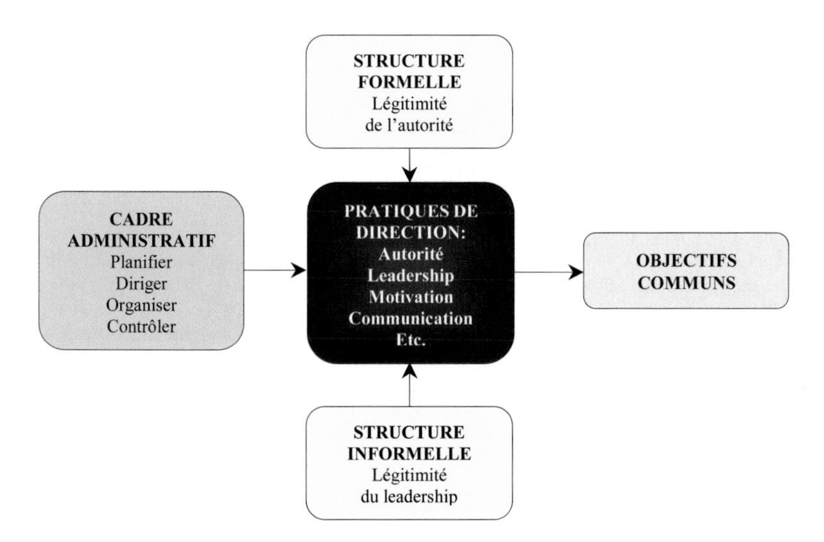

Figure 7.5: La mise en œuvre du cadre administratif

Conscient que son cadre administratif ne matérialise pas forcément sans heurt ni peine, le gestionnaire doit faire plus et surtout mieux que de se borner à être un planificateur, un concepteur de structure et un contrôleur. Il doit reconnaître la légitimité des attentes des membres de l'organisation et c'est là qu'il apprend à véritablement composer avec l'irréductible dimension humaine qui caractérise l'organisation. Il comprend aussi que tout au côté de son autorité légitime, ses pratiques de direction doivent aussi mettre en action un leadership naturel.

Combiner l'autorité et le leadership

À la différence des autres pratiques du management technique, la direction met en action une très grande diversité de pratiques et ce qui les unit n'est pas un processus, mais le fait qu'elles ont toutes pour objet des personnes. Du coup et puisque la réalité humaine est d'une complexité inouïe, les pratiques de direction peuvent être indéfiniment variées. C'est d'ailleurs ainsi que sous le couvert très générique de la direction, il est possible de regrouper un vaste ensemble de pratiques telles les pratiques de motivation, de communication, de changement, d'apprentissage, de résolution de conflits, de gestion des connaissances, de gestion de stress, etc. En fait, cette liste est aussi inépuisable que l'est la réalité humaine et il n'est pas du tout sûr qu'il soit pertinent d'en esquisser le contenu, même de façon partielle, tant la réalité de la direction est indéfiniment variée. Ce qu'il y a de sûr, toutefois, c'est qu'au cœur de toutes les pratiques de direction se trouve l'exercice de l'autorité et d'une forme ou l'autre de leadership.

Dans le monde formel, l'autorité du gestionnaire repose sur la légitimité des règles formelles qui président au destin de l'organisation et sur sa compétence à jouer, en toute impartialité et avec beaucoup de rigueur, un rôle qui n'a de sens qu'au regard d'une hiérarchie administrative conçue pour réaliser des objectifs collectifs[8]. L'autorité du gestionnaire n'est donc pas

[8] Cette représentation formelle de l'autorité du gestionnaire fait référence à la légitimité rationnelle légale définie par le sociologue Max Weber. Selon lui, la légitimité de l'autorité dans un monde formel serait fonction de l'ensemble des caractéristiques suivantes: «La totalité de la direction administrative se compose, dans le type le plus pur, de *fonctionnaires individuels* (...) lesquels sont (1) personnellement libres, n'obéissent qu'aux devoirs objectifs de leur fonction; (2) dans une *hiérarchie* de la fonction solidement établie; (3) avec des *compétences* de la fonction solidement établies; (4) en vertu d'un contrat, donc (en principe) sur le fondement d'une sélection ouverte selon (5) la *qualification professionnelle* (...); (6) sont payés par des appointements fixes en espèces (...) suivant le rang hiérarchique en même temps que suivant les responsabilités assumées (...); (7) traitent leur fonction comme unique ou principale professions; (8) voient s'ouvrir à eux une carrière, un «avancement» selon l'ancienneté, ou selon les prestations de service, ou encore selon les deux, avancement dépendant du jugement de leurs supérieurs; (9) travaillent totalement «séparés des moyens d'administration» et sans appropriation de leurs emplois; (10) sont soumis à une discipline stricte et homogène de leur fonction et à un contrôle.» Weber, M., *Économie et société,* Paris: Plon, 1971, p. 226.

fonction de sa personnalité, de son charisme, de son empathie ou de sa filiation avec une quelconque tradition. Bien sûr, il peut aussi être un leader charismatique et empathique et il peut fort bien s'inscrire dans une longue et noble tradition, mais là n'est pas l'essentiel, là n'est pas ce qui fonde la légitimité de son action, là n'est pas ce qui explique que les uns et les autres acceptent de librement se soumettre à son autorité. Celle-ci n'est pas affaire de leadership, ni de tradition. Elle est fondée sur des règles construites par la raison et elle découle de la position qu'il occupe dans la hiérarchie administrative. L'autorité du gestionnaire n'est donc pas un attribut personnel, mais une caractéristique du rôle qu'il occupe. Dès lors, pratiquer la direction consiste essentiellement à faire usage d'une autorité formelle et légitime, autorité dont les possibilités et les limites sont clairement définies par le rôle hiérarchique occupé. Ainsi et sans pour autant s'y réduire, les pratiques de direction sont par définition des relations d'autorité. C'est donc dire que jouer le jeu organisé, c'est accepter les règles administratives qui lui donnent sa forme. Dans ce jeu, les règles qui définissent l'autorité administrative y tiennent un rôle décisif puisque sans elles, l'organisation cesse d'être cette créature artificielle formellement conçue et coordonnée en vue de la réalisation d'objectifs communs[9]. C'est, d'ailleurs, largement par l'exercice de l'autorité que le gestionnaire peut coordonner l'action des uns et des autres au sein du collectif et faire en sorte qu'il en soit un.

Concrètement la relation d'autorité qui unit le gestionnaire à ses subordonnés implique qu'il a le pouvoir de prendre, à leur place, des décisions qui vont, par la suite, orienter leurs actions[10]. La relation d'autorité est donc aussi une relation de subordination, puisque les décisions du gestionnaire ont, en quelque sorte, force de loi[11]. Cela dit, constater ainsi que l'autorité

---

[9] À ce propos, Simon fait même de la présence de l'autorité une des caractéristiques essentielles du jeu organisé, un élément qui le démarque des autres espaces sociaux: «De tous les modes d'influence, l'autorité est avant tout celui qui trace la ligne de démarcation entre le comportement des individus en tant que membres de l'organisation et leur comportement en dehors de celle-ci.» Simon, H. A., *Administration et processus de décision.* Paris: Économica, 1983 p.110. [1945].

[10] J'emprunte cette définition à Simon qui définit ainsi l'autorité: «On peut définir l'autorité comme le pouvoir de prendre les décisions qui orientent les actions d'autrui. C'est une relation entre deux individus, l'un supérieur, l'autre subordonné» et, plus loin, il ajoute: «L'autorité est donc la relation qui assure la coordination du comportement dans un groupe en subordonnant les décisions d'un individu à celles des autres qui lui sont communiquées.» Simon, H. A., *Administration et processus de décision.* Paris: Économica, 1983 p.112 et 119.

[11] Ce caractère directif de l'autorité est bien mis en évidence par William H. Newman un des auteurs classiques du management technique qui décrit en ces termes la pratique de la direction: «Le processus de direction se rapporte à la façon dont un cadre donne des instructions à un subordonné, ou indique d'autre manière ce qui doit être fait. La direction est une étape essentielle de l'administration, sans laquelle pratiquement rien ne serait accompli. Après tout, le travail effectif est accompli par les gens qui occupent les positions inférieures de la hiérarchie administrative, et à part quelques tâches propres, la seule raison d'être des cadres est leur influence sur ceux qui réalisent.» Newman, W. H., *L'art de la gestion. Les techniques d'organisation et de direction.* Paris: Dunod, 1969: 345.

est au principe même du monde formel n'épuise pas la question de la direction, puisque si les membres de l'organisation doivent, en principe, accepter cette autorité légitime pour avoir le droit de participer au jeu collectif, rien ne dit, qu'en pratique, ils consentiront à se soumettre à l'autorité du gestionnaire, ni même aux règles qui la fondent. Conscient de cette possibilité, le gestionnaire ne peut donc pas s'en remettre à la légitimité de son rôle et de son autorité pour convaincre les uns et les autres de suivre ses directives, car la seule légitimité formelle ne suffit jamais à assurer le consentement de tous et à orienter de façon harmonieuse et efficace l'action de l'organisation[12]. Pour donner leur consentement aux pratiques de direction du gestionnaire, les membres de l'organisation attendent davantage que des démonstrations d'autorité légitime et mieux que des rappels du caractère légal de son exercice. Ils attendent des relations interpersonnelles riches et fécondes, des relations qui témoigneront bien davantage de l'exercice d'un leadership naturel que d'une pratique formelle de l'autorité[13]. C'est dire que le gestionnaire doit apprendre à s'en remettre aux membres de l'organisation pour escompter exercer une influence, car le leadership n'a de sens qu'au regard de ceux et celles sur lesquels il s'exerce et qui le reconnaissent comme étant pertinent. D'une certaine façon, il ne peut y avoir de leader sans suiveurs et ce sont ces derniers qui ultimement détiennent les clés du leadership du gestionnaire. Ce sont, en effet, les subordonnés qui reconnaissent, ou non, le leadership de leur gestionnaire et qui acceptent, ou pas, une influence qui va au-delà des règles formelles. Bien que les subordonnés aient le dernier mot, le gestionnaire n'est pas pour autant dépourvu de tout pouvoir. Il peut être actif dans cette quête de reconnaissance. En fait, au nombre des facteurs qu'il doit prendre en considération de façon à gagner, en quelque sorte, le titre de leader qui

---

[12] Alain Chanlat et Renée Bédard témoignent bien de la nécessité de ne pas se cloisonner dans la posture du dirigeant formel lorsqu'ils écrivent: «Pour obtenir des résultats à la hauteur des nouveaux défis et dans les conditions difficiles qui prévalent, le dirigeant d'aujourd'hui doit susciter l'enthousiasme de chacun et obtenir sa participation active à des projets novateurs, plutôt que centrer toute l'attention sur le contrôle des moyens. Cela ne pourra se faire qu'en adoptant une attitude très respectueuse des particularités de chaque personne et de chaque unité à l'intérieur de l'ensemble. De là la nécessité de faire preuve d'une intelligence conciliatrice et d'un esprit de finesse qui exigent sagesse, tact et jugement dans l'appréciation des situations et dans le traitement des dossiers. (…) Être à la hauteur de la complexité du métier de dirigeant exige un talent de chef d'orchestre. Par là, il faut comprendre la capacité de réaliser une œuvre originale et personnelle à partir de ce qui est, du potentiel de chacun de susciter des projets nouveaux, créateurs de prospérité et d'emplois, de bien-être et de qualité de vie, en sachant faire ressortir la valeur de personnes de sensibilités et de compétences différentes, tirer avantage de leurs contributions, les mobiliser et les intégrer.» Bédard, R. et A. Chanlat, «Être patron aujourd'hui», *Agora*, juin 1993: 10-11.

[13] Cette idée, Koontz et O'Donnell la formulent dans les termes suivants: «Si les dirigeants d'entreprise pouvaient être certains que tous leurs subalternes contribuent de façon empressée à la réalisation d'un but collectif, il n'y aurait pas nécessité de développer l'art du leadership. Le moral serait toujours à son plus haut niveau et tout le monde travaillerait au maximum de ses talents.» Koontz, H. et C. O'Donnell, *Management. Principes et méthodes de gestion.* Paris: McGraw-Hill, 1980: 491.

lui permettra éventuellement de doubler son autorité formelle d'une influence naturelle et spontanée, et il y a les valeurs qui fondent ses pratiques de direction, ses habiletés à interagir avec les autres, sa capacité à pouvoir s'adapter aux situations, comme aux besoins et aux attentes des personnes qu'il dirige.

L'ÉTHOS INSTRUMENTAL EN ACTION

Dans le monde formel, tout le cadre administratif est fondé sur l'éthos instrumental et les pratiques de direction n'échappent pas à cet état de fait. Ainsi et à l'instar des autres processus techniques, la direction doit être tout à la fois rationnelle, objective, technique, au service d'un intérêt général et porteuse de progrès.

Tableau 7.1
L'éthos instrumental et la direction

ÉTHOS	DESCRIPTION
LA RATIONALITÉ	En tant que moyen au service d'une fin, la direction s'inscrit clairement dans l'équation de la rationalité instrumentale. De plus, la direction instrumentalise toutes les dimensions humaines et sociales de l'organisation.
L'OBJECTIVITÉ	Par le cycle de traduction de la réalité sociale et humaine de l'organisation en connaissances, techniques et pratiques, la direction s'inscrit dans un processus d'objectivation des personnes.
LA TECHNIQUE	Si la direction des personnes est fondamentalement un art pratique, elle met en action une grande diversité de techniques de gestion des dimensions humaines de l'organisation.
L'INTÉRÊT GÉNÉRAL	La direction ne suscite l'adhésion libre et volontaire des membres de l'organisation que si chacun acquiert la conviction qu'elle est au service d'un intérêt général.
LE PROGRÈS	Les membres de l'organisation reconnaissent au gestionnaire une forme de leadership si celui-ci incarne le progrès.

La rationalité de la direction

La direction s'inscrit dans l'équation de la rationalité en y tenant, comme tous les autres processus du management technique, le rôle de moyen au service de la réalisation des fins de l'organisation. Surtout, au terme du processus de traduction de la réalité humaine en pratiques de direction, diriger participe clairement d'une instrumentalisation de cette réalité. Tout ce que le gestionnaire touche est, en quelque sorte, transformé en moyens au service des fins supérieures de l'organisation. Au regard de la rationalité instrumentale, tout ce qui caractérise les humains peut ainsi devenir une occasion à saisir et à traduire en termes de techniques. La culture, la vie psychique, la cognition, tout est sujet à une traduction instrumentale. Tout peut devenir un moyen au service d'une fin. Tout peut se transformer en matériau susceptible d'être géré avec efficacité. Dès qu'une dimension humaine imprévue voit le jour, elle peut être tamisée dans le filtre de la rationalité instrumentale et être ainsi traduite en termes de technique de direction.

L'objectivité de la direction

Tout en reconnaissant l'importance de la subjectivité humaine, le gestionnaire formel tente toujours de diriger en toute objectivité l'organisation. Cette quête d'une direction objective se remarque, d'une part, par le cycle de traduction de la réalité humaine en pratiques techniques et, d'autre part, par le souci constant du gestionnaire de diriger en toute objectivité chacun des membres de l'organisation.

Pour le gestionnaire formel, reconnaître la nécessité d'une connaissance fine de la réalité profondément humaine de l'organisation, ne signifie pas de renoncer à la quête d'objectivité qui doit guider son action, puisque s'il s'engage dans un processus de connaissance de cette réalité, c'est très précisément par souci d'objectivité. En effet, à partir du constat de l'existence d'une réalité humaine qui va au-delà de l'exécution des rôles formels, le gestionnaire cherche à la connaître et à mettre au jour ses dimensions et ses caractéristiques. Pour lui, c'est même l'objectivité de cette connaissance qui fonde la crédibilité de ses pratiques de direction. En outre, prendre connaissance de la réalité humaine, c'est aussi objectiver la subjectivité humaine en levant le voile sur ce qu'elle a d'universel et de traduisible en réalité tangible, mesurable et quantifiable. Il ne s'agit donc pas de s'enfermer dans la subjectivité humaine, mais bien de l'objectiver et de la poser en objet à mesurer et à orienter.

Par ailleurs, la quête d'objectivité se remarque aussi dans le souci constant du gestionnaire de traiter équitablement les membres de l'organisation. Cela dit, puisque dans le monde formel l'équité n'a de sens qu'au regard de la mise en œuvre objective du cadre administratif, le gestionnaire prend donc appui sur lui pour fonder ses pratiques et prétendre à l'équité de ses relations. Ainsi, pour le gestionnaire, traiter avec équité chacun des membres de l'organisation revient à appliquer à tous les mêmes règles, les mêmes procédures, les mêmes critères d'évaluation. En fait, dans un monde formel, tous sont en droit de s'attendre à ce que le gestionnaire ne fasse pas d'exceptions subjectives à l'application du cadre administratif qui tient lieu de contrat de travail objectif.

Les techniques de direction

Si la direction se fonde sur la technique générique de traduction de la réalité humaine en pratiques techniques, elle met surtout en action une indéfinie variété de techniques. En fait, comme nous l'avons vu, toutes les dimensions de la réalité humaine peuvent être traduites en techniques de direction et c'est ainsi que le gestionnaire pourra fonder son action sur des techniques de motivation, de communication, de résolution des conflits, etc. En fait, rien n'échappe au regard technique et c'est toute la réalité humaine qui, à terme, peut faire l'objet d'une direction technique. Ainsi même si la direction est une pratique profondément humaine qui implique des relations interpersonnelles, elle prend la forme d'un enchevêtrement de techniques de gestion des humains.

La direction au service de l'intérêt général

Dans l'univers du gestionnaire formel, l'organisation a une réalité qui va bien au-delà des volontés individuelles, une réalité à laquelle chacun doit s'identifier[14]. Cette réalité se manifeste, d'ailleurs, par la formulation d'objectifs collectifs, objectifs qui seraient le témoin d'une volonté collective. En outre, sans l'identification à des objectifs collectifs, la tâche du gestionnaire serait tout simplement impossible, car il aurait alors à composer avec une variété indéfinie d'objectifs individuels. Cela dit, pour que cette volonté collective ne soit pas qu'une réalité virtuelle qui survolerait l'action au-dessus des volontés individuelles sans autre réalité que d'être un idéal à réaliser, le gestionnaire doit la décliner en termes concrets et il y arrive en mettant en œuvre une direction par objectifs[15]. Cette direction concerne tous les échelons hiérarchiques, tous les rôles et chaque membre de l'organisation doit participer à la définition des objectifs qu'il doit réali-

[14] L'importance des phénomènes d'identification à l'organisation a, historiquement, été formulée par Herbert A. Simon qui, comme en témoigne la citation suivante, lie ce phénomène aux pratiques de gestion: «Le phénomène d'identification, de loyauté ou de fidélité envers l'organisation a dans l'administration une fonction très importante. Si, chaque fois qu'il doit prendre une décision, un administrateur est obligé de la peser au regard de la totalité des valeurs humaines, la rationalité est impossible dans l'administration. Si sa seule obligation est de considérer à la lumière des objectifs limités de l'organisation, sa tâche correspond plus étroitement à ses capacités.» Simon, H.A., *Administration et processus de décision.* Paris: Économica, 1983 p.13-14.

[15] L'idée d'une direction par objectif a, historiquement, été formulée par Peter F. Drucker et popularisée par George S. Odiorne. Voir: Drucker, P.F. *La pratique de la direction des entreprises.* Paris: Les Éditions d'organisation, 1957 [1954] et Odiorne, G.S., *Management by Objectives: A System of Managerial Leadership,* New York: Pitman, 1955.

ser. Comme l'illustre la figure 7.6, la direction par objectifs comprend neuf étapes.

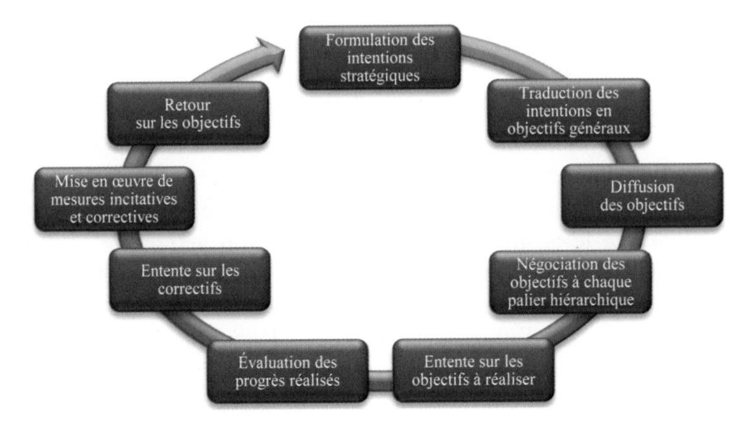

Figure 7.6: La direction par objectifs

Le processus de direction par objectifs s'amorce par la prise en compte des intentions stratégiques définies au terme de la planification, puisque c'est elles qu'il s'agit maintenant de concrétiser. Les intentions sont par la suite traduites en objectifs généraux qui doivent être précis, mesurables, flexibles, comporter un échéancier de réalisation et être compatibles les uns avec les autres. En outre, les dirigeants doivent, eux-mêmes, incarner ces objectifs avant de solliciter la libre adhésion des autres membres du collectif. Par la suite, les gestionnaires doivent les diffuser largement de façon à ce que tous connaissent le cadre dans lequel ils auront à formuler leur propre objectif de travail. Les objectifs collectifs servent donc, en quelque sorte, de cadre d'action dans lequel se déroule la négociation entre les supérieurs et les subordonnés de façon à en arriver à un consensus sur les objectifs que chacun doit atteindre. C'est donc dire que si la négociation est clairement balisée par la définition des objectifs généraux, il reste tout de même une marge de manœuvre pour que chaque membre du collectif puisse y faire valoir ses interprétations et ses intentions. Cette marge de manœuvre est importante, car le gestionnaire sait très bien que la contrainte et la soumission n'offrent pas les mêmes niveaux de rendement que ceux que peut générer une adhésion volontaire. Lorsque tous s'entendent sur les objectifs qu'il convient d'atteindre, il s'agit pour le gestionnaire d'en faire le suivi et d'offrir son soutien sous la forme de mesures d'incitation au rendement (rémunération, promotion, etc.) ou de mesures correctives (programmes de formation, accès à davantage de ressources, etc.). De plus, à cette étape du processus, pour que l'évaluation donne vraiment les fruits escomptés et s'inscrive dans une logique de direction plutôt que dans une démarche de contrôle hiérarchique, le gestionnaire incite chacun à faire sa propre évaluation. Enfin, le gestionnaire fait un retour sur les objectifs de façon à s'assurer que chacun garde le cap sur l'essentiel, soit la concrétisation de la volonté collective.

Si la direction par objectifs peut faciliter la concrétisation de la volonté collective, il reste qu'il s'agit là d'une technique de direction parmi tant d'autres et bien que le gestionnaire fonde largement son action sur des techniques, sa direction ne s'y réduit pas. En effet, la direction par objectifs ne fonctionne que si le gestionnaire institue un climat de collaboration fondé sur la confiance. Sans ce climat, toute sa direction ne sera interprétée que comme une technique de surveillance et, du coup, ce que le gestionnaire tenait comme étant un moyen efficace de traduction de la volonté générale en actions concrètes se réduira à une logique mécanique de contrôle de l'action[16].

La quête de progrès

Un rapide regard des pratiques de direction suffit à se convaincre qu'elles sont empreintes de rationalité, d'objectivité, de technicité et de subordination des intérêts individuels à l'intérêt général. Si tout cela est caractéristique des pratiques de direction, là n'est peut-être pas l'essentiel. En effet, dans le cadre du management technique, ce qui fait la noblesse de la direction et lui donne tout son sens, c'est l'idéal du progrès auquel le gestionnaire formel souscrit. Par ses pratiques de direction, le gestionnaire ne cherche pas à construire un univers froid et mécanique bien que dans les faits, son action puisse concourir à ce résultat. Il ne cherche pas davantage à réduire les humains au rang de ressources quoiqu'au terme de ses efforts de traduction de la réalité humaine en pratiques de gestion efficace, sa direction peut, en effet, prendre la forme d'une instrumentalisation des humains. Ce qu'il recherche avant tout, c'est le progrès de l'organisation et l'accent qu'il met sur les intentions stratégiques et sur les objectifs organisationnels en témoigne de façon probante. Bien sûr, dans le monde formel, le progrès se mesure, pour l'essentiel, en termes matériels et économiques, mais cela

---

[16] Ainsi, selon Drucker: «La direction par objectifs dicte à un directeur ce qu'il doit faire; la bonne organisation de sa tâche lui permet de le faire, mais c'est toujours 'l'esprit d'entreprise' qui détermine s'il le fera ou non. C'est cet esprit qui en donne la raison, qui fait appel aux réserves de dévouement et d'efforts de chaque individu, qui décide s'il donnera toute sa mesure ou s'il se contentera d'en faire juste assez pour se maintenir. (…) L'esprit d'organisation, pour être valable, doit laisser le champ libre à l'épanouissement des qualités individuelles. Dès qu'elles se révèlent, les qualités doivent être reconnues, encouragées et récompensées, elles doivent être mises à profit par tous les membres de l'organisation. Il est donc conforme au 'bon esprit' de mettre en valeur les forces latentes de chaque individu en les appliquant à ce qu'il peut faire plutôt qu'à ce qu'il ne peut pas faire.» Drucker, P.F. *La pratique de la direction des entreprises.* Paris: Les Éditions d'organisation, 1957: 150.

ne change rien à la noblesse de cette quête qui, toujours, fait passer le bien commun avant l'intérêt particulier et qui, surtout, participe à l'inépuisable quête d'un progrès qui est toujours présenté comme étant à porté de main, mais à jamais inaccessible, car il est toujours possible de réaliser davantage et de mieux faire.[17] Du coup, la quête de progrès reste à tout jamais ouverte et sans cesse renouvelée par les pratiques qui visent à la concrétiser.

CONCLUSION

Diriger est la plus complexe des tâches que doit réaliser le gestionnaire, car elle commande une lecture fine de la réalité humaine. En outre, dès qu'il tente de jouer son rôle de dirigeant, le gestionnaire est rapidement confronté à la nécessité de sortir du cadre strictement formel dans lequel l'éthos instrumental enferme son action. En effet, composer avec la complexité de la réalité humaine exige de sa part qu'il reconnaisse que les humains ne sont pas des ressources inertes, interchangeables et manipulables au gré d'objectifs qu'il convient d'accomplir. Pour être efficace, le gestionnaire doit apprendre à composer avec la complexité de la réalité humaine ce qui implique, notamment, qu'il doive comprendre cette réalité et y adapter ses pratiques de direction.

Puis, la complexité humaine a aussi pour conséquence d'inciter le gestionnaire à devenir un leader. En effet, dans un monde profondément humain, la seule force de l'autorité légitime ne suffit pas à orienter l'action d'une organisation qui exige de ses gestionnaires qu'ils adoptent des styles de leadership qui répondent aux capacités, besoins et attentes de ses membres.

Enfin, si l'autorité et le leadership sont les deux principaux piliers sur lesquels reposent les pratiques de direction, ces dernières sont indéfiniment variées puisque toute la réalité humaine peut être posée en objet de réflexion et de direction. De plus, du seul fait de son intervention dans la réalité humaine de l'organisation, le gestionnaire maintient à jamais ouvert sa réflexion sur cette réalité que son action ne cesse de modifier. C'est ainsi que le gestionnaire n'en finit jamais de réaliser sa fonction de dirigeant.

[17] Drucker témoigne bien du caractère infini de cette quête lorsqu'il écrit: «Le bon esprit exige qu'on améliore sans cesse la compétence et le rendement du groupe tout entier. Ce qui était hier un résultat satisfaisant doit devenir aujourd'hui le minimum; la perfection d'hier doit être l'ordinaire d'aujourd'hui.» Drucker, P.F. *La pratique de la direction des entreprises.* Paris: Les Éditions d'organisation, 1957: 150.

Chapitre 8

LE CONTRÔLE

Le contrôle ferme la boucle du management technique en y tenant le rôle de gardien de la rationalité instrumentale de l'organisation. Ainsi, par le recours à un processus de contrôle et à diverses techniques d'information, le gestionnaire s'assure que les moyens mis en œuvre pour atteindre les objectifs planifiés donnent bel et bien les résultats escomptés et que ces derniers permettent à l'organisation d'avoir un positionnement stratégique qui soit tout à la fois légitime et concurrentiel. Lorsque ce n'est pas le cas, c'est le rôle du contrôle d'indiquer ce qu'il convient de faire pour retrouver le chemin de l'efficacité. Le contrôle prend donc largement la forme d'un mécanisme cybernétique de rétroaction qui, toujours, garde le cap sur les cibles à atteindre[1].

Informer, évaluer et apprendre sont les maîtres mots de ce dernier moment du cycle administratif du management technique. Cela dit, le contrôle se décline dans une variété de formes, notamment stratégique, opérationnelle et financière. Il prend aussi la forme d'une évaluation de la performance de chacun des membres de l'organisation, ce qui est fréquemment interprété comme de la surveillance. Il n'est alors pas surprenant que l'exercice du contrôle soit souvent mal vécu et qu'il génère de la méfiance et de la frustration. Toutefois, si le contrôle peut s'interpréter et se vivre comme une technique de surveillance de l'action qui freine l'expression de la liberté humaine, rien n'oblige le gestionnaire à faire de ce processus d'information et d'apprentissage un outil qui inhibe l'action là où, précisément, il convient plutôt de l'enrichir par une information conçue pour lui donner de l'élan. En effet, le contrôle de gestion n'a pas d'abord pour mission de surveiller les uns et les autres, mais bien de les informer sur le degré de réalisation des objectifs de façon à ce qu'ils en tirent des leçons. D'une certaine façon, loin de se réduire à un mécanisme cybernétique de commu-

---

[1] D'ailleurs, Norbert Wiener, le fondateur de la cybernétique la définissait comme étant la science du contrôle et de la communication chez l'animal et la machine. Voir: Wiener, N., *Cybernetics or Control and Communication in the Animal and the Machine,* New York: John Wiley, 1948.

nication et de commande, bien qu'il en emprunte largement l'apparence, le contrôle doit plutôt jouer un rôle d'accélérateur des apprentissages de l'organisation en suscitant la réflexion et l'action.

ESSENCE DU CONTRÔLE

Espace social et technique en perpétuelles transformations, l'organisation doit sans cesse prendre la mesure du chemin parcouru et réfléchir à ce qu'il convient de faire pour garder le cap sur la destination anticipée par la planification ou alors, sur la base d'informations pertinentes et actuelles, entrevoir les nouvelles possibilités à saisir et les actions à réaliser pour s'adapter à de nouvelles circonstances. C'est précisément le rôle du contrôle que d'être cet instrument de navigation qui prend la mesure des avancées de l'organisation et qui suggère des options pour la suite du voyage. Pour tenir ce rôle, le contrôle prend d'abord la forme d'un système d'information tant interne qu'externe, puis d'évaluation des ressources, des activités et des compétences mobilisées pour atteindre les objectifs planifiés et, enfin, il se fait système d'apprentissage et de communication en suggérant des options susceptibles de favoriser les apprentissages qui permettront de corriger les situations jugées problématiques[2].

Un système d'information

Pour tenir son rôle de gardien de la rationalité instrumentale de l'organisation, le contrôle doit prendre la forme d'un système d'information relatif aux objectifs planifiés et aux moyens mis en œuvre pour les atteindre. En outre, de façon à prendre la mesure de l'efficacité de l'organisation et à ouvrir la réflexion dans l'éventualité où une intervention serait requise, cette information doit se décliner en termes de rendement.

Pour jouer son rôle, le contrôle doit reposer sur le système d'information le plus complet qui soit. En fait, le système d'information doit couvrir la tota-

[2] Ces éléments du contrôle ont tout particulièrement été mis en évidence par Robert N. Anthony et John Dearden, deux des principaux auteurs classiques en matière de contrôle de gestion. Selon ces auteurs, le contrôle de gestion doit comprendre les éléments suivants: «A control system is a system whose purpose is to maintain a desired state or condition. Any control system has at least these four elements: (1) A measuring device which detects what is happening in the parameter being controlled, that is, a detector. (2) A device for assessing the significance of what is happening, usually by comparing information on what is actually happening with some standard or expectation of what should be happening, that is, a selector. (3) A device for altering behavior if the need for doing so is indicated, that is, an effector. (4) A means for communicating information among these devices.» Anthony, R. N. et J. Dearden, *Management Control Systems. Text and Cases,* Homewood, Ill., Richard D. Irwin, 1976, pp. 3-4 [1965]. Voir également: Anthony, R. N., *Planning and Control Systems. A Framework for Analysis,* Cambridge, Mass: Graduate School of Business Administration, Harvard University, 1965.

lité de la réalité de l'organisation. Premièrement, le système d'information prend pour objet l'environnement de l'organisation. À ce niveau, il s'agit de recueillir l'information nécessaire à l'évaluation du positionnement stratégique de l'organisation. L'information doit donc permettre une réflexion sur la légitimité du positionnement et sur sa compétitivité. Deuxièmement, le système d'information embrasse la totalité de l'organisation qui, à ce niveau, est interprétée en termes de capacité stratégique. C'est donc dire que ce deuxième niveau documente tout à la fois les ressources, les compétences et les activités mises en œuvre pour réaliser les intentions stratégiques. Troisièmement, le système d'information prend pour objet d'étude le cycle administratif. La planification, l'organisation, la direction et même le contrôle doivent faire l'objet d'une prise d'information devant conduire, le cas échéant, à des ajustements[3]. Quatrièmement, l'action de chacun est également documentée, puisque sans action, il ne peut y avoir de performances à évaluer. En outre, ultimement, ce sont toujours les membres de l'organisation qui lui donnent vie et prendre la mesure de leur rendement c'est mettre au jour le facteur décisif du rendement de l'organisation.

En prenant ainsi pour objet de réflexion les quatre niveaux que sont l'environnement, l'organisation, le cycle administratif et l'action individuelle, le système d'information joue donc un rôle de pivot central qui permet de brosser un portrait d'ensemble de la réalité de l'organisation.

Un système d'évaluation

Si le contrôle se résumait à construire un système d'information aussi complet soit-il, il n'aurait aucune pertinence, puisqu'il se confondrait au processus de planification dont les anticipations prennent appui sur les mêmes informations que celles qu'il met au jour. Le contrôle doit donc aller au-delà de la seule prise d'information et c'est exactement ce qu'il fait en prenant aussi la forme d'un système d'évaluation de la performance. C'est dire que chacun des niveaux du système d'information se dédouble pour faire apparaître un jugement sur l'efficacité de l'organisation, jugement qui prend pour objet les écarts que met au jour le contrôle. Comme le montre le tableau 8.1, ce jugement se fonde, d'un côté, sur la comparaison entre ce qui a été réalisé et ce qui était planifié et, de l'autre, sur la comparaison

---

[3] Ce retour sur chacun des moments du cycle administratif du management technique est particulièrement bien mis en évidence par Henri Fayol lorsqu'il définit le contrôle. Ainsi, selon lui le contrôle: «consiste à vérifier si tout se passe conformément au programme adopté, aux ordres donnés et aux principes admis. (...) Il s'applique à tout, aux choses, aux personnes, aux actes. Au point de vue administratif, il faut s'assurer que le programme existe, qu'il est appliqué et tenu à jour, que l'organisme social est complet, que les tableaux synoptiques du personnel sont usités, que le commandement s'exerce selon les principes, que les conférences de coordination se tiennent, etc.» Fayol, H., *Administration industrielle et générale,* Paris, Dunod, 1979:133.

entre les performances de l'organisation et celles de ses concurrents. Cette seconde analyse se construit à l'aide des techniques de *benchmarking*[4], technique qui permet la mise au jour des meilleures pratiques d'un même secteur d'activités.

Tableau 8.1
Le système d'évaluation

NIVEAUX	OBJECTIFS	RENDEMENT	MEILLEURES PRATIQUES	ÉCARTS
Environnement				
▪ Positionnement légitime				
▪ Positionnement concurrentiel				
Organisation				
- Ressources				
▪ Humaines				
▪ Financières				
▪ Physiques				
▪ Intangibles				
- Compétences				
▪ Techniques				
▪ Relationnelles				
▪ Cognitives				
- Activités				
▪ Approvisionnement				
▪ Logistique				
▪ Production				
▪ Marketing				
▪ GRH				
▪ TI				
▪ Finances				
▪ R&D				
Management				
▪ Planification				
▪ Organisation				
▪ Direction				
▪ Contrôle				
Individuel				
▪ Action				
▪ Rendement				

Ainsi, en matière de contrôle, le gestionnaire ne se contente jamais du seul point de vue interne, celui qui permet d'évaluer les performances au regard des objectifs planifiés puisque dans un univers concurrentiel, la performance est toujours relative à celle qu'obtiennent les concurrents. Pour le gestionnaire, faire le constat que la concurrence a de meilleures pratiques et obtient de meilleurs résultats que ceux de l'organisation est donc une in-

[4] Pour une description de cette technique d'information, voir notamment: Finnigan, J. P., *The Manager's Guide to Benchmarking: Essential Skills for the New Competitive-cooperative Economy,* San Francisco: Jossey-Bass, 1996 et Harrington, H. J. et J. S. Harrington, *High Performance Benchmarking. 20 Steps to Success,* New York: McGraw-Hill, 1995.

formation qu'il doit posséder et qu'il doit utiliser pour fonder son jugement. Cette information est même davantage pertinente que l'information interne puisqu'elle permet d'ancrer l'organisation dans l'instant présent, là où la seule évaluation des objectifs planifiés risquerait plutôt de la cantonner dans le passé.

Un système d'apprentissage

Si le contrôle n'était qu'un système d'information et d'évaluation de la performance, il ne serait alors qu'un système de surveillance qui, forcément, s'accompagnerait de beaucoup de frustrations et d'un climat de méfiance peu propice à l'expression d'un désir de dépassement. Pour le gestionnaire, surveiller l'action des uns et des autres et mettre au jour leur performance n'est pas la finalité de son action. Pour lui, l'important ce sont les leçons qu'il est possible de tirer de l'expérience passée et de l'analyse de la situation actuelle de l'organisation. Le gestionnaire utilise donc la réflexion que suscite son système de contrôle pour faciliter l'apprentissage. Parfois, ces apprentissages sont purement mécaniques et prennent la forme d'une boucle cybernétique de rétroaction qui ajuste rapidement l'action aux cibles qu'il convient d'atteindre. Dans ces cas, le contrôle, après avoir mis au jour des écarts de performance jugés problématiques, impose des actions correctrices, actions qui font généralement partie du répertoire des solutions standards, solutions qui ont déjà fait leur preuve. Toutefois, il arrive que la mise au jour d'écarts enclenche plutôt une réflexion en profondeur et que les correctifs à mettre en œuvre n'aient rien de coutumier et qu'au contraire, les solutions requises soient à inventer ce qui nécessite forcément des apprentissages qui n'ont plus rien de mécanique. C'est notamment le cas lors des situations où c'est le cycle administratif du management technique qui est pris en défaut. Dans ces cas très particuliers, le gestionnaire doit alors repenser sa gestion et même son système de contrôle. Du coup, le gestionnaire peut être confronté à une situation pour le moins paradoxale, car alors qu'il se questionne sur sa gestion, sa réflexion est alimentée par un système de contrôle qu'il pose comme étant problématique ce qui montre, par ailleurs, la pertinence d'un système qui doit, malgré tout, être repensé. Cela dit, que le système de contrôle impose des ajustements mécaniques ou qu'il s'ouvre sur une inédite réflexion, il demeure toujours un instrument d'apprentissage collectif et individuel.

L'ÉTHOS INSTRUMENTAL EN ACTION

Dans le monde formel, tout le cadre administratif est fondé sur l'éthos instrumental et les pratiques de contrôle n'échappent pas à cet état de fait. Ainsi et à l'instar des autres processus techniques, le contrôle doit être tout à la fois rationnel, objectif, technique, au service de l'intérêt général et porteur de progrès.

Tableau 8.2
L'éthos instrumental et le contrôle

ÉTHOS	DESCRIPTION
LA RATIONALITÉ	Le contrôle s'inscrit dans l'équation de la rationalité en étant le gardien de l'adéquation des moyens aux fins.
L'OBJECTIVITÉ	Le contrôle construit des indicateurs de rendement précis, valides et quantifiables.
LA TECHNIQUE	Le contrôle prend la forme d'un processus technique qui s'amorce par une étape de prise d'information et se termine par la mise en œuvre de correctifs.
L'INTÉRÊT GÉNÉRAL	Par l'accent mis sur le rendement collectif, le contrôle subordonne les intérêts individuels à la réalisation de l'intérêt général.
LE PROGRÈS	Le contrôle suit la progression de l'organisation et, par ses mécanismes de correction des écarts, garde le cap sur le progrès recherché.

La rationalité du contrôle

Le contrôle s'inscrit dans l'équation de la rationalité en y tenant, comme tous les autres processus du management technique, le rôle de moyen au service de la réalisation des fins de l'organisation. En fait, son rôle est, en quelque sorte, le moyen par lequel le gestionnaire prend véritablement la mesure de la rationalité de son action administrative. Ainsi, alors que le processus de planification formule les objectifs de l'organisation et que les processus d'organisation et de direction tiennent le rôle de moyens administratifs mis en œuvre pour les atteindre, c'est au processus de contrôle qu'incombe la tâche de s'assurer que l'arrimage entre les fins planifiées et les moyens mis en œuvre a bel et bien lieu et donne les résultats escomptés.

Par ce rôle de gardien de la rationalité de l'action administrative, le contrôle ne se limite toutefois pas à être le témoin objectif de l'arrimage des fins aux moyens, il a aussi pour fonction d'être le régulateur de cet arrimage. C'est d'ailleurs parce qu'il joue aussi ce rôle de régulateur que le contrôle est souvent interprété comme étant un mécanisme cybernétique. En effet, d'une certaine façon, dans le cycle administratif, le contrôle remplit la même fonction que le thermostat d'une maison dont le rôle est d'en maintenir constante la température. Par analogie, le contrôle a aussi pour fonction de maintenir le cap sur les objectifs à atteindre et de rétablir la situation dès qu'un écart dans la conduite de l'organisation est constaté. Cela dit, le contrôle ne se borne pas à cette logique cybernétique, puisqu'il peut aussi susciter une réflexion sur les objectifs à atteindre plutôt que de se contenter d'ajuster l'action de façon à ce qu'elle soit totalement subordonnée à leur réalisation.

L'objectivité du contrôle

Pour véritablement jouer son rôle tout en participant à l'éthos instrumental qui préside au déploiement du management technique, le contrôle de gestion s'inscrit toujours dans une quête d'objectivité. Concrètement, le gestionnaire formel prétend à une certaine forme d'objectivité en centrant le contrôle sur des indicateurs de performance, indicateurs qui doivent être précis, observables, mesurables, quantifiables, valides, fidèles et qui, surtout, reflètent bien la réalité qu'il convient de mesurer, à savoir les objectifs à atteindre.

Porté par un souci constant d'objectivité, le gestionnaire formel doit donc traduire l'ensemble des objectifs poursuivis en indicateurs formels de performance. Sans surprise, il accorde alors beaucoup d'importance aux différents indicateurs financiers susceptibles de traduire toutes les performances en termes quantitatifs ce qui a l'avantage de permettre des généralisations et des comparaisons[5].

Le processus technique de contrôle

Comme l'illustre la figure 8.1, le processus technique de contrôle est constitué de trois étapes, à savoir celle de la prise d'information qui permet de mettre au jour les écarts entre ce qui avait été planifié et ce qui fut réalisé, puis, il y a la phase de diagnostic qui, à partir des écarts et de l'analyse des meilleures pratiques, juge de la performance individuelle et collective et, enfin, il y a une étape d'apprentissage qui prend fréquemment la forme d'ajustements mécaniques aux cibles planifiées, mais qui parfois s'ouvre sur une réflexion en profondeur sur l'ensemble du cycle administratif. En outre, comme l'évoque cette possibilité d'apprentissage en profondeur, la

[5] Ce point de vue est, d'ailleurs, clairement énoncé par Koontz et O'Donnell: «Comme la finance est la pierre angulaire de l'entreprise commerciale, les contrôles financiers constituent la norme objective la plus importante de la réussite des plans. De plus, les mesures financières résument selon un dénominateur commun, les données relatives à la réalisation d'un certain nombre de plans. Elles indiquent, de façon exacte, les dépenses totales consacrées à la réalisation des buts.» Koontz, H. et C. O'Donnell, *Management. Principes et méthodes de gestion.* Paris: McGraw-Hill, 1980: 567.

technique en matière de contrôle n'a de sens que si elle est inscrite dans le cycle technique du management. En effet, contrôler c'est d'abord et avant tout faire le bilan des autres moments du management que sont la planification, l'organisation et la direction et les nourrir de ses réflexions, ce qui a pour effet de maintenir perpétuellement ouvert le cycle administratif.

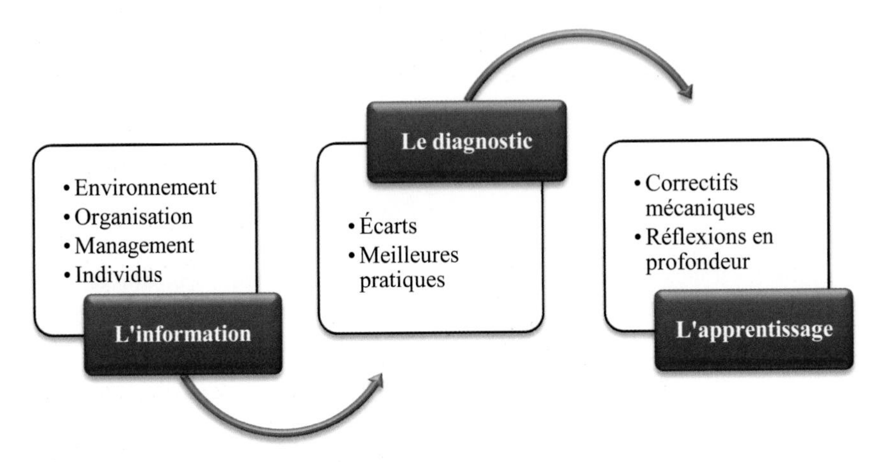

Figure 8.1: Le processus technique de contrôle

Par ailleurs, il est aussi possible de situer le processus technique de contrôle dans le contexte général de tout le cycle administratif. Dans ce contexte, comme l'illustre la figure 8.2, c'est alors la planification qui est la première étape du cycle de contrôle.

Figure 8.2: Le cycle du contrôle

Le véritable point de départ du contrôle est donc la planification. C'est d'elle que sont tirés les objectifs dont le contrôle suit la progression. C'est donc dire que sans réel effort de planification, il ne peut y avoir de contrôle de gestion. Tout au plus, il y aura une surveillance de l'action, un contrôle social qui pourra avoir l'apparence d'un système de contrôle de gestion, mais n'en sera pas un, faute d'avoir ses assises sur une planification rigoureuse. D'ailleurs, lorsque le gestionnaire n'a pas la sagesse d'ancrer son système de contrôle dans la logique d'un suivi de la planification, ses efforts de contrôle sont très vite perçus et interprétés comme étant de la surveillance et non pas comme de la saine gestion, ce qui a pour effet de freiner les éventuels apprentissages que doit pourtant réaliser l'organisation.

Par ailleurs, s'il ne peut y avoir de contrôle de gestion sans objectif à suivre, les objectifs seuls n'assurent pas le rendement. Il faut, en effet, que le gestionnaire traduise les objectifs planifiés en véritables indicateurs de rendement. C'est donc dire que le gestionnaire doit opérationnaliser les objectifs, ce qui équivaut à faire en sorte qu'ils soient fiables, valides, précis, observables, mesurables et quantifiables. À titre d'exemple, avoir un bon «climat organisationnel» est certes un objectif noble et pertinent, mais au regard du contrôle, cet objectif a le défaut d'être flou et subjectif. Pour qu'il devienne un véritable objectif au regard du contrôle, le gestionnaire doit mettre au point des indicateurs qui vont permettre de prendre la mesure de ce climat organisationnel. Dans ce cas précis, le taux d'absentéisme, le taux de roulement du personnel ou le pourcentage de participation aux activités sociales pourraient servir de critères objectifs du climat organisationnel.

Lorsque le gestionnaire a en sa possession des indicateurs qui opérationnalisent les objectifs planifiés, il les utilise pour traduire tous les objectifs en termes de rendement planifié. Ainsi, dans l'exemple du climat organisationnel recherché, le gestionnaire doit préciser les différents taux d'absentéisme, de roulement et de participation qu'il recherche de la part de son personnel. Par la suite, il doit construire un système d'information qui garde l'œil sur les indicateurs susceptibles d'éclairer le rendement. Ce dernier est évalué au regard du rendement escompté de façon à mettre au jour des écarts. Ces derniers sont, en quelque sorte, le matériau réflexif du contrôle de gestion. Ils sont ce qu'il convient d'analyser. À cette étape, le gestionnaire doit donc éviter le piège qui consiste à trop rapidement enclencher des mesures mécaniques de correction. En fait, cette étape est celle de toutes les hypothèses et le gestionnaire doit toutes les explorer. Généralement, six causes peuvent expliquer les écarts. Premièrement, les objectifs planifiés étaient irréalistes, soit trop hauts, soit trop bas et de toute façon mal planifiés. Deuxièmement, il est possible que les indicateurs de rendement ne traduisent pas vraiment la réalité de l'objectif planifié. Ainsi, il est évident que le climat d'une organisation ne peut se réduire à quelques indicateurs aussi précis soient-ils. Troisièmement, la mesure effective du rendement peut, parfois, s'avérer déficiente, créant des écarts, là où en fait, il n'y en a pas. Quatrièmement, s'il ne suffit pas d'avoir des objectifs pour qu'ils se réalisent, il est donc possible que les écarts constatés par le contrôle de gestion soient imputables aux déficiences du cycle administratif, notamment à l'organisation du travail, à la structure mise en œuvre, aux pratiques de direction, aux ressources mises à la disposition des uns et des autres, etc. Cinquièmement, les écarts peuvent également s'expliquer par les différences de contexte entre le moment où les objectifs ont été planifiés et celui où le gestionnaire a pris la mesure de leur réalisation. Enfin, il est également possible que les écarts s'expliquent par l'action des uns et des autres, action qui n'aurait pas été à la hauteur des objectifs à atteindre.

Bien sûr, en matière de contrôle rien n'est vraiment jamais simple et très fréquemment, les écarts s'expliquent par un enchevêtrement de causes. Du coup, la tentation, toujours vive, d'enclencher le plus rapidement des mesures correctrices peut s'avérer beaucoup plus problématique qu'efficace. Un autre réflexe particulièrement nocif consiste à toujours centrer la réflexion sur la seule action individuelle, ce qui a pour effet de rapidement transformer le contrôle de gestion en «western administratif» avec son lot de bons et de méchants, là où il faudrait plutôt engager une réflexion globale dans laquelle toutes les causes pourraient être étudiées.

La dernière étape du processus de contrôle de gestion est la mise en œuvre des mesures correctrices. Cette mise en œuvre peut être très simple et mécanique lorsque les causes des écarts sont facilement identifiables et reconnues par tous, mais elle peut aussi s'avérer très complexe lorsque, d'une part, les causes sont multiples et enchevêtrées et, d'autre part, lorsque c'est le cycle administratif qui est pris en défaut. Dans les cas plus complexes, l'organisation se met en mode «apprentissage» et c'est alors toute la planification qui est à repenser.

Le contrôle et l'intérêt général

Sans surprise, le contrôle de gestion contribue à construire l'idée que servir l'organisation équivaut à poursuivre la réalisation d'un intérêt général. En effet, ce sont surtout les objectifs collectifs dont il faut évaluer la progression, ils sont toujours au centre de la réflexion et toute l'action que peut générer le contrôle n'a d'autre fin que de s'assurer qu'ils soient atteints. D'ailleurs, même lorsqu'il s'agit de prendre la mesure du rendement individuel c'est toujours pour inscrire la réflexion dans une réalité plus large, plus ample, plus importante, à savoir l'organisation. En fin de compte, c'est toujours l'organisation qui prime sur les individus, c'est elle qui est au centre du cycle administratif et tout l'apprentissage que provoque le contrôle est d'abord et avant tout un apprentissage collectif.

La quête de progrès

Alors que la planification projette l'organisation dans un avenir que le gestionnaire escompte riche et prometteur, c'est finalement le contrôle qui s'assure que ce qui a été planifié peut se réaliser. C'est, en effet, par le contrôle que le gestionnaire s'assure que les objectifs planifiés n'ont pas été que des intentions, mais bien des cibles concrètes qui sont atteignables pourvu que chacun soit bien informé et qu'il ajuste sa direction en fonction des informations que produit le système de contrôle. Sans contrôle, l'organisation naviguerait, en quelque sorte, sans boussole et rien ne dit que les cibles visées seraient alors atteignables. En fait, elles pourraient bien l'être, mais sans système pour en prendre la mesure qui saurait que c'est bel et bien le cas?

CONCLUSION

Le monde formel est en quête permanente d'efficacité et c'est pourquoi tout le cycle administratif y prend une forme technique. Les techniques ont beaucoup de caractéristiques, mais l'efficacité est celle qui les transcende toutes. Du coup et en tant que technique, le contrôle, à l'instar des techniques de planification, d'organisation et de direction, est lui aussi au service de l'efficacité de l'organisation. Son rôle central est, d'ailleurs, d'être le gardien de cette efficacité. C'est au contrôle qu'incombe la mission d'être le témoin de l'efficacité de l'organisation et de tout ce qui s'y déroule. Pour accomplir sa mission, rien ne doit échapper à son emprise, tout doit être documenté, analyser et lorsqu'il y a des écarts indésirables de performance, c'est à lui d'y voir, et il le fait en mettant en œuvre des correctifs et en initiant des apprentissages. En réalisant son rôle, le contrôle heurte forcément la sensibilité des membres de l'organisation qui sous ses projecteurs ressentent sa présence et l'interprète comme de la surveillance. Ainsi, de toutes les techniques de gestion, c'est le contrôle qui suscite le moins d'enthousiasme. Pourtant, le contrôle pourrait s'interpréter le moment par excellence de l'apprentissage, celui où tous peuvent mettre de l'avant leur réflexivité pour mieux faire ce qu'ils font. Mais voilà, le contrôle ne se vit pas souvent comme une occasion d'apprentissage, mais plutôt comme du contrôle social. C'est alors au processus de direction d'incarner le souffle d'humanité qui semble si cruellement faire défaut au contrôle. C'est, en effet, par une direction qui saura reconnaître les inévitables dimensions humaines sous-jacentes à la pratique du contrôle que ce dernier pourra alors vraiment assumer son identité, à savoir être un système d'apprentissage au service de l'efficacité de l'organisation.

Chapitre 9

DIAGNOSTIC DES HABILETÉS ET DES LEVIERS TECHNIQUES

Dans la perspective technique, l'accent est mis sur la réalité formelle de l'organisation et sur une quête perpétuelle d'efficacité. Sous ce regard, l'organisation apparaît alors fondamentalement comme:

- une machine productive
- une structure hiérarchique formelle
- un enchevêtrement de processus techniques

Sous l'éclairage de la perspective technique, le gestionnaire joue un rôle d'expert qui mise sur des habiletés de planification, d'organisation, de direction et de contrôle et qui manie les leviers de gestion que sont les objectifs, la délégation l'autorité et les budgets.

Par ailleurs, puisque la perspective technique centre l'attention des gestionnaires sur les méthodes formelles et analytiques de management, elle peut donner lieu à un véritable choc des méthodes avec, d'un côté, des méthodes techniques vouées à la maximisation de l'efficacité et de l'autre, des méthodes centrées sur les personnes.

PERSPECTIVE TECHNIQUE	
HABILETÉS	**LEVIERS**
Planifier Organiser Diriger Contrôler	Les objectifs La délégation L'autorité Le budget

DIAGNOSTIC
DE L'HABILETÉ À PLANIFIER

Première des habiletés techniques que tous les gestionnaires doivent posséder, l'habileté à planifier est souvent considérée comme étant la plus décisive des habiletés techniques, car c'est elle qui oriente l'action et encadre les autres habiletés techniques. Il est donc crucial que tous les gestionnaires développent leur habileté à planifier, notamment par la rédaction et l'utilisation de plans formels d'action.

	OUI	NON
1. L'unité administrative possède un plan formel d'action	☐	☐
2. Tous les membres de l'unité connaissent le plan d'action	☐	☐
3. Le plan est structuré autour d'une idée clairement énoncée	☐	☐
4. Le plan comporte un ensemble d'objectifs précis, mesurables, quantifiables et réalistes	☐	☐
5. Le plan hiérarchise les objectifs par ordre de priorité	☐	☐
6. Chaque objectif se décline en activités précises à accomplir	☐	☐
7. Chaque objectif se double de ressources clairement identifiées	☐	☐
8. Le plan fixe les responsabilités de tous les membres de l'unité administrative	☐	☐
9. Le plan comprend un échéancier précis de réalisation	☐	☐
10. Le plan est consulté et discuté au moins une fois par mois	☐	☐

Une majorité de réponses positives à ces questions témoigne d'une certaine habileté en matière de planification.

**DIAGNOSTIC
DE L'HABILETÉ À ORGANISER**

Seconde des habiletés techniques que tout gestionnaire doit forcément posséder, l'habileté à organiser permet au gestionnaire de mettre en place des structures efficaces, de définir des rôles et de cerner les bons mécanismes de coordination.

		OUI	NON
1.	L'unité administrative possède un organigramme formel	☐	☐
2.	Les relations d'autorité et de conseil sont clairement définies	☐	☐
3.	Les relations de communication sont clairement définies	☐	☐
4.	Tous comprennent très bien ce qu'est leur rôle au sein de l'unité administrative	☐	☐
5.	Chaque rôle est constitué de tâches précises et comporte des objectifs à atteindre	☐	☐
6.	Les responsabilités et l'autorité de chacun sont clairement définies	☐	☐
7.	Chaque rôle requiert des connaissances et des compétences précises	☐	☐
8.	La charge de travail de l'unité est équitablement répartie	☐	☐
9.	La coordination de l'unité administrative est harmonieuse et efficace	☐	☐
10.	La coordination entre les unités administratives est harmonieuse et efficace	☐	☐

Une majorité de réponses positives à ces questions témoigne d'une certaine habileté en matière d'organisation.

DIAGNOSTIC DE L'HABILETÉ À DIRIGER

Troisième des habiletés techniques que tout gestionnaire doit forcément posséder, l'habileté à diriger permet au gestionnaire d'orienter l'action des uns et des autres et de mettre en œuvre le cadre administratif de l'organisation.

		OUI	NON
1.	Le gestionnaire connaît ses responsabilités et le champ d'action de son autorité	☐	☐
2.	Le gestionnaire traduit sa connaissance de la réalité humaine en pratiques de direction	☐	☐
3.	Les pratiques de direction visent la réalisation d'objectifs communs	☐	☐
4.	Le gestionnaire tente de doubler son autorité formelle d'un leadership naturel	☐	☐
5.	Le gestionnaire communique efficacement avec son personnel	☐	☐
6.	Le gestionnaire transmet beaucoup d'informations au personnel	☐	☐
7.	Le gestionnaire encourage le personnel à se surpasser au travail	☐	☐
8.	Le gestionnaire est soucieux de la motivation du personnel	☐	☐
9.	Le gestionnaire sollicite le point de vue de son personnel pour améliorer le travail	☐	☐
10.	Le gestionnaire traite son personnel de façon équitable	☐	☐

Une majorité de réponses positives à ces questions témoigne d'une certaine habileté en matière de direction.

DIAGNOSTIC
DE L'HABILETÉ À CONTRÔLER

Dernière des habiletés techniques que tout gestionnaire doit posséder, l'habileté à contrôler permet au gestionnaire d'avoir un système d'information qui, en cours de route, facilite les ajustements et les apprentissages requis pour atteindre les objectifs planifiés.

		OUI	NON
1.	L'unité administrative possède un système d'information	☐	☐
2.	Le système d'information est construit autour des objectifs	☐	☐
3.	Les objectifs se déclinent en indicateurs de performance	☐	☐
4.	Les postes de travail, les activités et les ressources ont des indicateurs de performance	☐	☐
5.	Tous comprennent et acceptent les indicateurs de performance	☐	☐
6.	L'évaluation du rendement est faite sur une base régulière	☐	☐
7.	Les écarts de performance sont fréquemment analysés	☐	☐
8.	Les correctifs des écarts sont rapidement mis en œuvre	☐	☐
9.	Les contrôles sont des occasions d'apprentissage	☐	☐
10.	Le contrôle de gestion est une activité stimulante pour tous	☐	☐

Une majorité de réponses positives à ces questions témoigne d'une certaine habileté en matière de contrôle.

LES LEVIERS:
LES OBJECTIFS

Les objectifs sont le principal levier technique, celui qui encadre l'action de tous, celui qui donne un sens à l'action et à l'utilisation des ressources de l'organisation. Pleinement conscient de la centralité des objectifs, le gestionnaire s'assure qu'ils sont bien formulés et qu'ils couvrent tout le territoire d'action de l'organisation.

INTENTIONS STRATÉGIQUES	- Mission, métier, vision. - *Quelle est la stratégie de notre organisation?*
OBJECTIFS GÉNÉRAUX	- Chaque unité administrative doit avoir un objectif général à atteindre. - De quelle façon les unités contribuent-elles à la stratégie?
OBJECTIFS DE TRAVAIL	- Tous les postes de travail comprennent des objectifs précis à atteindre. - *Les objectifs sont-ils simples, réalistes et faciles à comprendre?*
ÉVALUATION DES OBJECTIFS	- Les progrès dans la réalisation des objectifs sont régulièrement évalués. - *Les moments d'évaluation sont-ils connus de tous? Existe-t-il des échéanciers précis de réalisation?*
CORRECTIFS ET APPRENTISSAGES	- Lorsque l'évaluation met au jour des écarts, des mesures correctives sont mises en œuvre et suscitent un apprentissage. - *Les membres de l'organisation acceptent-ils les mesures correctives? Sont-ils ouverts à l'apprentissage?*
INCITATIFS	- La réalisation des objectifs s'accompagne de mesures incitatives telle une rémunération additionnelle. - *Les membres de l'organisation valorisent-ils les mesures incitatives?*

LES LEVIERS:
LA DÉLÉGATION

Dans la perspective technique, la délégation est tout à la fois un levier de mobilisation et de responsabilisation du personnel et une technique qui vise à répartir avec efficacité l'autorité et les responsabilités au sein des unités administratives.

ANALYSE DES AVANTAGES ET DES INCONVÉNIENTS	▪ Inconvénients: perte de contrôle, temps de formation, dépendance envers le personnel, etc.; Avantages: éviter la surcharge, mobilisation et responsabilisation du personnel, préparer la relève, etc. ▪ *Les avantages sont-ils supérieurs aux inconvénients?*
ANALYSE DES TÂCHES	▪ Inventaire des tâches, temps requis pour les réaliser, importance relative et urgence des tâches. ▪ *Quelles tâches puis-je éliminer? Quelles tâches suis-je le seul à pouvoir réaliser? Quelles tâches puis-je déléguer après avoir formé mes collaborateurs? Quelles tâches vais-je déléguer?*
ÉVALUATION DU PERSONNEL	▪ Inventaire des compétences requises, identification des besoins de formation, recensement des collaborateurs potentiels et choix des collaborateurs. ▪ *En qui puis-je avoir confiance? Qui puis-je responsabiliser et mobiliser?*
DÉLÉGATION	▪ Expliquer la tâche à déléguer, clarifier le degré d'autorité délégué, évoquer les ressources disponibles, planifier les relations de soutien et les besoins de formation et s'entendre sur ce qui est délégué. ▪ *La délégation est-elle claire, simple et précise?*
SUIVI	▪ Revenir sur les objectifs de la délégation, mettre au jour les résultats, analyser les écarts, revoir les activités de soutien et les activités de formation et définir de nouveaux objectifs. ▪ *La nouvelle démarche est-elle claire?*

LES LEVIERS:
L'AUTORITÉ

Dans la perspective technique, l'autorité est un puissant levier d'action qui repose essentiellement sur les compétences du gestionnaire et sur le tissu des relations formelles qui est au principe même de l'organisation technique. Toutefois, le gestionnaire peut aussi combiner son autorité formelle à l'exercice d'un leadership naturel.

FONDEMENT DE L'AUTORITÉ	- Dans le cadre du management technique, la compétence est le principal fondement de l'autorité. - *Est-ce que je maintiens à jour mes compétences? Comment mon action témoigne-t-elle de ma compétence? Comment mon personnel peut-il reconnaître mes compétences? Est-ce que je suis régulièrement des séminaires de formation professionnelle?*
LÉGITIMITÉ DE L'AUTORITÉ	- Dans le cadre du management technique, la légitimité de l'autorité repose sur la structure formelle, les fonctions, les rôles, les règlements et les procédures. - *Est-ce que mes ordres sont légitimes? Pourquoi le sont-ils? Pourquoi mon personnel accepterait-il de suivre mes directives? Dans quelles situations serait-il légitime que mon personnel refuse de suivre mes consignes?*
MANIFESTATIONS DE L'AUTORITÉ	- Dans le cadre du management technique, l'autorité se manifeste par la mise en œuvre du cadre administratif, par des directives, consignes et ordres et par le recours à des systèmes de récompenses et de punition. - *Est-ce que j'ai besoin de recourir à mon autorité? Dans quelles situations dois-je y recourir? Le recours à mon autorité est-il toujours fondé sur des relations formelles? Puis-je combiner mon autorité formelle avec la pratique d'un leadership naturel? Dans quelles situations le recours à l'autorité formelle s'avère-t-il insuffisant?*

LES LEVIERS:
LE BUDGET

Au regard de la perspective technique, fixer des objectifs est certes une condition nécessaire à une bonne gestion, mais cela n'est pas suffisant. Il faut, en effet, traduire tous les objectifs en termes de budget. Du coup, les membres de l'organisation doivent non seulement réaliser les objectifs, ils doivent aussi le faire dans le cadre précis de cibles budgétaires.

ACTIVITÉS	▪ Traduire tous les objectifs en activités. ▪ *Quelles sont les activités prioritaires et déterminantes? Quelles sont les activités superflues?*
RESSOURCES	▪ Traduire les activités en termes de ressources. ▪ *Quelles sont les ressources prioritaires et déterminantes? Sont-elles disponibles? Peut-on les acquérir? Les développer?*
RESSOURCES FINANCIÈRES	▪ Traduire les ressources en termes financiers. ▪ *Le poids financier des ressources utilisées témoigne-t-il de leur importance pour la réalisation des objectifs prioritaires?*
COMMUNICATION	▪ Diffuser le budget et l'utiliser comme cadre de communication. ▪ *Les membres de l'organisation comprennent-ils le budget? L'acceptent-ils? L'utilisent-ils?*
MOTIVATION	▪ Le budget doit se décliner en cibles réalistes et tous les membres de l'organisation doivent atteindre des cibles budgétaires précises. ▪ *Les cibles budgétaires sont-elles motivantes?*
ÉVALUATION DU RENDEMENT	▪ Le budget doit servir de cadre financier à l'évaluation du rendement des membres de l'organisation. ▪ *Les membres de l'organisation savent-ils que leur évaluation est liée à l'atteinte des cibles budgétaires?*

LE CHOC DES MÉTHODES

Parce que la perspective technique centre l'attention sur les méthodes formelles de gestion et met l'accent sur la productivité et la rentabilité, elle peut donner lieu à un véritable choc des méthodes, avec d'un côté des méthodes de gestion centrées sur les personnes et leurs objectifs et de l'autre des méthodes centrées sur la réalisation d'objectifs formels de performance organisationnelle[1].

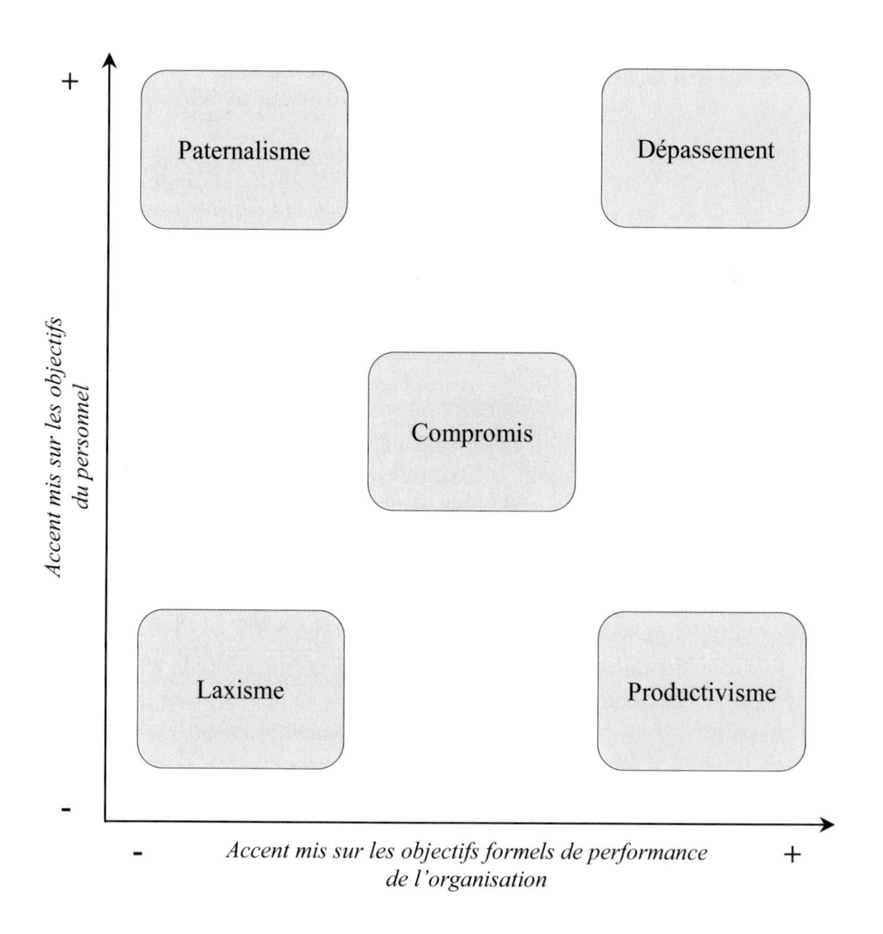

[1] Cette classification s'inspire des travaux sur le leadership de Robert R. Blake et Joan S. Mouton. Voir: Blake, R.R. et J.S. Mouton, *The Managerial Grid,* Houston: Gulf publ., 1964.

PARTIE IV

LES PERSPECTIVES HUMAINES ET SOCIALES

Cette quatrième partie est consacrée aux perspectives humaines et sociales du management et comporte cinq chapitres. La description du management social ouvre la partie, suivie d'un chapitre sur chacune des perspectives humaines et sociales, à savoir les perspectives politique, symbolique, psychologique et cognitiviste.

Le chapitre sur le management social se découpe en deux parties. La première expose les principales critiques adressées au management technique, soit les problèmes causés par son éthique utilitariste, les limites de la rationalité et son manque de créativité. La seconde lève le voile sur certaines des dimensions sociales et humaines avec lesquelles le management devrait composer.

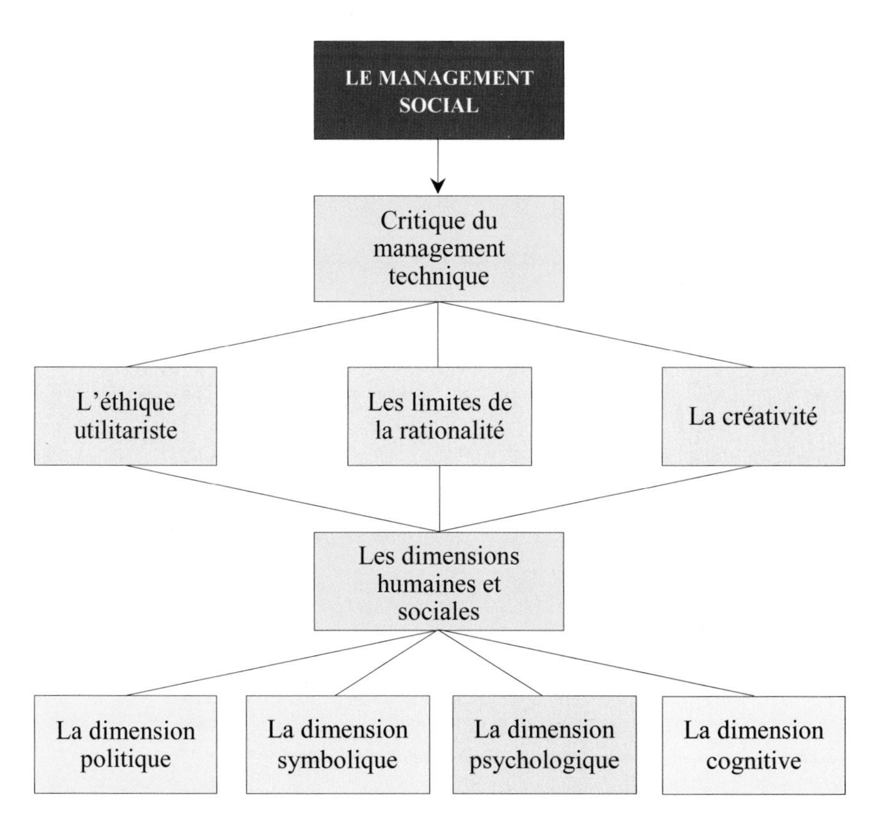

Pour leur part, à partir des dimensions mises au jour par le management social, les chapitres sur les perspectives humaines et sociales prennent chacun la forme d'un diagnostic des habiletés et des leviers qu'elles mettent en jeu.

Chapitre 10

LE MANAGEMENT SOCIAL

Alors que le management technique se déployait avec force et vigueur dans les organisations et repoussait de plus en plus dans les limbes de l'histoire le management traditionnel, une nouvelle forme de management, le management social, émergeait en réaction aux excès du management technique. Fruit des théoriciens des sciences du social et de l'humain, le management social, comme nous l'avons vu, n'est pas à proprement parler une forme de management, mais bien davantage un regard critique sur le management technique et une compréhension de la réalité sociale et humaine des organisations.

LA CRITIQUE DU MANAGEMENT TECHNIQUE

Sous le regard des sciences du social et de l'humain, le management technique ressort comme humainement insuffisant et porteur de nombreux effets pervers. Bien sûr, face au vent de critiques que suscite sa pratique, le gestionnaire formel peut faire la sourde oreille et se dire que son action consiste à s'assurer que l'organisation soit efficace et que, de toute façon, il n'est pas dans ses attributions de réaliser tous les souhaits et toutes les exigences formulés par les uns et les autres. En effet, à titre de gestionnaire, il ne peut tout faire et n'a sûrement pas à être le porteur de tous les projets de société. Cela dit, au regard de l'importance des organisations dans la société contemporaine, le gestionnaire ne peut plus se soustraire à la critique et ne peut pas davantage se contenter d'un repli dans le seul territoire de la technique. Il doit donc tendre l'oreille aux critiques, car la légitimité sociale de son action dépend de sa capacité d'écoute, mais surtout de son habileté à traduire les critiques en pratiques de management qui seront plus humaines et moralement acceptables.

Le gestionnaire contemporain doit donc repenser la rationalité instrumentale qui est le cœur et le pivot de tout l'éthos du management technique.

D'abord, il doit prendre acte que cette rationalité n'est que l'un des nombreux chemins que peut emprunter la raison et qu'il est souhaitable de ne pas s'y cantonner, notamment en s'ouvrant à la rationalité axiologique qui met en jeu les valeurs que doit matérialiser l'action. Puis, le gestionnaire doit reconnaître que les exigences de la rationalité instrumentale, notamment son souci de maximisation, ne tiennent pas compte des limites naturelles des humains. Enfin, le gestionnaire doit se résoudre à admettre que l'accent mis sur la seule rationalité instrumentale entraîne une dérive analytique qui laisse dans l'ombre la créativité, l'intuition et le jugement qui, sans mettre en action des processus techniques, n'en sont pas moins nécessaires à la conduite efficace des collectifs.

La rationalité axiologique

Au regard de l'éthos instrumental, la question de la rationalité se réduit très souvent au choix des moyens techniques à mettre en œuvre de manière à maximiser l'efficacité technique et économique de l'organisation. Comme l'évoque la maxime populaire c'est alors le règne machiavélique de «la fin qui justifie les moyens» ou encore celui du «qui veut la fin, veut les moyens». Sans nier que cet arrimage utilitariste soit nécessaire à la conduite efficace de l'organisation, lui consacrer l'essentiel et, très souvent, toute la réflexion administrative laisse alors dans l'ombre les considérations d'ordre éthique qui justement ont pour objet le bien-fondé des fins qu'il convient de réaliser. Sans ce regard éthique, la pratique du management peut se réduire à l'application d'un ensemble de techniques de maximisation de l'efficacité, techniques qui, loin d'être amorales, peuvent incarner un déni des obligations morales et sociales du management ce qui, à terme, peut paver le chemin à des conduites immorales[1].

Le management ne peut donc se réduire aux seules questions d'efficacité économique de l'action collective, à la seule évaluation de l'utilité de ses conséquences, mais doit aussi poser l'action administrative elle-même comme objet de sa réflexion pour ainsi questionner sa légitimité, sa perti-

[1] C'est, d'ailleurs là le point de vue énoncé par Henry Mintzberg selon les termes suivants: «La grande entreprise moderne a été décrite comme une institution rationnelle et amorale, ses «managers professionnels» recrutés comme des «mercenaires» poursuivant n'importe quel but qui leur a été assigné de «façon efficiente». Le problème est que l'efficience ne peut réellement signifier qu'«efficience mesurable», de sorte que nos «mercenaires» ne peuvent se voir assigner que des buts quantifiables. Les buts sociaux, à la différence des buts économiques, ne sont pas par nature facilement quantifiables. En conséquence, les systèmes de contrôle des performances (...) tendent à éliminer les buts sociaux en faveur des buts économiques. C'est pourquoi (...) l'immoralité professionnelle se transforme en moralité économique. Et lorsque la vis de ces systèmes de contrôle de performance est réellement très serrée, la moralité économique peut elle-même se transformer en une immoralité sociale.» Mintzberg, H., *Le management,* Paris: Éditions d'Organisation, 1990: 460-461.

nence sociale et son éthique. Du coup, alors que certaines actions administratives pourront facilement se justifier en termes de conséquences économiques désirables, elles deviendront injustifiables sous le regard éthique et seront alors considérées comme moralement condamnables. C'est donc dire qu'alors que la rationalité instrumentale fixe l'attention sur les seules conséquences de l'action au regard de l'arrimage des fins aux moyens, une autre forme de rationalité, la rationalité axiologique, celle qui justement centre plutôt l'attention sur les valeurs que met en jeu l'action et cela, indépendamment de ses conséquences, est requise pour donner au management une dimension véritablement éthique[2]. À défaut d'introduire dans sa réflexion la dimension éthique de son action, le gestionnaire s'expose alors à de vives critiques de la part de tous ceux et celles qui considèrent que jamais le management ne peut se réduire à la seule logique de l'efficacité économique et que, bien au contraire, il doit pouvoir mettre en équilibre les impératifs économiques et les dimensions éthiques de l'action[3].

Sous l'éclairage de la rationalité axiologique, fonder l'action administrative sur la seule rationalité instrumentale équivaut donc à amputer la raison de l'une de ses composantes essentielles, soit le jugement moral, fruit d'une réflexion éthique qui prend pour objet à la fois les buts que doit réaliser le management et l'action qui les matérialise. Privé d'une réflexion éthique, le management s'expose alors à des dérives morales qui, à terme, ne peuvent qu'entacher sa légitimité.

Ouvrir la réflexion aux questions de valeurs morales qui doivent fonder l'action administrative, c'est alors embrasser tout le territoire de l'éthique et c'est précisément le manque d'éthique qui est souvent reproché aux gestionnaires formels qui fondent leurs actions sur la seule mécanique de l'arrimage des fins aux moyens. Surtout, ériger la maximisation de l'efficacité technique et économique en fin ultime de l'action administrative, c'est réduire le territoire des valeurs humaines à la seule instrumentalité de l'action, là où il est possible de concevoir une variété de valeurs au service desquelles le management pourrait contribuer. À titre d'exemple, le

---

[2] Weber définit ainsi la rationalité axiologique qu'il qualifie de «rationalité en valeur»: «Agit d'une manière *purement* rationnelle en valeur celui qui agit sans tenir compte des conséquences prévisibles de ses actes, au service qu'il est de sa conviction portant sur ce qui lui apparaît comme commandé par le devoir, la dignité, la beauté, les directives religieuses, la piété ou la grandeur d'une cause, quelle qu'en soit la nature.» Weber, Max, *Économie et société*, Paris: Plon, 1971:22-23.

[3] À ce propos, Vincent de Gaulejac écrit: «La gestion n'est pas un mal en soi. Il est tout à fait légitime d'organiser le monde, de rationaliser la production, de se préoccuper de rentabilité. À condition que ces préoccupations améliorent les relations humaines et sociales. Or, chacun peut constater qu'une certaine forme de gestion, celle qui se présente comme efficace et performante, envahit la société et que, loin de rendre la vie facile, elle met le monde sous pression.» Gaulejac, V. (de), *La société malade de la gestion. Idéologie gestionnaire, pouvoir managérial et harcèlement social,* Paris: Seuil, 2005, p.14.

management ne doit-il pas être aussi socialement et écologiquement responsable, même si cela se traduit par une baisse de l'efficacité technique et économique? Est-il éthique de subordonner les considérations pour les personnes aux seules questions d'efficacité? Le management ne doit-il pas être tout à la fois techniquement efficace et socialement responsable? C'est donc dire que là où la rationalité instrumentale conduit le gestionnaire formel à ne s'intéresser qu'aux questions techniques de productivité et d'efficacité, la rationalité axiologique le conduit à aussi prendre en considération les droits et les valeurs de ceux et celles qu'il dirige.

La rationalité limitée

Au cœur de la rationalité instrumentale se trouve le projet de maximisation de l'efficacité technique et économique. La maximisation serait même l'expression ultime de la rationalité et elle commanderait la traduction du social et de l'humain en termes quantitatifs, elle actualiserait toutes les potentialités de la technique et, enfin, elle serait une condition nécessaire à la réalisation de l'idéal de progrès qui soude en un tout harmonieux tous les membres de l'organisation. Pourtant, c'est précisément ce projet de maximisation qui, depuis plus de cinquante ans, est vivement critiqué.

Les critiques du projet de maximisation empruntent trois principales avenues, celle des limites neurophysiologiques des humains qui le rendent utopique, celle des mécanismes psychologiques qui conduisent les humains à rechercher des solutions satisfaisantes plutôt qu'optimales et, enfin, celle des biais cognitifs qui témoignent du fait que les humains ne sont pas mécaniquement rationnels tout en étant naturellement intelligents.

La prétention à pouvoir maximiser les objectifs de l'organisation de façon à inscrire l'action administrative dans le cadre très mécanique de la rationalité instrumentale fait peu de cas des limites neurophysiologiques des humains. Concrètement les humains peuvent-ils maximiser des objectifs? Est-il humainement possible de rassembler toute l'information requise pour que le projet de maximisation ne soit pas qu'une très vague approximation, voire même une illusion? Est-il humainement possible de traiter avec finesse, rigueur et objectivité toute l'information recueillie aux fins d'une prise de décision rationnelle? Les objectifs qu'il convient de maximiser sont-ils clairement définis, cohérents et stables? En fait, les humains peuvent-ils être rationnels au sens de la rationalité instrumentale? Face à la complexité du réel, peuvent-ils tout comprendre, tout savoir, tout analyser? En fait, les humains peuvent certes être rationnels au sens où ils peuvent fonder leurs décisions sur des analyses et mettre en action des raisons qu'ils peuvent justifier, mais jamais ils ne peuvent prétendre à une rationalité objective au sens où leurs actions seraient le fruit objectif d'un projet mécanique de maximisation[4]. Les humains sont, en quelque sorte, neurophysiologiquement limités et donc naturellement incapables d'être aussi rationnels que ce que commande le projet de maximisation qui est au principe de la rationalité instrumentale. Ils ne peuvent colliger toute l'information requise à la réalisation de ce projet, ils sont neurophysiologiquement incapables de tout analyser et ils ne formulent que très rarement des objectifs précis, cohérents et stables qu'ils pourraient poser en objet de maximisation. En outre, même s'ils avaient toute la capacité neurophysiologique pour prétendre à une quelconque rationalité objective, ils leur manqueraient toujours cette précieuse ressource qu'est le temps pour simplement contempler l'infinie complexité d'un réel aussi riche en informations qu'en solutions.

Tout au côté des limites neurophysiologiques, limites qui rendent caduques toute prétention à la maximisation objective des choix réalisés par les gestionnaires, il y a également des dimensions psychologiques qui expliquent l'impossibilité d'un tel projet. En effet, les humains ne sont pas naturellement à la recherche des solutions qui permettraient de maximiser leurs objectifs et leurs préférences, mais se contentent généralement de solutions qui leur semblent satisfaisantes au regard de leurs attentes, du contexte et au vu de leurs expériences passées. En effet, face au réel et en fonction de leurs expériences, les humains se fixent des attentes qu'ils tiennent pour réalistes et, dès qu'elles sont comblées, ils ont alors tendance à stopper leur recherche d'informations et de solutions se privant, du coup, de l'atteinte d'un éventuel, mais toujours improbable, optimum objectif. Ce comportement qui est loin de correspondre au canon de la rationalité objective n'est pas pour autant dépourvu de sens, puisqu'en ne cherchant pas à maximiser de façon purement mécanique et objective, les humains économisent, en quelque sorte, le précieux temps qui leur fait toujours cruellement défaut pour réaliser la variété indéfinie des activités qu'ils valorisent par ailleurs. De plus, substituer un critère psychologique de satisfaction subjective là où le management technique entend mettre en action un critère objectif de maximisation peut s'avérer être une pratique des plus intelligente puisque, ce faisant, les humains gagnent non seulement du temps qu'ils peuvent consacrer à d'autres activités, mais ils économisent aussi les inévitables

---

[4] Herbert A. Simon que plusieurs considèrent comme étant le premier théoricien de la rationalité limitée évoque l'impossibilité d'une rationalité objective de la façon suivante: «La rationalité exige la connaissance parfaite et l'anticipation des conséquences de chacun des choix. En fait, la connaissance des conséquences est toujours fragmentaire; comme il s'agit de conséquences futures, l'imagination doit suppléer au manque d'expérience en leur affectant une valeur. Mais l'anticipation des valeurs reste toujours imparfaite; la rationalité oblige à choisir entre diverses alternatives possibles de comportement. En pratique, on n'envisage qu'un nombre très limité de cas possibles.» Simon, H. A., *Administration et processus de décision,* Paris: Économica, 1983: 74. Voir aussi: March, J. G. et H. A. Simon, *Les organisations,* Paris: Dunod, 1974.

coûts de cueillette et de traitement d'information qu'entraîne la poursuite objective du projet de maximisation.

Le projet d'une rationalité instrumentale et objective se heurte aussi à l'intelligence naturelle des humains qui, spontanément, ne fonctionne pas à la manière d'une machine objective et neutre. En effet, dans sa relation au réel, le cerveau humain biaise systématiquement les étapes de cueillette et d'analyse d'information, étapes dont la rigueur est pourtant requise pour prétendre à une quelconque rationalité objective. Ainsi, la cognition humaine a tendance à systématiquement biaiser le processus de cueillette d'information, ce qui n'est pas sans conséquence pour la pratique du management technique qui fonde sa légitimité sur la validité des informations recueillies et analysées[5]. Ainsi, en matière de cueillette d'information, l'intelligence humaine compromet tout espoir de constituer naturellement et facilement un répertoire d'informations fiables et valides. D'abord, la perception humaine est sélective. En effet, les humains interprètent toujours l'information à partir d'expériences subjectives, de théories, de stéréotypes et les informations qui n'entrent pas naturellement et sans difficulté cognitive dans le cadre de schèmes mentaux bien établis et routiniers sont difficilement perceptibles. Puis, l'intelligence naturelle des humains les conduit à être subjectivement influencés par la façon dont sont présentées les informations. Par exemple, dans une séquence d'informations, les humains ont généralement tendance à accorder plus de valeurs aux premières et aux dernières informations. Lorsque des rapports contiennent des informations qualitatives et quantitatives, les humains ont tendance à écarter les premières au profit des secondes qui sont subjectivement perçues comme étant plus fiables. De même, si dans un rapport les informations sont présentées de façon rigoureuse et systématique, elles sont rapidement interprétées comme étant nettement plus fiables que si elles sont plutôt présentées de façon confuse et brouillonne. Un autre biais cognitif se remarque dans la tendance naturelle des humains à ne rechercher que l'information facilement accessible et à rapidement se satisfaire d'une information aisément disponible. Enfin, le cerveau humain a généralement tendance à accorder plus de valeur à une information concrète et contextualisée qu'à une information abstraite et générale et cela, sans plus d'analyse.

En matière d'analyse, l'intelligence humaine compromet également l'espoir de fonder le management sur une rationalité objective. Ainsi, les humains emploient naturellement des stratégies cognitives de traitement de l'information qui ont pour effet de saper l'objectivité de leurs analyses.

[5] Pour une synthèse des travaux relatifs aux biais cognitifs, voir notamment: Kahneman, D. Tversky, A. et P. Slovic (eds.), *Judgment under Uncertainty*, Cambridge: Cambridge University Press, 1982.

Premièrement, la plupart des humains sont très sensibles aux risques et cherchent à s'en prémunir en jetant leur dévolu sur des solutions qui, par leur formulation, diminuent discursivement le risque au profit de ses potentiels bienfaits. Deuxièmement, les humains sont relativement conservateurs dans leurs analyses et l'acquisition de nouvelles informations n'altère que faiblement leur jugement. Troisièmement, les humains sont rarement consistants dans leurs analyses, modifiant fréquemment leurs critères d'évaluation des informations. Quatrièmement, par habitude et routine, il est rare que les humains n'adoptent pas les solutions qui ont déjà fait leur preuve dans le passé et, cela, même lorsque d'autres solutions pourraient s'avérer nettement plus avantageuses. Cinquièmement, les stéréotypes, schèmes mentaux et paradigmes conduisent fréquemment à des analyses sommaires tant les réponses aux problèmes qui se présentent sont, en quelque sorte, trouvées d'avance. Sixièmement, en matière de traitement d'information, il est difficile de s'écarter de l'avis d'un groupe, de peur d'être marginalisé ou d'être ridiculisé. Septièmement, le cerveau humain est rapide à discerner des relations de causalité, là où ne se trouvent, en fait, que des relations de corrélation. Finalement, la cognition naturelle opère des calculs statistiques sur de très faibles échantillons alors que la prudence statistique commanderait de ne réaliser ce genre de traitement que sur des échantillons de grande taille.

La créativité

La dernière avenue empruntée par les critiques de la rationalité instrumentale est celle de la créativité et de l'intuition. À humer l'air du temps, il ne fait pas de doute que les Temps présents sont aux changements et à l'innovation. En fait, face à la montée en puissance d'une concurrence mondialisée, les organisations doivent pouvoir se démarquer et l'une des stratégies qui s'offre à elles consiste à innover. Toutefois, s'il est difficile d'être contre l'innovation qui, dans la société contemporaine, se présente tout à la fois comme une vertu et un idéal, il est nettement plus difficile de réaliser de véritables innovations qui seront éventuellement couronnées de succès. Les entraves à l'innovation sont certes multiples et difficiles à cerner, mais il y en a au moins une qui suscite une certaine unanimité et c'est la survalorisation de la pensée analytique au détriment de la pensée créatrice trop facilement étiquetée de frivole, inconséquente, risquée et libertaire. Ainsi, la rationalité instrumentale serait, en quelque sorte un véritable frein à l'expression de la créativité. Cela ne devrait pas trop surprendre puisque l'éthos instrumental mise essentiellement sur des processus analytiques alors que l'innovation commande plutôt de faire confiance à l'intuition, au jugement naturel et à la pensée divergente[6]. Cela dit, de manière plus concrète, les freins à une véritable créativité au sein des organisations sont la peur du ridicule que peut générer une idée qui sort des cadres administratifs habituels, le projet de maximisation qui oriente l'action dans le sens de l'unique réponse exacte là où la créativité esquisse plutôt une profusion de réponses, le conformisme organisationnel que génèrent la multiplication des règles administratives, les schèmes mentaux qui valorisent l'efficacité là où il conviendrait d'accorder un espace de liberté propice à l'éclosion de la créativité, la peur du risque fondée sur la nécessité de l'efficacité qui n'incite pas les uns et les autres à tenter des essais qui pourraient éventuellement déboucher sur des innovations et, enfin, l'accent mis sur les rendements à court terme là où la créativité nécessite du temps et n'a que peu à voir avec les obligations de rendement.

D'une certaine façon, la raison instrumentale qui permet au monde formel de se développer et de prospérer est donc aussi ce qui peut ultimement le conduire à sa perte. À trop miser sur la rationalité et sur l'analyse, les gestionnaires peuvent alors s'enfermer dans des routines administratives qui, à terme, se solderont par un déficit criant d'innovations.

LES DIMENSIONS HUMAINES ET SOCIALES

Pour peu que nous y portions attention, il est évident que les organisations sont des lieux tout à la fois politique, économique, psychologique, symbolique, discursif, existentiel, psychosocial, cognitif, etc. En fait, les organisations sont tout simplement des lieux profondément humains et, du coup, tout ce qui peut se penser, se dire et s'écrire à propos des humains peut aussi s'étendre aux territoires qu'ils construisent, notamment les organisations. Ainsi, à l'ombre des conceptions formelles que le management technique s'emploie à concevoir et à mettre en œuvre se profilent un tout autre monde, très concret celui-là, un monde fait de relations humaines autant que de rapports formels, de jeux de coulisse et de consensus, de négociations et de conflits, de rêves et de désillusions, de souffrance et de joie, de

[6] Henry Mintzberg évoque cette idée de la façon suivante: «En tant qu'être humain, nous avons avant tout le devoir d'être rationnels, au sens de mettre l'accent sur une forme de raisonnement strictement logique, explicite et analytique, fondamentalement linéaire. Tout doit être prévu à l'avance, et de façon idéale, à partir de calculs numériques. Cette notion de rationalité signifie réellement un contrôle mental, l'esprit au dessus de la matière, et pour un esprit «rationnel» le contrôle mental est la forme la plus importante du contrôle. (...) Mais en fait, il existe une autre forme de pensée (…) qui semble être inaccessible à notre conscient («rationnel») et apparaît fonctionner selon un processus qui n'est ni linéaire ni analytique. Elle semble s'effectuer selon un processus parallèle, d'une façon plus holistique, orientée vers la synthèse. Si être rationnel signifie réellement l'emploi du processus le plus efficace pour atteindre vos objectifs, alors on n'a jamais démontré que l'intuition (…) soit moins rationnelle que la rationalité traditionnelle et formalisée.» Mintzberg, H., *Le management,* Paris: Éditions d'Organisation, 1990: 498-499.

raison et d'émotion, de motivation et d'indifférence, de plan et d'improvisation, de décision et d'hésitation, de communication et d'incompréhension, d'analyse et d'intuition, de réflexion et d'inconscience, d'organigramme et d'anarchie organisée, de projets et de regrets, de ressources et de personnes, etc. En fait, alors que le management technique voit l'organisation comme un instrument qui combine formellement des activités, des ressources et des compétences afin de réaliser avec efficacité des intentions stratégiques objectives, les sciences du social et de l'humain nous donnent à voir une réalité nettement plus riche, complexe et, même, souvent brouillonne et confuse. Surtout, ces sciences, nous donnent à penser que loin d'être un handicap pour le fonctionnement efficace des organisations, les dimensions sociales et humaines de l'action collective en sont plutôt le cœur et l'âme. D'ailleurs, à prendre connaissance de tout ce que les sciences du social et de l'humain ont à nous dire à propos des organisations et de leur gestion, on se surprend d'être surpris par le simple constat que, finalement, les organisations humaines sont humaines et que là où il y a de l'humain, il y a forcément de l'hommerie autant que de la noblesse, de l'informel comme du formel et de l'instrumental comme de la spontanéité. Cela dit, vouloir tirer toutes les leçons qu'il y a à tirer des sciences du social et de l'humain et les incorporer aux techniques de management est, non seulement une tâche colossale, mais c'est surtout une tâche impossible tant le savoir des sciences du social et de l'humain est riche et foisonnant. Qu'il suffise donc ici d'esquisser à grands traits certaines dimensions qui donnent un relief profondément humain à l'image quelque peu mécanique que brossait le management technique.

La dimension politique

Les organisations sont des univers profondément politiques dans la mesure où ils mettent en présence une diversité d'humains aux intérêts pas toujours convergents et très souvent contradictoires[7]. Lieux de rencontre d'intérêts multiples et variés, les organisations sont donc des espaces sociaux pluriels dans lesquels les stratégies, les tactiques, les négociations, les enjeux, le pouvoir et les conflits sont inévitablement au rendez-vous. Survivre dans une organisation, en fait, simplement y participer, c'est alors s'investir dans son jeu politique, puisqu'une organisation est toujours un terrain de jeu politique, un espace pluriel où les intérêts des uns se heurtent aux objectifs des autres, où la négociation est permanente et où toute action est une mise en œuvre d'un pouvoir, une stratégie qui vise à concrétiser des intérêts particuliers, une tactique qui mobilise des ressources et matérialise des

[7] Pour un bref survol de la dimension politique des organisations, voir, notamment: Cyert, R. M. et J. G., *A Behavioral Theory of the Firm*. Englewood Cliffs: Prentice-Hall, 1963; March, J., G., *Decisions and Organizations*, New York: Basil Blackwell, 1988; Wildavsky, A., *The Politics of the Budgetary Process*. Boston: Little, Brown, 1979.

intentions parfois nobles, parfois inavouables de façon à remporter les enjeux que dessine la rencontre d'acteurs conscients de leurs intérêts.

Il faut bien s'y résoudre, le pouvoir est partout et il est, en quelque sorte, l'oxygène des relations sociales, ce qui leur permet d'exister et de se déployer[8]. Sans pouvoir, il ne peut donc pas y avoir d'organisation. Pourtant, dans la société contemporaine, le pouvoir à bien mauvaise réputation. En effet, il suffit de tendre l'oreille à l'écho médiatique ou alors de s'abreuver de management technique pour très vite se convaincre que le pouvoir serait une source permanente d'inefficacité, le fondement de tous les conflits, le témoin d'un échec collectif, un vice caché, le gage de l'iniquité des relations humaines, en fait, en un mot comme en mille, le pouvoir serait l'expression du côté obscur de la force humaine, ce qui l'empêcherait de véritablement s'engager sur le toujours prometteur chemin du progrès de la raison. Mais voilà, si le pouvoir est véritablement l'oxygène des relations sociales, il n'y a pas moyen d'y échapper et même le management technique qui se donne l'apparence d'une pratique rationnelle, neutre et objective est, en fait, l'expression d'un réel pouvoir, en l'occurrence le pouvoir d'expertise et de coercition et tous les discours qui dénoncent l'intrusion du pouvoir dans la réalité concrète des organisations ne sont finalement que des stratégies qui visent à occulter le jeu subtil d'un pouvoir en action. Alors, à moins de nier que la technique soit aussi l'une des expressions du pouvoir, peut-être même son expression la plus éloquente, il nous faut reconnaître qu'il ne peut y avoir d'action administrative sans pouvoir et, en fait, qu'il ne peut tout simplement pas y avoir d'organisation sans pouvoir, sans jeu politique et sans expression de la diversité de ses formes.

Mais qu'est-ce donc que ce pouvoir tant recherché par les uns, tant méprisé par les autres et qui, de toute façon, est toujours présent, tout en étant occulté et enfoui profondément dans les interactions humaines? Le pouvoir est tout simplement la capacité qu'ont tous les humains de concrétiser par leurs actions des intentions et des intérêts. Rien de plus, rien de moins. Le pouvoir est donc une réalité virtuelle accessible à tous et que chacun concrétise par son action. Sans pouvoir, il n'y a pas d'action et sans action, le pouvoir reste alors une virtualité qui n'a plus aucun effet sur le monde concret. Le pouvoir a beau n'être ainsi qu'une virtualité, il fait pourtant toute la différence, car sans lui, l'action n'a pas d'existence et les intentions restent à l'état de douces rêveries et de pure fiction.

---

[8] À ce propos voir, en particulier le classique de Crozier et de Friedberg qui font du pouvoir le fondement de l'action organisée: Crozier, M. et E. Friedberg, *L'acteur et le système.* Paris: Seuil, 1977. Voir aussi: Friedberg, E., *Le pouvoir et la règle,* Paris: Seuil, 1993.

Si le pouvoir est le moteur de l'action qui permet de passer de l'univers virtuel des intentions au monde très concret des actes, on comprend alors aisément qu'il soit tant convoité et si recherché, mais comment expliquer qu'il soit également si redouté et méprisé? En fait, cela s'explique très simplement. Sans pouvoir, sans cette capacité de faire une différence qui fait toute la différence, il n'y aurait tout simplement pas de différence possible, pas d'action, pas d'interaction, pas d'organisation dans laquelle chacun se réalise tout en participant à la construction d'une action collective. En effet, sans la possibilité de passer aux actes que permet le pouvoir, rien n'émergerait de la volonté humaine, si ce n'est de la frustration. Cela dit, puisque les organisations sont plurielles, c'est dire que les intentions des uns et des autres et les intérêts de chacun ne sont pas forcément identiques, pas obligatoirement compatibles et sont donc potentiellement source de négociation et cause de conflit. Du coup, la mise en œuvre du pouvoir de chacun ne se fait pas toujours sans heurt. En outre, la capacité politique des uns peut amoindrir les possibilités d'action des autres et ainsi créer des zones de frictions et de frustrations. C'est notamment le cas lorsque l'expression du pouvoir de l'un se matérialise dans une contrainte qui freine l'expression du pouvoir de l'autre et donc sa capacité d'agir comme il l'entend. Le caractère contraignant de l'expression du pouvoir est peut-être ce qui lui a valu une si mauvaise réputation. Pourtant, le pouvoir n'est pas que pure contrainte. Il est aussi l'expression d'une liberté, puisqu'il est cette possibilité, plus précisément cette capacité qu'ont tous les humains d'agir, d'interagir, de se réaliser, de combler leurs intérêts et de construire une œuvre collective qui est tout à la fois et paradoxalement contraignante et habilitante. D'ailleurs, privés de leur pouvoir, de cette capacité d'action, les humains cessent de se réaliser et il n'est alors pas surprenant de les voir revendiquer davantage de pouvoir, plus d'espace pour agir de façon à combler leurs intérêts.

Devant l'inévitable expression du pouvoir des uns et des autres, les gestionnaires ne sont pas indifférents ni neutres. Eux aussi ont cette capacité et ils en font continuellement usage pour orienter l'action collective. D'ailleurs, le savoir-faire politique des gestionnaires prend tout son sens lorsqu'après avoir formulé les intentions du collectif, ils les présentent soit comme des contraintes objectives auxquelles chacun devrait se soumettre soit comme l'expression d'un intérêt commun, d'un quelconque pouvoir collectif, auquel chacun devrait s'identifier le plus librement du monde et, cela, pour le bien de tous y compris le leur. Dans un tel contexte, on comprend rapidement que l'art politique du management consiste donc à substituer un intérêt commun là où se trouve, en fait, une indéfinie variété d'intérêts individuels potentiellement conflictuels. L'intérêt commun, les intentions stratégiques et les objectifs collectifs ne sont donc que le fruit du jeu politique et que la concrétisation d'un pouvoir qui sait transformer la diversité des intérêts en consensus social à réaliser. Le management est donc ce pouvoir et cette capacité transformatrice qui permet à l'organisation d'avoir une direction un tant soit peu cohérente.

Le pouvoir administratif se trouve donc très précisément dans la capacité qu'a le gestionnaire à convaincre les uns et les autres du bien-fondé des intentions collectives, dans sa capacité à contraindre les uns et les autres et, mieux, dans son aptitude à susciter une libre adhésion aux intentions qu'il formule en leur nom et qu'il prétend être leur intérêt commun. Tout cela peut paraître machiavélique et pourtant ce n'est là que l'expression d'un jeu collectif où chacun n'acquiert le droit d'y jouer qu'en y jouant et, donc, en mettant en œuvre sa capacité d'action, son pouvoir. Dans ce grand terrain de jeu qu'est l'organisation, tous les participants, et pas seulement les gestionnaires ont cette possibilité de faire valoir leurs intérêts, cette capacité d'agir qui, mise en jeu, peut les favoriser. Bien sûr, l'organisation n'est pas pour autant un jeu égalitaire et tous n'ont donc pas le même pouvoir, c'est-à-dire la même capacité d'action. Cela ne change toutefois rien au fait que tous ont cette capacité et qu'en l'utilisant, ils tentent non seulement de faire en sorte que le jeu collectif leur soit favorable, mais ils le maintiennent ouvert et ils le renouvellent sans cesse, s'assurant ainsi d'avoir d'autres occasions d'agir et de déployer leur pouvoir. Cela dit, si tous les membres de l'organisation peuvent espérer que leur intérêt devienne, au terme du jeu politique, l'intérêt commun, pour y parvenir, ils doivent fréquemment se regrouper autour d'une coalition de membres qui partagent un même intérêt. Par cette stratégie politique, le but du jeu organisé consiste alors à faire en sorte que la coalition devienne le groupe dominant et elle ne peut y parvenir que si elle arrive à contraindre l'action des uns et des autres et, mieux, que si elle suscite la libre adhésion du plus grand nombre à ses intérêts qui, du coup, deviendront l'intérêt commun.

Par ailleurs, la logique qui préside aux jeux politiques ne se limite pas aux seuls membres de l'organisation. En effet, si toutes les interactions sont, par définition, la concrétisation d'un pouvoir, le tissu des relations qui unit l'organisation à son environnement est lui aussi d'ordre politique. C'est donc dire que les groupes extérieurs à l'organisation peuvent eux aussi tenter de faire valoir leurs intérêts. Là ou le management technique ne voyait qu'un environnement à analyser en termes de facteurs de succès, d'occasions à saisir et de contraintes à contourner, se trouve, en fait, une indéfinie variété d'acteurs politiques qui peuvent déployer des stratégies qui visent à prendre le contrôle de l'organisation. C'est ainsi que les actionnaires, les groupes de pression, les consommateurs, les gouvernements et tant d'autres encore peuvent voir dans les organisations une occasion de satisfaire leurs propres intérêts et que l'environnement devient, en quelque sorte, un autre terrain du jeu politique, un autre espace où chacun peut chercher à imposer sa loi en exprimant sa liberté d'action par la contrainte ou par des stratégies qui susciteront la libre adhésion des esprits.

La dimension symbolique

Si les organisations sont des espaces politiques, elles sont aussi des univers profondément symboliques dans la mesure où elles mettent en présence une diversité d'humains qui ont certes des intérêts à combler, mais également des valeurs à réaliser, valeurs qui ne sont pas toujours convergentes et qui sont très souvent contradictoires[9].

Lieux de rencontre de valeurs multiples et variées, les organisations sont donc des espaces identitaires pluriels dans lesquels l'action qui les matérialise a forcément valeur de symbole. D'ailleurs, il suffit de fréquenter les organisations pour très rapidement en arriver au constat que nombre d'entre elles se distinguent les unes des autres et ce qui les caractérise va bien au-delà des questions de secteur d'activités, de mode de propriété, de produits, de ressources, de stratégie, de structure, de taille ou d'âge. En fait, il y a dans les organisations un «je-ne-sais-quoi» d'intangible et d'invisible qui les caractérise et qui, parfois, les rend si uniques et très souvent déroutantes. C'est, d'ailleurs, ce «je-ne-sais-quoi» qui fait que, dans certaines organisations, nous nous sentons très rapidement à l'aise, comme si nous étions «chez nous», alors qu'au contact d'autres organisations nous ressentons plutôt un agréable dépaysement qui invite à se familiariser avec ce qui s'y passe. Toutefois, il nous arrive aussi d'acquérir la certitude d'être là où nous ne voulons surtout pas être, d'être là où nous ne sommes pas à notre place, d'être finalement un étranger qui ne serait pas le bienvenu dans l'organisation. Ce genre de sentiments ne vaut d'ailleurs pas que pour la rencontre avec d'autres organisations. En effet, au sein d'une même organisation, nous pouvons aussi ressentir que si, le plus souvent, nous sommes bel et bien dans un lieu familier, accueillant et confortable, en certaines occasions, nous n'en sommes plus du tout convaincus et il nous arrive même de penser que, peu à peu et sans trop savoir pourquoi, nous devenons un étranger au sein de notre propre organisation.

[9] Sur la culture organisationnelle et la dimension symbolique des organisations, voir, entre autres, Iribarne, P. (d'), *La logique de l'honneur,* Paris: Seuil, 1989; Deal, T.E. et A.A. Kennedy, *Corporate Cultures,* Reading, Mass., Addison-Wesley, 1982; Schein, E., *Organizational Culture and Leadership,* San Francesco: Jossey-Bass, 1985; Hofstede, G.H., *Culture's Consequences,* Beverly Hills, CA, Sage publications, 1980; Ouchi, W.G., *Theory Z,* Reading, Mass., Addison-Wesley, 1981; Peters, T.H et R.H Waterman, *In Search of Excellence,* New York, Harper & Row, 1982.

Ce «je-ne-sais-quoi» qui paraît faire toute la différence au regard de notre sentiment de bien-être est ce que nous pouvons désigner comme étant la culture organisationnelle. Amalgame très complexe et dynamique où sont enchevêtrés des valeurs, des principes, des connaissances, des croyances, des techniques, des objets, des façons de faire, des langages, des rîtes, des coutumes, des règles et des pratiques, la culture n'est pas une réalité facile à décoder. Pourtant, pas moyen d'y échapper puisqu'elle est au principe de la constitution des organisations en permettant à l'action individuelle de se fondre dans une identité collective qui donne alors à l'action de chacun un relief tout à la fois signifiant et symbolique. Les gestionnaires doivent donc apprendre à décoder la culture de leur organisation, puisque c'est elle qui lui permet d'avoir une identité propre à laquelle chacun peut s'identifier. Une organisation sans culture est d'ailleurs une impossibilité. En effet, toutes les organisations mettent en action une culture, puisqu'elle est le fruit inévitable de la rencontre entre les humains qui tissent entre eux des relations, construisent des langages, élaborent des plans d'avenir, interprètent leur passé, échafaudent des techniques de survie et partagent des connaissances, des valeurs et des croyances. Par la culture, les membres d'une organisation construisent donc un espace de vie chargé d'une identité collective qui donne du sens à ce qu'ils sont, font et veulent faire.

Si la culture d'une organisation est son véritable code invisible, la clé identitaire qui permet de comprendre et de donner du sens aux actions qui s'y déploient, il ne faut pas pour autant verser dans un lyrisme aussi poétique que futile qui consisterait à voir en elle une communion identitaire à laquelle tous participeraient de façon à fusionner au sein d'un grand tout homogène, pur et parfaitement cohérent. En effet, puisque la culture met principalement en jeu les valeurs et les croyances des uns et des autres, les désaccords peuvent être aussi fréquents que les accords. C'est dire qu'au sein même d'une organisation, une culture peut certes dominer et tout de même faire face à des cultures concurrentes qui, elles aussi, peuvent tenter d'assumer le statut de vecteur identitaire dominant, de dimension symbolique signifiante et consensuelle. La présence d'autres cultures concurrentes au sein d'une seule et même organisation peut conduire à un véritable choc des cultures, à l'affrontement des valeurs des uns et des croyances des autres. Cela dit, ce choc n'est pas inévitable, puisque la coexistence d'une variété de cultures au sein d'une seule et même organisation peut aussi conduire au métissage des cultures en présence et lui permettre de tirer profit de ce que chacune des cultures en présence a à offrir.

Pour arriver à décoder la diversité des cultures et les possibilités de métissage ou de conflit que leur rencontre peut engendrer au sein de leur organisation, les gestionnaires doivent alors mettre au jour la diversité des valeurs que les membres de l'organisation mobilisent au fil de leurs interactions et accepter les possibilités de conflits identitaires. En fait, vivre en organisation n'est jamais simple. Cela commande un incessant travail de coordination et d'ajustement mutuel fondé sur des valeurs potentiellement contradictoires. C'est donc dire que la vie organisée est constamment le fruit de rencontres potentiellement conflictuelles et, puisque les humains sont des êtres réflexifs et normatifs, les interactions qui façonnent ces rencontres mobilisent inlassablement leurs valeurs, c'est-à-dire un certain idéal symbolique à réaliser, une façon de penser le bien commun et d'accomplir un mieux-vivre organisé. Dès lors, interagir au sein de l'organisation c'est consciemment, et le plus souvent tacitement, donner vie à des valeurs qui traduisent différents regards sur le bien commun, sur le mieux vivre ensemble, sur la culture et l'identité à partager. Sans forcément en être conscients, en interagissant les uns avec les autres, les membres d'une organisation donnent donc concrètement vie à différentes cultures, à différents univers symboliques qui, tous, peuvent être cohérents, mais pas forcément compatibles les uns avec les autres. En effet, chaque culture propose un certain idéal de vie organisée et forme, en quelque sorte, un monde symbolique idéal.

Sous le regard symbolique, le management traditionnel et le management technique prennent alors un tout autre relief. En effet, ils ne se réduisent pas à des techniques de gestion, mais sont plutôt porteurs d'identités culturelles différentes. Là où nous pourrions ne voir que des actions administratives différentes se trouvent donc en action des valeurs qui s'opposent, des univers symboliques qui s'affrontent. En fait, cela ne devrait pas surprendre puisque les formes de management sont la matérialisation très concrète d'éthos particuliers et un éthos n'est rien d'autre qu'un enchevêtrement de valeurs, que le vecteur d'une identité à construire. Ainsi, le monde traditionnel et le monde technique sont deux cultures différentes, deux univers symboliques et identitaires cohérents et autosuffisants. Ces deux mondes n'ont pas véritablement besoin de l'autre pour exister, pour expérimenter un sentiment de complétude et pour offrir à leurs membres un environnement riche, satisfaisant, confortable et stable. Chacun de ces mondes offre un système complet de vie organisée, un univers fait de valeurs partagées et de principes d'action cohérents et stables.

Si les cultures traditionnelles et techniques sont foncièrement autonomes, elles peuvent aussi construire des ponts entre elles, ouvrir des voies d'échange et de partage. De ces rencontres peuvent émerger des métissages riches en promesses d'avenir, mais aussi en débats qui exacerberont leurs différences identitaires. C'est là le travail du gestionnaire que d'arbitrer ces conflits identitaires, mais aussi d'entrevoir ces possibles métissages desquels l'organisation pourrait sortir grandie.

La dimension psychologique

Terrain de jeu politique et espace symbolique, les organisations sont également le lieu de rencontre de diverses personnalités qui peuvent certes cohabiter et collaborer, mais qui peuvent aussi se heurter et donner naissance à des conflits de personnalités. D'ailleurs, au regard de la diversité potentielle et concrète des personnalités[10], il ne fait aucun doute qu'une organisation le moindrement complexe voit forcément la rencontre d'une diversité de personnalités et est, du coup, un lieu potentiellement conflictuel. Cela dit, évoquer la possibilité de conflits de personnalités pour désigner un désaccord entre des personnes est finalement quelque peu banal et semble, en fait, relever de la plus grande des évidences. Toutefois, ce qui l'est moins c'est de considérer que les organisations peuvent elles aussi avoir, en quelque sorte, une personnalité, voire même être le refuge de plusieurs forces psychiques inconscientes, de personnalités en action qui se disputeraient dans l'ombre la commande du collectif[11]. Ce passage de l'ordre de la psyché individuelle à celui du collectif s'explique largement par la possible domination d'un dirigeant sur l'organisation. En effet, puisque les organisations sont, pour la plupart, très hiérarchisées et que leur commande est, le plus souvent, confiée à un dirigeant qui doit en assurer la conduite, les caractéristiques psychologiques du dirigeant peuvent alors imprégner sa gestion et conséquemment toute l'identité psychique du collectif[12]. Ainsi, et à titre illustratif, si nous classons les gestionnaires en trois types de personnalité, à savoir les artistes, les artisans et les technocrates, il est clair que sous la conduite de l'un ou l'autre de ces types de personnalité, le collectif pourra prendre une coloration fort différente. En effet, ces trois types se distinguent très nettement les uns des autres tant au regard de leur caractère que selon leur mode de pensée et leur comportement. De

---

[10] Voir: Jung, C.G., *Psychological Types,* New York: Princeton University Press, 1976 et Myers, I.B., *Manual: The Myers Brigg Type indicator,* Palo Alto, CA, Consulting Psychologist Press, 1975.

[11] Manfred F.R. Kets de Vries et Danny Miller évoquent cette réalité de la façon suivante: «(...) une main invisible est à l'œuvre dans les organisations. La décision, la conduite des affaires, la stratégie, les structures, les changements s'y trouvent influencés dans leur élaboration même (...) par d'invisibles forces psychiques.» Kets de Vries, M.F.R. et D. Miller, *L'entreprise névrosée,* Paris: McGraw-Hill, 1985: 11.

[12] Selon Manfred F.R. Kets de Vries et Danny Miller: «La personnalité du chef d'entreprise marque de façon notable (...) la stratégie et même la structure de la firme. Elle influence indiscutablement le climat et l'état d'esprit de l'organisation.» M.F.R. Kets de Vries et D. Miller, *L'entreprise névrosée,* Paris: McGraw-Hill, 1985: 13.

plus, chacun de ces types de personnalité peut se traduire en pratiques de gestion qui construiront des organisations très différentes[13].

Dans les organisations, l'artiste joue le rôle de visionnaire et d'innovateur et son efficacité se fait tout particulièrement sentir sur la longue durée, car les nouvelles idées mettent souvent du temps à fleurir. Très ambitieux et toujours stimulé par le risque, l'artiste aime les coups d'éclat et il est toujours prompt à saisir au vol l'occasion qui se présente ou à esquisser des projets et des défis aussi inédits que stimulants. Il n'est donc pas rare de le voir engager l'organisation sur de nouveaux chemins là où tout est à découvrir et où tout est à inventer. Si la personnalité de l'artiste mérite le respect pour la créativité qui l'anime, elle peut, cependant, conduire les organisations à perdre de vue ses réalités quotidiennes au profit de lendemains toujours plus prometteurs et d'occasions et de projets qui parfois ne sont que pures rêveries.

Pour sa part, l'artisan tient plutôt le rôle d'un stabilisateur qui cherche toujours à consolider les acquis de l'organisation de façon à en assurer la pérennité. Il recherche tout particulièrement les petites adaptations à la marge, les ajustements mineurs et il préfère miser sur une croissance lente, mais continue des activités de l'organisation. En fait, l'artisan puise souvent dans la tradition et la sagesse populaire l'énergie requise pour guider avec douceur et patience son organisation. Si la personnalité de l'artisan impose

---

[13] Ces trois types de personnalité ont été mis au jour par Patricia Pitcher qui les définit de la façon suivante: «(...) l'artiste n'accepte guère une interprétation conventionnelle du monde ou des marchés. Il conteste, il fonce, il étonne. Toujours engagé émotivement, il dépense beaucoup d'énergie et agit avec élan. Enthousiaste et prévoyant, il inspire ses collègues. Enfin, il saisit les occasions que lui révèle son intuition. [L'artisan] c'est quelqu'un qui connaît son métier. Il a travaillé longtemps sous la direction d'un maître pour acquérir ses connaissances et il attend de ses apprentis qu'ils fassent de même. Il valorise le travail bien fait (sans sauter d'étapes). Il est exigeant, mais, en général, patient. Il aime son travail et n'a pas envie de le faire autrement. Dans l'entreprise, l'artisan est vu comme étant sage, aimable, obligeant, honnête, franc, direct, digne de confiance, raisonnable, réaliste, responsable et, évidemment, conventionnel puisqu'il valorise la tradition et l'expérience. Son credo pourrait être «le changement si nécessaire, mais pas nécessairement le changement». Comme il a travaillé de nombreuses années dans la même industrie et souvent dans la même entreprise, il croit avoir tout vu. Il connaît bien les concurrents, les initiatives prises par chacun, leurs succès et leurs échecs. Il se laisse rarement berner par qui lui présente une vieille idée dans un nouvel emballage. D'esprit ouvert et assez souple (il n'est pas têtu), il faut néanmoins de solides arguments pour le convaincre. Une fois convaincu, il agit avec prudence, en s'efforçant d'entraîner son équipe dans la même voie. Le technocrate du secteur privé travaille rapidement et se distingue de ses collègues par sa précision et, surtout, par sa valorisation des techniques de gestion. Émotivement en contrôle, voire distant, il est sérieux, analytique, cérébral, méthodique, intense, résolu, conservateur, méticuleux et souvent «brillant». Respecté, il n'est pas aimé. On le suit à cause de sa détermination et de la force de son analyse. Il est habile et renseigné (il ne veut pas être pris au dépourvu). Il parle facilement de qualité totale, d'alliances stratégiques et de mondialisation. C'est un puissant concurrent. Enfin, à toute question il offre une réponse à trois volets.» Pitcher, P., «L'artiste, l'artisan et le technocrate», *Gestion, revue internationale de gestion,* 1993, vol. 18(2): 29. Voir aussi : Pitcher, P., *Artistes, artisans et technocrates,* Montréal: Québec/Amérique, 1994.

le respect que commande une gestion prudente, elle peut, toutefois, conduire les organisations à se complaire dans la routine et à se scléroser avant de lentement, faute d'audace, péricliter.

Enfin, le technocrate joue généralement le rôle d'un planificateur réflexif, doublé d'un formidable concepteur de structure qui sait être en plein contrôle des situations complexes auxquelles il est confronté. Toujours, il recherche les bénéfices à court terme et il est sans cesse en attente d'un avenir meilleur, d'un éventuel progrès dont l'organisation pourrait profiter. Si la personnalité du technocrate est riche en termes d'efficacité technique, elle peut aussi conduire les organisations à se bureaucratiser et à perdre tout esprit d'innovation.

La prise en compte de la dimension psychologique des organisations peut donc éclairer d'un nouveau jour les diverses formes de management qui serait alors la transposition, dans l'espace social, du monde intérieur de ses gestionnaires. Ainsi, d'une certaine façon, les organisations traditionnelles et techniques seraient respectivement l'expression d'artisans et de technocrates. De plus, les critiques adressées au management technique pourraient s'interpréter, en partie, comme un appel lancé aux artistes gestionnaires pour qu'ils donnent un nouveau souffle aux organisations que le management technique bureaucratiserait chaque jour davantage.

La dimension cognitive

Si les humains sont tout à la fois des êtres politiques, symboliques et psychologiques, ils sont également des êtres profondément réflexifs qui, au fil de leurs actions, construisent continuellement des connaissances qu'ils peuvent mettre en jeu dans leurs relations avec les autres. Tout comme pour les autres dimensions sociales et humaines évoquées précédemment, il est alors possible de considérer que l'organisation est aussi le lieu de rencontre d'une diversité de savoirs qui se combinent pour éventuellement forger un véritable savoir collectif, mais qui peuvent également être potentiellement contradictoires et être alors la cause de nombreux conflits. Qu'il suffise ici d'évoquer la tension entre le savoir explicite et le savoir tacite ou encore la tension classique entre le savoir de l'analyste et celui, largement *expérientiel*, des gestionnaires de terrain. De même, le savoir créatif qui est fondamentalement divergent et critique ne se heurte-t-il pas fréquemment au regard de ceux et celles qui ne jurent que par la solidité convergente du savoir analytique?

Sous le regard cognitiviste, c'est même toute la réalité des organisations qui prend un autre relief[14]. Ainsi, là où nous pouvions distinguer deux grandes formes de management, la forme traditionnelle et celle technique, se trouverait, en fait deux formes de savoir que les gestionnaires mobiliseraient pour construire leur organisation, soit le savoir tacite pour l'un et le savoir explicite pour l'autre. De plus, là où le management technique conçoit l'organisation sous la forme d'une structure où la division des tâches et des rôles retrouve son unité par le recours à des mécanismes formels de coordination se trouveraient, en fait, bien davantage une division des connaissances et un partage des savoirs au terme d'un traitement de l'information que rend nécessaire l'éclatement et la dissémination des formes de savoirs sur tout le territoire de l'organisation. Dans un tel contexte, le gestionnaire devient alors le traducteur d'une diversité de savoirs. C'est d'ailleurs le cas, lorsqu'il doit arbitrer les conflits entre les différents services administratifs qui chacun mettent en action un savoir particulier qui n'est pas forcément compatible avec celui des autres.

CONCLUSION

Esquisser à grands traits la réalité profondément sociale et humaine des organisations en évoquant sommairement quelques-unes de ses dimensions, c'est forcément faire injure à toute sa richesse et à son incroyable complexité[15]. Toutefois, même succinctement brossée, cette réalité offre au gestionnaire une parcelle des défis qu'il doit relever. En effet, le gestionnaire contemporain ne peut plus se contenter d'être un virtuose de processus aussi élégants que techniques, pas plus qu'il ne peut continuer de se cantonner dans le confort d'une tradition à perpétuer jusqu'à la fin des temps. En fait, le gestionnaire doit prendre acte de la richesse des organisations dont il a la charge et, surtout, il doit traduire cette richesse en actions administratives. Concrètement, le principal défi du gestionnaire soucieux de la complexité des organisations, c'est d'élaborer un management qui soit tout à la fois technique, politique, symbolique, psychologique et cognitif[16]. Il doit aussi aller au-delà de la simple maîtrise des techniques de gestion et tenter d'entrevoir les exigences des Temps présents, notamment celle d'être tout à la fois efficace, humain, éthique et créatif. À n'en pas

---

[14] Voir, notamment: Nonaka I. et H. Takeuchi, *The Knowledge-Creating Company,* New York: Oxford University Press, 1995.

[15] À ce propos, voir en particulier: Chanlat, J.-F. (dir.), *L'individu dans l'organisation,* Québec: PUL, 1990.

[16] Pour un exemple de traduction du savoir des sciences du social et de l'humain en termes de management, voir en particulier: Bolman, L. G et T. E. Deal, *Repenser les organisations pour que diriger soit un art,* Paris: Maxima, 1996 [Bolman, L. G. et T. E. Deal, *Reframing Organizations. Artistry, Choice and Leadership,* San-Francisco : Jossey-Bass, 1991]. Voir aussi: Morgan, G, *Images de l'organisation, 2e édition,* Québec: Presses de l'Université Laval, 1999 et Allison, G. T., *Essence of Decision,* Boston, Little Brown, 1971.

douter, le management peut être d'une complexité qui n'a d'égale que celle des organisations au service desquels il prétend être.

Chapitre 11

DIAGNOSTIC DES HABILETÉS ET DES LEVIERS POLITIQUES

Dans la perspective politique, l'accent est mis sur la réalité conflictuelle de l'organisation, sur les tensions qu'elle habite et les jeux de pouvoir qui s'y déroulent. Sous ce regard, l'organisation apparaît fondamentalement comme:

- un espace de conflits et de négociations
- un système de gouverne politique
- un enchevêtrement de jeux politiques et d'enjeux potentiellement ou réellement conflictuels

Sous l'éclairage de la perspective politique, le gestionnaire joue le rôle d'un négociateur qui mise sur des habiletés d'influence, de négociation et d'arbitre et qui manie les leviers de gestion que sont le pouvoir, les ressources, et les règles.

Par ailleurs, la perspective politique centre l'attention sur les intérêts des uns et des autres et fait alors apparaître cinq grands espaces de rencontre de ces intérêts. Si l'idéal administratif est de pouvoir concilier les intérêts de tous au sein d'un véritable espace de collaboration, il n'est pas rare que dans la réalité, la rencontre des intérêts engendre plutôt des espaces conflictuels.

PERSPECTIVE POLITIQUE	
HABILETÉS	**LEVIERS**
Influencer Négocier Arbitrer	Le pouvoir Les règles Les enjeux

DIAGNOSTIC DE L'HABILETÉ À INFLUENCER

Première des habiletés politiques que tous les gestionnaires doivent posséder, l'influence est fréquemment considérée comme étant la plus décisive des habiletés politiques, car c'est elle qui oriente naturellement l'action des uns et des autres.

		OUI	NON
1.	Je connais les intérêts individuels de mon personnel et ceux de mes collègues	☐	☐
2.	Il est légitime de chercher à combler son intérêt propre autant que celui de l'organisation	☐	☐
3.	Je présente mes idées de façon à ce que chacun puisse y trouver son intérêt propre	☐	☐
4.	J'harmonise les objectifs de l'organisation aux intérêts des membres de mon équipe	☐	☐
5.	Je connais les facteurs qui influencent le comportement de mes collègues et de mon personnel	☐	☐
6.	Mon action prend en considération les facteurs qui influencent mes collègues et mon personnel	☐	☐
7.	J'adapte mon style de gestion aux attentes de mes collègues et de mon personnel	☐	☐
8.	Je pratique l'écoute empathique avec mes collègues et mon personnel	☐	☐
9.	Mes argumentations tiennent compte des intérêts de mes collègues et de mon personnel	☐	☐
10.	Je questionne toujours la légitimité de mes décisions et de mes actions	☐	☐

Une majorité de réponses positives à ces questions témoigne d'une certaine habileté en matière d'influence.

DIAGNOSTIC DE L'HABILETÉ À NÉGOCIER

Seconde des habiletés politiques que les gestionnaires doivent posséder, la négociation témoigne du fait que les organisations mettent en jeu une diversité d'intérêts et d'enjeux, diversité qui cerne alors des espaces de négociation[1].

		OUI	NON
1.	Avant d'entreprendre une négociation, je me fixe des seuils d'accord et de désaccord	☐	☐
2.	J'accepte qu'une négociation soit un processus d'échanges, de concessions et de marchandage	☐	☐
3.	Je connais les forces et les faiblesses de mes partenaires et je comprends leur position	☐	☐
4.	Par mes questions, je cherche à mettre au jour les seuils d'accord et de désaccord de mes partenaires	☐	☐
5.	Je pratique l'écoute empathique et je décode le langage non verbal de mes partenaires	☐	☐
6.	Je garde une marge de manœuvre propice aux concessions qui seront finalement avantageuses	☐	☐
7.	J'arrive à montrer les avantages de mes offres au regard des attentes de mes partenaires	☐	☐
8.	Je présente mes offres comme des concessions et j'accepte humblement celles de mes partenaires	☐	☐
9.	Je fais miennes les idées de mes partenaires et je les utilise pour faire valoir mes propres idées	☐	☐
10.	Dans mes négociations, je recherche toujours un terrain commun d'entente	☐	☐

Une majorité de réponses positives à ces questions témoigne d'une certaine habileté en matière de négociation.

[1] Voir: Fisher, W. et M. Ury, *Getting to Yes,* Boston: Houghton Mifflin Company, 1981.

DIAGNOSTIC DE L'HABILETÉ À ARBITRER DES CONFLITS

Troisième des habiletés politiques que les gestionnaires doivent posséder, l'arbitrage des conflits témoigne du fait que les organisations sont un espace compétitif qui peut engendrer des mésententes, des désaccords et des affrontements qui commandent d'être gérés.

		OUI	NON
1.	Je reconnais la dimension humaine des conflits et j'accepte l'expression des émotions	☐	☐
2.	Je pratique l'écoute empathique de façon à comprendre les positions conflictuelles	☐	☐
3.	J'arrive à me mettre à la place des autres pour ainsi ressentir leurs émotions	☐	☐
4.	Je reconnais la légitimité de la diversité des intérêts qui sont à la base du conflit	☐	☐
5.	Je cerne les enjeux du conflit et je mets au jour ses causes et ses conséquences	☐	☐
6.	Je conjugue toujours l'action au futur plutôt que de revenir sur le passé	☐	☐
7.	Je concentre mon attention sur les enjeux et les intérêts des parties en conflit	☐	☐
8.	J'entrevois les zones d'accords potentiels et je fixe les objectifs à atteindre	☐	☐
9.	J'invite les parties à suspendre leurs critiques et je les fais participer à l'élaboration de solutions	☐	☐
10.	Dès qu'un accord est possible, je mets l'accent sur sa mise en œuvre, sans revenir sur le conflit	☐	☐

Une majorité de réponses positives à ces questions témoigne d'une certaine habileté à arbitrer des conflits.

LES LEVIERS:
LE POUVOIR

Dans la perspective politique, le pouvoir est tout à la fois un enjeu et le principal levier d'action. Conscients de la centralité du pouvoir, les gestionnaires le mettent en jeu en gardant à l'esprit qu'il est le fruit d'une relation et que son usage est une question de légitimité. Cela dit, il existe six bases à l'exercice du pouvoir.

NORMES	▪ Les normes sociales, les règlements, les lois, les conventions, la tradition, etc. ▪ *Mon autorité est-elle fondée sur le respect des normes? Transgresser les normes suscite-t-il une réprobation? Quelles sont les principales normes de l'organisation?*
EXPERTISE	▪ Le savoir-faire, la technique, la raison, la compétence, etc. ▪ *Mon autorité est-elle fondée sur l'expertise? Peut-on se passer de mon expertise? Mon expertise est-elle une source d'avantage concurrentiel?*
CHARISME	▪ Le leadership, l'émotion, la passion, etc. ▪ *Mon autorité est-elle fondée sur l'émotion? Les personnes s'identifient-elles à moi? Cherchent-elles à partager mes émotions et ma passion?*
INFORMATION	▪ Les informations, le savoir, les idées, etc. ▪ *Mon autorité est-elle fondée sur mon contrôle de l'information? Quelles sont les informations valorisées dans l'organisation? Ces informations sont-elles une source d'avantage concurrentiel?*
GRATIFICATIONS	▪ Les rémunérations matérielles, monétaires, symboliques, les sanctions, les encouragements, etc. ▪ *Mon autorité est-elle fondée sur la crainte? Quelles sont les gratifications valorisées dans l'organisation? Quelles sont les sanctions dissuasives?*
ZONES D'INCERTITUDE	▪ L'ambiguïté, les contradictions, le flou, l'incertitude, l'absence de règle, etc. ▪ *Mon autorité est-elle fondée sur mon contrôle d'une zone d'incertitude? Cette zone est-elle stable?*

LES LEVIERS:
LES RÈGLES

À l'instar de tous les jeux, le jeu politique organisationnel est gouverné par des règles. Ces règles sont un puissant levier du jeu organisationnel, puisqu'elles encadrent l'action de chacun en définissant ce qu'il est possible de faire et ce qui est proscrit. D'ailleurs, obtenir le contrôle de la définition des règles du jeu est l'un des principaux enjeux politiques au sein de l'organisation. De plus, utiliser des règles, en définir de nouvelles et en abolir d'autres sont des tactiques inscrites dans le fonctionnement de tous les jeux politiques.

RÈGLES FORMELLES

- Les règlements, les politiques, les procédures, les descriptions de tâche, les budgets, etc.
- *Les règles formelles de l'organisation limitent-elles l'expression du pouvoir informel? L'organisation doit-elle édicter de nouvelles règles?*

RÈGLES INFORMELLES

- Les règles construites par les groupes informels, les principes que suivent les membres des groupes, etc.
- *Les règles informelles sont-elles en contradiction avec les règles formelles? Le pouvoir qui émerge de ces règles est-il compatible avec les objectifs de l'organisation?*

RÈGLES TRADITIONNELLES

- Les coutumes, les routines, les métiers, le savoir-faire, etc.
- *Les règles traditionnelles sont-elles en contradiction avec les règles formelles? Le pouvoir qui émerge de ces règles est-il compatible avec les objectifs de l'organisation?*

CONTRÔLE DES ZONES D'INCERTITUDE

- Le contrôle d'un espace de travail qui n'est pas régi par des règles.
- *Doit-on édicter des règles pour éliminer la zone d'incertitude? À éliminer toutes les zones d'incertitude, ne risque-t-on pas de bureaucratiser l'organisation?*

LES LEVIERS:
LES ENJEUX

L'action politique gravite toujours autour d'enjeux autour desquels les membres de l'organisation se rassemblent, déploient leur pouvoir et adoptent des stratégies. Les gestionnaires définissent et cernent les enjeux et, par là, ils créent des espaces politiques où les uns et les autres expriment leur liberté d'action en mettant en jeu leur pouvoir, en utilisant des ressources et des stratégies pour servir leur intérêt.

ENJEUX	- Les ressources, les règles, le pouvoir, les objectifs, les valeurs, etc. - *Quels sont les enjeux que se disputent les membres de l'organisation? Puis-je définir les enjeux? Puis-je encadrer les enjeux par des règles et des ressources? Suis-je le meneur du jeu?*
INTÉRÊTS	- Les motivations, les passions, les objectifs, les bénéfices, etc. - *Quels sont les intérêts en jeu autour des enjeux? Puis-je orienter les intérêts? Dois-je mettre au jour les intérêts en cause? Dois-je redéfinir les enjeux et ainsi modifier le jeu organisationnel?*
RESSOURCES	- Les ressources tangibles et intangibles. - *Quelles sont les ressources mobilisées autour des enjeux? Dois-je y introduire davantage de ressources? Dois-je en retrancher? Dois-je miser sur les ressources tangibles ou les intangibles?*
STRATÉGIES	- Les coalitions, le contrôle des zones d'incertitude, la redéfinition des règles et des enjeux, la mainmise sur les ressources, les argumentations, les conflits, la négociation, etc. - *Quelles sont les stratégies mises en jeu? Puis-je orienter ces stratégies? Puis-je en rendre certaines légitimes et d'autres pas?*

LE CHOC DES INTÉRÊTS

La perspective politique centre l'attention sur les intérêts des uns et des autres et fait alors apparaître cinq grands espaces de rencontre de ces intérêts. Si l'idéal administratif est de concilier les intérêts de tous au sein d'un véritable espace de collaboration, il n'est pas rare que dans la réalité, la rencontre des intérêts des uns et des autres engendre plutôt des espaces conflictuels[2].

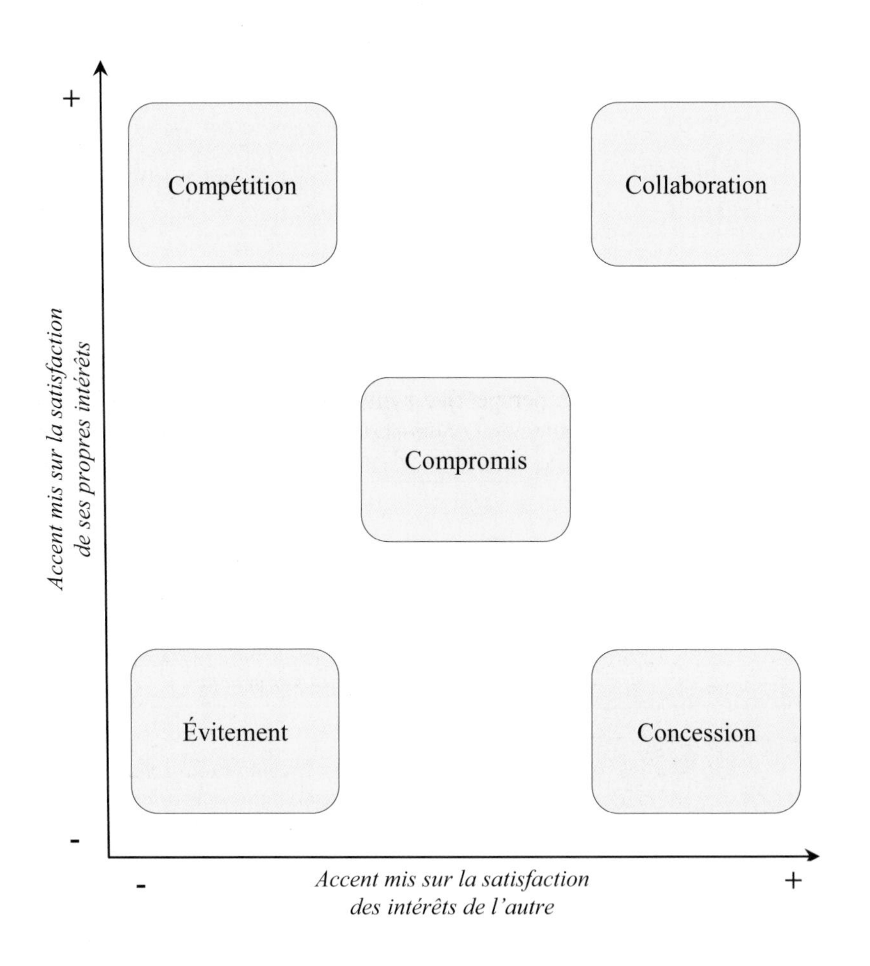

[2] Voir: Thomas, K.W., «Conflict and Conflict Management», *in* D. Dunette (ed.), *Handbook of Industrial and Organizational Psychology,* Chicago: Rand McNally, 1976: 889-935.

Chapitre 12

DIAGNOSTIC DES HABILETÉS ET DES LEVIERS SYMBOLIQUES

Dans la perspective symbolique, l'accent est mis principalement sur la réalité symbolique de l'organisation, sur les valeurs qui s'y déploient et sur la culture qui lui donne sa consistance. Sous ce regard, l'organisation apparaît fondamentalement comme:

- une culture
- un espace identitaire
- un enchevêtrement de valeurs, de symboles et de normes

Sous un tel éclairage de la perspective symbolique, le gestionnaire joue le rôle d'un guide qui mise sur des habiletés de rassembleur, d'intégrateur et de guide et qui manie les leviers de gestion que sont les valeurs, les normes et les symboles.

Par ailleurs, la perspective symbolique centre l'attention sur les valeurs des uns et des autres et fait alors apparaître cinq grandes surfaces de rencontre de ces valeurs. Si l'idéal administratif est de concilier les valeurs de tous au sein d'un véritable espace de métissage des valeurs, il n'est pas rare que la rencontre des valeurs engendre plutôt des espaces conflictuels.

PERSPECTIVE SYMBOLIQUE

HABILETÉS	LEVIERS
Rassembler Intégrer Guider	Les valeurs La vision Les symboles

DIAGNOSTIC
DE L'HABILETÉ À RASSEMBLER

Première des habiletés symboliques que tous les gestionnaires doivent posséder, rassembler le personnel autour de valeurs communes est la plus décisive des habiletés symboliques, car c'est elle qui marque l'importance de forger une identité organisationnelle qui va bien au-delà de l'addition des individualités.

		OUI	NON
1.	Mon équipe doit avoir une identité que tous connaissent et partagent	☐	☐
2.	L'identité de l'équipe importe bien davantage que les identités individuelles	☐	☐
3.	Par mes actions et mes paroles, j'incarne l'identité de mon équipe	☐	☐
4.	Je joue principalement le rôle de représentant de l'identité de mon équipe	☐	☐
5.	Je rappelle souvent au personnel les valeurs communes qui font la grandeur de l'équipe	☐	☐
6.	Les réunions sont l'occasion de célébrer notre identité commune	☐	☐
7.	La gestion n'a de sens qu'au regard de son inscription dans la culture de l'organisation	☐	☐
8.	Les valeurs communes doivent être au cœur de la stratégie de l'organisation	☐	☐
9.	L'identité de l'organisation est ce qui donne son véritable sens au travail que chacun doit réaliser	☐	☐
10.	Diriger c'est essentiellement regrouper le personnel autour de valeurs communes	☐	☐

Une majorité de réponses positives à ces questions témoigne d'une certaine habileté à rassembler le personnel autour de valeurs communes.

**DIAGNOSTIC
DE L'HABILETÉ À INTÉGRER**

Au regard de la perspective symbolique, le gestionnaire doit composer avec la diversité des personnes et des groupes qui constituent l'organisation et, surtout, il doit créer un sentiment d'appartenance là où se trouve plutôt une très grande variété de valeurs et de normes. Il y arrive en multipliant les efforts d'intégration des uns et des autres à la tradition de l'organisation.

		OUI	NON
1.	Tous connaissent l'histoire de l'organisation et l'utilisent comme source de réflexion et d'action	☐	☐
2.	Tous connaissent les valeurs de l'organisation et les mobilisent dans leurs actions	☐	☐
3.	Tous connaissent les normes de l'organisation et s'y conforment	☐	☐
4.	Les nouveaux venus dans l'organisation sont jumelés aux plus expérimentés	☐	☐
5.	Les nouveaux venus sont intégrés lors des fêtes, des réunions et des activités sociales	☐	☐
6.	Je connais les valeurs des différentes générations qui composent l'organisation	☐	☐
7.	Je connais les valeurs des différents groupes culturels qui composent l'organisation	☐	☐
8.	Je connais les normes des groupes culturels, générationnels et informels de l'organisation	☐	☐
9.	Je construis des occasions de métissage des valeurs et des normes des différents groupes	☐	☐
10.	J'utilise le mentorat pour intégrer les nouveaux à la culture de l'organisation	☐	☐

Une majorité de réponses positives à ces questions témoigne d'une certaine habileté à intégrer le personnel à la culture de l'organisation.

DIAGNOSTIC
DE L'HABILETÉ À GUIDER

Dans la perspective symbolique, diriger consiste essentiellement à guider avec sagesse et savoir-faire le personnel. C'est dire que le gestionnaire est bien davantage un exemple à suivre et un mentor, qu'un dirigeant dont il faut suivre les consignes.

		OUI	NON
1.	Je propose à mon personnel une vision de ce que nous pouvons devenir	☐	☐
2.	J'accompagne mon personnel dans la réalisation d'une vision à laquelle tous peuvent s'identifier	☐	☐
3.	Je rappelle fréquemment les valeurs qui doivent guider nos décisions et nos actions	☐	☐
4.	Je cherche à développer le savoir-être de mon personnel	☐	☐
5.	J'établis des relations de compagnonnage avec mon personnel	☐	☐
6.	Je protège mon personnel, je négocie pour lui et je tente de l'introduire dans divers réseaux	☐	☐
7.	Je traduis les orientations stratégiques en termes de valeurs à respecter et de visions à concrétiser	☐	☐
8.	Par mes actions et mes décisions, je cherche à donner l'exemple à mon personnel	☐	☐
9.	J'inscris l'action des membres de mon équipe dans la trame historique de l'organisation	☐	☐
10.	Diriger c'est guider l'action de chacun au regard de la culture de l'organisation	☐	☐

Une majorité de réponses positives à ces questions témoigne d'une certaine habileté à guider le personnel dans la réalisation de la vision de l'organisation.

LES LEVIERS:
LES VALEURS

Les valeurs sont au centre de la perspective symbolique, ce autour de quoi gravite toute la gestion et ce à partir de quoi il est possible d'ériger une véritable identité organisationnelle[1].

VALEUR DOMINANTE	◘ Pour qu'une organisation puisse avoir une identité caractéristique, il faut que les interactions mettent en jeu une valeur dominante qui sert de référence à l'action de chacun. ◘ *Quelle est la valeur dominante de notre organisation?*
QUALITÉ RECHERCHÉE	◘ Pour qu'une organisation puisse avoir une identité caractéristique, il faut que les membres de l'organisation partagent certaines qualités personnelles. ◘ *Quelle est la principale qualité valorisée par tous?*
DÉFAUT MÉPRISÉ	◘ Pour qu'une organisation puisse avoir une identité caractéristique, il faut que les membres de l'organisation partagent un relatif mépris pour certains défauts personnels. ◘ *Quel est le principal défaut méprisé par tous?*
ACTION VALORISÉE	◘ Pour qu'une organisation puisse avoir une identité caractéristique, il faut que les membres de l'organisation partagent un relatif engouement pour certaines actions. ◘ *Quelle est l'action la plus valorisée?*
RÔLE VALORISÉ	◘ Pour qu'une organisation puisse avoir une identité caractéristique, il faut que les membres de l'organisation partagent une relative admiration pour certains rôles. ◘ *Quel est le rôle le plus valorisé?*

[1] Voir: Boltanski, L. et L. Thévenot, *De la justification. Les économies de la grandeur* Paris: Gallimard, 1991.

LES LEVIERS:
LA VISION

Concrétiser au quotidien une identité commune commande certes un partage de valeurs, mais c'est aussi un engagement vers l'avenir, un désir et une volonté de construire un projet commun, de réaliser une vision que tous peuvent partager parce que chacun s'y reconnaît.

VISIONS PERSONNELLES	◘ Les idées, les projets, la volonté, etc. ◘ *Quelles sont les visions personnelles des membres de l'organisation?*
PARTAGE DES VISIONS PERSONNELLES	◘ Les réunions, les échanges, les dialogues, etc. ◘ *Chacun a-t-il l'occasion de faire entendre sa vision? Puis-je créer un espace dans lequel chacun pourrait librement exprimer sa vision de l'organisation?*
LA VISION PARTAGÉE	◘ L'idée collective, le projet commun, la volonté collective, etc. ◘ *Avons-nous une vision commune? Une vision dans laquelle tous peuvent se retrouver et y retrouver ce qu'ils sont, qui ils sont?*
L'ADHÉSION	◘ L'engagement, la collaboration, la mobilisation, etc. ◘ *Le personnel se sent-il mobilisé par la vision commune? La vision vient-elle du personnel ou de la direction?*
LA GESTION	◘ Le dialogue, l'ouverture d'esprit, l'intégration des visions contradictoires, l'apprentissage, etc. ◘ *La vision à réaliser est-elle au cœur de mon action? Suis-je capable de maintenir l'enthousiasme et la mobilisation autour de la vision commune? Devons-nous enrichir notre vision?*

LES LEVIERS:
LES SYMBOLES

Au regard de la perspective symbolique, tout peut avoir valeur de symbole. En effet, les membres de l'organisation peuvent accorder une signification et de l'importance à tout ce qui s'y trouve et s'y fait. Les gestionnaires doivent alors apprendre à décoder le sens que les membres de l'organisation donnent à leur environnement de travail.

TITRES	- Les titres formels, les rôles et les tâches. - *Quelle valeur les membres de l'organisation accordent-ils aux différents titres construits pour désigner les rôles et les tâches? Quels sont les titres les plus valorisés? Pourquoi le sont-ils? Quels sont les titres les plus méprisés? Pourquoi le sont-ils?*
TEMPS	- Le temps de travail, les cycles administratifs, la ponctualité, les horaires, les vacances, etc. - *Qui contrôle le temps de travail? Qui a droit aux horaires flexibles? Aux horaires compressés? Qui peut choisir ses semaines de vacances? Quelle est l'importance du temps dans l'organisation?*
ESPACE	- L'aménagement des lieux de travail, l'intimité, etc. - *L'aménagement des lieux de travail est-il fonction du pouvoir de chacun? Qui peut choisir la façon d'aménager son espace de travail? Qui peut choisir son espace de travail? Qui possède un espace intime? Qui bénéficie d'un local spacieux?*
GRATIFICATIONS	- La rémunération, les récompenses, les distinctions, les primes, les promotions, etc. - *Quelles sont les principales gratifications dans l'organisation? Comment peut-on obtenir ces gratifications? Qui détermine ce que seront ces gratifications?*

LE CHOC DES VALEURS

La perspective symbolique centre l'attention sur les valeurs des membres de l'organisation et fait alors apparaître des espaces de rencontre de ces valeurs. Si l'idéal administratif est de concilier les valeurs de tous au sein d'un véritable espace de métissage des valeurs, il n'est pas rare que dans la réalité, la rencontre des valeurs engendre plutôt des conflits.

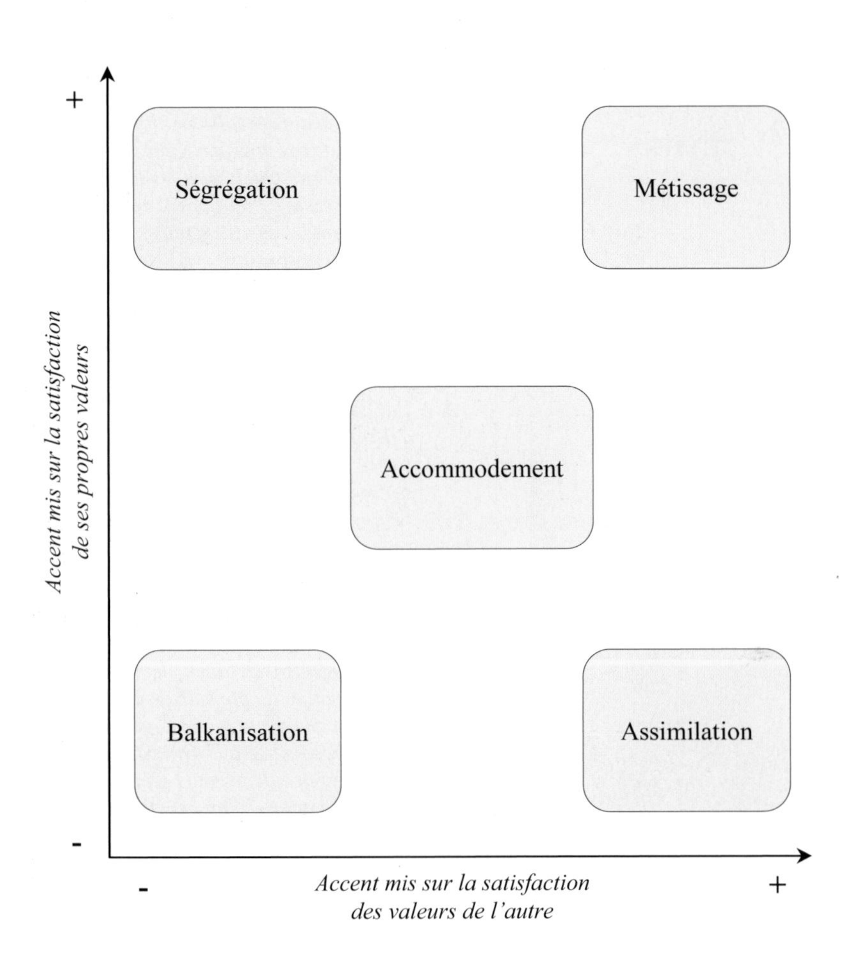

Chapitre 13

DIAGNOSTIC DES HABILETÉS ET DES LEVIERS PSYCHOLOGIQUES

Dans la perspective psychologique, l'accent est mis principalement sur la réalité psychologique de l'organisation. Sous ce regard, l'organisation apparaît fondamentalement comme:

- un espace marqué par des forces inconscientes
- un espace de satisfaction des besoins
- un milieu d'expression de personnalités variées

Sous un tel éclairage, le gestionnaire joue le rôle d'un leader qui mise sur des habiletés de motivation, de communication et de coaching et qui manie les leviers de gestion que sont les besoins, les compétences et le leadership.

Par ailleurs, la perspective psychologique centre l'attention sur les attentes des uns et des autres et fait alors apparaître cinq grands espaces de rencontre de ces attentes. Si l'idéal administratif est de pouvoir concilier les attentes de tous au sein d'un véritable espace de fusion des attentes, il n'est pas rare que dans la réalité, la rencontre des attentes engendre plutôt des espaces conflictuels.

PERSPECTIVE PSYCHOLOGIQUE

HABILETÉS	LEVIERS
Motiver Communiquer Coacher	Les besoins Les compétences Le leadership

DIAGNOSTIC
DE L'HABILETÉ À MOTIVER

Première des habiletés psychologiques, la motivation est au cœur de la perspective psychologique puisqu'elle lie la satisfaction des besoins individuels aux impératifs de rendement. D'une certaine façon, miser sur la motivation est un moyen de construire un contrat psychologique entre le personnel et l'organisation.

		OUI	NON
1.	Mon personnel est productif, assidu, soucieux de qualité et peu enclin à s'engager dans des conflits	☐	☐
2.	Pour motiver mon personnel, je peux compter sur un vaste système de gratifications variées	☐	☐
3.	Mon personnel connaît mes attentes et il sait comment obtenir les gratifications disponibles	☐	☐
4.	Les gratifications encouragent autant la performance individuelle que le rendement d'équipe	☐	☐
5.	Au-delà du seul rendement, j'encourage toujours mon personnel à développer son plein potentiel	☐	☐
6.	J'offre à mon personnel de multiples formations susceptibles d'accroître sa compétence	☐	☐
7.	Je discute avec mon personnel des éventuelles promotions disponibles au sein de l'organisation	☐	☐
8.	Tous peuvent juger de l'équité de la répartition des tâches et des gratifications	☐	☐
9.	J'encourage l'initiative en déléguant vers mon équipe nombre de tâches et de responsabilités	☐	☐
10.	Motiver mon personnel est un travail constant qui requiert mon attention quotidiennement	☐	☐

Une majorité de réponses positives à ces questions témoigne d'une certaine habileté à motiver le personnel.

DIAGNOSTIC
DE L'HABILETÉ À COMMUNIQUER

Au regard de la perspective psychologique, les organisations sont des lieux de paroles, des espaces de dialogues où la communication favorise l'expression des sentiments autant que la transmission des savoirs et des informations.

		OUI	NON
1.	Je pratique l'écoute empathique de façon à permettre l'expression des sentiments	☐	☐
2.	Je mets l'accent sur l'aide que je peux offrir plutôt que sur l'évaluation de ce qui a été fait	☐	☐
3.	Les dialogues sont toujours orientés vers l'avenir, plutôt que sur ce qui aurait dû être fait	☐	☐
4.	Les dialogues portent toujours sur l'action à réaliser et pas sur les attitudes et les personnes	☐	☐
5.	Les problèmes à résoudre l'emportent sur l'évaluation des comportements	☐	☐
6.	Le personnel doit occuper la place centrale dans les communications	☐	☐
7.	Mon rôle consiste à faciliter les échanges et je mets donc en confiance mes interlocuteurs	☐	☐
8.	Par mon attitude et mon ouverture d'esprit, je favorise l'expression des sentiments	☐	☐
9.	Lors de mes dialogues, j'évite soigneusement les impressions, les rumeurs et les surprises	☐	☐
10.	J'aime communiquer et je me sens très à l'aise avec l'expression des sentiments	☐	☐

Une majorité de réponses positives à ces questions témoigne d'une certaine habileté à communiquer avec le personnel.

DIAGNOSTIC DE L'HABILETÉ À COACHER

Au regard de la perspective psychologique, le gestionnaire joue son rôle de dirigeant en établissant avec son personnel une relation de coaching dans laquelle, il entretient une dynamique d'aide auprès des équipes qui doivent alors apprendre à se responsabiliser.

		OUI	NON
1.	J'accorde une importance cruciale aux discussions ouvertes avec les membres de mon équipe	☐	☐
2.	Je favorise la responsabilisation de mon personnel par la délégation de responsabilités et d'autorité	☐	☐
3.	Je privilégie la discussion et la réflexion en groupe aux analyses réalisées par les experts	☐	☐
4.	J'encourage mon équipe à prendre des décisions et à entrevoir les moyens de les mettre en œuvre	☐	☐
5.	Les membres de mon équipe doivent se mobiliser autour d'objectifs auxquels ils adhèrent	☐	☐
6.	Je favorise le développement des compétences de mon équipe	☐	☐
7.	J'accompagne mon équipe dans la prise en charge de ses responsabilités	☐	☐
8.	J'accepte les erreurs et je laisse mon équipe réaliser ses tâches et atteindre ses objectifs	☐	☐
9.	J'encourage mon équipe à concevoir des manières de faire autres que celles que je lui ai apprises	☐	☐
10.	Tout en restant disponible, j'escompte que mon équipe puisse réaliser ses objectifs sans mon aide	☐	☐

Une majorité de réponses positives à ces questions témoigne d'une certaine habileté à coacher des équipes.

LES LEVIERS:
LES BESOINS

Depuis plus de cinquante ans, les gestionnaires connaissent la hiérarchie des besoins de Maslow[1]. Pourtant et au regard des problèmes de satisfaction sur les lieux de travail, il est évident que la satisfaction des besoins qui est au principe de la motivation pose toujours problème.

BESOINS PHYSIOLOGIQUES	◘ La rémunération, les conditions de travail, l'aménagement des lieux de travail, le stationnement, la cafétéria, la garderie, la salle de repos, etc. ◘ *Est-ce que mon organisation comble les besoins physiologiques du personnel? Est-ce que nous investissons trop d'efforts dans la satisfaction de ces seuls besoins?*
BESOINS DE SÉCURITÉ	◘ Un plan de santé et sécurité au travail, une assurance collective, un programme de retraite, un plan d'aide au personnel ayant des difficultés d'ordre personnel, etc. ◘ *Est-ce que mon organisation comble les besoins de sécurité du personnel? Est-ce que nous investissons trop d'efforts dans la satisfaction de ces seuls besoins?*
BESOINS D'APPARTENANCE	◘ Des relations de travail amicales, ouvertes et chaleureuses, du travail en équipe, des activités sociales, etc. ◘ *L'organisation encourage-t-elle les activités sociales, le travail en équipe et accepte-t-elle les groupes informels? Est-ce que je mets l'accent sur la satisfaction de ces besoins?*
BESOINS D'ESTIME	◘ La reconnaissance, le respect, la confiance, la mise en valeur des compétences, etc. ◘ *L'organisation organise-t-elle des occasions qui permettent de souligner les mérites du personnel? Est-ce que je construis une relation de confiance avec mon personnel? Est-ce que je lui témoigne mon appréciation?*
BESOINS DE RÉALISATION DE SOI	◘ Résoudre des problèmes, créer, expérimenter du succès, réaliser des projets, etc. ◘ *L'organisation favorise-t-elle la responsabilisation du personnel? Est-ce que je favorise le développement de mon personnel? Est-ce que je lui confie des mandats importants?*

[1] Voir: Maslow, A.H., *Motivation and Personality,* New York: Harper and Row, 1954.

**LES LEVIERS:
LES COMPÉTENCES**

Si les connaissances sont un puissant levier de transformation des organisations, de nos jours les psychologues soutiennent que ce sont les émotions qui sont au fondement même des connaissances. Certains, tel Daniel Goleman, qualifient d'ailleurs la chose d'*intelligence émotionnelle*, marquant bien par là tout l'apport des émotions dans la construction d'une intelligence des relations sociales, voire même des relations sociales intelligentes[2]. Au regard des émotions qui sont en jeu, nous pouvons distinguer trois compétences personnelles (la conscience de soi, la maîtrise de soi et la motivation) et deux compétences sociales (l'empathie et les aptitudes sociales).

CONSCIENCE DE SOI	◘ La confiance en soi, l'autoévaluation et la reconnaissance des émotions. ◘ *Est-ce que je permets à mon personnel d'être authentique? Est-ce que je lui permets d'exprimer librement ses émotions?*
MAÎTRISE DE SOI	◘ Le contrôle de soi, la fiabilité, la conscience professionnelle, l'innovation et l'adaptabilité. ◘ *Est-ce que j'aide mon personnel à prendre conscience de la façon de gérer ses émotions? Suis-je, moi-même en contrôle de mes émotions?*
AUTO-MOTIVATION	◘ L'engagement, l'initiative, l'exigence de perfection et l'optimisme. ◘ *Est-ce que j'aide mon personnel à mettre au jour ce qui le motive, ce qui lui permet d'être efficace? Est-ce que je favorise l'éclosion des compétences?*
EMPATHIE	◘ La conscience des émotions des autres, le sens politique, l'enrichissement des autres, la passion de servir et l'exploitation de la diversité. ◘ *Est-ce que je pratique l'écoute empathique? Est-ce que je favorise l'empathie chez mon personnel? Suis-je à l'aise avec l'expression des sentiments?*
APTITUDES SOCIALES	◘ La communication, la médiation, le changement, la mobilisation et la collaboration. ◘ *Est-ce que je favorise la création de réseaux? Est-ce que je sollicite l'engagement de mon personnel autour d'objectifs communs?*

[2] Voir: Goleman, D., *Emotional Intelligence,* New York: Bantam, 1995.

LES LEVIERS: LE LEADERSHIP

Parce qu'il suscite un attachement souvent inconscient et d'ordre émotionnel, le leadership est le plus puissant des leviers psychologiques. La tentation est alors vive de le manier dans toutes les situations, mais voilà, le leadership est une affaire de relations interpersonnelles. D'une certaine façon, un leader ne l'est que par le regard de ceux et celles qui lui reconnaissent cette qualité. En tant que relation, le leadership est fonction des caractéristiques du gestionnaire et du personnel et des exigences de la situation dans laquelle il se déploie[3].

CARACTÉRISTIQUES DU GESTIONNAIRE	◘ Les valeurs du dirigeant, son degré de confiance envers son personnel, son inclination naturelle pour un style particulier de relations de direction et ses capacités naturelles de leader. ◘ *Est-ce que je suis à l'aise avec une variété de styles de relations de direction? Quel style me convient le mieux? Lequel correspond le mieux à mes valeurs personnelles? Lequel me paraît approprié aux capacités de mon personnel? Puis-je faire confiance à mon personnel et le convier à partager une part de mon autorité et de mes responsabilités?*
CARACTÉRISTIQUES DU PERSONNEL	◘ Les valeurs du personnel, son degré de confiance envers son dirigeant, son inclination naturelle pour un style particulier de relations de direction et sa confiance dans les capacités de leader du directeur. ◘ *Est-ce que le personnel recherche un style particulier de relations de direction et suis-je capable d'y adapter mon style naturel de direction? Suis-je à l'aise avec une variété de styles?*
CARACTÉRISTIQUES DE LA SITUATION	◘ La culture de l'organisation, la nature des problèmes à résoudre, l'efficacité du personnel et les attentes du personnel. ◘ *Est-ce que la situation commande la pratique d'un style particulier de relations de direction? Suis-je capable d'y adapter mon style naturel de direction? Suis-je à l'aise avec une variété de styles?*

[3] Voir: Tannenbaum, R. et W.H. Schmidt, «Comment choisir son style de leadership», *in* Laurin, P. (dir.), *Le management. Textes et cas,* Montréal: McGraw-Hill, 1973, pp.555-577.

LE CHOC DES ATTENTES

La perspective psychologique centre l'attention sur les attentes des membres de l'organisation et fait alors apparaître cinq espaces de rencontre de ces attentes. Si l'idéal administratif est de fusionner les attentes de tous dans un même projet collectif, il n'est pas rare que la rencontre des attentes engendre plutôt des conflits. Ces derniers sont alors souvent interprétés en termes de conflit de personnalités.

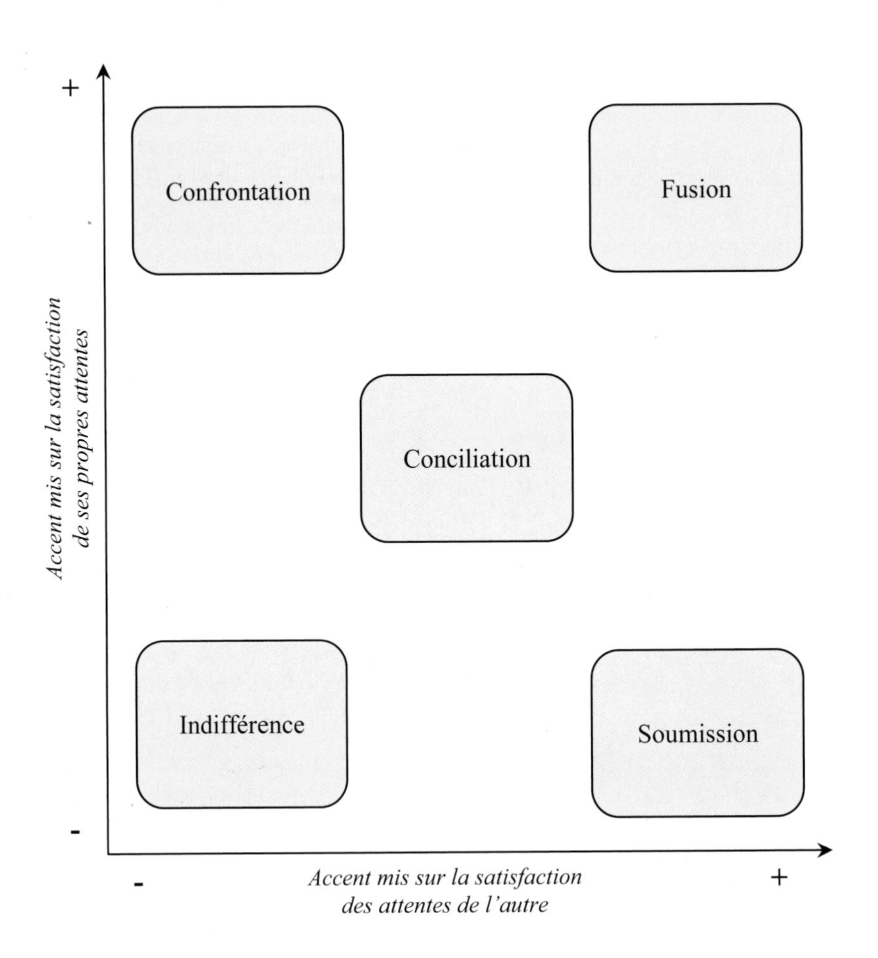

Chapitre 14

DIAGNOSTIC DES HABILETÉS ET DES LEVIERS COGNITIFS

Dans la perspective cognitiviste, l'accent est mis principalement sur la réalité cognitive de l'organisation. Sous ce regard, l'organisation apparaît fondamentalement comme:

- un système d'apprentissage
- un espace de création et de gestion des connaissances
- un système de prise de décision

Sous un tel éclairage, le gestionnaire joue le rôle d'un décideur qui mise sur des habiletés de traitement de l'information, de formation du personnel et de prise de décision et qui manie les leviers de gestion que sont les savoirs, l'apprentissage et la gestion des connaissances.

Par ailleurs, la perspective cognitiviste centre l'attention sur le savoir des uns et des autres et fait alors apparaître cinq grands espaces de rencontre de ces savoirs. Si l'idéal administratif est de pouvoir hybrider les divers savoirs de façon à créer de nouveaux savoirs, il n'est pas rare que dans la réalité, la rencontre des savoirs engendre plutôt des conflits.

PERSPECTIVE COGNITIVISTE

HABILETÉS	LEVIERS
Traiter l'information Former Décider	Le savoir L'apprentissage La gestion des connaissances

DIAGNOSTIC DE L'HABILETÉ À TRAITER L'INFORMATION

Première des habiletés cognitives, l'habileté à traiter l'information et les interprétations est au cœur de la perspective psychologique. En effet, cette habileté favorise les nécessaires apprentissages individuels et organisationnels et est un prérequis à la prise de décision.

		OUI	NON
1.	Je mets en place des mécanismes pour acquérir continuellement de nouvelles informations	☐	☐
2.	Je formalise l'information dans des modèles intégrateurs	☐	☐
3.	Je conçois l'organisation comme un vaste système de construction d'informations et d'interprétations	☐	☐
4.	Je construis mes interprétations en interaction avec les membres de mon équipe	☐	☐
5.	L'information tant objective que subjective est au cœur de mon métier de gestionnaire	☐	☐
6.	Je m'assure que les membres de mon équipe recueillent sans cesse de nouvelles informations	☐	☐
7.	Je m'assure que les membres de mon équipe intègrent et utilisent les nouvelles informations	☐	☐
8.	Pour faciliter la création de sens, je présente l'information sous la forme de schémas	☐	☐
9.	J'aime présenter les informations sous la forme d'une histoire qui leur donne du relief et un sens	☐	☐
10.	J'arrive à donner du sens aux situations incertaines, paradoxales et ambigües	☐	☐

Une majorité de réponses positives à ces questions témoigne d'une certaine habileté à traiter une diversité d'informations et d'interprétations.

DIAGNOSTIC DE L'HABILETÉ À FORMER

Seconde des habiletés cognitives, l'habileté à former le personnel est cruciale, car elle assure la compétence du personnel, mais aussi elle permet de constituer une certaine unité d'ensemble fondée sur le partage de connaissances et de savoir-faire.

		OUI	NON
1.	Former le personnel est une activité à laquelle je consacre beaucoup de mon temps	☐	☐
2.	Je mets en œuvre plusieurs programmes de formation à l'attention de mon personnel	☐	☐
3.	J'insiste pour que mon personnel s'ouvre à de nouvelles idées et à de nouvelles façons de penser	☐	☐
4.	Je stimule la pensée critique et le questionnement relatif aux fondements des problèmes	☐	☐
5.	J'encourage les relations de compagnonnage autant que la formation plus formelle	☐	☐
6.	J'insiste sur les objectifs poursuivis lors des formations	☐	☐
7.	Je mets l'accent autant sur les connaissances à acquérir que sur les savoir-faire et les valeurs	☐	☐
8.	J'encourage toujours mon personnel à remettre en question les idées préconçues	☐	☐
9.	J'invite mon personnel à tenter de mettre en œuvre de nouvelles connaissances	☐	☐
10.	La formation du personnel doit permettre le choc des idées et le renouvellement des pratiques	☐	☐

Une majorité de réponses positives à ces questions témoigne d'une certaine habileté à former le personnel.

DIAGNOSTIC
DE L'HABILETÉ À DÉCIDER

Prendre des décisions est souvent considéré comme le cœur du métier de gestionnaire. En effet, tous les gestionnaires ont à prendre des décisions et la justesse de leurs décisions peut assurer le succès de l'organisation.

		OUI	NON
1.	J'aime prendre des décisions, tout particulièrement dans les situations risquées ou incertaines	☐	☐
2.	J'assume totalement les conséquences de mes décisions	☐	☐
3.	Je fonde mes décisions sur l'analyse des informations et des interprétations disponibles	☐	☐
4.	Avant de prendre une décision, j'aime explorer plusieurs options	☐	☐
5.	J'arrive à composer avec des situations complexes et ambigües	☐	☐
6.	J'arrive à formuler de manière précise et convaincante les problèmes à résoudre	☐	☐
7.	Je n'hésite jamais à consulter les membres de mon équipe pour alimenter ma réflexion	☐	☐
8.	Dès qu'une solution à un problème est trouvée, je mobilise mon personnel et les ressources requises	☐	☐
9.	Je formule mes décisions de façon précise et je suis transparent sur les enjeux qu'elles impliquent	☐	☐
10.	Prendre des décisions est une véritable passion et une occasion d'apprentissage	☐	☐

Une majorité de réponses positives à ces questions témoigne d'une certaine habileté à prendre des décisions.

LES LEVIERS:
LE SAVOIR

Puissant levier de transformation des organisations, le savoir peut prendre plusieurs formes. Il peut notamment être tacite ou explicite et individuel ou collectif. En fait, toutes les combinaisons de ces formes de savoirs se retrouvent dans les organisations. Du coup, les gestionnaires peuvent les mobiliser dans l'action et ainsi concourir à la transformation des organisations[1].

SAVOIR TACITE INDIVIDUEL	▪ Le savoir pratique, le savoir instinctif, le savoir procédural, les routines, les habitudes, les filtres perceptuels, etc. ▪ *Est-ce que je peux mobiliser le savoir tacite de mon personnel? Puis-je rendre transparent mon propre savoir tacite? Est-ce que j'encourage le développement de cette forme de savoir?*
SAVOIR TACITE COLLECTIF	▪ Les normes, les valeurs, les règles tacites, les mythes, les histoires, les rumeurs, le sens commun, les traditions, le savoir-faire de métier, etc. ▪ *Est-ce que je mets à contribution le savoir tacite de l'organisation dans la construction d'un avantage concurrentiel? Est-ce que j'encourage le développement de cette forme de savoir?*
SAVOIR EXPLICITE INDIVIDUEL	▪ Les idées formalisées, les théories personnelles, les opinions, les interprétations subjectives, etc. ▪ *Est-ce que je mobilise le savoir explicite de mon personnel? Est-ce que ce savoir est source de créativité organisationnelle? Est-ce que j'encourage le développement de cette forme de savoir?*
SAVOIR EXPLICITE COLLECTIF	▪ Les théories scientifiques, les théories normatives, les règles institutionnalisées, les informations générales, etc. ▪ *Est-ce que je mets à contribution le savoir explicite de l'organisation dans la construction d'un avantage concurrentiel? Est-ce que j'encourage le développement de cette forme de savoir?*

[1] Voir notamment: Baumard, P., *Organisations déconcertées. La gestion stratégique de la connaissance,* Paris: Masson, 1996.

LES LEVIERS: L'APPRENTISSAGE

Apprendre, se ressourcer, s'ouvrir à de nouvelles idées et à de nouvelles façons de faire est un autre puissant levier d'action. Dans un livre à succès des années 1990, Peter Senge a mis de l'avant l'existence de cinq disciplines dont la maîtrise pourrait susciter de véritables apprentissages organisationnels[2].

LA MAÎTRISE DE SOI	▫ La patience, l'objectivité, la capacité de se concentrer, etc. ▫ *Est-ce que je favorise la maîtrise de soi des membres de mon équipe?*
CLARIFIER ET REMETTRE EN CAUSE LES MODÈLES MENTAUX	▫ Les façons de voir la réalité, les hypothèses, les suppositions, les stéréotypes, les paradigmes, les généralisations, etc. ▫ *Est-ce que je favorise l'énonciation des modèles mentaux et leur remise en cause? Est-ce que j'autorise, ainsi, un questionnement sur les fondements de l'action?*
CONSTRUIRE UNE VISION PARTAGÉE	▫ La capacité d'entrevoir l'avenir, de le visualiser, de s'y projeter et de partager avec les autres la vision qui en résulte. ▫ *Est-ce que je favorise l'émergence d'une vision commune? Est-ce que je stimule la créativité qu'elle requiert? Est-ce que je suscite un engagement ferme à la réaliser?*
APPRENDRE EN ÉQUIPE	▫ Le dialogue et l'échange de points de vue variés, voire même contradictoires. ▫ *Est-ce que je favorise l'apprentissage en équipe? Est-ce que je permets que cet apprentissage se fasse dans un esprit d'ouverture dans lequel le jugement critique et l'analyse sont suspendus?*
PENSER EN TERMES SYSTÉMIQUES	▫ Réfléchir en termes globaux, centrer l'attention sur les interrelations, mettre l'accent sur les processus, etc. ▫ *Est-ce que j'adopte une pensée systémique? Est-ce que je cultive ce mode de réflexion au sein de mon équipe?*

[2] Voir: Senge, P. *La cinquième discipline. L'art et la manière des organisations qui apprennent,* Paris, First, 1990.

LES LEVIERS:
LA GESTION DES CONNAISSANCES

Si le savoir est en soi un levier d'action, au regard de la perspective cognitiviste, il est aussi une ressource qui, à l'instar de toutes les ressources organisationnelles, peut être gérée. En particulier, le gestionnaire peut traduire le savoir tacite en connaissances explicites et inversement. De même, au terme de sa gestion, le savoir individuel peut devenir collectif et le savoir collectif peut être approprié au niveau individuel[3].

SOCIALISATION	◘ Acquisition individuelle du savoir tacite de l'organisation par observation et imitation des pratiques des autres, par des relations de mentorat et de compagnonnage, etc. ◘ *Est-ce que je favorise la socialisation des membres de mon équipe par du coaching, par la constitution de communautés de pratiques ou par la mise en place de relations de compagnonnage?*
INTÉRIORISATION	◘ Transformation de la connaissance explicite de l'organisation en savoir tacite individuel. ◘ *Est-ce que je favorise l'intériorisation du savoir explicite de l'organisation en confiant aux membres de mon équipe des mandats, en leur permettant d'expérimenter de nouvelles tâches et en favorisant l'apprentissage en action?*
ARTICULATION	◘ Transformation du savoir tacite individuel en connaissances collectives explicites. ◘ *Est-ce que je construis des règles, des normes, des procédures et des programmes d'action à partir du savoir tacite des membres de l'équipe?*
COMBINAISON	◘ Transformation du savoir explicite en d'autres savoirs explicites. ◘ *Lors des réunions d'équipe ou de travail en groupe, est-ce que je favorise l'échange de savoirs explicites et la constitution de nouveaux savoirs explicites?*

[3] Voir: Nonaka I. et H. Takeuchi, *The Knowledge-Creating Company,* New York: Oxford University Press. 1995.

LE CHOC DES SAVOIRS

La perspective cognitiviste centre l'attention des gestionnaires sur le savoir des membres de l'organisation et fait alors apparaître cinq espaces de rencontre de ces savoirs. Si l'idéal administratif est de pouvoir profiter du savoir qui se trouve dans l'organisation, notamment par l'hybridation du savoir des uns avec celui des autres, il n'est pas rare que dans la réalité, la rencontre des savoirs engendre plutôt des conflits.

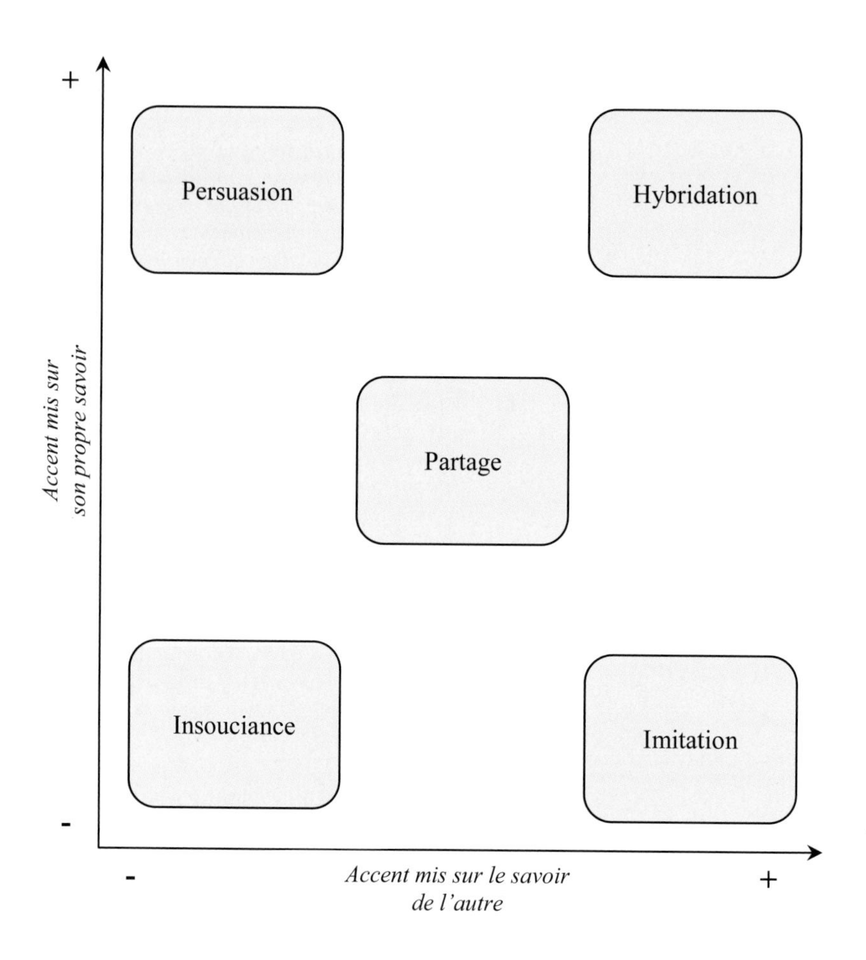

PARTIE V

LES CHANTIERS DU MANAGEMENT

Cette cinquième partie est consacrée à l'exploration de quelques-uns des principaux chantiers de management, soit l'identité organisationnelle, la philosophie de direction, la stratégie concurrentielle, la structure organisationnelle et la prise de décision. Pour réaliser ces chantiers, les gestionnaires peuvent mobiliser toutes les perspectives de management. En effet, chacune apporte un regard particulier, offre aux gestionnaires des habiletés et des leviers d'action et peut donc contribuer à leur réalisation.

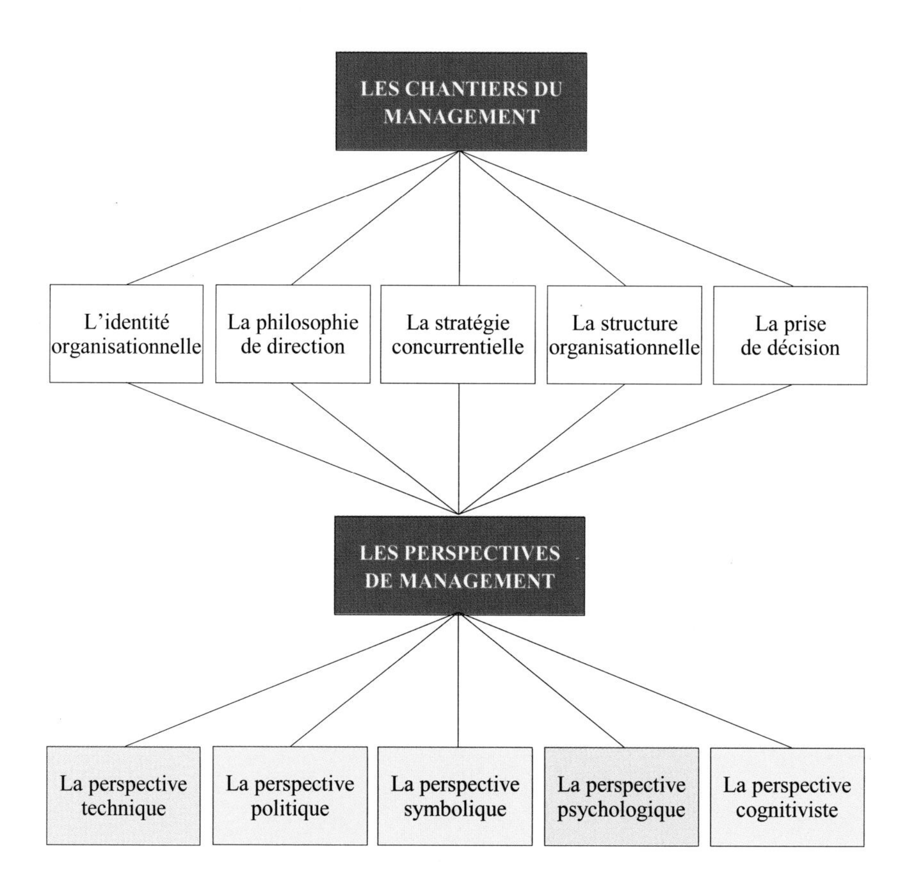

Chapitre 15

L'IDENTITÉ ORGANISATIONNELLE

Du simple fait de leurs interactions quotidiennes, les membres d'une organisation construisent une identité collective dans laquelle s'enchevêtrent des valeurs, des connaissances des pratiques, des rîtes, des normes, des règles, des langages, des artéfacts, des interprétations de la réalité, etc. Selon Boltanski et Thévenot, il est possible de distinguer six identités: traditionnelle, civique, professionnelle, marchande, innovante et prestigieuse[1]. Chacune de ces identités est en soi cohérente et autosuffisante. Toutes sont un monde en soi et si les relations de métissage entre les identités sont possibles, aucune n'a besoin des autres pour exister, expérimenter un sentiment de complétude et offrir aux membres de l'organisation un environnement riche, satisfaisant, confortable et stable. Chaque identité offre donc aux membres de l'organisation un système complet de vie organisée, un univers social et humain fait de valeurs collectives, de principes cohérents au regard du bien commun, des personnes, des objets, des dispositifs, des actions, des rôles et des représentations de la réalité de leur monde organisé. Si toutes les identités organisationnelles sont autosuffisantes, elles peuvent aussi ouvrir des espaces d'échanges. De ces rencontres peuvent émerger de nouvelles identités, mais aussi des conflits identitaires. Par exemple, la rencontre de l'identité professionnelle avec celle de l'innovation, si elle peut s'ouvrir sur la formation de nouvelles orientations stratégiques originales et stimulantes, peut aussi conduire à des débats, voire même à des conflits où les partisans de l'identité de l'innovation reprocheront aux membres de l'identité professionnelle leur seul souci de l'utile et de l'efficace au détriment de la véritable créativité. De même, ces derniers pourront ne voir dans les projets créatifs des membres de l'identité de l'innovation que de vagues utopies aussi irréalistes qu'imprévisibles. Bien sûr, rien n'oblige à ce que les voies de passage d'une identité à l'autre soient ainsi marquées par le mépris et le conflit ouvert, mais la force de chaque identité, doublée de

---

[1] Voir: Boltanski, L. et L. Thévenot, *De la justification. Les économies de la grandeur* Paris: Gallimard, 1991.

l'idéal à réaliser, est propice à ce genre d'affrontements. Conscients de ces possibilités de conflits entre les idéaux propres à chaque identité organisationnelle, les gestionnaires devraient pouvoir décoder les différentes identités de façon à pouvoir miser sur toutes les possibilités de métissage qu'elles offrent.

LES QUESTIONS IDENTITAIRES

Bien que l'identité d'une organisation soit une réalité très complexe et difficile à cerner, il peut s'avérer utile de tenter d'en faire un diagnostic sommaire à l'aide de quelques questions fondamentales, questions qui couvrent les grands enjeux symboliques propres à toutes les identités. Au regard de l'identité, les enjeux symboliques fondamentaux concernent la valeur commune qui préside à l'organisation du collectif, les qualités recherchées chez les membres de l'organisation, les défauts reprochés aux uns et aux autres, les actions valorisées, les objets et dispositifs qui sont considérés comme représentatifs de l'identité organisationnelle, les rôles tenus pour exemplaires et, enfin, l'image collective qui représente tout à la fois un certain idéal de l'organisation et un condensé de sa réalité profonde[2].

Tableau 15.1
Les questions identitaires

LES ENJEUX	QUESTIONS
LES VALEURS	Quelle est la principale valeur commune au sein de l'organisation?
LES QUALITÉS	Quelles sont les qualités recherchées chez les personnes?
LES DÉFAUTS	Quels sont les défauts reprochés aux personnes?
LES ACTIONS	Quelles sont les actions les plus valorisées dans l'organisation?
LES OBJETS	Quels sont les objets ou dispositifs qui représentent le mieux l'identité de l'organisation?
LES RÔLES	Quels sont les rôles les plus valorisés dans l'organisation?
L'IMAGE	Quelle est l'image caractéristique de l'organisation?

[2] Je reprends ici, en les adaptant à la réalité des organisations, les catégories proposées par Boltanski et Thévenaut. Voir: Boltanski, L. et L. Thévenot, *De la justification. Les économies de la grandeur* Paris: Gallimard, 1991.

LA PRINCIPALE VALEUR COMMUNE

Les humains sont des êtres de principes. Leurs actions témoignent d'ailleurs de leur adhésion à des valeurs. En agissant, ils mettent en jeu leurs valeurs et c'est également par l'action qu'ils les façonnent et les transforment. Lorsque les humains se regroupent au sein d'une organisation, ils mettent en commun leurs valeurs, les négocient et les transforment. C'est donc dire qu'une organisation est un espace constitué de valeurs qui sont le fruit des interactions humaines qui s'y déploient et qui donnent sa consistance au collectif. Toutefois, pour qu'une organisation puisse avoir une identité caractéristique, il faut que ces interactions mettent en jeu une valeur dominante, un principe supérieur commun qui sert de référence à l'action de chacun. Sans cette valeur dominante, l'organisation n'a pas de référence centrale pour guider l'action de chacun et elle risque alors de prendre la forme d'un espace éclaté, d'un lieu de conflits permanents, d'indifférence larvée, d'univers social sans véritable partage d'une identité commune. L'existence d'une valeur supérieure commune et dominante ne signifie pas pour autant que tous y adhèrent. En fait, les organisations sont toujours le lieu de rencontre de plusieurs valeurs, certaines se combinant harmonieusement les unes aux autres, alors que d'autres entrent plutôt en conflit.

Parmi le choix de réponses proposées au tableau 15.2, les membres d'une organisation devraient pouvoir identifier ce qu'ils considèrent être leur principale valeur commune.

Tableau 15.2
La principale valeur commune

1	Le respect des personnes et des traditions
2	Le respect de la volonté générale et la participation
3	L'efficacité et la performance
4	La saine compétition et l'émulation
5	La créativité et l'imagination
6	L'estime des autres et la notoriété

LA PRINCIPALE QUALITÉ PERSONNELLE

Être de principe et de réflexion, les humains posent constamment des jugements sur les uns et les autres. D'ailleurs, comme le veut la maxime populaire qui nous dit «que ceux et celles qui se ressemblent s'assemblent», les humains sont généralement à la recherche de personnes qui partagent avec eux certaines affinités et qualités qu'ils jugent attirantes, admirables et acceptables. Lorsque les humains se regroupent au sein d'une organisation, ils se retrouvent en présence de personnes qui ont forcément des qualités et des défauts. Dans leurs relations interpersonnelles, les membres de l'organisation sont généralement à la recherche de personnes qui ont certaines qualités et, en contrepartie, ils tentent d'éviter ceux et celles qu'ils jugent avoir des défauts inacceptables. Toutefois, pour qu'une organisation puisse avoir une identité caractéristique, il faut que les membres de l'organisation partagent certaines qualités personnelles. Sans ce partage, les relations interpersonnelles dans l'organisation risquent d'être continuellement empreintes de méfiance, si ce n'est d'évitement ou de conflits permanents. L'existence de qualités personnelles valorisées dans l'organisation ne signifie pas pour autant que tous les partagent et les recherchent. Une autre maxime populaire, ne dit-elle pas que «les contraires s'attirent»? En fait, les organisations sont toujours le lieu de rencontre de plusieurs qualités personnelles, certaines se combinant harmonieusement les unes aux autres, alors que d'autres entrent plutôt en conflit.

Parmi le choix de réponses proposées au tableau 15.3, les membres d'une organisation devraient pouvoir identifier ce qu'ils considèrent être la qualité qu'ils considèrent être la qualité personnelle la plus importante.

Tableau 15.3
La principale qualité personnelle

1	Loyauté, bienveillance, franchise et sagesse
2	Esprit d'équipe, dévouement, abnégation et civilité
3	Efficacité, compétence, productivité et professionnalisme
4	Combativité, fougue, dynamisme et détermination
5	Spontanéité, passion, créativité et imagination
6	Charisme, notoriété, leadership et réputation

LE PRINCIPAL DÉFAUT PERSONNEL

Dans leurs relations interpersonnelles, les humains tentent généralement d'éviter les personnes qui possèdent, selon eux, certains défauts qu'ils jugent méprisables, détestables et inacceptables. Lorsqu'ils se regroupent au sein d'une organisation, ils se retrouvent en présence de personnes qui ont forcément des qualités et des défauts. Dans leurs relations interpersonnelles, les membres de l'organisation tentent généralement d'éviter ceux et celles qu'ils jugent avoir des défauts inacceptables.

Généralement, dans une organisation qui a une identité caractéristique, ses membres partagent un relatif mépris pour certains défauts personnels. D'ailleurs, sans ce partage, les relations interpersonnelles dans l'organisation risquent d'être continuellement empreintes de confusion, si ce n'est de méfiance ou de conflits.

Parmi le choix de réponses proposées au tableau 15.4, les membres d'une organisation devraient pouvoir identifier ce qu'ils considèrent être le pire des défauts personnels.

Tableau 15.4
Le principal défaut personnel

1	Impolitesse, vulgarité et flatterie
2	Arbitraire, individualisme et politicaillerie
3	Inefficacité, paresse et incompétence
4	Désintéressement, nonchalance et défaitisme
5	Conformisme, immobilisme et routinier
6	Banalité, insignifiance et médiocrité

L'ACTION DÉTERMINANTE

Il est généralement d'usage d'opposer la réflexion à l'action, mais dans les faits et à moins de la réduire à un pur réflexe, l'action comporte toujours sa part de réflexion. Il serait donc plus juste de qualifier l'action humaine d'«action réflexive» de façon à bien mettre en évidence le fait que les humains sont toujours tout à la fois des êtres d'action et de réflexion. Ces actions réflexives sont d'ailleurs au principe de la constitution des organisations. En effet, une organisation est un territoire où se déploient les actions réflexives qui lui donnent corps et consistance. Ce sont donc les actions réflexives des membres de l'organisation qui sont déterminantes et qui lui permettent de se définir une identité. Toutefois, dans les organisations, certaines actions sont nettement plus valorisées que d'autres et pour qu'une organisation puisse avoir une identité caractéristique, il faut que les membres de l'organisation partagent un relatif engouement pour certaines actions. Sans ce partage, les actions risquent d'être contradictoires et puisque l'organisation est d'abord et avant tout la somme coordonnée des actions qui s'y déploient, cela peut contribuer à fragmenter son identité. L'existence de ces actions valorisées ne signifie pas pour autant que tous les membres de l'organisation s'enferment dans un registre précis et limité d'actions. En fait, les organisations sont toujours le lieu de rencontre d'une diversité d'actions, certaines pouvant se combiner aux actions valorisées alors que d'autres pourront être une source de conflits.

Parmi le choix de réponses proposées au tableau 15.5, les membres d'une organisation devraient pouvoir identifier ce qu'ils considèrent être l'action déterminante de l'organisation.

Tableau 15.5
L'action déterminante

1	Respecter, consolider, guider et accompagner
2	Mobiliser, débattre, rassembler et informer
3	Analyser, contrôler, optimiser et organiser
4	Rivaliser, acquérir, conquérir et négocier
5	Innover, créer, imaginer et inventer
6	Persuader, séduire, éblouir et influencer

LES OBJETS ET LES DISPOSITIFS DISTINCTIFS

Si les humains sont des êtres d'action et de réflexion, ils sont aussi des êtres qui construisent des objets matériels et des dispositifs abstraits dans lesquels ils se reconnaissent et avec lesquels ils interagissent pour donner corps aux identités humaines. Ainsi, une organisation ne met pas en jeu que des humains. En effet, nous y trouvons aussi une panoplie d'objets matériels, de codes, de procédures, de techniques, de méthodes et de façons de faire qui se combinent aux interactions humaines pour ainsi faire des organisations un système qui est tout à la fois humain et technique. Dans les organisations, certains objets et dispositifs (des techniques, codes, procédés, façons de faire, méthodes, etc.) sont nettement plus valorisés que d'autres et pour qu'une organisation puisse avoir une identité caractéristique, il faut généralement que les membres de l'organisation se reconnaissent dans certains objets et dispositifs particuliers. L'existence de ces objets et dispositifs distinctifs ne signifie pas pour autant que tous les membres de l'organisation se reconnaissent en eux, ni ne les considèrent comme étant distinctifs. En fait, les organisations sont toujours le lieu de rencontre d'une diversité d'objets et de dispositifs, certains pouvant se combiner aux autres alors que d'autres pourront être une source de conflits.

Parmi le choix de réponses proposées au tableau 15.6, les membres d'une organisation devraient pouvoir identifier ce qu'ils considèrent être les objets et les dispositifs distinctifs de leur organisation.

Tableau 15.6
Les objets et les dispositifs distinctifs

1	Les titres, les rituels et les cérémonies
2	Les règlements, les codes de conduite et les lois
3	Les outils, les tâches et les plans
4	Les contacts d'affaires, la richesse et l'avoir
5	Les idées, les rêves et les visions
6	Les marques, le design et les messages

LE RÔLE EXEMPLAIRE

La vie en société est marquée par la diversité des rôles qu'incarnent les humains. En effet, dans leurs relations sociales, les humains jouent des rôles sociaux qui commandent certaines actions, valeurs et attitudes plus ou moins précises. Chaque rôle comporte son lot d'obligations et d'attentes. Cela dit, tous les humains jouent une diversité de rôles, certains formels, comme l'est le rôle de gestionnaire, alors que d'autres, tel le rôle d'ami, sont informels. Les rôles formels se distinguent des autres par la codification plus précise qui dicte ce qui est attendu de celui ou de celle qui les jouent.

Les organisations sont aussi le lieu de rencontre d'une diversité de rôles qu'incarnent ceux et celles qui y œuvrent. Il y a, bien sûr, un très grand nombre de rôles formels, ceux définis par les descriptions de tâches, mais il y a aussi un très grand nombre de rôles informels qui échappent aux tentatives de formalisation. Dans les organisations, certains rôles sont nettement plus valorisés que d'autres et pour qu'une organisation puisse avoir une identité caractéristique, il faut que les membres de l'organisation partagent une relative admiration pour certains rôles. Ces rôles qu'il est possible de qualifier d'«exemplaires» guident l'action des uns et des autres dans le sens d'une identité collective à partager.

Parmi le choix de réponses proposées au tableau 15.7, les membres d'une organisation devraient pouvoir identifier ce qu'ils considèrent être le rôle exemplaire au sein de leur organisation.

Tableau 15.7
Le rôle exemplaire

1	Artisan, mentor ou éducateur
2	Porte-parole, représentant ou mandataire
3	Expert, professionnel ou organisateur
4	Stratège, vendeur ou conquérant
5	Artiste, inventeur ou créateur
6	Leader, promoteur ou catalyseur

L'IMAGE SYMBOLIQUE

Les humains interviennent dans leur réalité ce qui leur permet de construire les nouvelles connaissances qui viennent donner de l'impulsion à leurs actions. Cette boucle réflexive, propre à l'action humaine, se remarque notamment dans la capacité qu'ont les humains de construire des représentations de leur société de façon à mieux y intervenir et à mieux la comprendre.

Dans les organisations, les humains construisent aussi des représentations qui prennent souvent la forme d'une image globale et exemplaire. À titre d'exemple, ils peuvent qualifier leur organisation de «famille», de «club social», de «prison», de «fourmilière», de «zoo», de «ruche», de «cercle d'amis», de «machine», de «lego», de «réseau», «d'usine», «d'atelier», de «cerveau», de «cirque», «d'équipe sportive», de «terrain de jeu», «d'espace créatif», de «laboratoire d'expérimentation», de «secte», «d'armée», «d'arène de lutte», etc. Bien sûr, tous ces qualificatifs plus ou moins caricaturaux ne sont que des approximations et leur principal mérite est d'évoquer en termes imaginatifs et exemplaires une réalité pourtant bien réelle, soit l'identité de l'organisation. Ce faisant, ces images identitaires schématiques permettent d'engager la réflexion et les échanges entre ceux et celles qui souhaitent construire un collectif qui soit véritablement doté d'une identité commune.

Parmi le choix de réponses proposées au tableau 15.8, les membres d'une organisation devraient pouvoir identifier ce qu'ils considèrent être l'image qui représente le mieux la réalité symbolique de leur organisation.

Tableau 15.8
L'image symbolique de l'organisation

1	Une famille ou une tribu
2	Une agora civique ou un club social
3	Une machine performante ou une équipe compétente
4	Une équipe combative ou une armée conquérante
5	Un laboratoire d'expérimentation ou un terrain de jeu
6	Un club privé ou une équipe d'étoiles

LES SIX IDENTITÉS ORGANISATIONNELLES

En combinant les réponses aux différentes questions fondamentales, il est possible de distinguer six grandes identités organisationnelles. Bien sûr, ces identités sont bien davantage des approximations schématiques, des archétypes, que des réalités qu'il est possible de connaître et dans lesquelles il serait possible de vivre. Cela dit, ces archétypes sont tout de même des approximations valables de milieux organisationnels très concrets et leur principal mérite est de guider la réflexion, la discussion et l'action.

Tableau 15.9
Les identités organisationnelles

1	L'identité traditionnelle
2	L'identité civique
3	L'identité professionnelle
4	L'identité marchande
5	L'identité d'innovation
6	L'identité de prestige

Par ailleurs, de façon à mettre en évidence la proximité entre certaines de ces identités, là où les voies de passage sont les plus faciles, il est possible de les regrouper autour de trois pôles identitaires, à savoir les pôles communautaire, d'individuation et technique (voir figure 15.1).

Le pôle communautaire met en action, comme son nom l'indique, une logique identitaire selon laquelle la communauté domine les individus. Ce pôle regroupe les identités traditionnelle et civique qui, toutes deux, font de la communauté, qu'elle soit pensée en termes de famille ou de société civile, un idéal de vie. Le pôle d'individuation regroupe les identités d'innovation et de prestige. Ces deux identités se combinent aisément puisqu'elles ont en commun un certain idéal de différenciation. Le pôle technique regroupe les identités professionnelle et marchande. Ces deux identités ont en commun le recours privilégié à une logique technique de gestion que ce soit, pour l'une, à des techniques de gestion de l'efficacité interne ou à des techniques de gestion stratégique pour l'autre.

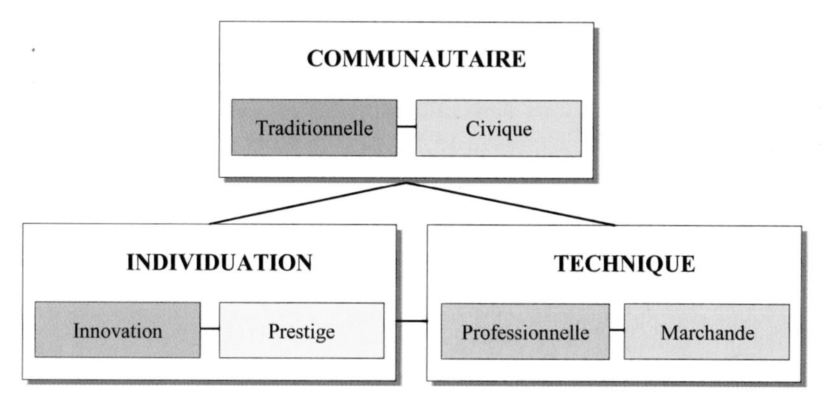

Figure 15.1: Les pôles identitaires

Chacun des pôles identitaires met en action une double logique d'action. D'un côté, il y a une logique interne à l'organisation, logique qui centre l'identité sur les produits, les traditions et le fonctionnement de l'organisation et de l'autre se trouve la logique tournée vers la dynamique externe à l'organisation, logique qui centre l'identité sur les admirateurs, la société et le marché de l'organisation. Du coup, la transformation identitaire peut emprunter deux voies bien distinctes. D'une part, les organisations peuvent se transformer tout en demeurant sur le même pôle identitaire. Dans ce cas, la transformation correspondra soit à un recentrage sur les forces de l'organisation, soit à l'exploration des possibilités offertes par l'environnement de l'organisation. D'autre part, les organisations peuvent également engager des transformations identitaires qui, conduites à terme, auront pour effet un changement de pôle identitaire.

Tableau 15.10
Les pôles identitaires

PÔLES	IDENTITÉ CENTRÉE SUR LA DYNAMIQUE INTERNE	IDENTITÉ TOURNÉE VERS LA DYNAMIQUE EXTERNE
COMMUNAUTAIRE	Traditionnelle *La tradition*	Civique *La société*
INDIVIDUATION	Innovation *Les produits*	Prestige *Les admirateurs*
TECHNIQUE	Professionnelle *Le fonctionnement*	Marchande *Le marché*

LES TEMPS IDENTITAIRES

L'identité s'inscrit toujours dans une trame historique et il est donc possible, comme le suggère le tableau 15.11, de conjuguer les six identités organisationnelles autant au passé qu'au présent, au futur et au conditionnel.

Tableau 15.11
Les temps identitaires

TEMPS	QUESTIONS	IDENTITÉ
PASSÉ	Qui étions-nous?	Quelle identité caractérisait l'organisation?
PRÉSENT	Qui sommes-nous?	Quelle identité caractérise l'organisation?
FUTUR	Qui devenons-nous?	Que devient l'identité de l'organisation?
CONDITIONNEL	Qui devrions-nous être?	Que devrait être l'identité de l'organisation?

À la lumière de ces temps identitaires, il est donc possible de reprendre tout le questionnement autour des enjeux symboliques fondamentaux de façon à mettre au jour ce qu'était, est, devient ou devrait être l'identité de l'organisation.

Tableau 15.12
Les temps identitaires et les enjeux symboliques

LES ENJEUX	PASSÉ	PRÉSENT	FUTUR	CONDITIONNEL
LES VALEURS				
LES QUALITÉS				
LES DÉFAUTS				
LES ACTIONS				
LES OBJETS				
LES RÔLES				
L'IMAGE				

LES PERSPECTIVES DE MANAGEMENT ET LES IDENTITÉS ORGANISATIONNELLES

L'ensemble des perspectives de management peut être mobilisé dans la construction de l'identité organisationnelle. Bien sûr, selon leur style naturel de management, les gestionnaires peuvent mettre l'accent sur certaines perspectives et ainsi concevoir l'identité de leur organisation en termes strictement techniques, politiques, symboliques, psychologiques ou cognitifs.

Sous le regard de la perspective technique, l'identité organisationnelle apparaît essentiellement comme un instrument au service de la réalisation des intentions stratégiques de l'organisation. D'une certaine façon, l'identité serait aisément malléable et conséquente d'objectifs à atteindre. Dans la perspective politique, l'identité organisationnelle prend un tout autre relief. Elle est le fruit du jeu politique de ses membres. Sous ce regard, vouloir transformer l'identité d'une organisation équivaut à chercher à modifier le système politique de l'organisation, à en changer les règles et les enjeux et à modifier l'équilibre des intérêts en présence. Du coup, il devient évident que les changements identitaires ne sont pas aussi aisés que ce que laisse supposer la perspective technique. Dans la perspective symbolique, l'identité organisationnelle occupe la place centrale. En effet, c'est précisément dans cette perspective que les organisations sont vues comme des espaces identitaires. Cela dit, à la lumière de la perspective symbolique, les changements identitaires sont ardus, car ils impliquent des changements dans les valeurs des membres de l'organisation, ce qui n'est jamais simple à réaliser. Dans la perspective psychologique, l'identité organisationnelle comble les besoins et les attentes des membres de l'organisation. Dès lors, vouloir modifier l'identité d'une organisation, c'est possiblement se heurter à la résistance psychologique d'acteurs organisationnels qui tiennent à la sécurité qu'offre une identité dont ils ont intériorisé les valeurs et les attentes. Enfin, dans la perspective cognitiviste, l'identité organisationnelle se présente sous les traits d'un assemblage de connaissances mises en œuvre par des acteurs organisationnels réflexifs. Là aussi, le changement identitaire ne paraît pas aisé, puisqu'il implique de modifier les systèmes de connaissances des uns et des autres.

Par ailleurs, comme en témoignent les tableaux qui suivent, il est possible de chercher à combiner les perspectives de façon à développer un regard intégré de l'identité organisationnelle et de sa gestion.

Tableau 15.13
Le management
de l'organisation traditionnelle

MANAGEMENT	L'ORGANISATION TRADITIONNELLE
PLANIFIER	◘ La planification est souvent routinière et prend surtout la forme d'une allocation pragmatique des ressources ◘ La planification est parfois vue comme une complication qui détourne l'attention de ce qui est vraiment important, soit les opérations ◘ Produire ou livrer le service est au centre des préoccupations ◘ La pérennité de l'organisation est l'objectif principal
ORGANISER	◘ Ordonner est ici le maître mot. Tout doit être à l'ordre et être structuré autour d'une autorité hiérarchique que tous respectent ◘ La structure est relativement simple et les analystes, lorsqu'ils sont présents, ont peu de pouvoir
DIRIGER	◘ Le style de direction est essentiellement paternaliste ◘ L'autorité est fréquemment au principe des relations de direction ◘ Rassembler, intégrer et guider sont, ici, des rôles décisifs
CONTRÔLER	◘ La supervision directe du travail par les gestionnaires et les pairs assure le respect des valeurs communes, des standards de qualité et une forte cohésion d'ensemble
PERSPECTIVE SYMBOLIQUE	◘ La loyauté sert de fondement aux relations de travail ◘ Le respect hiérarchique et de la tradition sont des valeurs centrales
PERSPECTIVE POLITIQUE	◘ L'expérience et l'ancienneté représentent de solides bases de pouvoir ◘ L'accent est mis sur les groupes et les règles traditionnelles
PERSPECTIVE PSYCHOLOGIQUE	◘ La sécurité et les relations d'appartenance sont les principaux facteurs de motivation ◘ La maîtrise de soi est une compétence recherchée
PERSPECTIVE COGNITIVISTE	◘ Le savoir-faire est la connaissance qui fait la différence ◘ Le savoir-faire est principalement transmis par des relations de compagnonnage

Tableau 15.14
Le management
de l'organisation civique

MANAGEMENT	L'ORGANISATION CIVIQUE
PLANIFIER	◘ La planification est souvent politique et prend la forme d'une négociation où les membres de l'organisation se font l'écho des parties prenantes qui gravitent autour de l'organisation ◘ La planification est vue comme une occasion d'affirmer certains idéaux et certaines normes sociales ◘ Réaliser de façon consciente les obligations de l'organisation est au centre des préoccupations ◘ Le principal objectif est de servir la collectivité dans laquelle l'organisation tente d'être perçue comme une citoyenne exemplaire
ORGANISER	◘ Consulter est ici le maître mot. Tout doit transiter par des comités dans lesquels la collégialité et la participation permettent l'échange constant de points de vue ◘ La structure prend souvent la forme d'une bureaucratie dans laquelle les obligations des uns et des autres sont sans cesse définies et répétées
DIRIGER	◘ Le style de direction est souvent paternaliste sans être autoritaire et fait une large place à la diplomatie ◘ La collégialité est fréquemment au principe des relations de direction ◘ Influencer, négocier et arbitrer sont, ici, des rôles décisifs
CONTRÔLER	◘ La négociation et l'arbitrage tiennent souvent lieu de mécanisme d'évaluation des performances
PERSPECTIVE SYMBOLIQUE	◘ La responsabilité sociale sert de fondement aux relations de travail ◘ La collégialité et la participation sont des valeurs centrales
PERSPECTIVE POLITIQUE	◘ Le pouvoir est lié au contrôle de l'incertitude ◘ L'accent est mis sur les demandes des groupes qui font pression sur l'organisation
PERSPECTIVE PSYCHOLOGIQUE	◘ Les relations d'appartenance et l'estime des autres sont les principaux facteurs de motivation ◘ L'empathie est la compétence sociale recherchée
PERSPECTIVE COGNITIVISTE	◘ Le savoir-être est la connaissance qui fait la différence

Tableau 15.15
Le management
de l'organisation professionnelle

MANAGEMENT	L'ORGANISATION PROFESSIONNELLE
PLANIFIER	▪ La planification est une activité centrale qui prend surtout la forme d'une analyse rigoureuse des forces et des faiblesses de l'organisation et de mise au jour des *meilleures pratiques* ▪ La planification est vue comme un processus continu qui doit orienter l'utilisation des ressources ▪ Optimiser l'utilisation des ressources est au centre des préoccupations ▪ L'efficacité dans l'utilisation des ressources est le principal objectif
ORGANISER	▪ Formaliser est ici le maître mot. Tout doit être précis et les rôles, les tâches, les activités, les processus et les compétences font l'objet d'analyses et de définitions claires et précises ▪ L'organisation se structure par fonctions et les analystes jouent un très grand rôle
DIRIGER	▪ Le style de direction est d'ordre technique et est centré sur les processus de travail ▪ La compétence est au principe des relations de direction ▪ Planifier, organiser, diriger et contrôler sont, ici, des rôles décisifs
CONTRÔLER	▪ Le contrôle prend la forme d'un processus formel de rétroaction sur les objectifs planifiés et d'analyse des écarts de façon à mieux allouer les ressources
PERSPECTIVE SYMBOLIQUE	▪ La compétence est au fondement des relations de travail ▪ L'efficacité au travail est une valeur centrale
PERSPECTIVE POLITIQUE	▪ L'expertise et l'information représentent les principales bases de pouvoir ▪ L'accent est mis sur les processus et les règles formelles
PERSPECTIVE PSYCHOLOGIQUE	▪ La performance et les rémunérations sont les principaux facteurs de motivation ▪ L'auto motivation est une compétence recherchée
PERSPECTIVE COGNITIVISTE	▪ Le savoir formel est la connaissance qui fait la différence

Tableau 15.16
Le management
de l'organisation marchande

MANAGEMENT	L'ORGANISATION MARCHANDE
PLANIFIER	◘ La planification est une activité centrale qui prend surtout la forme d'une analyse de l'environnement et d'une définition des cibles à atteindre ◘ La planification est vue comme une occasion de redéfinir le positionnement stratégique de l'organisation par la construction d'un avantage concurrentiel ◘ Occuper un espace privilégié dans l'environnement est au centre des préoccupations ◘ La croissance et les gains de légitimité sont les principaux objectifs
ORGANISER	◘ L'opportunisme est ici le maître mot. Tout gravite autour de l'environnement, particulièrement les espaces à conquérir et les parties prenantes à convaincre ◘ L'organisation se structure par produits ou par marchés de façon à ce que le client soit au centre des préoccupations et des opérations
DIRIGER	◘ Le style de direction est technique et est centré sur les résultats ◘ L'émulation est au principe des relations de direction ◘ La planification stratégique et la négociation sont, ici, des activités décisives
CONTRÔLER	◘ Le contrôle prend la forme d'un processus formel de rétroaction sur les cibles à atteindre et sur les ajustements stratégiques à mettre en œuvre
PERSPECTIVE SYMBOLIQUE	◘ Le dynamisme et le goût du dépassement servent de fondement aux relations de travail ◘ La combativité est une valeur centrale
PERSPECTIVE POLITIQUE	◘ Le pouvoir est lié aux succès des relations avec l'environnement. Plus une personne peut acquérir de ressources au profit de l'organisation, plus elle peut compter sur le respect de ses pairs ◘ L'accent est mis sur la nécessité de se démarquer des autres organisations en termes de performance
PERSPECTIVE PSYCHOLOGIQUE	◘ La performance mesurée en termes de contribution à la croissance de l'organisation et l'estime de soi sont les principaux facteurs de motivation ◘ Les aptitudes sociales représentent la compétence sociale recherchée
PERSPECTIVE COGNITIVISTE	◘ Le savoir-faire en matière de relations compétitives est la connaissance qui fait la différence

Tableau 15.17
Le management
de l'organisation innovante

MANAGEMENT	L'ORGANISATION INNOVANTE
PLANIFIER	◘ La planification occupe peu de place et prend surtout la forme d'un projet à réaliser ◘ La planification est vue comme un processus qui mine la créativité ◘ Entreprendre des projets est au centre des préoccupations ◘ Lancer de nouveaux produits ou services est le principal objectif
ORGANISER	◘ Partager est ici le maître mot. La collaboration est centrale et lors de réunions souvent informelles, il y a un partage d'idées et de connaissances ◘ L'organisation mise principalement sur une gestion par projet, gestion très fluide et changeante
DIRIGER	◘ Le style de direction est d'ordre participatif et il mise sur le partage d'une vision ◘ La passion est au principe des relations de direction ◘ Le coaching est, ici, un rôle décisif
CONTRÔLER	◘ Le contrôle prend la forme d'un processus d'apprentissage et d'exploration de nouvelles façons de faire
PERSPECTIVE SYMBOLIQUE	◘ La créativité est au fondement des relations de travail ◘ L'imagination au travail est une valeur centrale
PERSPECTIVE POLITIQUE	◘ L'audace représente la principale base de pouvoir ◘ L'accent est mis sur les idées
PERSPECTIVE PSYCHOLOGIQUE	◘ La réalisation de soi est le principal facteur de motivation ◘ La conscience de soi est une compétence recherchée
PERSPECTIVE COGNITIVISTE	◘ Le savoir-faire en termes de recherche est la connaissance qui fait la différence ◘ Les membres de l'organisation sont sans cesse à la recherche de nouveaux savoirs et de nouvelles façons d'hybrider les connaissances actuelles avec de nouveaux savoirs

Tableau 15.18
Le management
de l'organisation prestigieuse

MANAGEMENT	L'ORGANISATION PRESTIGIEUSE
PLANIFIER	▪ La planification occupe beaucoup de place et prend surtout la forme d'un processus de mobilisation en vue d'atteindre des cibles qui seront garante de renommée ▪ La planification est vue comme une occasion d'investir dans les activités et les personnes porteuses du prestige recherché ▪ Se démarquer des concurrents est au centre des préoccupations ▪ La renommée est l'objectif central
ORGANISER	▪ Mobiliser est ici le maître mot. Tous doivent se mobiliser autour d'une vision commune de l'organisation et de ses cibles ▪ L'organisation se structure fréquemment autour de *champions* qui incarnent le prestige recherché
DIRIGER	▪ Le style de direction oscille entre l'expertise et la diplomatie ▪ L'émulation est au principe des relations de direction ▪ Les habiletés politiques sont, ici, décisives
CONTRÔLER	▪ Le contrôle prend la forme d'un processus de *benchmarking* au terme duquel l'organisation compare ses performances à celles des organisations les plus prestigieuses
PERSPECTIVE SYMBOLIQUE	▪ Le prestige est au fondement des relations de travail ▪ La renommée est une valeur centrale
PERSPECTIVE POLITIQUE	▪ Le pouvoir est lié au prestige acquis dans l'environnement ▪ L'accent est mis sur la nécessité de se démarquer des autres organisations en termes de renommée
PERSPECTIVE PSYCHOLOGIQUE	▪ La performance en termes de contribution au prestige de l'organisation et l'estime des autres sont les principaux facteurs de motivation ▪ L'auto-motivation est la compétence sociale recherchée
PERSPECTIVE COGNITIVISTE	▪ Le savoir-être est la connaissance qui fait la différence

Chapitre 16

LA PHILOSOPHIE DE DIRECTION

Dans toutes les perspectives de management, les pratiques de direction du personnel occupent une place centrale. Bien sûr, chacune des perspectives en offre un regard particulier et c'est ainsi que les pratiques de direction seront tour à tour vues comme instrumentales, créatrices d'identités collectives, opératrices de négociations, productrices de climats psychologiques et comme génératrices d'un savoir collectif. Tous ces regards peuvent aussi être concrètement combinés et concourir alors à forger une philosophie de direction.

Une philosophie de direction c'est donc tout à la fois un regard sur la réalité très concrète des interactions sociales et humaines au sein des organisations et une pratique de gouvernement de ces mêmes interactions.

Selon Rensis Likert, qui historiquement a jeté les bases du questionnement sur les philosophies de direction, il est possible d'identifier quatre grandes philosophies de direction qu'il qualifie de «système de management», soit les philosophies autoritaire, paternaliste, consultative et participative[1]. Chacune de ces philosophies met en action un système cohérent de management, systèmes qui suscitent des comportements différents chez le personnel et donnent des résultats également différents. D'ailleurs, toujours selon Likert, trois groupes de variables seraient au fondement de la constitution de ces philosophies de direction. Comme l'illustre la figure 16.1, il y aurait, d'abord les pratiques de management, puis les caractéristiques du personnel et, enfin, les résultats qui découlent des comportements qu'induisent les pratiques de direction[2].

---

[1] Voir: Likert, R., *New Patterns of Management,* New York: McGraw-Hill, 1961 et Likert, R., *The Human Organization: Its Management and Value,* New York: McGraw-Hill, 1967. Likert désigne les philosophies de direction comme étant autoritaire-exploiteur, autoritaire-bienveillante, consultative et participative.

[2] Likert évoque ces variables selon les termes suivants: causales, intermédiaires et résultantes.

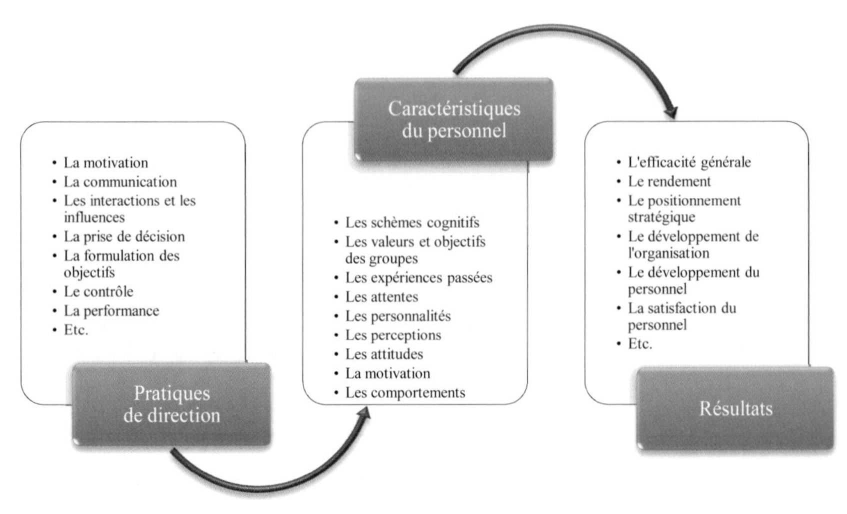

Figure 16.1 Les variables constitutives des philosophies de direction

LES PRATIQUES DE DIRECTION

Il existe une indéfinie variété de pratiques de direction conséquentes de la diversité très concrète des organisations, des dirigeants et du personnel. Il est donc illusoire de prétendre en faire le tour. Tout au plus, pouvons-nous recenser certaines des pratiques les plus courantes. Selon Likert, il y a sept variables liées aux pratiques de direction qui concourent à la constitution des philosophies de gestion: la motivation, la communication, les interactions et l'influence, la prise de décision, la formulation des objectifs, le contrôle et la gestion de la performance.

La motivation

La motivation du personnel est une préoccupation constante des gestionnaires dans la mesure où, en étant l'un des principaux moteurs psychologiques de l'action, elle détermine très largement la productivité de l'organisation. Comme le montre le tableau 16.1, la variable que représente la motivation peut être décomposée en sept volets, soit les facteurs de motivation, la cohérence entre ces facteurs, les méthodes utilisées pour motiver le personnel, les attitudes du personnel envers l'organisation, les attitudes du personnel envers les autres membres de l'organisation, la responsabilisation du personnel et, enfin, le degré de satisfaction que procure le travail[3].

[3] Tous les tableaux sont construits à partir de l'œuvre de Likert. Toutefois, parfois, je ne reprends pas toutes les caractéristiques qu'il énonce, ni ne retiens toutes ses formulations.

Tableau 16.1
La motivation

CARACTÉRISTIQUES	DESCRIPTION
LES FACTEURS	Les besoins que permet de combler le travail, tels la sécurité, l'appartenance ou le dépassement de soi
LA COHÉRENCE DES FACTEURS	Les facteurs de motivation peuvent être contradictoires, mais également complémentaires
LES MÉTHODES	Les méthodes de motivation utilisées telles les récompenses et les sanctions ou l'implication dans les décisions
L'ATTITUDE ENVERS L'ORGANISATION	Les attitudes d'implication, d'indifférence ou de méfiance envers les objectifs de l'organisation
L'ATTITUDE ENVERS LES AUTRES	Les attitudes de confiance, d'indifférence ou de méfiance autant envers les gestionnaires qu'envers les membres des groupes de travail
LA RESPONSABILISATION	Le degré de responsabilité confié au personnel
DEGRÉ DE SATISFACTION	La satisfaction que procurent le travail et sa gestion

La communication

La communication peut se réduire à une transmission d'informations en vue de réaliser les objectifs de l'organisation, mais elle peu aussi prendre une forme nettement moins mécanique lorsque les gestionnaires prennent un réel intérêt au point de vue du personnel. Comme le montre le tableau 16. 2, la variable que représente la communication comprend trois aspects, soit son importance aux yeux des gestionnaires, le sens de la circulation de l'information au sein de l'organisation et l'attitude des gestionnaires au regard des points de vue du personnel.

Tableau 16.2
La communication

CARACTÉRISTIQUES	DESCRIPTION
L'IMPORTANCE	Le gestionnaire accorde beaucoup, peu ou pas d'importance à la communication avec le personnel
LA CIRCULATION	La transmission de l'information est principalement ascendante, descendante ou latérale
L'ATTITUDE	Le gestionnaire accorde beaucoup, peu ou pas d'importance à ses interlocuteurs, à ce qu'ils vivent et ressentent

Les interactions et l'influence

Interagir avec les membres de l'organisation et tenter d'influencer les comportements et les attitudes des uns et des autres est au centre des relations de direction. Comme en témoigne le tableau 16.3, l'interaction sociale et l'influence constitutive des relations de direction comprennent quatre volets, soit l'importance accordée aux interactions avec le personnel, la nature de ces interactions, l'esprit d'équipe qui émerge des interactions, l'influence accordée au personnel et, enfin, l'influence naturelle qu'exerce le gestionnaire.

Tableau 16.3
Les interactions et l'influence

CARACTÉRISTIQUES	DESCRIPTION
L'IMPORTANCE DES INTERACTIONS	Le gestionnaire accorde ou non de l'importance aux interactions avec le personnel
NATURE DES INTERACTIONS	Les interactions peuvent être teintées de méfiance ou de confiance, de sentiment de peur ou de loyauté
L'ESPRIT D'ÉQUIPE	Le gestionnaire peut ou non encourager l'esprit d'équipe
L'INFLUENCE DU PERSONNEL	Le gestionnaire peut ou non favoriser l'influence de son personnel au sein de l'organisation
L'INFLUENCE DU GESTIONNAIRE	Le gestionnaire peut ou non avoir beaucoup d'influence sur son personnel

La prise de décision

La prise de décision est parfois considérée comme étant l'essence même du métier de gestionnaire, ce qui lui donne sa légitimité, sa pertinence et sa noblesse. Pour prendre ses décisions, le gestionnaire, comme le montre le tableau 16.4, peut compter sur une variété de processus, d'informations, de savoirs et il peut ou non susciter l'engagement de son personnel et des équipes qui forment le tissu social de l'organisation.

Tableau 16.4
La prise de décision

CARACTÉRISTIQUES	DESCRIPTION
LE PROCESSUS	Le gestionnaire peut prendre seul les décisions et les imposer, mais il peut également consulter son personnel, voire le faire participer à la prise de décision
LES INFORMATIONS	Pour prendre ses décisions, le gestionnaire peut compter sur un vaste éventail d'informations ou, inversement, il ne peut compter que sur des informations partielles, voire inexactes
LE SAVOIR	Pour prendre ses décisions, le gestionnaire peut, ou non, mobiliser les diverses formes de savoirs qui se trouvent dans l'organisation
L'ENGAGEMENT	Pour prendre ses décisions, le gestionnaire peut ou non susciter l'engagement de son personnel et des équipes au sein de l'organisation

La formulation des objectifs

Pour formuler les objectifs de l'organisation, le gestionnaire peut compter sur un processus formel et sur l'engagement des membres de l'organisation. En fait, les deux aspects sont liés puisque le gestionnaire peut, par le processus qu'il met en œuvre, susciter l'engagement de son personnel ou sa méfiance, voire ses objections.

Tableau 16.5
La formulation des objectifs

CARACTÉRISTIQUES	DESCRIPTION
LE PROCESSUS	Le gestionnaire peut transmettre les objectifs au personnel, mais il peut aussi l'inviter à participer à leur formulation
L'ENGAGEMENT	Le gestionnaire peut tenter d'imposer les objectifs et se heurter à la réticence du personnel, mais il peut aussi compter sur l'engagement de tous

Le contrôle

Les pratiques en matière de contrôle de gestion sont toujours délicates, tant elles peuvent verser dans une logique de surveillance qui heurte forcément les uns et les autres. Comme en témoigne le tableau 16.6, ces pratiques mettent en jeu le degré de partage des responsabilités du contrôle et des informations qu'il permet de colliger, la tension entre la centralisation et la décentralisation des contrôles et, enfin, leur conformité au monde informel qui émerge des interactions entre les membres de l'organisation.

Tableau 16.6
Le contrôle

CARACTÉRISTIQUES	DESCRIPTION
LA RESPONSABILISATION	Le gestionnaire tente, ou non, de responsabiliser le personnel à la nécessité du contrôle de gestion
L'INFORMATION	Le contrôle permet, ou pas, de colliger des informations pertinentes et justes
LA CENTRALISATION-DÉCENTRALISATION	Le contrôle est centralisé au niveau supérieur de l'organisation ou est plutôt décentralisé à tous les niveaux
LE CONTRÔLE INFORMEL	Les pratiques de contrôle de gestion peuvent, ou non, heurter les attentes et les exigences des groupes informels

La performance

Au terme du déploiement des pratiques de direction, les gestionnaires escomptent des performances. Celles-ci peuvent notamment se mesurer en termes de productivité, d'absentéisme, de roulement du personnel, de pertes dans la production et, enfin, de qualité.

Tableau 16.7
La performance

CARACTÉRISTIQUES	DESCRIPTION
PRODUCTIVITÉ	Les pratiques de direction peuvent se solder, à une extrémité, par des niveaux médiocres de productivité et, à l'autre, par d'excellents niveaux de productivité
ABSENTÉISME ET ROULEMENT DU PERSONNEL	Les pratiques de direction peuvent se solder, à une extrémité, par des niveaux élevés d'absentéisme et de roulement du personnel et, à l'autre, par de faibles niveaux de ces indicateurs de performance
PERTES	Les pratiques de direction peuvent se solder, à une extrémité, par d'importantes pertes de production et, à l'autre, par un souci constant de les éviter
CONTRÔLE DE LA QUALITÉ	Les pratiques de direction peuvent se solder, à une extrémité, par des niveaux médiocres de qualité et, à l'autre, par un souci constant pour la qualité

LES PHILOSOPHIES DE DIRECTION

En combinant les colorations propres à chacune des variables constitutives des pratiques de direction, il est alors possible d'identifier quatre philosophies de direction bien distinctes. Comme en témoigne le tableau qui suit, à l'évidence chacune des philosophies de direction se démarque très clairement des autres.

Tableau 16.8
Les philosophies de direction

CARACTÉRISTIQUES	AUTORITAIRE	PATERNALISTE	CONSULTATIVE	PARTICIPATIVE
LA MOTIVATION	◘ Sécurité et statut ◘ Recours fréquent aux menaces ◘ Insatisfaction	◘ Rémunération et ambition ◘ Système de récompenses et de sanctions ◘ Satisfaction modérée	◘ Variété de facteurs de motivation ◘ Système de récompenses et de sanctions ◘ Satisfaction modérée	◘ Gamme complète des facteurs de motivation ◘ Plusieurs récompenses et responsabilisation ◘ Forte satisfaction
LA COMMUNICATION	◘ Très peu de communication ◘ Descendante	◘ Peu de communication ◘ Surtout descendante	◘ Communication modérée ◘ Descendante et ascendante	◘ Beaucoup de communication ◘ Descendante, ascendante et latérale
LES INTERACTIONS ET L'INFLUENCE	◘ Interactions impersonnelles et limitées ◘ Pas d'esprit d'équipe ◘ Sentiment de méfiance	◘ Interactions souvent condescendantes ◘ Faible coopération ◘ Prudence et méfiance	◘ Interactions modérées et ouvertes ◘ Coopération modérée ◘ Climat de confiance	◘ Interactions amicales ◘ Fort esprit d'équipe ◘ Climat de confiance
LA PRISE DE DÉCISION	◘ Centralisée ◘ Le personnel n'est jamais consulté ◘ Les décisions ne suscitent pas d'engagement	◘ Surtout centralisée ◘ Le personnel est parfois consulté ◘ Les décisions suscitent peu d'engagement	◘ Faible décentralisation ◘ Le personnel est consulté ◘ Les décisions sont parfois une source de motivation	◘ Décentralisée ◘ Le personnel participe aux décisions ◘ Les décisions sont une source de motivation
LA FORMULATION DES OBJECTIFS	◘ Objectifs imposés	◘ Objectifs imposés et quelques discussions	◘ Consultation sur les objectifs	◘ Objectifs issus d'une participation
LE CONTRÔLE	◘ Centralisé ◘ Les groupes informels s'opposent aux contrôles	◘ Centralisé, mais avec de la délégation ◘ Les groupes informels résistent parfois aux contrôles	◘ La délégation est fréquemment utilisée ◘ Certains groupes informels adhèrent aux contrôles	◘ Responsabilisation de tous ◘ Les groupes informels acceptent les contrôles
LA PERFORMANCE	◘ Organisation peu performante	◘ Performance passable	◘ Bonne performance	◘ Excellente performance

Bien que les quatre philosophies de direction soient viables, selon Likert, l'idéal administratif logerait du côté de la philosophie participative. À partir de ses recherches auprès d'un grand nombre d'organisations, Likert soutient que c'est la philosophie de direction participative qui, comme en témoignait le tableau précédent, donnerait les meilleurs résultats autant en termes de satisfaction du personnel qu'au regard de l'efficacité organisationnelle. De plus, toujours selon Likert, il existerait une tendance au déplacement des philosophies de direction du pôle autoritaire vers celui participatif. Cette tendance s'expliquerait par les meilleurs résultats que génèrent les philosophies participatives en comparaison de ceux obtenus par celles plus autoritaires, qu'elles soient clairement autoritaires ou paternalistes. Cette tendance s'expliquerait aussi par les valeurs de la société contemporaine, valeurs qui concourent à l'émergence d'organisations qui font davantage de place à la participation de tous ses membres.

Par ailleurs, tout en reconnaissant que la philosophie participative est un idéal administratif qui donne d'excellents résultats, les gestionnaires peuvent tout de même choisir de retenir une autre philosophie de direction. En fait, les résultats attendus de la mise en œuvre d'une philosophie de direction ne sont qu'un aspect à considérer lors du choix d'une philosophie. En effet, comme l'illustre la figure 16.2, le choix d'une philosophie de direction est fonction de trois principaux facteurs, à savoir le contexte de l'organisation, les caractéristiques du gestionnaire et celles du personnel[4]. Dans cette figure, il est à noter que les perspectives de management correspondent à autant de dimensions du contexte organisationnel, soit les dimensions techniques, politiques, symboliques, psychologiques et cognitives.

---

[4] Ce point de vue a tout particulièrement été bien formulé par Tannenbaum et Schmidt de la façon suivante: «Le dirigeant qui réussit est celui qui est le plus conscient des forces qui déterminent son comportement. Il se comprend lui-même objectivement, il comprend ses subordonnés, l'entreprise et la société au sein de laquelle elle opère. Enfin, il est capable de juger si ses assistants sont capables de prendre des responsabilités supplémentaires. Toutefois, il ne suffit pas d'être conscient et lucide (…). Le chef qui réussit est celui qui, conscient de tous ces facteurs, agit d'une manière appropriée. S'il faut étroitement diriger, il dirige. Si par contre, il faut déléguer, il ne craint pas de le faire. Ainsi, il n'est ni démocrate ni autocrate. Sa réussite vient de ce qu'il sait déterminer le style de commandement qui est le mieux adapté à la situation et agir en conséquence. Il est perceptif et sait s'adapter. Les problèmes du leadership lui apparaissent avant tout comme un dilemme sans cesse renouvelé.» À ce propos, voir: Tannenbaum, R. et W.H. Schmidt, «Comment choisir un style de leadership», *in* Laurin, P., *Le management. Textes et cas,* Montréal: McGraw-Hill, 1973, p.567.

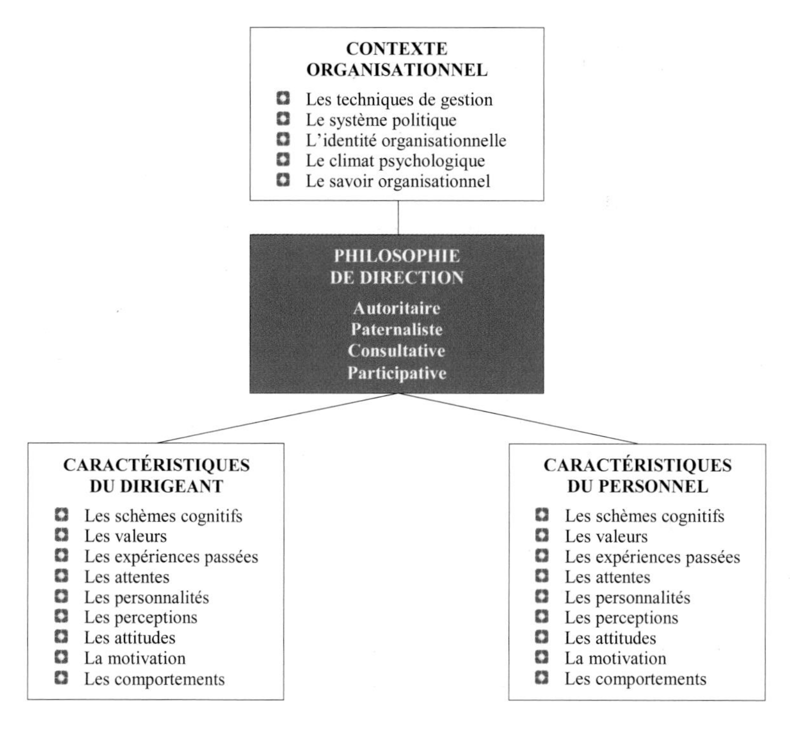

Figure 16.2: Les philosophies de direction et leur contexte

Le choix du gestionnaire peut aussi être largement inconscient, être le fruit de théories implicites, de valeurs, de croyances, de préjugés et d'hypothèses implicites sur la nature humaine[5].

Enfin, lorsque le gestionnaire a fait son choix et qu'il s'est assuré que celui-ci permet de combiner de façon harmonieuse les caractéristiques de la situation organisationnelle, celles de son personnel et les siennes, il lui reste

[5] Ce point de vue a, historiquement, été mis de l'avant par Douglas McGregor qui a soutenu qu'en fonction de leurs théories implicites ou de leurs valeurs, les gestionnaires pouvaient opter pour un style de direction très directif, style conséquent d'une théorie, qu'il a qualifié de *théorie X,* selon laquelle les humains auraient besoin d'être clairement dirigés pour être productif ou à l'inverse pour un style très démocratique qui découlerait d'une *théorie Y* selon laquelle les humains aimeraient se dépasser au travail pourvu qu'on leur fasse confiance. Selon cet auteur : «Chaque acte de direction repose sur des généralisations et des hypothèses- c'est-à-dire sur une théorie. Nos hypothèses sont souvent implicites, quelquefois tout à fait inconscientes, souvent contradictoires; néanmoins, elles déterminent nos pronostics, à savoir que si nous faisons A, B s'ensuivra. La théorie et la pratique sont inséparables. (...) Il est possible d'utiliser des hypothèses théoriques plus ou moins adéquates; il n'est pas possible de prendre une décision de direction ou d'engager une action directoriale sans être influencé par des hypothèses qu'elles soient adéquates ou non.» McGregor, D., *La dimension humaine de l'entreprise*, Paris : Gauthier-Villars, 1971 : 5-7 [*The Human Side of Enterprise,* New York: McGraw-Hill, 1960].

à finalement s'en remettre à son personnel qui, ultimement, reconnaîtra, ou non, la pertinence de son choix.

LES PERSPECTIVES DE MANAGEMENT ET LES PHILOSOPHIES DE DIRECTION

Toutes les philosophies de direction mettent en jeu des aspects des différentes perspectives de management. En effet, toutes ont un volet technique, car elles visent des résultats en fonction d'objectifs organisationnels. Toutes représentent un système politique particulier avec une distribution des pouvoirs, des intérêts variés et des enjeux distincts. Toutes matérialisent des identités collectives particulières. Toutes concourent à la constitution de climats psychologiques distincts. Enfin, toutes mettent en jeu un rapport particulier au savoir collectif.

De plus, comme nous l'avons vu, les perspectives de management permettent d'éclairer, du moins en partie, le choix que les gestionnaires doivent faire en matière de philosophie de direction. En effet, puisque les organisations sont à la fois des contextes techniques, politiques, symboliques, psychologiques et cognitifs, les gestionnaires ont tout intérêt à mobiliser les perspectives de management pour comprendre leur contexte et choisir en conséquence une philosophie de direction appropriée.

Chapitre 17

LA STRATÉGIE CONCURRENTIELLE

Le but de l'analyse stratégique est d'identifier des options stratégiques qui permettent à l'organisation d'occuper une position favorable dans son environnement concurrentiel. Une telle position découle des actions stratégiques mises en œuvre par l'organisation et elle est généralement fondée sur l'exploitation légitime d'un avantage concurrentiel. La recherche d'un tel avantage est donc au cœur de toute la démarche d'analyse stratégique.

L'ARCHITECTURE STRATÉGIQUE

La recherche d'un avantage concurrentiel passe, d'abord, par une quête de cohérence entre les trois pôles stratégiques que sont l'identité organisationnelle, l'organisation des ressources et l'environnement tant global que concurrentiel. Ces trois pôles représentent les matériaux premiers de la réflexion stratégique. Puis, la recherche d'un avantage stratégique prend en considération des surfaces d'intervention. Ces dernières sont les lieux de rencontre des pôles stratégiques et, surtout, elles sont l'espace sur lequel l'organisation intervient de façon à se façonner un réel avantage concurrentiel. Enfin, la démarche d'analyse se termine par l'énonciation des intentions stratégiques qui devront être mises en œuvre.

Le croisement des pôles stratégiques, des surfaces d'intervention et des intentions stratégiques prend, comme le montre la figure 17.1, la forme d'un tétraèdre. Au regard de cette forme géométrique, aucun des pôles n'a plus d'importance que les autres et aucune surface n'impose sa logique aux autres. En fait, seule importe la synthèse harmonieuse qu'opère la formulation des intentions stratégiques.

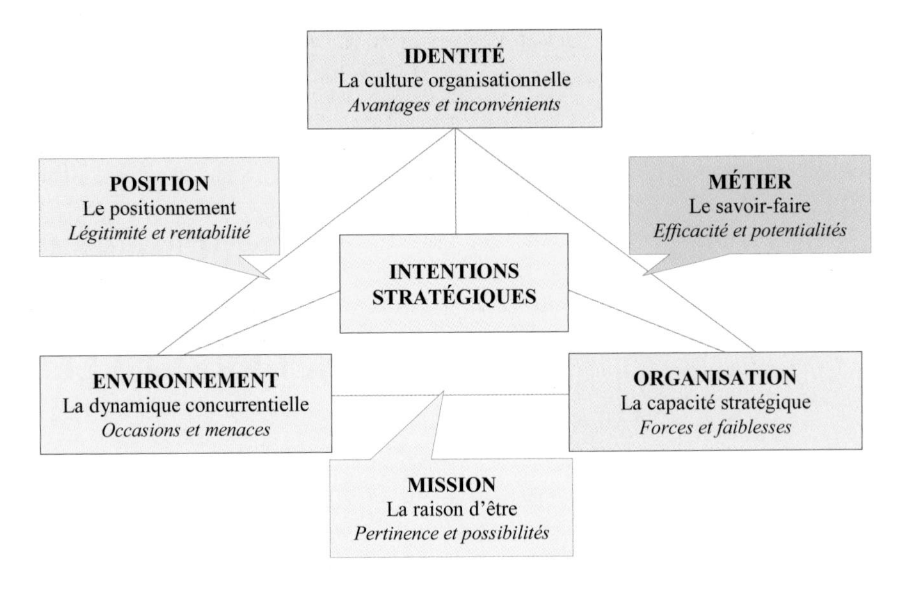

Figure 1: Le tétraèdre stratégique

Les pôles stratégiques

Pour doter l'organisation d'un avantage concurrentiel, les gestionnaires doivent analyser chacun des pôles de l'architecture stratégique que sont:

- L'identité
- L'organisation
- L'environnement

Ce qui doit guider l'analyse des pôles stratégiques est toujours la recherche d'un avantage concurrentiel. De plus, au terme de l'analyse, les gestionnaires doivent formuler des intentions stratégiques qui non seulement tireront profit d'un avantage concurrentiel, mais qui feront également en sorte qu'il y aura une cohérence d'ensemble entre tous les pôles de l'architecture stratégique. D'un certain point de vue, les intentions stratégiques jouent donc tout à la fois le rôle de synthèse générale de l'analyse et de déclencheur de l'action stratégique[1].

[1] Ici, il importe de souligner que plusieurs théoriciens du management font de la formulation des intentions stratégiques, l'étape qui inaugure et oriente toute la réflexion stratégique, alors que d'autres considèrent plutôt que c'est une étape conséquente au diagnostic des pôles stratégiques. Pour apprécier ces nuances, voir notamment: Ansoff, H.I., *Corporate Strategy,* New York: McGraw-Hill, 1965; Glueck, W.F., *Business Policy,* New York: McGraw-Hill, 1976; Pearce, J.A et R.B. Robinson, *Strategic Management.,* New York: Irwin/McGraw-Hill, 2000; Steiner, G.A., *Top Management Planning,* New York: McMillan, 1969; Johnson, G., Scholes, K., Whittington, R., Fréry, F., *Stratégique,* Paris: Pearson, 2005.

Chacun des pôles stratégiques doit faire l'objet d'une réflexion particulière et conduire à un diagnostic précis. C'est dire que la démarche d'analyse stratégique prend tour à tour pour objet d'étude l'identité collective, l'organisation et l'environnement d'affaires et s'ouvre sur un diagnostic constitué de trois volets distincts. Par la suite, cette analyse culmine dans la formulation des intentions stratégiques. Ces dernières sont, en effet, le pivot central de toute la démarche, là où les pôles stratégiques sont combinés les uns aux autres, là où se réalisent les arbitrages et où sont formulées les actions stratégiques. Mais avant d'en arriver à ce moment décisif, il faut procéder à l'analyse de chacun des pôles stratégiques et construire le triple diagnostic[2].

Tableau 17.1
Analyse des pôles stratégiques

PÔLES	ANALYSE
IDENTITÉ	L'analyse de l'identité organisationnelle consiste à mettre au jour la culture de l'organisation en centrant tout particulièrement l'attention sur les valeurs qu'elle incarne. L'analyse doit permettre un diagnostic en termes d'avantages et d'inconvénients.
ORGANISATION	L'analyse de l'organisation consiste à mettre au jour sa capacité stratégique en centrant l'attention sur les ressources de l'organisation. Ici, le diagnostic se fait en termes de forces et de faiblesses.
ENVIRONNEMENT	L'analyse de l'environnement consiste à mettre au jour la dynamique concurrentielle en centrant l'attention sur les facteurs de succès qui permettent d'acquérir un positionnement stratégique favorable. Le diagnostic doit aussi mettre en évidence les occasions d'affaires qu'il est possible de saisir et les menaces éventuelles que l'organisation devra affronter.

[2] L'option théorique qui consiste à analyser l'environnement en termes d'occasions et de menaces et l'organisation en termes de forces et de faiblesses nous vient des théoriciens de Harvard. Voir notamment: Andrews, K.R., *The Concept of Corporate Strategy,* Homewood, Ill: Irwin, 1971; Learned, E.P, Christensen, C.R., Andrews, K.E, Guth, W.D., *Business Policy,* Homewood, Ill: Irwin, 1965.

Les surfaces d'intervention

Les intentions stratégiques sont le pivot central de la démarche stratégique. Tout passe par elles et au regard des intentions stratégiques, les trois pôles du tétraèdre sont, en quelque sorte, les matériaux premiers à partir desquels il est possible de construire une stratégie. Cela dit, pour que ces matériaux prennent vie et donnent sa véritable consistance au tétraèdre stratégique, il faut les combiner ce qui fait alors émerger trois surfaces d'intervention:

- La mission
- Le métier
- La position

Ces surfaces balisent le territoire stratégique de l'organisation. Surtout, ces surfaces sont le lieu d'expression du jeu stratégique. En formulant la mission à accomplir, le métier à mettre en œuvre et la position concurrentielle à occuper, les gestionnaires donnent de la cohérence aux stratégies de l'organisation. En outre, en situant l'organisation sur chacune des surfaces, les gestionnaires engagent et orientent l'action de tous dans la réalisation d'un projet auquel ils peuvent se rassembler, s'identifier et contribuer.

Comme l'indique le tableau 17.2, chacune des surfaces d'intervention doit faire l'objet d'une réflexion particulière et conduire à un diagnostic précis.

Tableau 17.2
Analyse des surfaces d'intervention

SURFACES	ANALYSE
MISSION	L'analyse de la mission à accomplir croise la capacité stratégique de l'organisation avec la dynamique concurrentielle de l'environnement d'affaires de façon à cerner une raison d'être. Cette dernière est alors évaluée en termes de pertinence actuelle et de possibilités d'avenir.
MÉTIER	L'analyse du métier à mettre en œuvre croise l'identité organisationnelle avec la capacité stratégique de l'organisation de façon à faire apparaître un savoir-faire. Ce dernier est alors évalué en termes d'efficacité et de potentialités.
POSITION	L'analyse de la position concurrentielle à occuper croise la dynamique concurrentielle avec l'identité organisationnelle et esquisse alors un positionnement stratégique socialement légitime et économiquement rentable.

LES TEMPS STRATÉGIQUES

La stratégie s'inscrit toujours dans une trame historique et il est possible de la conjuguer autant au passé qu'au présent et au futur. Dans cette trame historique, les gestionnaires sont surtout intéressés par le futur, par les possibilités qu'il offre de réaliser de nouvelles stratégies et de modeler en conséquence l'organisation. Partant de là, le diagnostic stratégique peut se décliner en trois temps, à savoir, le passé, le présent et le futur. Une telle analyse permet de prendre la pleine mesure de la nécessité de doubler l'exploration stratégique par une réflexion sur la gestion du changement. En effet, avec d'un côté le recul historique et de l'autre, l'horizon qu'il est souhaitable d'atteindre, les gestionnaires prennent la mesure des transformations requises pour réaliser les intentions stratégiques et, ce faisant, ils prennent conscience de la nécessité de gérer le changement.

Pour chacun des temps stratégiques, les gestionnaires devraient pouvoir identifier ce qu'étaient, sont et devraient devenir les pôles stratégiques de leur organisation.

Tableau 17.3
L'analyse des pôles stratégiques selon l'horizon temporel

PÔLES	PASSÉ	PRÉSENT	FUTUR
IDENTITÉ	◘ Quelle était l'identité de l'organisation? ◘ Quels en étaient les avantages et les inconvénients?	◘ Quelle est l'identité de l'organisation? ◘ Quels en sont les avantages et les inconvénients?	◘ Que devrait devenir l'identité de l'organisation? ◘ Quels avantages l'organisation devrait-elle développer?
ORGANISATION	◘ Quelle était la capacité stratégique? ◘ Quelles en étaient les forces et les faiblesses?	◘ Quelle est la capacité stratégique? ◘ Quelles en sont les forces et les faiblesses?	◘ Que devrait devenir la capacité stratégique? ◘ Quelles forces l'organisation devrait-elle développer?
ENVIRONNEMENT	◘ Quelle était la dynamique de l'environnement ? ◘ Quelles étaient les occasions et les menaces?	◘ Quelle est la dynamique de l'environnement? ◘ Quelles sont les occasions et les menaces?	◘ Que va devenir la dynamique de l'environnement? ◘ Quelles occasions l'organisation devrait-elle saisir et de quelles menaces devrait-elle se méfier?

Pour chacun des temps stratégiques, les gestionnaires devraient également pouvoir formuler ce qu'étaient, sont et devraient devenir chacune des surfaces d'intervention stratégiques de leur organisation.

Tableau 17.4
L'analyse des surfaces d'intervention selon l'horizon temporel

SURFACES	PASSÉ	PRÉSENT	FUTUR
MISSION	◘ Quelle était la raison d'être de l'organisation? ◘ Quelle était la pertinence de cette raison d'être et quelles en étaient les possibilités d'avenir?	◘ Quelle est la raison d'être de l'organisation? ◘ Quelle est la pertinence de cette raison d'être et quelles en sont les possibilités d'avenir?	◘ Que devrait être la mission? ◘ Quelles possibilités d'avenir l'organisation devrait-elle développer?
MÉTIER	◘ Quel était le savoir-faire de l'organisation? ◘ Quelles étaient l'efficacité et les potentialités de ce savoir-faire?	◘ Quel est le savoir-faire de l'organisation? ◘ Quelle est l'efficacité de ce savoir-faire et quelles en sont les potentialités?	◘ Que devrait être le savoir-faire de l'organisation? ◘ Quelles potentialités l'organisation devrait-elle développer?
POSITION	◘ Quel était le positionnement stratégique? ◘ Ce positionnement était-il à la fois légitime et rentable?	◘ Quel est le positionnement stratégique? ◘ Ce positionnement est-il à la fois légitime et rentable?	◘ Quelle position stratégique l'organisation devrait-elle occuper? ◘ Comment accroître la légitimité et l'efficacité du positionnement stratégique?

L'AVANTAGE CONCURRENTIEL

Le jeu stratégique est par définition compétitif. Cela peut paraître banal de faire un tel constat et pourtant, c'est là un constat lourd de sens. En effet, pour escompter réaliser ses intentions stratégiques, une organisation ne peut pas miser sur la seule cohérence entre ses pôles stratégiques, ni sur le seul équilibre de ses surfaces d'intervention. Bien sûr, la cohérence et l'équilibre sont nécessaires, mais dans le jeu compétitif, ils n'assurent pas le succès, ils sont des conditions nécessaires, mais non suffisantes. En fait, pour aspirer à un quelconque succès, les organisations doivent surtout pouvoir miser sur un réel avantage concurrentiel. C'est ce dernier qui fait toute la différence, c'est lui qui peut assurer la mainmise sur les positions stratégiques les plus enviables, les plus profitables. Toute la démarche stratégique doit donc s'orienter de telle sorte que l'organisation puisse mettre en œuvre des stratégies qui vont lui permettre de tirer profit de son avantage concurrentiel. Si l'organisation ne possède pas un tel avantage, alors la démarche stratégique doit faire en sorte qu'elle puisse en acquérir un[3].

L'avantage concurrentiel est ce qui démarque l'organisation de ses concurrents, tout en ayant de la valeur aux yeux des clients et en étant robuste et donc difficilement imitable. Ainsi, pour se donner un avantage concurrentiel, une organisation doit avoir des caractéristiques distinctives, valorisées et inimitables. Ces caractéristiques peuvent loger dans l'identité organisationnelle, se trouver du côté des ressources de l'organisation ou alors être du côté de l'environnement dans lequel l'organisation aura su exploiter des relations privilégiées. De plus, les gestionnaires doivent se demander si la mission, le métier et le positionnement stratégique permettent de mettre en valeur l'avantage concurrentiel.

Tableau 17.5
L'avantage concurrentiel

CARACTÉRISTIQUES DISTINCTIVES	VALEUR DES CARACTÉRISTIQUES	ROBUSTESSE DES CARACTÉRISTIQUES
◘ L'organisation est-elle différente de ses concurrents? ◘ Quelles sont ces différences? ◘ Ces différences permettent-elles d'avoir une compétence distinctive? ◘ Quelles différences permettraient de faire valoir la compétence distinctive? ◘ Sur quelles caractéristiques les concurrents fondent-ils leur compétence distinctive? ◘ L'organisation peut-elle développer ou acquérir la même compétence que ses concurrents?	◘ Les clients perçoivent-ils les différences qu'offre l'organisation? ◘ Ces différences sont-elles valorisées par les clients? ◘ Quels sont les indicateurs qui témoignent du fait que les clients recherchent précisément ces différences? ◘ Les concurrents cherchent-ils à acquérir ces caractéristiques? ◘ L'organisation peut-elle développer ou acquérir ce qui a de la valeur aux yeux des clients?	◘ Les caractéristiques valorisées sont-elles facilement imitables? ◘ Quelle garantie l'organisation possède-t-elle que ses caractéristiques ne peuvent pas être imitées? ◘ Comment rendre les caractéristiques valorisées inimitables? ◘ Existe-t-il des produits substituts susceptibles de faire perdre à l'organisation son avantage concurrentiel? ◘ Qu'est-ce qui éventuellement fera perdre à l'organisation son avantage concurrentiel?

[3] Sur l'avantage concurrentiel, voir notamment: Porter, M. E., *L'avantage concurrentiel,* Paris: InterÉditions, 1986 [*Competitive Advantage: Creating and Sustaining Superior Performance:* New York: The Free Press, 1985.

L'IDENTITÉ : LA CULTURE ORGANISATIONNELLE

Par ses actions stratégiques, l'organisation affirme son identité. Ainsi, de manière à participer avec efficacité au jeu compétitif sans pour autant nier l'identité de leur organisation, les gestionnaires doivent toujours se demander de quelle façon ils peuvent en tirer profit. C'est dire que l'avantage concurrentiel recherché par l'organisation peut loger au sein même de cette réalité intangible qu'est l'identité. En fait, la mise en œuvre des stratégies sera d'autant plus aisée que les membres de l'organisation y verront là un moyen pour affirmer la légitimité de l'identité à laquelle ils adhèrent.

Pour tirer avantage de l'identité de l'organisation, la réflexion stratégique doit prendre pour objet la culture et, sous ce regard, les gestionnaires doivent se demander de quelle façon ils peuvent la lier aux autres pôles stratégiques. De plus, les gestionnaires doivent se demander si la formulation de la mission, du métier et du positionnement stratégique tire profit de l'identité. Enfin, puisque le jeu stratégique est compétitif, les gestionnaires doivent se demander si l'identité procure un avantage concurrentiel.

Tableau 17.6
L'analyse de l'identité organisationnelle

LES PÔLES STRATÉGIQUES	LES SURFACES D'INTERVENTION	L'AVANTAGE CONCURRENTIEL
Cohérence avec l'organisation	Contribution à la mission	Contribution à la compétence distinctive
◘ L'identité est-elle une force? ◘ L'identité permet-elle d'accroître la capacité stratégique?	◘ L'identité contribue-t-elle à la réalisation de la mission? ◘ La formulation de la mission tire-t-elle profit l'identité?	◘ L'identité démarque-t-elle l'organisation de ses concurrents? ◘ L'identité contribue-t-elle à forger une compétence distinctive?
Cohérence avec l'environnement	Contribution au métier	Contribution à la valeur ajoutée
◘ L'identité permet-elle de saisir des occasions? ◘ L'identité permet-elle de tisser des liens privilégiés avec certaines organisations de l'environnement?	◘ L'identité contribue-t-elle à la réalisation du métier? ◘ La formulation du métier mission tire-t-elle profit de l'identité?	◘ L'identité a-t-elle de la valeur pour les clients? ◘ L'identité a-t-elle de la valeur pour les parties prenantes de l'environnement?
	Contribution au positionnement	Contribution à la robustesse
	◘ L'identité contribue-t-elle à la légitimité et à l'efficacité de la position stratégique? ◘ La position tire-t-elle profit de l'identité?	◘ L'identité est-elle facilement imitable? ◘ Qu'est-ce qui peut fragiliser la contribution de l'identité à l'avantage concurrentiel?

L'ORGANISATION: LA CAPACITÉ STRATÉGIQUE

Pour participer avec efficacité au jeu concurrentiel, l'organisation doit pouvoir compter sur une solide capacité stratégique. Cette capacité est principalement fondée sur les ressources de l'organisation. Ces ressources doivent être évaluées en termes de forces et de faiblesses. Une fois le diagnostic réalisé, les gestionnaires doivent s'assurer que la capacité est cohérente avec les autres pôles stratégiques et qu'elle contribue au jeu stratégique propre à chacune des surfaces d'intervention. Finalement, la capacité stratégique n'a véritablement de sens que si elle permet à l'organisation de construire un avantage concurrentiel. En d'autres termes, avoir une capacité qui est cohérente avec les pôles stratégiques et qui contribue à la réalisation des surfaces d'intervention n'est jamais suffisant pour assurer le succès de la démarche stratégique. Il faut surtout que la capacité stratégique contribue à doter l'organisation d'un réel avantage concurrentiel. C'est donc dire que les gestionnaires doivent construire une capacité stratégique qui sera tout à la fois distinctive, valorisée et robuste.

Tableau 17.7
L'analyse de la capacité stratégique

LES PÔLES STRATÉGIQUES	LES SURFACES D'INTERVENTION	L'AVANTAGE CONCURRENTIEL
Cohérence avec l'identité	Contribution à la mission	Contribution à la compétence distinctive
□ La capacité stratégique tire-t-elle avantage de l'identité? □ La capacité stratégique permet-elle d'enrichir l'identité?	□ La capacité contribue-t-elle à la réalisation de la mission? □ La formulation de la mission met-elle à profit la capacité stratégique?	□ La capacité démarque-t-elle l'organisation de ses concurrents? □ La capacité contribue-t-elle à donner une compétence distinctive?
Cohérence avec l'environnement	Contribution au métier	Contribution à la valeur ajoutée
□ La capacité permet-elle de saisir des occasions? □ La capacité stratégique permet-elle de tisser des liens privilégiés dans l'environnement?	□ La capacité contribue-t-elle à la réalisation du métier? □ La formulation du métier met-elle à contribution la capacité stratégique?	□ La capacité a-t-elle de la valeur pour les clients? □ La capacité stratégique a-t-elle de la valeur aux yeux des parties prenantes de l'environnement?
	Contribution au positionnement	Contribution à la robustesse
	□ La capacité contribue-t-elle à la légitimité et à l'efficacité de la position stratégique? □ La formulation de la position stratégique à occuper met-elle à profit la capacité stratégique?	□ La capacité est-elle facilement imitable? □ Qu'est-ce qui peut fragiliser la contribution de la capacité à l'avantage concurrentiel?

L'ENVIRONNEMENT: DYNAMIQUE ET CONTEXTE

Pour participer au jeu concurrentiel, l'organisation doit pouvoir saisir une occasion d'affaires qui sera tout à la fois rentable et légitime tant au regard de la dynamique concurrentielle qu'à la lumière des attentes de la société.

L'analyse de la dynamique concurrentielle prend pour objet les principaux acteurs du jeu économique que sont les concurrents actuels, les clients, les distributeurs, les fournisseurs et les concurrents potentiels de façon à mettre au jour les menaces auxquelles doit faire face l'organisation et les occasions d'affaires qui s'offrent à elle[4].

Pour sa part, l'analyse du contexte global prend pour objet les attentes de la société. Ces attentes sont incarnées par des organisations et des groupes de pression qui tentent tous d'influencer les orientations stratégiques de l'organisation. Ces groupes sont généralement évoqués par l'acronyme PESTEL qui désigne, en fait, les dimensions politique, économique, socioculturelle, technologique, écologique et légale de la société dans laquelle intervient l'organisation[5]. C'est donc dire que la démarche stratégique ne doit pas se limiter à l'identification d'une occasion d'affaires, mais doit aussi tenir compte des pressions et des attentes des parties prenantes de l'environnement. Ce faisant, l'organisation tente d'identifier ou de forger des occasions qui seront non seulement économiquement intéressantes, mais qui seront aussi socialement légitimes.

Une fois l'analyse et le diagnostic de l'environnement réalisés, les gestionnaires doivent s'assurer que les occasions qu'ils ont identifiées sont cohérentes avec les autres pôles stratégiques. En outre, ils doivent aussi s'assurer que ces occasions s'inscrivent dans les possibilités offertes par chacune des surfaces d'intervention.

[4] Selon Michael Porter, les relations de concurrence ne se limitent pas aux seuls rapports entre les concurrents directs, mais doivent aussi inclure les relations avec les concurrents potentiels (les entrants potentiels et les produits substituts), les fournisseurs et les clients qu'ils soient les consommateurs ultimes ou les distributeurs. Ensemble, ces groupes forment un secteur d'activités ou une industrie dont la dynamique est fonction des relations de pouvoir et de négociation que chaque groupe exerce sur les autres, en particulier sur les concurrents directs. Tous les groupes constitutifs d'un même secteur d'activité sont en quelque sorte en concurrence les uns avec les autres pour s'approprier les ressources du secteur. Voir: Porter, M.E., *Choix stratégiques et concurrence,* Paris: Économica, 1982 [*Competitive Strategy: Techniques for Analysing Industries and Competitors,* New York: The Free Press, 1980].

[5] Voir: Freeman, R.E., *Strategic Management. A Stakeholder Approach,* Boston: Pitman, 1984.

Tableau 17.8
L'analyse de l'environnement

LES PÔLES STRATÉGIQUES	**LES SURFACES D'INTERVENTION**
Cohérence avec l'identité organisationnelle	Cohérence avec la mission de l'organisation
◘ Les attentes de l'environnement trouvent-elles un écho dans l'identité organisationnelle? ◘ Les occasions à saisir sont-elles compatibles avec l'identité organisationnelle? ◘ L'organisation a-t-elle l'identité requise pour faire face aux pressions et aux menaces de l'environnement?	◘ Les attentes de l'environnement trouvent-elles un écho dans la formulation de la mission de l'organisation? ◘ Les occasions à saisir sont-elles compatibles avec la mission? ◘ L'organisation a-t-elle la mission requise pour faire face aux pressions et aux menaces de l'environnement?
Cohérence avec la capacité stratégique	Cohérence avec le métier de l'organisation
◘ Les attentes de l'environnement trouvent-elles un écho dans la capacité stratégique de l'organisation? ◘ Les occasions à saisir sont-elles compatibles avec la capacité stratégique? ◘ L'organisation a-t-elle la capacité stratégique pour faire face aux pressions et aux menaces de l'environnement?	◘ Les attentes de l'environnement trouvent-elles un écho dans la formulation du métier de l'organisation? ◘ Les occasions à saisir sont-elles compatibles avec le métier? ◘ L'organisation a-t-elle le métier requis pour faire face aux pressions et aux menaces de l'environnement?
	Cohérence avec le positionnement stratégique
	◘ La position stratégique permet-elle à l'organisation de répondre aux attentes de l'environnement? ◘ La position stratégique nous permet-elle de saisir de nouvelles occasions d'affaires? ◘ La position stratégique permet-elle de faire face aux pressions et aux menaces de l'environnement?

LES SURFACES D'INTERVENTION

Après avoir analysé les pôles stratégiques et tenté de construire un avantage concurrentiel, le gestionnaire doit tourner son regard du côté des surfaces d'intervention de façon à y construire un équilibre avec les pôles stratégiques.

Par ailleurs, si toute la cohérence de l'architecture stratégique tient dans la justesse de la formulation de la mission, du métier et de la position concurrentielle, il est clair qu'établir un équilibre entre les pôles et doter l'organisation d'une cohérence d'ensemble ne suffit pas à lui assurer un avenir. Cela ne saurait suffire, car le jeu stratégique est sans cesse en mouvement, toujours dynamique et réinventé par toutes les organisations qui y prennent part. C'est donc dire que la réflexion ne peut se borner à esquisser une synthèse aussi harmonieuse soit-elle de la réalité des pôles stratégiques. Elle doit aller au-delà de la synthèse et elle ne peut y parvenir qu'en ouvrant le chemin qui conduit vers la mise en œuvre des intentions stratégiques. Du coup, le passage du territoire des intentions à celui de leur mise en œuvre pavera la voie à la métamorphose de l'architecture stratégique, ce qui aura pour conséquence de maintenir ouverte la réflexion stratégique.

Tableau 17.9
L'analyse des surfaces d'intervention

PÔLES	LA MISSION DE L'ORGANISATION	LE MÉTIER DE L'ORGANISATION	LA POSITION STRATÉGIQUE
IDENTITÉ	◘ La mission reflète-t-elle l'identité? ◘ La mission est-elle une source de fierté?	◘ Le métier reflète-t-il l'identité? ◘ Le métier est-il une source de fierté?	◘ La position reflète-t-elle l'identité? ◘ La position est-elle une source de fierté?
ORGANISATION	◘ La mission mise-t-elle sur les forces de la capacité stratégique? ◘ La mission mise-t-elle sur toutes les ressources?	◘ Le métier mise-t-il sur les forces de la capacité stratégique? ◘ Le métier mise-t-il sur toutes les ressources?	◘ La position mise-t-elle sur les forces de la capacité stratégique? ◘ La position mise-t-elle sur toutes les ressources?
ENVIRONNEMENT	◘ La mission répond-elle aux attentes des parties prenantes? ◘ La mission se démarque-t-elle de celles des concurrents?	◘ Le métier répond-il aux attentes des parties prenantes? ◘ Le métier se démarque-t-il de celui des concurrents?	◘ La position répond-elle aux attentes des parties prenantes? ◘ La position se démarque-t-elle de celles des concurrents?
INTENTIONS	◘ La mission est-elle toujours pertinente? ◘ La mission offre-t-elle encore des possibilités d'avenir? ◘ La mission doit-elle être reformulée?	◘ Le métier est-il toujours efficace? ◘ Le métier recèle-t-il des potentialités inexploitées? ◘ Le métier doit-il être reformulé?	◘ La position stratégique est-elle toujours légitime et efficace? ◘ La position doit-elle être reformulée?

LA SYNTHÈSE STRATÉGIQUE

Au terme de la démarche d'analyse stratégique, les gestionnaires doivent clairement formuler les intentions stratégiques qui engageront l'avenir de leur organisation. En fait, pour chacun des pôles et des surfaces d'intervention, ils doivent formuler des intentions conséquentes du diagnostic. Ces intentions doivent alors baliser la voie à une autre réflexion, tout aussi importante, à savoir celle du choix des options stratégiques et des leviers de mise en œuvre qu'il convient d'activer pour assurer l'avenir de l'organisation.

Tableau 17.10
La synthèse stratégique

ARCHITECTURE STRATÉGIQUE	DIAGNOSTIC	INTENTIONS	MISE EN ŒUVRE
IDENTITÉ	◘ ◘	◘ ◘	◘ ◘
ORGANISATION	◘ ◘	◘ ◘	◘ ◘
ENVIRONNEMENT	◘ ◘	◘ ◘	◘ ◘
MISSION	◘ ◘	◘ ◘	◘ ◘
MÉTIER	◘ ◘	◘ ◘	◘ ◘
POSITION	◘ ◘	◘ ◘	◘ ◘

LES PERSPECTIVES DE MANAGEMENT ET LA STRATÉGIE

L'ensemble des perspectives de management peut être mobilisé dans la réalisation des intentions stratégiques. D'abord, les gestionnaires peuvent recourir à la perspective technique. Ce faisant, toute la démarche stratégique sera subordonnée à une logique de planification et se matérialisera sous la forme d'un plan stratégique que viendront mettre en œuvre des plans structurels et opérationnels.

Puis, la perspective politique pourra être conviée à la réflexion stratégique. Elle offrira aux gestionnaires les habiletés et les leviers requis pour convaincre les membres de l'organisation que les choix stratégiques sont pertinents et doivent être mis en œuvre. De plus, sous le regard politique, c'est toute la démarche stratégique qui sera vue comme étant le fruit des jeux politiques des membres de l'organisation et de ses parties prenantes.

Déjà constitutive de la démarche stratégique, la perspective symbolique peut contribuer à attirer l'attention des gestionnaires sur la nécessité d'harmoniser les choix stratégiques à la réalité identitaire de l'organisation. Cette harmonisation est d'autant plus cruciale que les membres d'une organisation voient généralement la mise en œuvre des stratégies comme l'expression de leur identité collective.

Le regard psychologique peut, lui aussi, enrichir la démarche stratégique. Il permet, entre autres, de l'inscrire dans une logique de satisfaction des besoins et des attentes des membres de l'organisation. Sous cet éclairage, les gestionnaires doivent s'assurer que les choix stratégiques comblent les besoins des uns et les attentes des autres. Surtout, les gestionnaires doivent utiliser les choix stratégiques comme un vecteur de mobilisation du personnel et comme une source de motivation.

Enfin, la perspective cognitiviste peut être mise à profit de façon à bien décoder les informations que recèlent l'organisation et son environnement. Surtout, conscients de la pertinence de mobiliser cette perspective, les gestionnaires pourront considérer le savoir constitutif de l'organisation comme un actif intangible, actif qui, bien exploité, peut devenir le fer de lance de l'avantage concurrentiel que toute la démarche stratégique cherche à construire.

Chapitre 18

LA STRUCTURE ORGANISATIONNELLE

La structure organisationnelle a été au centre des débats qui, tout au long du XXe siècle, ont opposé les théoriciens du management technique à ceux du management social. Alors que pour les premiers, les structures sont essentiellement des outils formels au service des intentions stratégiques de l'organisation, elles sont plutôt vues comme des milieux de vie par les seconds. Pour ces derniers, loin de se réduire à des hiérarchies formelles d'autorités et de responsabilités, les structures sont plutôt des configurations sociales qui témoignent notamment des jeux politiques des membres de l'organisation, de leurs valeurs, de leurs besoins et de leurs savoirs. En fait, il est aussi possible de considérer qu'une structure est tout à la fois un instrument technique et un milieu de vie.

LE REGARD TECHNIQUE SUR LES STRUCTURES

La structure est au cœur du processus formel d'organisation. Soucieux de rationalité et d'efficacité, le gestionnaire formel doit concevoir, mettre en place et entretenir une structure qui orientera et encadrera l'action de chacun. Concrètement, il doit, d'une part, concevoir les rôles et leurs relations et, d'autre part, il doit mettre en œuvre une structure qui sera au service des intentions stratégiques de l'organisation.

Les rôles

Dans la perspective du management technique, une structure, c'est fondamentalement un outil dans lequel sont enchevêtrés des rôles formels. Une fois conçus, ces rôles sont alors liés les uns aux autres par une diversité de relations très formelles[1]. À terme, les rôles et le réseau de leurs relations

[1] Newman qui est un des penseurs classiques du management technique fait d'ailleurs de la définition des rôles et des liens qui les unissent, le cœur de la fonction d'organisation. Ainsi, selon lui: «Les divers plans d'une entreprise nécessitent une grande variété d'activités et si l'on veut que ces

forment une structure particulière que nous pouvons représenter, comme à la figure 18.1, sous la forme d'un organigramme.

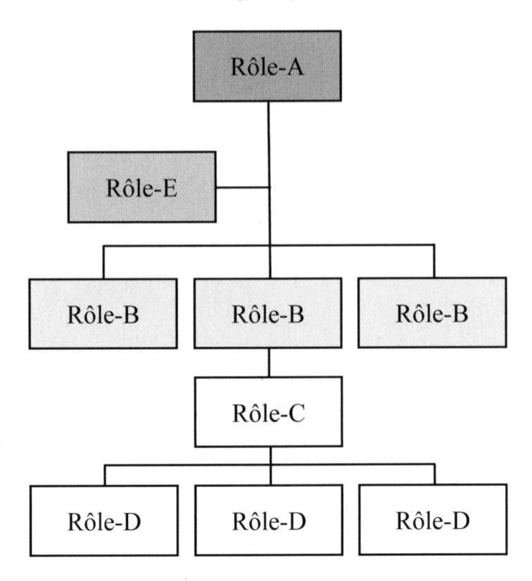

Figure 18.1: Organigramme schématique

Chacun des rôles de cet organigramme se distingue des autres par un ensemble de caractéristiques de design, notamment les objectifs à atteindre, les tâches à réaliser, l'autorité conférée à son titulaire, les ressources, connaissances et habiletés qu'il met en jeu et les responsabilités que commande son exercice. C'est donc dire qu'en concevant un rôle, le gestionnaire doit identifier avec la plus grande des précisions toutes les caractéristiques qui, par la suite, seront utilisées comme critères pour fonder les décisions en matière de recrutement et de dotation du personnel.

En combinant les caractéristiques de design structurel, le gestionnaire peut alors construire une indéfinie variété de rôles concrets. Cela dit, de manière générale, le gestionnaire construit trois grandes catégories de rôles, à savoir les rôles de gestionnaires, d'analystes et d'exécutants. Dans l'organigramme de la figure précédente, les rôles A, B et C représentent les ges-

activités soient bien régies, il est essentiel de mettre au point quelques organisations. À partir du moment où il y a plus d'une personne sur un travail, il est nécessaire de savoir quel est le rôle de chacun. Les activités techniques et administratives doivent être divisées en plusieurs groupes qui doivent être affectés à des personnes particulières et on doit établir les relations entre ces diverses personnes de façon à coordonner leurs efforts en vue d'un objectif fondamental. En d'autres termes, on doit organiser l'équipe. Organiser une entreprise ou n'importe lequel de ses services revient à: 1) diviser et grouper le travail à effectuer (y compris la gestion) en tâches individuelles et 2) établir les rapports entre les individus qui sont chargés de ces tâches.» Newman, W. H., *L'art de la gestion. Les techniques d'organisation et de direction,* Paris: Dunod, 1969: 137. [*Administrative Action. The Technique of Organization and Management,* Englewood Cliffs, New Jersey, 1963].

tionnaires, le rôle E schématise les analystes et les rôles D désignent les exécutants. Ces rôles se distinguent notamment par leur degré d'autorité. Ainsi, dans les organisations formelles, ce sont généralement les gestionnaires qui détiennent l'autorité légitime et donc le pouvoir de décision, alors que les analystes n'ont qu'un pouvoir de conviction et que les exécutants n'ont souvent qu'un faible pouvoir, pouvoir qui est restreint aux inévitables ajustements qu'impose la réalisation concrète du travail. En outre, c'est la chaîne de rôles qui va des gestionnaires jusqu'aux exécutants que nous qualifions généralement de hiérarchie administrative. Cela dit, nous pouvons distinguer plus finement chacune de ces grandes familles de rôles.

D'abord, le rôle de gestionnaire se distingue de celui d'analyste puisque ce dernier, contrairement au premier, n'a pas de véritable autorité, ni de réel pouvoir de décision[2]. Le rôle d'analyste consiste essentiellement à conseiller les gestionnaires, pas à prendre des décisions à leur place et, cela, même si l'analyste détient davantage d'informations que le gestionnaire. Si la tâche de ce dernier est d'administrer son équipe et de prendre les décisions qu'implique l'atteinte des objectifs organisationnels, le rôle d'analyste consiste à avoir, en quelque sorte, le pouvoir des idées. Dans son rôle, l'analyste a l'obligation de convaincre le gestionnaire auquel il est formellement lié que ses analyses sont fondées et que les décisions qu'il préconise sont les bonnes, mais là se limite son pouvoir et son autorité. Il ne peut imposer ses choix, il n'a pas l'autorité requise et il n'est jamais responsable de la mise en œuvre des décisions. Aux connaissances techniques requises pour occuper un poste d'analyste, il faut donc ajouter des habiletés politiques puisque ce n'est que par l'argumentation qu'il peut escompter que ses idées puissent éventuellement être endossées et mises en œuvre par les gestionnaires. D'une certaine façon, entre les analystes et les gestionnaires, nous retrouvons, au plan des structures, la tension classique entre la réflexion et l'action, entre la conception et la mise en œuvre. Bien sûr, dans le réel, la tension est plus subtile et chacun des rôles comporte sa part de réflexion et son lot d'actions, mais un fait demeure, l'analyste n'a pas pour tâche la mise en œuvre de ce qu'il peut concevoir et doit toujours s'en remettre aux gestionnaires pour voir ses idées basculer dans la hiérarchie des opérations concrètes.

Puis, nous pouvons distinguer les différents rôles de gestionnaires. Dans l'organigramme de la figure 18.1, trois niveaux hiérarchiques de gestionnaires sont représentés, à savoir la haute direction (le rôle A), les cadres intermédiaires (les rôles B) et les gestionnaires de premier niveau (les rôles

---

[2] Nous devons à Alfred Sloan, l'un des dirigeants le *General Motor* au milieu du XXe siècle, ce partage des rôles entre gestionnaires (les *lines*) et analystes (les *staffs*). Voir: Sloan, A. P. Jr., *My Years with General Motors,* New York Doubleday, 1963.

C). Ces trois niveaux se distinguent, bien sûr, par l'étendue de leur autorité, mais aussi par les habiletés que leur exercice commande. Ainsi, généralement, nous distinguons trois familles d'habiletés pratiques: cognitives, relationnelles et techniques. Les premières renvoient fondamentalement à la capacité qu'ont les humains à construire des connaissances, à produire des synthèses générales, à se représenter des relations abstraites, à concevoir abstraitement le travail et à anticiper les tendances et les fluctuations de l'environnement. Les secondes, les habiletés relationnelles, évoquent la capacité qu'ont tous les humains à interagir les uns avec les autres. L'art de motiver les uns et les autres, de communiquer, de susciter une loyauté, d'argumenter, de construire une équipe sont au nombre des habiletés relationnelles. Enfin, connaître très concrètement ce qu'il convient de faire pour que le travail donne les résultats escomptés est une habileté technique. On l'aura deviné, plus le gestionnaire occupe un rang élevé dans la hiérarchie administrative, plus les habiletés cognitives seront mises à profit alors, qu'à l'inverse, un gestionnaire collé sur les opérations concrètes aura tout intérêt à miser sur ses habiletés techniques, puisqu'à ce niveau c'est la réalisation très concrète du travail qui fait toute la différence entre le succès et l'échec. Enfin, un gestionnaire qui occupe un niveau intermédiaire entre la haute direction et les opérations devra forcément faire preuve de beaucoup d'habiletés relationnelles, puisque ce sera à lui de faire le relai entre les exigences de la haute direction et les revendications émanant de la base opérationnelle de la hiérarchie. Le rôle de cadre intermédiaire est donc ainsi, en quelque sorte, un rôle de traducteur entre les exigences des uns et les revendications des autres et il est alors aisé de comprendre que la maîtrise des habiletés relationnelles est centrale pour escompter à avoir du succès dans ce type de rôle.

Finalement, le rôle d'exécutant se distingue de tous les autres par l'accent mis, comme le qualificatif l'indique, sur l'exécution très concrète du travail conçu par les analystes et dirigé par les gestionnaires. C'est donc à ce niveau que le cadre administratif est véritablement mis à l'épreuve. Cela dit, bien que dans une structure hiérarchique classique, il soit évident que le rôle d'exécutant ne comprenne pas beaucoup de latitude, il n'est pas pour autant dépourvu d'autorité et de responsabilités. En effet, aucun rôle n'en est dépourvu et le gestionnaire a intérêt à déléguer toute l'autorité requise pour que les opérations puissent composer avec les aléas du travail. D'ailleurs, il y a dans cette délégation une autre des tensions structurelles qui est au principe des structures, à savoir la tension entre la centralisation et la décentralisation. Généralement, si les gestionnaires au sommet de la hiérarchie ont tendance à centraliser les décisions d'ordre stratégique, ils sont enclins à décentraliser aux plus bas échelons hiérarchiques les décisions de nature opérationnelle. En outre, ils ont également tendance à centraliser dans le haut de la hiérarchie les contrôles relatifs aux ressources financières et à déléguer vers le bas celui relatif aux ressources qui sont toujours concrètement mobilisées par l'exécution du travail.

Une fois les rôles clairement définis, le gestionnaire doit alors penser à les unir par un système efficace de relations formelles. C'est donc dire que tout au côté des éléments qui constituent la structure de base de la structure, le gestionnaire formel doit aussi concevoir des mécanismes opérationnels pour que la structure prenne vie[3]. Concrètement, si le gestionnaire peut miser, par exemple, sur des règles et processus standardisés, sur des systèmes de contrôle et d'information et même sur des systèmes de rémunération pour que le design structurel donne les résultats escomptés, il optera toujours pour la mise en œuvre de trois réseaux de relations, à savoir les réseaux d'autorité, de communication et de travail. Ces trois réseaux peuvent se confondre en un seul, mais rien n'oblige à ce que cela soit toujours le cas. En effet, alors que le réseau d'autorité implique des relations de pouvoir très précises, les rôles peuvent être liés par un tissu différent de relations de communication et d'interactions. Ainsi, même si un rôle d'analyste n'a aucune emprise hiérarchique sur les rôles de gestionnaires et ceux d'exécutants, il peut fort bien exister entre ces rôles des voies de communication et d'interactions de travail. De plus, à un même niveau hiérarchique, il existe toujours des relations de travail et de communication. Cela dit, si dans les organisations concrètes, il se développe toujours un tissu incroyablement complexe de relations sociales, le gestionnaire formel tente plutôt d'imposer les relations qu'il a conçu rationnellement et qu'il pense être les réseaux de relations requis pour accomplir les intentions stratégiques de l'organisation.

---

[3] Nous devons à Jay W. Lorsch cette distinction entre le design de la base structurelle et celui des mécanismes opérationnels: «It is useful to make a distinction between the basic structure and the operating mechanism which implement and reinforce this basic structure. Design of the basic structure involve such central issues as how the work of the organization will be divided and assigned among positions, groups, departments, divisions, etc. and how the coordination necessary to accomplish total organizational objectives will be achieved. Choices made about these issues are usually publicized in organization charts and job descriptions. If we recognize that behaviour in an organization is influenced by a system of variables (technical, individual, social and organizational inputs), it is obvious that such formal documents are only one method of signalling to individuals what behaviour is expected for them. Nevertheless, this method is important because it is so widely used by managers to define and communicate their expectations of other organization members. Managers can also reinforce the intent of their basic structural design through what we call operating mechanism. Operating mechanism include such factors as control procedures, information systems, reward and appraisal systems, standardized rules and procedures, and even spatial arrangements. These structural variables can be used to more clearly signal to organizational members what is expected of them, to motivate them toward their assigned part of organization's goal, and, as necessary to encourage them to undertake collaborative activity». Lorsch, J. W., «Introduction to the Structural Design of Organizations», *in* Dalton, G.W, Lawrence, P. R. et J. W. Lorsch, *Organizational Structure and Design,* Homewood, Ill: Irwin and Dorsey Press, 1970: 1-2.

Les structures classiques

Dans le monde très concret des organisations, nous pouvons trouver une incroyable diversité de structures. En fait, en matière de structuration, les possibilités sont tout simplement infinies. Cela dit, pour guider sa conception, le gestionnaire formel peut s'inspirer de l'une ou l'autre des cinq formes classiques de structures suivantes: fonctionnelle, par marché, par produit, matricielle et en réseau[4]. Examinons sommairement chacune de ces formes qui sont, en fait, bien davantage des idéaux types, que des modèles qu'il conviendrait d'imiter afin d'atteindre une quelconque et très illusoire pureté structurelle[5].

La structure fonctionnelle est la plus répandue des formes structurelles et elle est souvent considérée comme étant la plus efficace. Comme l'illustre la figure 18.2, cette forme s'organise autour des grandes logiques fonctionnelles d'entreprise. Dans cet organigramme schématique, seules certaines fonctions ont été représentées, mais dans le cas d'une organisation complexe, plusieurs autres fonctions y auraient trouvé place, notamment la gestion des ressources humaines, la comptabilité, la gestion des technologies de l'information et la recherche et développement. En outre, à l'image de la fonction production, chacune des fonctions représentées pourrait être subdivisée en plusieurs sections. Ainsi, la fonction de marketing peut se décomposer en sections de vente, de promotion, d'analyse de marché et de distribution, alors que la fonction de gestion de ressources humaines peut se subdiviser, entre autres, en sections de rémunération, de sélection, de formation et de relations de travail. Toutes les fonctions peuvent donc s'ouvrir sur une grande diversité de sections, complexifiant d'autant la structure d'ensemble.

---

[4] Alors qu'historiquement la plupart des théoriciens du management technique ont vu dans la structure fonctionnelle la meilleure des formes structurelles, le *one best way* en matière d'organisation, nous devons à l'un d'entre eux, Gulick, la prise en compte des autres formes structurelles comme étant des structures également efficaces. Voir: Gulick, L., «Notes on the Theory of Organization», *in* Gulick, L.et L. F. Urwick (eds.), *Papers on the Science of Administration,* New Yorg: Institute of public Administration, Columbia University, 1937.

[5] Pour une réflexion sur les mérites respectifs des grandes formes structurelles, voir, notamment: Daft, R. L, *Organization Theory and Design,* Cincinnati, Ohio: South-Western College Publishing, 2001. Voir aussi: Duncan, R., «What is the Right Organization Structure? Decision Tree Analysis Provides the Answer», *Organization Dynamics,*1979: 429-431.

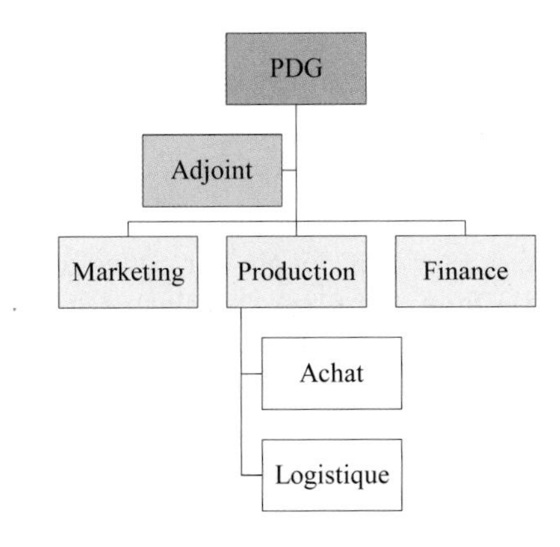

Figure 18.2: La structure fonctionnelle

Au nombre des avantages de cette forme structurelle, nous comptons, d'abord, la productivité conséquente de la spécialisation du travail. Puis, au sein d'un même service fonctionnel, la coordination se trouve facilitée du fait du partage d'une même logique d'action, d'un langage commun et d'objectifs communs. Enfin, le développement d'une expertise fonctionnelle est grandement favorisé par la réunion, au sein d'une même unité de travail, de spécialistes dont le partage de qualifications communes ou complémentaires génère une synergie d'ensemble et même une identité commune.

Au rang des inconvénients de la structure fonctionnelle, nous retrouvons, entre autres, les fréquents conflits entre les fonctions qui ne partagent pas la même logique d'action, ni un langage ou des objectifs communs; la tendance propre à chaque fonction à se décomposer en sections toujours plus spécialisées et à ainsi engendrer une forte spécialisation fonctionnelle qui, à terme, peut conduire l'organisation à un déficit en termes de regard d'ensemble et de polyvalence au sein du personnel; la structure fonctionnelle s'accompagne aussi du risque d'une trop grande centralisation au sommet de l'organisation puisque, au terme du processus de spécialisation fonctionnelle, ce n'est plus qu'à ce niveau que logent des gestionnaires ayant une vision d'ensemble; et, finalement, la structure fonctionnelle peut entraîner une lenteur administrative face aux pressions de l'environnement, lenteur conséquente de l'enfermement dans une logique qui pousse ceux et celles qui y adhèrent à ne penser la réalité que selon les termes restrictifs de leur fonction d'appartenance. En outre, portée par une logique de scissiparité selon laquelle chaque fonction peut se démultiplier en sections qui à leur tour peuvent engendrer d'autres sections, la structure fonctionnelle a tendance à étendre son territoire de spécialisation et c'est ainsi que de spécialisations en raffinements fonctionnels, la structure fonctionnelle peut facilement devenir une bureaucratie très complexe, peu flexible, centrée sur son propre fonctionnement et, donc, difficilement adaptable aux possibles transformations de l'environnement.

En faisant le bilan des avantages et des inconvénients, le gestionnaire formel aura tendance à jeter son dévolu sur cette forme structurelle lorsque l'environnement d'affaires sera peu complexe et relativement stable, puisque dans ce type d'environnement la lourdeur de la spécialisation fonctionnelle sera très largement compensée par les gains d'efficacité qu'elle permet. En outre, cette forme structurelle sera tout particulièrement efficace si l'organisation œuvre dans un environnement d'affaires traditionnel, car la nouveauté des produits et des services, dans ce type d'environnement, cède largement la place à une logique du contrôle des coûts, des économies d'échelle et d'une offre de produits et de services à bas prix, ce que permet d'accomplir avec beaucoup d'efficacité une structure fonctionnelle.

La seconde forme structurelle, également très répandue, est la structure par marché qui, parfois, prend l'aspect d'une structure par région. La figure 18.3 illustre ces deux structures.

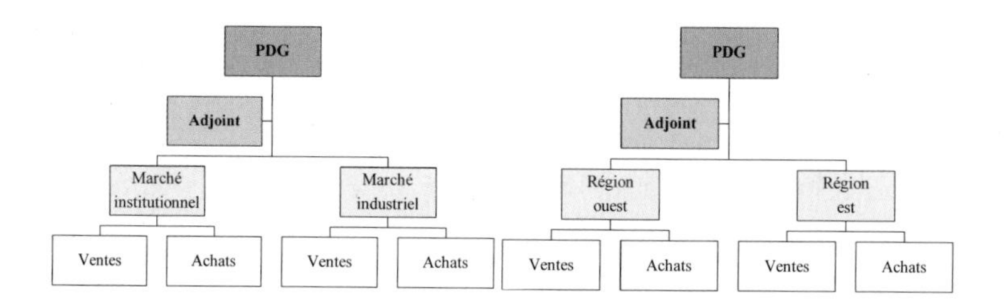

Figure 18.3: Les structures par marché et par région

Alors que la structure fonctionnelle mise essentiellement sur les processus internes de gestion pour faire sa marque et prospérer, la structure par marché est clairement orientée vers l'environnement d'affaires qu'elle tente d'intégrer sous la forme de divisions qui incarneront alors ses exigences au sein de l'organisation. Il est, d'ailleurs, à noter que la structure par marché subordonne les logiques fonctionnelles aux impératifs du marché, marquant ainsi la primauté d'une prise en compte des caractéristiques de l'environnement d'affaires sur les compétences fonctionnelles de l'organisation. D'une certaine façon, cette structure mise bien davantage sur la mission de l'organisation que sur son métier. Bien sûr, ce n'est là qu'une question de degré, puisqu'autant la mission que le métier sont pris respectivement en compte par les divisions de marché et par les services fonctionnels.

Au nombre des avantages de cette seconde forme structurelle, nous comptons, d'abord, une lecture attentive des besoins du marché ce qui, en retour, facilite l'ajustement rapide aux changements requis pour maintenir de hauts niveaux de satisfaction de la clientèle; puis, cette structure favorise, au sein des différentes divisions, une coordination des activités requises pour satisfaire les marchés; enfin, la structure par marché permet de développer chez les gestionnaires un regard général, puisqu'à l'intérieur de chaque division, ce sont les gestionnaires qui doivent intégrer les logiques fonctionnelles et pas la haute direction comme dans le cas de la structure fonctionnelle. D'une certaine façon, la structure par marché est nettement plus décentralisée que la structure fonctionnelle et les gestionnaires de chacune des divisions ont plus d'autorité et de responsabilités que les gestionnaires des services fonctionnels.

Au rang des inconvénients, nous retrouvons, pour l'essentiel, ce que la structure par marché perd en comparaison avec la structure fonctionnelle. Ainsi, la structure par marché ne peut plus compter sur les économies d'échelles que procure une grande spécialisation fonctionnelle et, du fait de son caractère décentralisé, elle rend nettement plus complexe le contrôle que peut exercer la haute direction sur le déroulement des opérations. En outre, cette structure a le désavantage d'exiger beaucoup en termes de compétences et de connaissances de la part des gestionnaires des différentes divisions qui doivent composer avec une très grande diversité de logiques fonctionnelles au sein même de leur unité administrative. Enfin, la juxtaposition d'un grand nombre de divisions multiplie les possibilités de dédoublement des logiques fonctionnelles qui se retrouvent dans chaque division.

Tout comme pour la structure fonctionnelle, la structure par marché n'a donc pas que des avantages et les gestionnaires qui fondent leur organisation sur elle le font généralement pour explorer et développer de nouveaux marchés ou alors pour rester à l'affût des moindres changements de leur environnement qu'ils savent être tout particulièrement mouvant.

Troisième forme classique, la structure par produit est, en quelque sorte, un intermédiaire entre les deux précédentes puisque c'est précisément par l'entremise du produit que l'organisation entre en relation avec son environnement d'affaires.

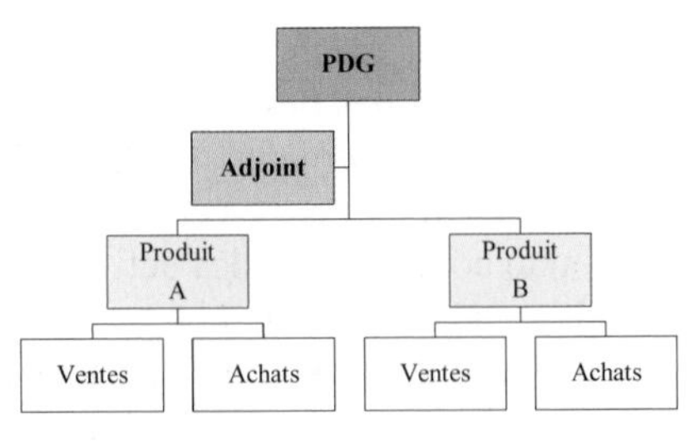

Figure 18.4: La structure par produit

En termes d'avantages et d'inconvénients, la structure par produit se rapproche nettement de la structure par marché, ce qui ne devrait pas surprendre puisque les produits sont destinés à des marchés très précis. Ainsi, la structure par produit est très décentralisée, mise sur les compétences générales des titulaires de divisions, permet de développer une grande sensibilité aux réactions de la clientèle et facilite la coordination des fonctions au sein des divisions. Tout comme pour les avantages, les inconvénients sont également ceux d'une structure par marché, puisqu'ici aussi l'organisation ne profite pas pleinement des économies d'échelles propres à une structure fonctionnelle, elle exige beaucoup de ses gestionnaires et, enfin, la haute direction peut difficilement exercer un contrôle strict sur les opérations. Cela dit, une organisation qui est à la recherche d'une croissance par le développement d'une large gamme de produits aura généralement tendance à se structurer de cette façon.

La quatrième forme, la structure matricielle, se retrouve tout particulièrement dans des organisations très innovantes qui misent sur une gestion par projets. En fait, comme l'illustre la figure 18.4, la structure matricielle combine la logique fonctionnelle à différents projets.

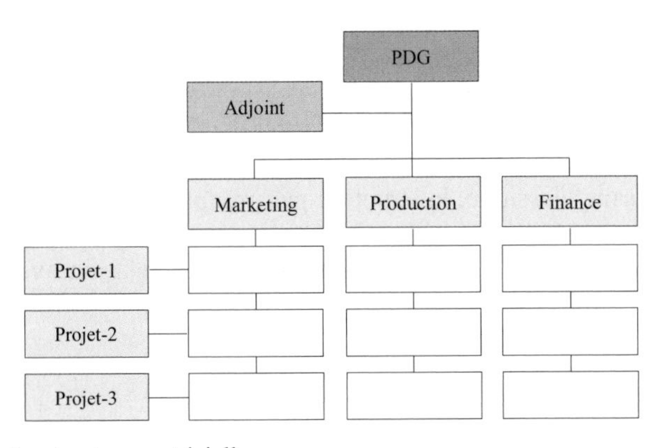

Figure 18.5: La structure matricielle

Le principal attrait de la structure matricielle est de combiner les logiques fonctionnelles et une structure par produit par l'entremise de projets à réaliser. Cette forme particulièrement complexe tente de réaliser la quadrature du cercle et d'ainsi profiter du meilleur des deux mondes structurels. Elle y arrive partiellement en pouvant être tout à la fois flexible aux exigences de l'environnement, par la multiplication de ses projets, et en misant sur ses forces par la mobilisation des compétences fonctionnelles au sein des différents projets. Toutefois, cette structure pose d'épineux problèmes de coordination puisque les membres des différentes équipes de projet doivent composer avec une double autorité, celle du gestionnaire de projet et celle du gestionnaire fonctionnel. De plus, pour que les projets soient menés à bon port et compte tenu du caractère toujours multifonctionnel des équipes, les gestionnaires de projets doivent constamment miser sur une coordination par des réunions, ce qui consomme beaucoup de temps et est parfois source de beaucoup de frustrations. Enfin, pour œuvrer dans ce type de structure, tous doivent savoir composer avec l'ambiguïté inhérente au croisement des deux logiques et doivent surtout avoir d'excellentes habiletés relationnelles pour pouvoir faire face aux conflits que génère ce croisement. Cela dit, cette forme structurelle est tout particulièrement utile lorsque l'environnement d'affaires est très complexe, changeant et demandeur d'innovations.

Finalement, la dernière forme technique est, comme l'illustre la figure 18.6, la structure en réseau dans laquelle se trouve un centre opérationnel autour duquel se déploie une variété d'unités plus ou moins autonomes du centre.

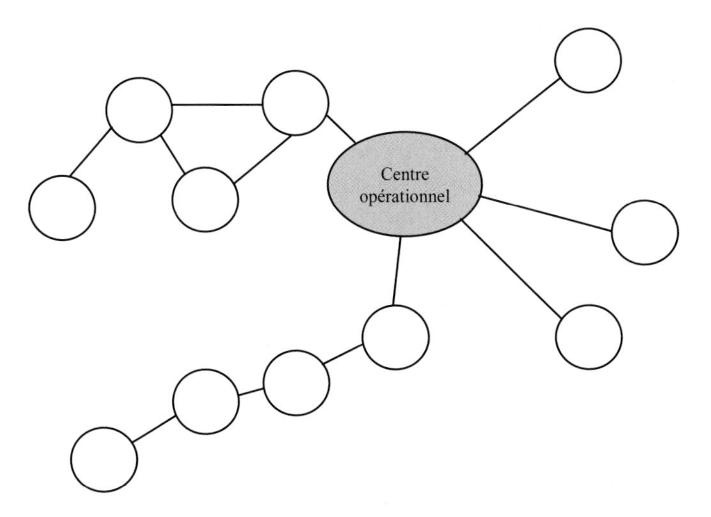

Figure 18.6: La structure en réseau

La structure en réseau est la plus flexible et la plus décentralisée des formes structurelles et elle est tout particulièrement répandue dans les environnements créatifs, les espaces de recherche et les milieux très complexes qui combinent une diversité de savoirs et une variété d'exigences souvent ambiguës, parfois contradictoires. Cette structure complexe, flexible et très fluide caractérise aussi nombre de conglomérats où un très grand nombre d'organisations sont liées les unes aux autres tout en étant largement indépendantes et autonomes. D'ailleurs, c'est cette décentralisation qui est la principale caractéristique et le principal avantage de la structure en réseau. Du fait de cette grande décentralisation, l'organisation se fait exploratrice d'une diversité d'environnements et si, chemin faisant, une branche du réseau s'avère peu efficace et disparaît, cela n'a que peu d'effets d'entraînement sur l'ensemble de la structure. En outre, parce que cette structure n'a pas de direction rigide, elle facilite la découverte de nouveaux créneaux à développer, de nouvelles idées à réaliser et de nouveaux défis à relever.

Toutefois, comme chaque médaille a son revers, la structure en réseau a les faiblesses de sa force, soit la décentralisation qui peut parfois être excessive et entraîner d'énormes difficultés de coordination et de contrôle. En outre, une telle structure est propice aux nombreux dédoublements d'activités ce qui n'est pas sans conséquence sur les frais d'exploitation. Finalement, si la structure en réseau est stimulante au regard de son potentiel de découverte, elle a l'inconvénient d'être déconcertante pour ceux et celles qui recherchent une certaine cohésion d'ensemble, un esprit de corps.

UN REGARD SOCIAL: LES CONFIGURATIONS STRUCTURELLES

Comme nous venons de le voir, dans la perspective technique, les structures sont d'abord et avant tout des instruments qui doivent répondre à des impératifs d'efficacité. Pour les théoriciens du management social, l'accent est plutôt mis sur le milieu de vie que représente une structure organisationnelle. Pour ces théoriciens, les structures sont le résultat d'interactions sociales aux multiples dimensions. Selon Mintzberg, qui a offert une synthèse originale des travaux du management social portant sur les structures, ces dernières se caractérisent, notamment, par des rôles sociaux et des mécanismes de coordination. De plus, leurs agencements donnent naissance à différentes configurations structurelles[6].

[6] Mintzberg, H., *Structure et dynamique des organisations.* Paris: Éditions d'organisation, 1986. [*The Structuring of Organization*, Englewood Cliffs, 1979]. Ici, il importe de noter que Mintzberg ajoute aux rôles sociaux et aux mécanismes de coordination plusieurs paramètres de conception des structures, telles la formation, la socialisation, la formalisation des comportements et la spécialisation du travail.

D'abord, comme l'illustre la figure 18.7, les organisations peuvent mettre en action des rôles sociaux différents. Le sommet stratégique comprend tous les rôles de hauts dirigeants de l'organisation ainsi que leurs principaux conseillers. Les cadres intermédiaires regroupent les rôles de gestion qui font le pont entre le sommet stratégique et le centre opérationnel. Ce dernier regroupe tous les rôles qui contribuent directement à la production des biens et des services des organisations, tels les ouvriers dans les entreprises industrielles ou les professeurs dans les universités. La technostructure regroupe tous les rôles d'analystes qui ont pour tâche de concevoir des systèmes de gestion, comme les comptables ou les planificateurs. Enfin, le groupe du personnel de soutien comprend tous les rôles qui fournissent un soutien aux ressources de l'organisation tels les conseillers en ressources humaines et les spécialistes de l'entretien des bâtiments.

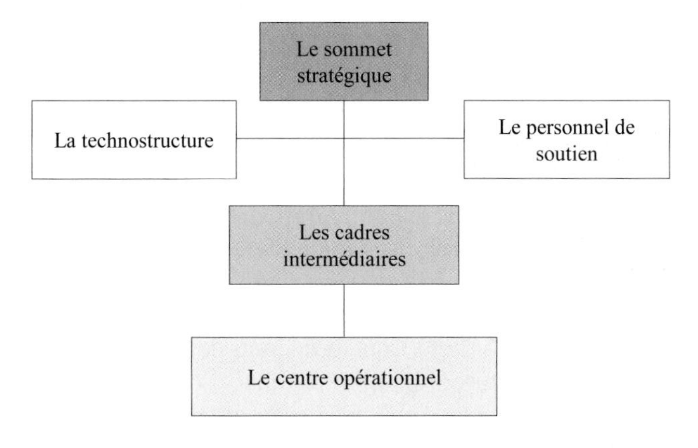

Figure 18.7: Les rôles sociaux

Toujours selon Mintzberg, les rôles sociaux s'organisent autour de l'un ou l'autre des cinq mécanismes de coordination suivants: la supervision directe, la standardisation des processus de travail, la standardisation des qualifications, la standardisation des résultats attendus et, enfin, l'ajustement mutuel.

La combinaison des rôles et des mécanismes de coordination favorise l'émergence de cinq configurations structurelles, à savoir la structure simple, la bureaucratie mécaniste, la bureaucratie professionnelle, la structure divisionnalisée et l'adhocratie. Chacune de ces configurations marque la domination de l'un des rôles sur l'ensemble de l'organisation et la prédominance d'un des mécanismes de coordination.

La structure simple est la configuration structurelle caractéristique de la plupart des PME. Elle est dominée par le sommet stratégique. Celui-ci centralise les décisions de l'entreprise et coordonne le travail de manière directe. Cette configuration est tout particulièrement adaptée dans des contextes d'affaires dynamiques. En effet, une structure simple s'adapte facilement aux conditions changeantes des environnements dynamiques. Dans la structure simple, la technostructure est inexistante, les services de soutien sont relativement embryonnaires et il y a très peu de cadres intermédiaires. C'est une forme structurelle dominée par des relations informelles. La structure simple se représente de la façon suivante:

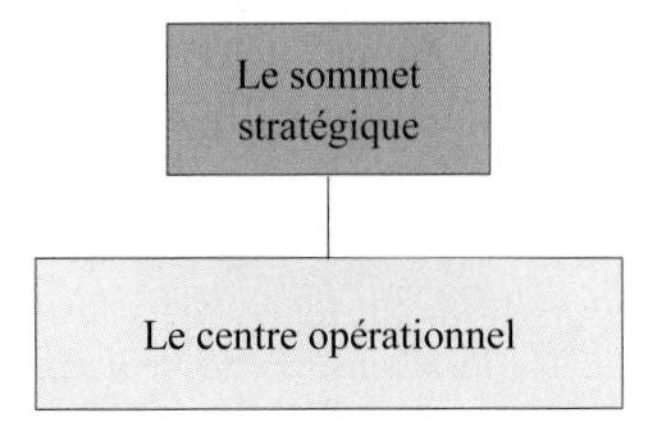

Figure 18.8: La structure simple

La bureaucratie mécaniste est la configuration structurelle qui caractérise la plupart des très grandes entreprises industrielles. Dans cette configuration structurelle, les analystes de la technostructure (les planificateurs, les ingénieurs, les analystes des méthodes de travail, les comptables, les spécialistes en contrôle de gestion, etc.) ont beaucoup de pouvoir. En effet, c'est leur travail qui assure la coordination de toute l'organisation. Ce sont les analystes de la technostructure qui standardisent les procédés de travail, qui formalisent les relations et qui développent les techniques formelles de planification, d'organisation et de contrôle. La bureaucratie mécaniste se représente de la façon suivante:

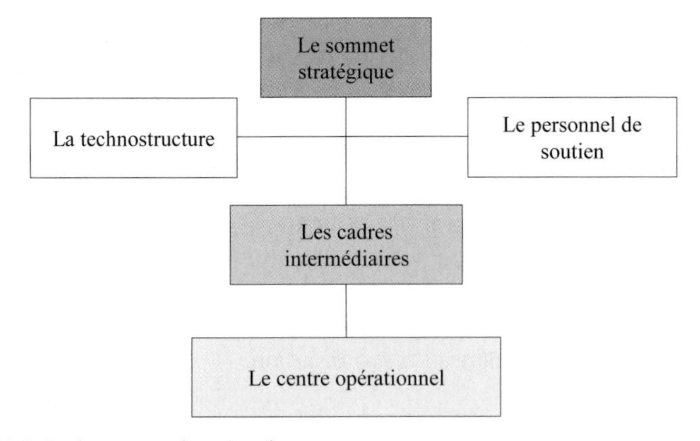

Figure 18.9: La bureaucratie mécaniste

La bureaucratie professionnelle est la configuration structurelle qui caractérise la plupart des milieux professionnels (les bureaux de comptables, d'avocats, d'architectes, d'ingénieurs, les universités, les centres de recherche, etc.). Dans cette configuration structurelle, ce sont les professionnels, ceux et celles qui forment ici le centre opérationnel, qui ont le plus de pouvoir et imposent leurs vues, notamment une coordination centrée sur des qualifications professionnelles standardisées. Les cadres intermédiaires et la technostructure occupent très peu de place et sont au service des professionnels. Ces derniers assurent la mission de l'organisation et, de manière générale, sa gestion. C'est dire que cette forme structurelle est très largement décentralisée. La bureaucratie professionnelle se représente de la façon suivante:

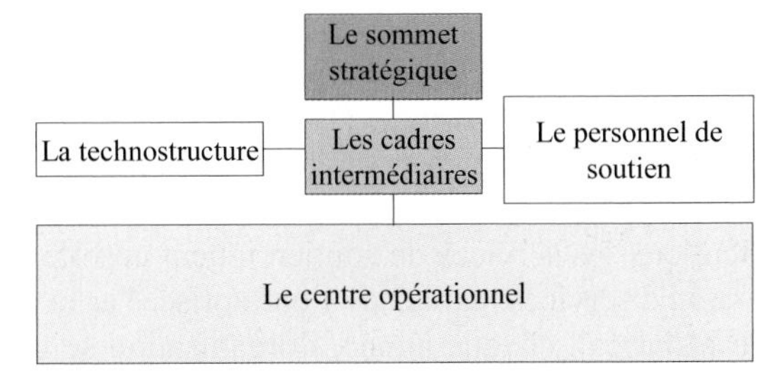

Figure 18.10: La bureaucratie professionnelle

La structure divisionnalisée est la configuration structurelle qui caractérise la plupart des grands conglomérats ou les grandes entreprises constituées de plusieurs divisions relativement autonomes les unes des autres. Dans cette configuration structurelle, les cadres intermédiaires, ceux et celles qui sont responsables des divisions ou des entreprises du groupe, jouent le rôle dominant. Ils sont responsables de l'atteinte des objectifs que fixe le sommet stratégique. Puisque dans cette forme structurelle, chaque division est plus au moins autonome de l'ensemble, le principal mécanisme de coordination qu'utilise le sommet stratégique est la standardisation des résultats. Concrètement, cette structure peut prendre une très grande variété de formes. Par exemple, un conglomérat peut fort bien être constitué de bureaucraties mécanistes, de structures simples et d'adhocraties. La structure divisionnalisée se représente de la façon suivante:

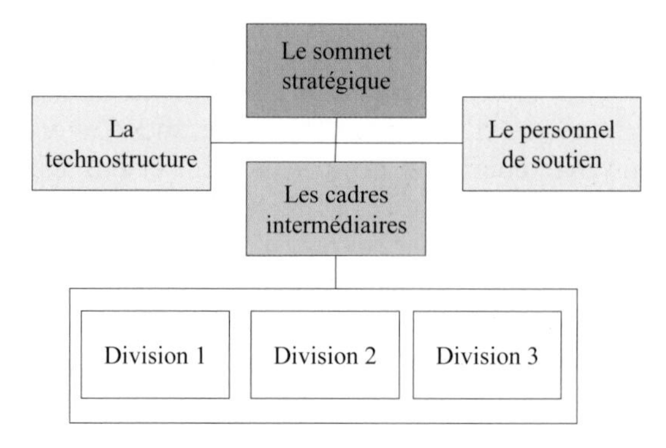

Figure 18.11: La structure divisionnalisée

Finalement, l'adhocratie est la configuration structurelle qui caractérise la plupart des organisations innovatrices. Dans cette dernière forme, la gestion prend souvent la forme de projets à réaliser. Les unités de gestion sont formées autour d'un projet et dissoutes dès qu'il est réalisé. Dans cette forme très particulière, les services de soutien jouent un rôle central, car ils sont souvent les seuls services stables de l'entreprise. Par exemple, au Festival de Jazz de Montréal, chaque année, l'organisation se gonfle pour réaliser l'événement annuel, puis se réduit à sa plus simple expression une fois le festival terminé. De plus, au cours de la réalisation de l'événement, le centre opérationnel constitué des artistes est très éphémère alors que ce sont les services de soutien, par exemple le service de sécurité, qui assurent une stabilité à l'événement. Par ailleurs, dans cette configuration, la technostructure est à peu près inexistante, de même que le groupe des cadres intermédiaires qui y est réduit à sa plus simple expression. L'adhocratie se représente de la façon suivante:

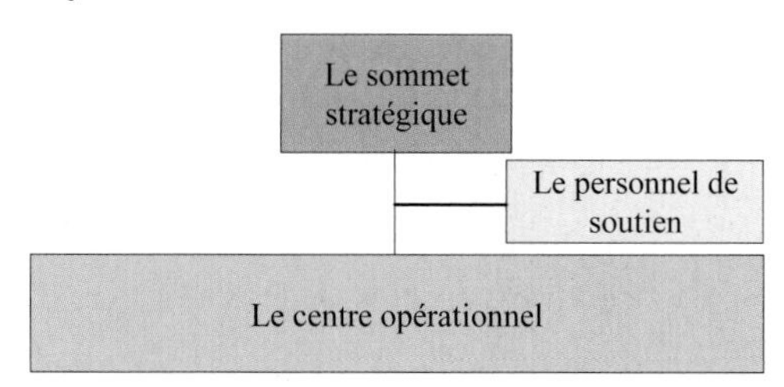

Figure 18.12: L'adhocratie

Comme on peut s'en rendre compte à la lecture de cette seconde section, le management social offre bien davantage une grille de compréhension des milieux d'action que des outils structurels au service d'intentions stratégiques à réaliser. Au regard de la logique des configurations structurelles, il ne s'agit plus de construire des organigrammes, mais bien de lire des contextes organisationnels et d'y adapter la gestion. Ainsi, alors que dans une structure simple, le gestionnaire a un rôle traditionnel, dans une adhocratie, il devient un porteur de projets et son art de la communication prend le dessus sur sa capacité à affirmer son autorité. De même, alors que dans une bureaucratie mécaniste, l'action du gestionnaire est, en quelque sorte, dictée par des analystes, dans une bureaucratie professionnelle, le gestionnaire doit apprendre à composer avec des professionnels qui ont le pouvoir sur l'organisation. Enfin, le gestionnaire d'une structure divisionnalisée doit comprendre la logique particulière qui caractérise sa division de manière à y adapter sa gestion.

LES PERSPECTIVES DE MANAGEMENT ET LES STRUCTURES

Au terme de ce chapitre sur les structures organisationnelles, il est évident que la perspective technique est tout particulièrement attrayante. En effet, elle offre des instruments d'action qui semblent porteurs d'efficacité. Toutefois, comme en témoigne la théorie des configurations, les structures ne se réduisent pas à une logique formelle de rôles et de relations d'autorité. Elles sont aussi des milieux de vie qu'il est possible d'étudier en mobilisant toutes les perspectives sociales et humaines.

Le regard politique permet notamment de voir que la surface formelle des structures cache, en fait, les jeux politiques sans lesquels les organigrammes ne sont que des tigres de papier. Ainsi, chaque configuration met en scène une distribution particulière du pouvoir et se refuser à voir les jeux politiques qui y sont inhérents, c'est à coup sûr manquer l'essence même des configurations qui sont, en fait, des systèmes politiques autant que des structures.

Le regard symbolique est également présent dans la théorie des configurations. En effet, chacune d'elles peut s'interpréter comme mettant en action une identité organisationnelle particulière. Ainsi, alors que la structure simple met en jeu une identité traditionnelle, l'adhocratie incarne l'identité d'innovation et la bureaucratie mécaniste porte la marque de l'identité professionnelle. Pour sa part, la structure divisionnalisée, avec ses divisions liées à des marchés particuliers, est propice à la mise en scène d'une identité marchande. Enfin, nombre de bureaucraties professionnelles doivent composer avec les obligations légales propres aux milieux professionnels, ce qui peut les conduire à adopter une identité civique.

Le regard psychologique permet d'entrevoir qu'à chaque configuration structurelle peut correspondre des personnalités particulières. Par exemple, l'artisan sera à sa place dans une structure simple, alors que l'artiste fera sa niche dans une adhocratie et que le technocrate, à l'évidence, se trouvera à son aise dans une bureaucratie mécaniste ou dans une structure divisionnalisée.

Finalement, le regard cognitiviste n'est pas en reste puisque chaque structure peut aussi correspondre à des formes particulières de savoirs. Ainsi, alors que la structure simple mobilise le savoir tacite, la bureaucratie mécaniste et la structure divisionnalisée s'en remettent clairement au savoir explicite. Pour sa part, la bureaucratie professionnelle oscille entre l'explicite et l'implicite, entre le savoir standardisé des professions et celui propre à l'artisanat professionnel. Enfin, l'adhocratie est le lieu de tous les métissages, là où de nouveaux savoirs sont sans cesse en construction.

Chapitre 19

LA PRISE DE DÉCISION ET LA RÉSOLUTION DE PROBLÈMES ADMINISTRATIFS

Dans la plupart des manuels de management, la prise de décision est présentée comme l'essence même de l'art d'administrer. Pour nombre de théoriciens, administrer serait d'abord et avant tout décider. C'est ainsi que le management technique, formulé selon les processus de planification, d'organisation, de direction et de contrôle, pourrait s'interpréter en termes de décision. En effet, planifier serait l'équivalent de décider aujourd'hui des orientations futures de l'organisation, organiser serait le fait de décider de l'allocation des ressources et de leur coordination au sein d'une structure d'organisation, diriger témoignerait des capacités de décision des gestionnaires et, enfin, le contrôle servirait de système d'information à la prise de décision.

De leur côté, les théoriciens du management social ont, eux aussi, logé la prise de décision au centre du travail des gestionnaires. C'est notamment le cas d'Herbert A. Simon qui concevait que les organisations étaient des machines à traiter de l'information et que le principal rôle des gestionnaires consistait à synthétiser l'information de l'organisation et à prendre des décisions[1]. De même, lorsqu'Henry Mintzberg, dans ce qui est vite devenu un classique du management, regroupait les activités quotidiennes des gestionnaires dans un enchaînement de rôles, soit les rôles interpersonnels, informationnels et décisionnels, il marquait lui aussi l'importance décisive de la prise de décision[2]. En effet, les deux premières catégories de rôles quotidiens de gestion ne prennent tout leur sens qu'au regard des rôles de décision qui se présentent comme la finalité même de l'action quotidienne de la gestion.

---

[1] Voir: Simon, H. A., *Administration et processus de décision.* Paris: Économica, 1983.
[2] Voir: Mintzberg, H., *The Nature of Managerial Work,* New York: Harper and Row, 1973.

Le management trouverait donc sa pleine légitimité dans sa capacité à résoudre des problèmes administratifs. Sous ce regard, le management serait donc l'art de la prise de décision. Cet art représenterait, en quelque sorte, un chantier permanent, celui que tous les autres chantiers mobilisent.

Formuler, analyser et résoudre des problèmes seraient donc des activités cruciales que devraient réaliser tous les gestionnaires. En outre, avant de se lancer dans la résolution de problèmes administratifs, les gestionnaires devraient toujours s'assurer d'avoir les informations requises pour mener à bien leur démarche.

Comme l'illustre la figure 19.1, la méthode de prise de décision comporte quatre étapes.

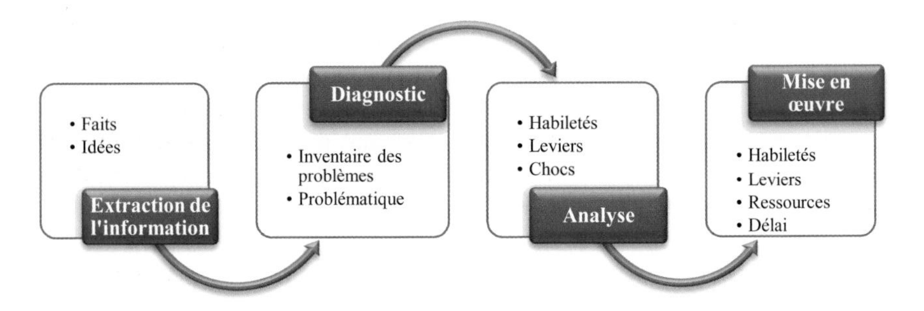

Figure 19.1: Processus de résolution de problèmes

Premièrement, les gestionnaires doivent, d'un côté, extraire l'information des contextes organisationnels dans lesquels elle se trouve enchevêtrée et, de l'autre, ils doivent la traduire en termes de faits et d'idées. Deuxièmement, ils doivent poser un diagnostic en réalisant, d'une part, l'inventaire de tous les problèmes à résoudre et, d'autre part, en formulant une problématique générale qui donne un sens à l'ensemble des problèmes identifiés. Troisièmement, les gestionnaires doivent analyser la problématique au regard des différentes perspectives de management. Enfin, les gestionnaires doivent concevoir la mise en œuvre de ses solutions en fixant leur attention sur les habiletés et les leviers de management ainsi que sur les questions de ressources requises et de délai de réalisation.

Très classique et techniquement rassurante, cette méthode de prise de décision n'a cependant de véritable intérêt que si les gestionnaires qui l'utilisent n'abdiquent par leur jugement. En effet, dans le monde complexe des organisations contemporaines, c'est encore et toujours le jugement qui fait la différence, toute la différence entre le succès ou l'échec. C'est donc dire qu'à chaque étape du processus, les gestionnaires doivent faire preuve de jugement et ils en témoignent en fondant leur démarche sur une diversité de savoirs, parmi lesquels nous notons:

- Le savoir *expérientiel*: les expériences passées
- Le savoir tacite: les connaissances pratiques difficiles à verbaliser
- Le savoir explicite: les théories formelles
- Le savoir contextuel: les connaissances propres à un contexte

L'EXTRACTION DE L'INFORMATION

La démarche de prise de décision s'amorce toujours par une lecture du contexte dont il faut extraire l'information avant de la classer selon différentes catégories utiles au diagnostic des problèmes à résoudre. Généralement, l'information est classée selon trois catégories: l'organisation, le management et le travail. Par exemple, alors que la position concurrentielle d'une organisation, son efficacité, son identité ou sa structure seront à classer dans la catégorie «organisation», la délégation, la planification, la gestion des conflits ou les pratiques de direction seront à loger sous l'enseigne de la catégorie «management». Enfin, les questions de motivation du personnel, d'absentéisme, de roulement, de dépassement de soi ou de créativité au travail seront à ranger dans la catégorie «travail».

Pour chaque catégorie, il s'agit de faire l'inventaire des faits propres à la situation qu'il convient d'analyser. Par la suite, il s'agit de se livrer à un jeu d'associations d'idées. Ce second volet de l'inventaire du contexte est crucial, puisque c'est lui qui permet de rendre explicite le savoir et les valeurs que suscite la rencontre des faits. Surtout, l'association d'idées permet de donner une véritable signification à chaque fait répertorié. Constater, par exemple, qu'une entreprise œuvre dans l'industrie de la fine cuisine est un fait, mais y associer les idées de «produit de luxe», de «clientèle exigeante», de «prix élevé», de «qualité» et de «marge bénéficiaire substantielle» lui donne du relief et permet alors de comprendre tout son intérêt au regard d'un processus de décision. Sans ce relief, sans ces associations d'idées qui sont autant d'interprétations subjectives de sa réalité, un fait n'a pas de véritable intérêt, à tout le moins en termes de facteur à prendre en considération dans un processus de décision. Un fait sans interprétation reste une donnée brute qui, à défaut d'avoir une signification subjective pour les gestionnaires qui en prennent connaissance, restera une donnée brute, une donnée inutile à la prise de décision.

Tableau 19.1
L'inventaire des faits et des idées

CATÉGORIES	FAITS	ASSOCIATIONS D'IDÉES
ORGANISATION	◘ ◘ ◘ ◘ ◘	◘ ◘ ◘ ◘ ◘
MANAGEMENT	◘ ◘ ◘ ◘ ◘	◘ ◘ ◘ ◘ ◘
TRAVAIL	◘ ◘ ◘ ◘ ◘	◘ ◘ ◘ ◘ ◘

LE DIAGNOSTIC DES PROBLÈMES

À partir de l'information recueillie, il s'agit de formuler les problèmes qui méritent d'être analysés. Cette étape est décisive et témoigne, en quelque sorte, de la liberté des gestionnaires qui se donnent, d'une certaine façon, les problèmes qu'ils vont résoudre. Généralement, il est possible de formuler trois catégories de problèmes. D'abord, il y a les problèmes organisationnels, ceux qui concernent l'organisation dans son ensemble. Les problèmes d'identité organisationnelle, de philosophie de direction, de stratégie concurrentielle, de structure et d'efficacité globale, par exemple, entrent dans cette première catégorie. Puis, il y a les problèmes de management technique, ceux qui témoignent des déficiences du cadre administratif. Les problèmes de planification, d'organisation de direction et de contrôle, par exemple, entrent dans cette seconde catégorie. Les déficiences liées aux habiletés politiques, symboliques, psychologiques et cognitives entrent également dans la catégorie des problèmes de management. Enfin, il y a les problèmes de travail, ceux liés à l'utilisation des ressources matérielles et à la contribution du personnel. Les problèmes de productivité et de motivation au travail, par exemple, entrent dans cette dernière catégorie.

Lorsque l'inventaire des problèmes est réalisé, les gestionnaires doivent alors mettre au jour leurs conséquences de façon à bien faire apparaître l'importance de chacun. En effet, les gestionnaires prennent la pleine mesure des problèmes qu'ils identifient par l'importance de leurs conséquences tant passées que présentes ou potentielles. Bien sûr, plus un problème s'accompagnera d'importantes conséquences indésirables, plus il sera considéré comme important et nécessitant sa résolution.

Tableau 19.2
L'inventaire des problèmes et de leurs conséquences

CATÉGORIES	PROBLÈMES	CONSÉQUENCES
ORGANISATION	◘ ◘ ◘ ◘ ◘	◘ ◘ ◘ ◘ ◘
MANAGEMENT	◘ ◘ ◘ ◘ ◘	◘ ◘ ◘ ◘ ◘
TRAVAIL	◘ ◘ ◘ ◘ ◘	◘ ◘ ◘ ◘ ◘

Au terme de l'étape de diagnostic, les gestionnaires formulent une problématique générale qui orientera son analyse. Cette problématique représente, en quelque sorte, le fil conducteur qui lie ensemble tous les problèmes répertoriés. La problématique peut aussi être centrée sur le principal problème à résoudre, celui qui donne lieu aux conséquences les plus indésirables.

Une problématique peut être formulée en termes très généraux ou alors très précis. Ainsi, un gestionnaire se donne une problématique générale lorsqu'il la formule en termes de stratégie concurrentielle ou d'identité organisationnelle. À l'inverse, il construit une problématique très précise si, au regard des mêmes faits et interprétations, il pose plutôt les frais d'exploitation de son entreprise comme étant trop élevés ou les revenus trop bas et devant faire l'objet d'un processus de décision.

La formulation de la problématique à traiter est donc cruciale puisqu'elle oriente la suite de l'analyse en fixant des balises à la réflexion et en délimitant, en quelque sorte, des corridors réflexifs. Par exemple, formuler la problématique à traiter en termes généraux de stratégie concurrentielle orientera l'analyse du côté d'un questionnement sur la capacité stratégique ou sur le positionnement de l'organisation dans son environnement concurrentiel, alors que la problématique de l'identité conduira la réflexion du côté des valeurs des uns et des autres et des difficultés à les transformer ou à les métisser. De la même façon, formuler la problématique à traiter en termes précis de frais d'exploitation orientera l'analyse vers des solutions financières, des rationalisations budgétaires, des réorganisations du travail ou des suppressions de postes alors qu'une formulation centrée sur les revenus s'ouvrira plutôt sur des questions de ventes, de mise en marché, de gestion des réseaux de distribution ou de développement de nouveaux produits.

L'ANALYSE DES PROBLÈMES

Une fois les problèmes et leurs conséquences mis au jour, il faut faire apparaître une chaîne causale qui lie les faits les uns aux autres. Dans cette chaîne, les faits peuvent alors jouer tour à tour le rôle de cause et de conséquence. Ainsi, comme l'illustre la figure 19.1, un fait d'organisation peut être la cause d'un problème de management qui après avoir eu comme conséquence un problème de travail, devient indirectement la cause d'un autre problème d'organisation. Par exemple, la croissance rapide d'une organisation peut, au niveau du management, causer des problèmes de délégation de l'autorité et des responsabilités, problèmes qui à leur tour en causeront au niveau du travail en occasionnant des baisses du rendement, baisses qui finiront par se solder, au niveau organisationnel, par un problème de positionnement stratégique.

Autant les faits que les problèmes n'acquièrent donc leur pleine signification que lorsqu'ils sont liés les uns aux autres et enchevêtrés dans des relations de cause à effet. C'est, d'ailleurs là, tout l'intérêt de la constitution d'une chaîne causale. De plus, elle peut être un incitatif à la prudence, puisqu'elle fait la démonstration que dans un contexte jugé problématique tout peut être enchevêtré et tout peut être ainsi à la fois une cause et une conséquence. Ce n'est donc que lorsque les problèmes à résoudre sont inscrits dans une chaîne causale d'où ils tirent leur pleine signification, que les gestionnaires devraient les analyser.

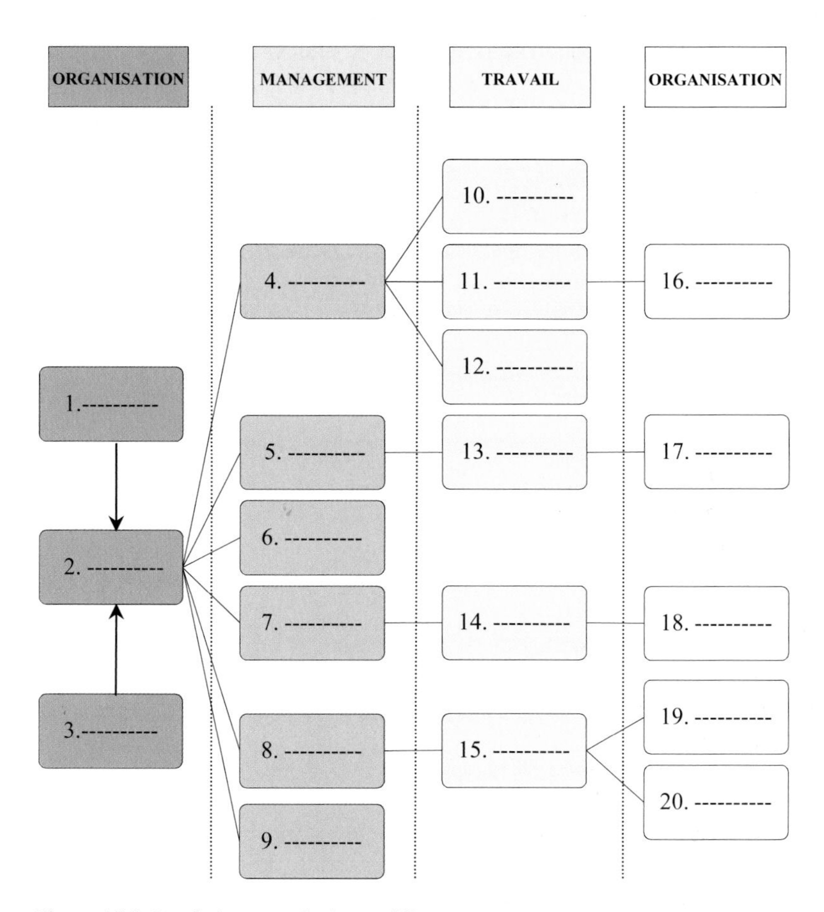

Figure 19.2: La chaîne causale des problèmes

Pour donner du sens à l'enchevêtrement des causes et des conséquences, les gestionnaires peuvent mobiliser toutes les perspectives de management. Ce faisant, ils analysent les problèmes en termes d'habiletés, de leviers et de logiques d'action, logiques qui peuvent conduire à un choc d'objectifs, d'intérêts, de valeurs, de besoins ou de savoirs.

Comme l'illustre le tableau 19.3, chacun des problèmes est tamisé par le filtre des perspectives de management. Ainsi, pour chacun des problèmes à résoudre, il s'agit de voir, s'il est possible de le comprendre en termes techniques, politiques, symboliques, psychologiques et cognitivistes. Plus particulièrement, il s'agit de voir, pour chaque problème à traiter, si les habiletés ou les leviers des différentes perspectives sont en cause. Il s'agit aussi d'expliquer les problèmes au regard des logiques d'action que chacune des perspectives met en jeu sous la forme de chocs.

Tableau 19.3
L'analyse des problèmes

PERSPECTIVES	PROBLÈME #1	PROBLÈME #2	PROBLÈME #3
TECHNIQUE	Habiletés: Leviers: Choc :	Habiletés: Leviers: Choc:	Habiletés: Leviers: Choc:
POLITIQUE	Habiletés: Leviers: Choc:	Habiletés: Leviers: Choc:	Habiletés: Leviers: Choc:
SYMBOLIQUE	Habiletés: Leviers: Choc:	Habiletés: Leviers: Choc:	Habiletés: Leviers: Choc:
PSYCHOLOGIQUE	Habiletés: Leviers: Choc:	Habiletés: Leviers: Choc:	Habiletés: Leviers: Choc:
COGNITIVISTE	Habiletés: Leviers: Choc:	Habiletés: Leviers: Choc:	Habiletés: Leviers: Choc:

LA MISE EN ŒUVRE DES SOLUTIONS

Au terme de l'analyse, la démarche de résolution de problème s'engage alors dans un cycle d'action. C'est, d'abord, l'analyse qui ouvre la voie à l'action en indiquant des possibilités d'interventions. Puis, ces possibilités doivent être reformulées en termes d'options susceptibles de résoudre les problèmes à l'étude. Finalement, le cycle doit s'engager dans une ultime analyse, à savoir celle de la faisabilité des options. Lorsque les options sont tout à la fois conséquentes de l'analyse et réalisables, il reste aux gestionnaires à concevoir leur mise en œuvre.

Par ailleurs, la démarche de résolution des problèmes administratifs ne peut donner les fruits escomptés que si elle s'ouvre sur la réalité très concrète des organisations. C'est donc dire qu'il ne suffit pas de trouver les bonnes options pour que les problèmes à résoudre disparaissent. Il faut aussi entrevoir la réalisation concrète des options en concevant minutieusement leur mise en œuvre. En répondant aux questions classiques «Quelles ressources seront consacrées à la mise en œuvre?» ou «Quel est le délai de mise en œuvre?», les gestionnaires parviennent à brosser un premier portrait de la mise en œuvre des options. Toutefois, pour que la mise en œuvre ne se heurte pas à la réalité très concrète des organisations, il faut aller au-delà des questions classiques de mise en œuvre. Il faut mobiliser les perspectives de management, car c'est elles qui permettent d'éclairer les dimensions techniques, politiques, symboliques, psychologiques et cognitives qui caractérisent la réalité des organisations. Notamment, comme le montre le tableau 19.4, sans pour autant renoncer aux questions classiques de mise en œuvre, les gestionnaires conçoivent la mise en œuvre de leur solution en se demandant, pour chaque problème à résoudre, quelles seront les habiletés à mobiliser et quels seront les leviers d'action qu'il faudra actionner.

Tableau 19.4
La mise en œuvre des solutions

MISE EN ŒUVRE	PROBLÈME #1	PROBLÈME #2	PROBLÈME #3
SOLUTIONS RÉALISTES	■ ■ ■	■ ■ ■	■ ■ ■
RESSOURCES NÉCESSAIRES	■ ■ ■	■ ■ ■	■ ■ ■
DÉLAI DE RÉALISATION	■ ■ ■	■ ■ ■	■ ■ ■
HABILETÉS À UTILISER	■ ■ ■	■ ■ ■	■ ■ ■
LEVIER À MANIER	■ ■ ■	■ ■ ■	■ ■ ■

LES PERSPECTIVES DE MANAGEMENT ET LA PRISE DE DÉCISION

Alors que toutes les perspectives de management sont constitutives du processus de décision en y jouant un rôle central tant au niveau de l'analyse des informations qu'à celui de la mise en œuvre des solutions, elles peuvent aussi éclairer l'ensemble du processus. En effet, sous le regard de la perspective technique, la décision se présente comme un processus technique où seuls les objectifs à atteindre doivent guider le choix des solutions à mettre en œuvre. Dans la perspective politique, la décision devient un enjeu autour duquel les membres de l'organisation se rassemblent, forment des coalitions, tentent de faire valoir leurs intérêts et déploient des stratégies de façon à ce que les décisions leur soient favorables. Dans la perspective symbolique, la décision ne réduit plus à un processus mécanique d'optimisation des choix à la lumière d'objectifs prédéterminés, mais devient un des vecteurs de l'identité de l'organisation en permettant l'affirmation des valeurs qui la caractérisent. Dans la perspective psychologique, décider met en jeu la personnalité des uns et des autres, le goût des uns pour le risque ou l'aversion des autres pour tout ce qui est incertain. Enfin, la perspective cognitiviste attire tout particulièrement l'attention sur l'incapacité cognitive des humains à maximiser leurs objectifs par des processus mécaniques de décision et sur le fait que ces processus mettent toujours en jeu une grande diversité de formes de savoirs, formes qui ne sont pas forcément complémentaires les unes aux autres.

PARTIE VI

LES CAS

Chapitre 20

DECXX MODE

Richard Déry

Sam Waltz, président de *Decxx Mode*, mène une lutte acharnée pour la survie de son entreprise de sacs à main, l'une des plus vieilles au Québec. «Au fil des ans, j'ai vu plus d'une entreprise de l'industrie du vêtement fermer ses portes. Sur le coup, ces fermetures me laissaient le champ libre et, si j'en ai beaucoup profité, aujourd'hui, cela me laisse tout même un arrière-goût. Plusieurs de mes concurrents étaient aussi des amis. Dans l'industrie du vêtement, nous nous connaissons tous et nous nous respectons. Nous formons, en quelque sorte, une confrérie au sein de laquelle il y a autant d'entraide qu'une saine compétition. Bien sûr, chacun veut sa place au soleil et nous savons que nous sommes en concurrence, mais nous nous comprenons et surtout, nous savons que notre véritable ennemi ne se trouve pas sur la rue Chabanel[1], là où nous avons nos ateliers, mais bien tout là-bas, quelque part en Chine, au Cambodge, au Bangladesh et en Inde. D'ailleurs, il y a des jours où j'ai vraiment l'impression d'être dans la situation de ce petit village gaulois qui, encerclé par les légions romaines, refuse, peu importe la force de l'adversaire, de baisser les bras. Je sais bien que mon entreprise va survivre, qu'une fois de plus, nous allons trouver la bonne stratégie pour tirer notre épingle du jeu, mais il reste que j'ai le sentiment que, devant la concurrence étrangère, nous ne luttons pas à arme égale. Chaque jour, nous devons faire plus et encore mieux. Nous ne devons jamais rien tenir pour acquis et chaque part de marché doit se gagner au prix d'un effort de chaque instant. Mes employés, tous mes employés, savent que nous devons nous battre, et ils se battent. Nous l'avons toujours fait et nous le ferons toujours.»

---

[1] Le secteur industriel Acadie-Chabanel, situé dans l'arrondissement Ahuntsic, est l'un des pôles industriels les plus importants de Montréal. En 2007, 1243 entreprises, procurant de l'emploi à plus de 20 000 personnes, y avaient pignon sur rue. C'est dans ce secteur industriel que se trouve concentrée l'industrie québécoise du vêtement comme en témoigne le fait que 587 entreprises offrant de l'emploi à près de 12 000 personnes y opèrent leurs activités. Il s'agit, en quelque sorte, d'une véritable fourmilière du vêtement. Tout se trouve à proximité, les matières premières, la main d'œuvre, les ateliers, les sous-traitants, etc.

L'OUVRIER PDG

«J'ai toujours pu compter sur la loyauté de mes employés. En fait, je suis l'un d'eux et ils le savent. D'ailleurs, c'est ici même, voilà près de 40 ans, que j'ai fait mes premiers pas dans l'industrie. À l'époque, je travaillais à l'expédition, puis j'ai tour à tour occupé les métiers d'acheteur, de superviseur et de vendeur. *Decxx Mode* fut pour moi une véritable école. Tout ce que je sais, c'est dans cet atelier que l'ai appris. Alors que j'étais à l'emploi de *Decxx Mode*, je passais toutes mes journées et mes soirées dans l'atelier à travailler sans relâche, à tout observer et à suggérer des améliorations. L'entreprise était ma famille, mon terrain de jeu, mon obsession, l'endroit où j'étais quelqu'un. J'y étais bien, en sécurité, et les propriétaires avaient confiance en moi. Vous savez, je n'avais que 16 ans lorsque j'ai commencé à y travailler, alors pouvoir obtenir la confiance des propriétaires de l'une des plus grandes usines de fabrication de sacs à main du Québec, c'était vraiment quelque chose de très précieux. J'étais fier de travailler pour la *Decxx*. À l'époque, j'adorais faire le tour des magasins du centre-ville ou de la rue St-Hubert pour contempler, dans les vitrines, les sacs à main que nous avions fabriqués. D'ailleurs, lorsque les sacs à main n'étaient pas mis en évidence par les commerçants, je n'hésitais jamais à aller les voir, à tenter de les convaincre de miser sur nous. De la même façon, lorsque je voyais dans les vitrines de nouveaux modèles, je m'empressais d'en avertir M. John Smith, le directeur de la production, qui pouvait, d'un seul regard, en dessiner le patron nécessaire à sa reproduction. Encore aujourd'hui, M. Smith dessine presque tous nos modèles et il ne se passe pas une semaine sans que l'un d'entre nous lui apporte un sac à main qu'il reproduit en un rien de temps. Il peut même, de mémoire, reproduire les modèles que nous avons fabriqués voilà plus de 40 ans. Il est vraiment formidable. D'une certaine façon, *Decxx Mode* ne me quittait jamais. Dans la rue, dans les bars et les discothèques, je m'amusais à dénombrer le nombre de femmes qui portaient l'un de nos sacs à main. Mes amis me trouvaient un peu dingue, mais je n'y pouvais rien, les sacs à main de l'entreprise étaient ma fierté et j'avais le sentiment qu'une partie de moi se trouvait en chacun d'eux.»

«Tout au long de mes années d'apprentissage à *Decxx Mode*, j'ai économisé le plus d'argent possible et lorsque l'occasion s'est présentée, j'ai investi la totalité de mes économies dans l'achat d'une très petite entreprise spécialisée dans l'importation de sacs à main, *Mode Euromex*. Cela peut paraître curieux, mais les propriétaires de l'atelier étaient fiers de moi. Alors que j'allais, d'une certaine façon, devenir un concurrent, ils n'hésitaient pas à me prodiguer des conseils, à m'offrir leur aide. C'est à ce moment que j'ai compris que l'industrie du vêtement était une confrérie. Je quittais *Decxx Mode*, mais c'était pour entrer dans le cercle restreint des propriétaires d'entreprise de l'industrie. Bien sûr, c'est à regret que je quittais *Decxx Mode*, mais après vingt ans de loyaux services, j'en avais vraiment fait le tour. Surtout, au fil des années, j'avais acquis la conviction que je pouvais posséder ma propre entreprise. Je connaissais bien les rouages de cette industrie et j'étais persuadé qu'il était possible pour une entreprise qui se spécialiserait dans l'importation de sacs à main européens de s'y tailler une place. J'entrevoyais que la lutte serait difficile et que le chemin vers la réussite serait parsemé d'embuches, mais je croyais en mon projet et j'avais les connaissances requises pour faire de mon projet une entreprise viable et prospère. Toutefois, jamais je n'aurais imaginé avoir autant de succès en si peu de temps. Mon idée était pourtant très simple et pas du tout révolutionnaire. Dans les années 1980, alors que toute l'industrie du vêtement devait s'ajuster à la montée en puissance des manufacturiers du Sud-est asiatique, j'étais convaincu que l'un des meilleurs moyens de faire face à cette nouvelle concurrence était d'offrir à la clientèle montréalaise des produits d'importation en provenance de la France et de l'Italie. Il y avait, bien sûr, un énorme risque à se lancer dans l'importation dont les rouages bureaucratiques et économiques ne m'étaient pas du tout familier, mais j'étais vraiment persuadé qu'il y avait là un créneau à exploiter et je l'ai exploité.»

«Le succès d'*Euromex* m'a permis d'acquérir, dans les années 1990, une très petite entreprise de fabrication de sacs à main en cuir, *Métromode*. Il s'agissait d'une belle occasion d'affaires et elle arrivait à point. En effet, la faiblesse du dollar canadien avait pour conséquence de réduire sensiblement les marges bénéficiaires sur mes produits d'exportation et je devais rapidement trouver une solution de rechange. *Métromode* était, en quelque sorte, la solution toute désignée, puisque je pouvais en faire une entreprise d'exportation vers le marché du Nord-est des États-Unis. D'une certaine façon, après avoir freiné la croissance d'*Euromex*, la faiblesse du dollar américain allait m'être profitable. À la fin des années 1990, avec l'aide mon frère Joe, j'ai racheté une autre entreprise, *Minou Mode,* spécialisée dans la fabrication de sacs à main en tissu. Cette acquisition me permettait alors d'avoir un pied dans un marché, celui des sacs à main en tissu, qui était en croissance et pour lequel je n'avais pas d'expertise. Cela dit, je pouvais compter sur celle de mon frère qui œuvrait dans ce secteur, à titre de vendeur, depuis plus de vingt ans.»

«Avec le recul, je me dis que je suis un bon stratège, mais à dire vrai, je n'ai jamais vraiment eu de plan de match, ni de stratégie d'affaires compliquée, car ce n'est pas comme ça que nous pouvons faire des affaires dans le monde concret. Miser sur la volonté, oser saisir les occasions lorsqu'elles se présentent, avoir de l'audace, du flair et la capacité de faire confiance à des gens d'expérience qui savent comment l'industrie fonctionne, voilà les véritables ingrédients du succès. Cela dit, je n'ai rien contre les formations universitaires en gestion, mais je doute que ce soit dans les universités qu'on apprenne à faire des affaires. D'ailleurs, récemment, j'ai embauché un MBA pour qu'il m'aide à repenser toute la chaîne de production de mon atelier principal et j'ai vite compris que malgré ses diplômes, il devait encore faire ses classes et apprendre à écouter ce que mes ouvrières avaient à lui dire. Bien sûr, Steven a beaucoup de potentiel et il connaît toutes les dernières techniques à la mode, mais il est pressé, très pressé. Si je le laissais faire, il chamboulerait l'atelier. Pour lui, un atelier, ce n'est qu'un vaste Lego. Il y a de l'équipement, de la matière première, des processus d'affaires et des chaînes de valeur. Surtout, selon lui, nous devons tout repenser et le faire dans l'urgence. Œuvrer au sein du monde concret lui fera le plus grand bien. Il va apprendre, cela ne fait aucun doute, il lui suffit juste d'un peu de temps pour comprendre que dans la vraie vie, les choses prennent du temps à se mettre en place et que si on veut réaliser de grandes choses, il faut porter attention aux petits détails et aux personnes. Oui, j'en suis sûr, il va apprendre. Il a vraiment beaucoup de potentiel ce jeune. D'un certain point de vue, il a la fougue que j'avais à son âge.»

«Au début des années 2000, lorsque les propriétaires de *Decxx Mode* m'ont offert de racheter leur atelier, j'ai été surpris. Avoir la chance d'acquérir l'entreprise où tout avait commencé était vraiment une occasion aussi inattendue qu'inespérée. Toutefois, prendre la relève de ceux qui m'avaient donné la chance de faire mes preuves avait un petit côté intimidant. C'était un peu comme si on me confiait la responsabilité de la famille qui m'avait vu grandir. Je devais me montrer digne de cette confiance. Cela n'allait pas être si simple, car diriger *Decxx Mode* représentait un défi de taille. Depuis mon départ de l'entreprise, j'avais certes obtenu de bons résultats avec mes entreprises, mais il s'agissait de petites entreprises. En acceptant d'acquérir *Decxx Mode*, je changeais de ligue. Je cessais d'être une recrue qui fait la loi dans les ligues mineures pour devenir un joueur majeur de l'industrie. Je n'allais pas rater ma chance.»

L'INDUSTRIE DU VÊTEMENT

En 2007, à l'ombre des entreprises de la nouvelle économie qui font maintenant la fierté des Montréalais et malgré l'annonce maintes fois répétée de sa mort imminente[2], l'industrie du vêtement est toujours bel et bien vivante. Bien sûr, cette industrie n'a plus le lustre d'antan alors qu'elle représentait

[2] Dans les années 2000, l'industrie québécoise du vêtement a perdu 47% de ses emplois, notamment dû à la vigueur du dollar canadien. Au cours de cette période, les ventes ont chuté de 37%, passant de 407 à 257 millions de dollars. Voir: Brousseau-Pouliot, Vincent, «Industrie du vêtement au Québec: un cauchemar devenu réalité», *La Presse*, 26 octobre 2007.

le principal tissu industriel de la Métropole[3], mais elle procure encore de l'emploi à 28 000 Québécois et ses livraisons s'élevaient à près de 3 milliards de dollars en 2006[4]. La plupart de ces emplois se retrouvent à Montréal. En fait, 22 800 personnes travaillent dans l'industrie montréalaise du vêtement, soit 75% de la totalité des emplois de l'industrie québécoise et 46,4% de la main-d'œuvre canadienne. Avec une telle force, Montréal se situe tout juste derrière New York qui compte sur 29 640 emplois et derrière Los Angeles qui, avec ses 60 930 emplois, est le leader incontesté de l'industrie nord-américaine du vêtement[5]. Montréal est donc toujours un des joueurs importants de l'industrie mondiale du vêtement et est clairement le bastion de cette industrie au Canada[6].

La stratégie québécoise de l'industrie de la mode et du vêtement

Malgré sa force, l'industrie montréalaise reste fragile, notamment avec, d'un côté la montée du dollar canadien qui a pour effet de ralentir les exportations vers les États-Unis et, de l'autre, la concurrence des manufacturiers du Sud-est asiatique qui dominent le marché de masse. L'industrie du vêtement doit donc s'ouvrir à la nouvelle réalité du marché mondial. Pour survivre et prospérer, les entreprises doivent, notamment, apprendre à se démarquer de la concurrence asiatique en offrant des produits à forte valeur ajoutée. C'est d'ailleurs ce qu'a récemment soutenu M. Raymond Bachand, ministre du Développement économique, de l'Innovation et de l'Exportation et ministre responsable de la région de Montréal lors du dévoilement de sa stratégie québécoise de développement de l'industrie de la mode et du vêtement: «Plus que jamais, le capital humain, l'originalité, l'innovation, le design, la créativité, le recours aux nouvelles technologies et les nouveaux modes de commercialisation sont au cœur du succès des entreprises. L'industrie québécoise de la mode et du vêtement n'échappe pas à ce vent de changement. La concurrence mondiale fait naître un tout nouveau contexte qui comporte son lot de contraintes et de défis, mais surtout de possibilités. Pour être les meilleurs, il faut mettre l'accent sur ce qui nous

[3] Dans les années 1990, l'industrie québécoise du vêtement a vu plus de 800 entreprises fermées leurs portes entraînant la perte de près de 13 000 emplois. Cela dit, alors que les manufacturiers québécois peinaient à soutenir une concurrence étrangère de plus en plus intense, grâce à la faiblesse du dollar canadien vis-à-vis de la devise américaine, ils se tournaient massivement vers l'exportation, notamment vers les États-Unis et c'est ainsi que de 1992 à 2002, les exportations sont passées de 316 millions de dollars à près de 2 milliards de dollars. Voir: Pilon, Jean-Luc, *Le sort de l'industrie du vêtement au Québec dans le contexte actuel de la libéralisation des marchés,* Observatoire des Amériques, janvier 2005, no.02.

[4] Ministère du Développement économique, de l'innovation et de l'exportation du Québec, *Stratégie de l'industrie québécoise de la mode*, octobre 2007.

[5] *Idem.*

[6] Au Canada, Montréal devance Toronto qui compte 17 500 emplois et Vancouver qui n'en compte que 5 400. Voir: Ministère du Développement économique, de l'innovation et de l'exportation du Québec, *Stratégie de l'industrie québécoise de la mode*, octobre 2007.

différencie, faire mieux et autrement, dans des niches de marché où nous excellons. Notre *Stratégie de l'industrie québécoise de la mode et du vêtement* soutiendra nos entreprises pour qu'elles prennent une place de choix sur l'échiquier mondial. En prenant appui sur les forces de l'industrie, elle favorisera l'émergence de nouveaux atouts, intensifiera le recours à l'innovation et soutiendra la commercialisation. Elle encouragera la concertation au sein de l'industrie et appuiera la formation de la main-d'œuvre. Enfin, elle renforcera Montréal comme métropole canadienne de la mode et comme carrefour international de mode. Le succès de cette stratégie passe par la contribution de tous les intervenants de l'industrie, des associations, des centres de formation et d'innovation, de même que des ministères et des organismes gouvernementaux. Les entrepreneurs et les créateurs québécois ont le talent et le dynamisme nécessaires. Ensemble, nous arriverons à relever les défis d'aujourd'hui. Celui de la formation de la main-d'œuvre spécialisée, celui de l'intégration du design, celui des nouveaux matériaux, celui des nouvelles techniques de production, celui des technologies et de la commercialisation. La clé du succès, c'est aussi la confiance. Dans la foulée des moyens apportés par la stratégie, l'industrie québécoise de la mode et du vêtement continuera de se distinguer chez nous et sur les marchés mondiaux contribuant ainsi à la création d'emplois et de richesse au Québec ainsi qu'à la renommée de la créativité et du génie québécois sur le plan international[7].»

La stratégie proposée par le ministère du Développement économique, de l'Innovation et de l'Exportation du Québec comporte, en fait, cinq axes d'interventions, soit l'adaptation des modèles d'affaires des entreprises québécoises aux nouvelles réalités du marché mondial, le soutien à la commercialisation et à l'exportation, favoriser le recours au design et aux technologies avancées, promouvoir Montréal comme étant l'un des carrefours de la mode mondiale et, enfin, renforcer le développement de la main-d'œuvre. De façon encore plus précise, selon le ministère du Développement économique, de l'Innovation et de l'Exportation du Québec: «L'industrie québécoise de la mode et du vêtement peut améliorer son positionnement sur le marché si elle offre des produits différenciés. À cet effet, elle doit miser sur la créativité, l'innovation technologique comme organisationnelle, le design, la commercialisation, le développement d'images de marque et de produits de niche[8].» Concrètement, le ministère invite donc les manufacturiers à se détourner des marchés traditionnels que sont les

---

[7] Ministère du Développement économique, de l'Innovation et de l'Exportation du Québec, *Stratégie de l'industrie québécoise de la mode*, octobre 2007, p.5.

[8] Ministère du Développement économique, de l'Innovation et de l'Exportation du Québec, *Stratégie de l'industrie québécoise de la mode*, octobre 2007, p.15.

segments en sursis et de commodité pour s'ouvrir aux logiques de différenciation qui sont au principe des marchés de performance et de l'image.

Tableau 20.1
Les segments de marché
de l'industrie du vêtement

SEGMENTS	CARACTÉRISTIQUES
MARCHÉ EN SURSIS	▫ Les prix sont élevés et les produits peu différenciés ▫ Le bénéfice du consommateur tient surtout au fait que le produit lui est familier ▫ Le fabricant cherche à maintenir la fidélité à l'entreprise de sa clientèle traditionnelle ▫ Il s'agit d'un segment de marché non viable à long terme
MARCHÉ DE COMMODITÉ	▫ Les prix sont bas et les produits peu différenciés ▫ Le bénéfice du consommateur repose sur le prix ▫ Le fabricant vise un contrôle maximum des coûts ▫ Le potentiel d'exportation est faible, mais il peut répondre à certains besoins sur le marché intérieur
MARCHÉ DE PERFORMANCE	▫ Les produits sont différenciés, mais les prix sont bas par rapport aux marques internationales ▫ Le bénéfice du consommateur repose sur la valeur ou le rapport qualité-prix ▫ L'entreprise se distingue pour un ou plusieurs des éléments suivants: design, technologie, service, rapidité, qualité ou aspect pratique ▫ Il y a optimisation de la chaîne de valeur ▫ Le fabricant met l'accent sur un produit différencié ▫ Ce positionnement est normalement celui recherché par les entreprises qui occupent les segments en sursis et de commodité
MARCHÉ DE L'IMAGE	▫ La différenciation repose sur une forte image de marque, qui permet des prix élevés ▫ Le bénéfice du consommateur repose sur l'image de soi ▫ Le fabricant met l'accent sur la valorisation de la marque *(branding)* ▫ Il s'agit du meilleur positionnement sur le marché

Source: Ministère du Développement économique, de l'Innovation et de l'Exportation du Québec, *Stratégie de l'industrie québécoise de la mode*, octobre 2007.

Le secteur des sacs à main

Le secteur de la fabrication des sacs à main n'échappe pas à la logique qui caractérise l'ensemble de l'industrie du vêtement. À l'image de cette dernière, le secteur jadis très florissant doit aujourd'hui entreprendre un repositionnement stratégique. En 2007, il n'y a plus qu'une petite poignée de manufacturiers presque tous situés à Montréal qui après des années d'exportation vers les États-Unis doivent maintenant composer avec la force du dollar canadien. Contraints de se replier sur leur marché domestique, les manufacturiers revivent les années 1980, années au cours desquelles ils offraient leurs produits sur un marché local pris d'assaut par une concurrence sud-asiatique qui pouvait offrir à la même clientèle des produits à très bas prix. D'ailleurs, comme l'indique le tableau 2, pour chacun des trois segments caractéristiques du secteur des sacs à main, les manufacturiers asiatiques détiennent clairement un avantage concurrentiel en termes de coût de fabrication.

Tableau 20.2
Le secteur du sac à main

SEGMENTS	MANUFACTURIERS QUÉBÉCOIS		MANUFACTURIERS ASIATIQUES	
	Coût de fabrication	Prix de vente	Coût de fabrication	Prix de vente
SACS EN TISSU	13,16$	17,94$	8,00$	16,00$
SACS EN SIMILICUIR	16,84$	21,94$	9,60$	17,60$
SACS EN CUIR	17,00$	35,00$	14,90$	30,00$

Pour les manufacturiers québécois, la marge de manœuvre concurrentielle est très mince, puisque les coûts de la main-d'œuvre représentent, en moyenne, plus de 46% du total des coûts de fabrication et cela même si les salaires dans l'industrie du vêtement sont à peine plus élevés que le salaire minimum. Cela dit, certaines entreprises du secteur arrivent encore à tenir tête à la concurrence asiatique en exerçant un contrôle très serré des frais d'administration, en abaissant constamment le coût de leurs matières premières et en misant sur des processus logistiques de fabrication et des technologies de pointe qui permettent d'accroître la productivité.

DECXX MODE

Decxx Mode est l'une des plus vieilles entreprises du secteur des sacs à main au Québec. Spécialisée dans la fabrication de sacs en cuir, l'entreprise fabrique 150 modèles de sacs à main et compte sur un personnel de plus de 100 employés répartis en quatre unités administratives, à savoir la production, les ventes, les achats et les finances. À cela s'ajoute un service d'administration dont le mandat consiste essentiellement à conseiller M. Sam Waltz sur les procédures administratives et les méthodes de travail en vigueur dans l'atelier et un service de *design* qui a pour mission de concevoir le design de nouveaux produits et d'esquisser de nouvelles stratégies de commercialisation.

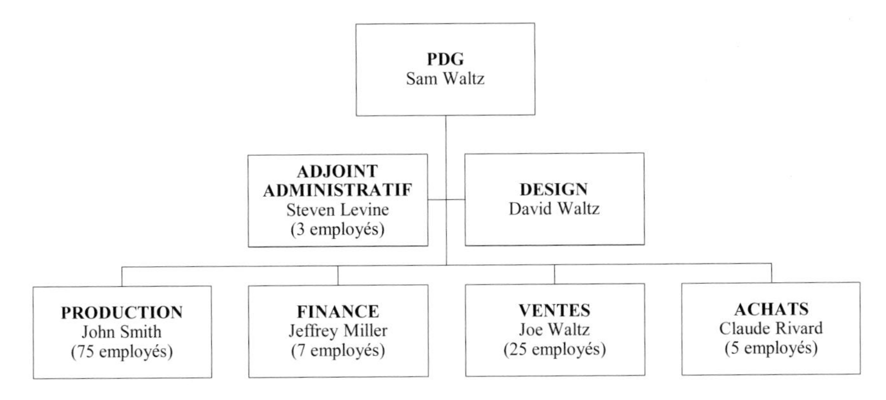

Figure 20.1 Organigramme de *Decxx Mode*

«Lorsque j'ai acquis *Decxx Mode*, l'entreprise éprouvait de sérieuses difficultés. En effet, l'entreprise affichait alors un déficit de 120 000$. Quatre ans plus tard, l'entreprise avait retrouvé le chemin de la rentabilité avec un bénéfice record de 45 000$ et l'an dernier, nous avons tout de même enregistré un bénéfice de près de 30 000$. Cette année, nous éprouvons quelques difficultés, mais c'est temporaire. Ce n'est que la conséquence de la force du dollar canadien. De plus, mes trois autres entreprises sont toujours très rentables, alors il ne faut vraiment pas s'inquiéter. Cela dit, parfois je songe à fusionner mes entreprises en une seule entité, mais mon directeur des finances, Jeff, me le déconseille. Selon lui, il y a beaucoup d'avantages fiscaux à maintenir la structure administrative de mon groupe dans sa forme actuelle. Moi, je trouve ça plutôt lourd et complexe, mais c'est lui le *ministre* des Finances et s'il pense qu'il ne faut rien changer, il vaut peut-être mieux l'écouter. Enfin, on verra bien puisque je compte aborder la question à notre réunion de direction, lundi prochain.»

Administration

Le service d'administration est dirigé par un jeune MBA, Steven Levine. Lors de son embauche, il y a de cela trois mois, Sam Waltz lui a confié un mandat très clair, soit celui de le conseiller sur de nouvelles procédures administratives et les méthodes de fabrication susceptibles d'accroître la productivité de l'atelier.

Steven adore son nouvel emploi: «Je suis heureux que M. Waltz m'ait confié ce poste. En terminant mes études, je pensais faire carrière dans une grande entreprise transnationale, mais j'ai finalement accepté l'offre de M. Waltz. Bien sûr, travailler dans une entreprise de sacs à main n'a vraiment rien de très *glamour* et mes confrères de classe ont beaucoup rigolé lorsque je leur ai dit que j'allais me joindre à une petite entreprise de l'industrie de la guenille, comme nous l'appelions dans nos cours, mais j'y vois finalement beaucoup d'avantages. Ici, je peux toucher à toutes les facettes de la gestion, je peux concrétiser tout ce que j'ai appris à l'université. Il n'y a pas de limite, puisque tout est à repenser et à refaire et qu'ils ont vraiment besoin d'un sérieux coup de main. D'une certaine façon, j'occupe tout à la fois le poste de directeur des ressources humaines, de concepteur des systèmes d'information, de responsable de la logistique administrative et de planificateur. Le défi est immense et le potentiel de l'entreprise l'est tout autant. En fait, le défi est à ce point colossal que j'ai dû convaincre M. Waltz de me permettre d'embaucher du personnel. Là nous sommes une petite équipe et nous avons toujours de la difficulté à mettre en place tous les changements requis pour faire entrer l'usine dans le 21e siècle. Déjà qu'ils n'ont toujours pas mis les pieds dans le 20e, ce n'est pas une mince affaire!»

«Si seulement j'arrivais à convaincre les membres du bureau de direction qu'ils sont assis sur une usine qui pourrait, s'ils acceptaient de faire ce qu'il faut faire, atteindre des sommets. Parfois, je me dis qu'il n'y a pas de réelle volonté de changement. Ils sont empêtrés dans leur petite routine et leur petit confort. Personne ne semble se rendre compte que si l'entreprise ne se modernise pas très rapidement, ce sera la fermeture pure et simple. Lorsque je tente de faire valoir mon point de vue, tous les directeurs me disent que j'ai de bonnes idées, que les changements que je propose ont un fort potentiel, mais que je suis trop alarmiste. Il y a vraiment des jours où je me demande pourquoi, M. Waltz m'a embauché si c'est pour faire la sourde oreille à mes conseils. Pourtant, je suis convaincu que s'il me soutenait davantage, je pourrais rapidement doubler la productivité de l'usine. Bien sûr, cela impliquerait quelques mises à pied dans le personnel de production et peut-être aussi aux finances, aux achats et aux ventes, mais en matière de productivité, il n'y a pas de miracle. Le gain de productivité doit certes passer par de meilleures façons de faire et un renouvellement de la machinerie, mais il doit aussi s'accompagner d'une rationalisation du personnel. Ça, je ne suis pas sûr que M. Waltz et les autres membres du bureau de direction soient prêts à l'accepter. Vous savez, M. Sam Waltz est très paternaliste. Pour lui, les employés sont des membres de sa famille. Il en connaît d'ailleurs certains depuis 40 ans, alors quand j'esquisse du bout des lèvres que nous n'aurons pas d'autre choix que de faire une rationalisation du personnel si nous voulons devenir performants, il me dit toujours qu'il doit bien y avoir un autre moyen, qu'il ne peut faire cela à son monde. Non, il n'y a pas d'autre moyen et lors du prochain bureau de direction, je compte bien leur en faire la démonstration.»

«Je sais bien que M. Sam Waltz est uni à son personnel par une relation de confiance et que, pour lui, réaliser des mises à pied est la pire des choses qui puisse arriver, que c'est comme une forme de trahison, mais c'est précisément ça le problème. L'entreprise n'est pas une famille. Nous nous battons pour survivre, alors le temps des petites fêtes, des rassemblements et des bons souvenirs est fini. Si nous n'agissons pas rapidement, très rapidement, ce ne sont pas quelques mises à pied qu'il faudra faire, mais bien la fermeture complète de l'usine.»

«Dans l'atelier, le personnel a, en moyenne, 25 années d'ancienneté, c'est tout dire. Pas surprenant que ça résiste autant. Tenez, récemment, j'ai suggéré à John Smith de réorganiser ses équipes de production de façon à optimiser le travail. Comme toujours, la réaction fut courtoise, mais j'ai compris qu'une fois de plus, mes propositions resteraient des propositions. En fait, j'ai vite compris que ce que je proposais était interprété comme un désir de ma part de séparer les familles. Séparer les familles, rien que ça! À l'entendre, dans mes analyses, j'aurais dû tenir compte du fait que certaines ouvrières travaillent ensemble depuis des décennies et que, dans plusieurs équipes de production, des mères travaillent avec leur fille et que ça ne se fait tout simplement pas de les séparer. Tout cela n'a aucun bon sens. Ce n'est pas comme ça qu'il est possible d'optimiser la production. Si je dois tenir compte des liens de parenté, des liens d'amitié, de l'ancienneté, des petites habitudes des unes et des grosses routines des autres, ils sont aussi bien de fermer boutique. Depuis trois mois, j'ai eu le temps de me familiariser avec l'usine et là, mon plan est clair. Il faut réaménager l'atelier, rendre la production plus fluide, éliminer les goulots d'étranglement, améliorer l'éclairage, faire l'acquisition de nouvelles machines, définir de véritables standards de production, viser les économies d'échelle, revoir les contrôles de qualité, et remodeler certaines tâches. Nous devons aussi mettre fin à certaines pratiques ancestrales improductives. Sans cela, il n'y aura pas d'avenir. Lorsque John me dit de ne pas toucher au travail de certaines de ses ouvrières qui, au fil du temps, ont construit de petits habitats où elles peuvent travailler en retrait des autres sans que cela n'ait de véritables fondements productifs, je me dis que jamais nous n'arriverons à faire ce que nous devons réaliser. Cela dit, je sais que je vais finir par faire entendre raison à M. Sam Waltz. C'est certain, sans quoi je ne m'explique pas mon embauche. Je ne me décourage pas, car de toute façon mon projet de rationalisation du personnel n'est qu'un de mes mandats et que j'ai beaucoup d'autres dossiers à faire avancer. Mon équipe doit repenser tous les formulaires de l'entreprise dont certains sont de véritables pièces de collection. Elle doit également repenser les liens avec les fournisseurs de façon à ce que tout puisse se faire par le réseau informatique, sans parler de la nécessité de construire un site web qui nous fera entrer dans le monde d'aujourd'hui. Jonathan, un jeune infographe que j'ai embauché il y a trois semaines, se régale. À peine sorti du CÉGEP, il peut déjà mettre à contribution toutes ses connaissances. Lui, au moins, n'a pas à composer avec les résistances des uns et les peurs des autres. Il y a aussi Marielle à qui j'ai confié le mandat de revoir toutes nos pratiques en matière de gestion des ressources humaines. En fait, lorsque je dis revoir, je veux plutôt dire créer, car en cette matière tout est à faire: plan de santé et sécurité au travail, politique d'embauche, politique de formation du personnel, système de rémunération et plan de mise à la retraite. Enfin, je fonde beaucoup d'espoir sur Mario. Il s'est joint à l'équipe la semaine dernière. C'est un autre jeune qui vient de terminer son CÉGEP en technique administrative et je compte sur lui pour mener à terme la restructuration complète de l'atelier. En fait, je suis convaincu que nous devons revoir nos pratiques financières et déjà Mathieu m'a fait des suggestions qui pourraient donner des fruits. Lorsque j'ai suggéré à M. Sam Waltz de l'embaucher, j'étais convaincu qu'il n'en verrait pas la nécessité alors lorsqu'il m'a dit que c'était une superbe idée, je me suis dit, ça y est, les changements sont en route. En fait, la semaine prochaine, lors de notre réunion de direction hebdomadaire, je compte bien aborder la question de la restructuration administrative. Ça nous changera de nos discussions qui n'en finissent plus de tourner en rond.»

Finance

Dirigé par Jeffrey Miller, qui travaille pour l'entreprise depuis près de 30 ans, le service des finances regroupe deux commis-comptables, trois secrétaires, un responsable de la facturation et un responsable de la paie. Selon M. Miller, son service est la plaque tournante du système d'information de l'entreprise: «Toute l'information comptable et financière de l'entreprise et de ses filiales passe par notre service. Sans nous, l'entreprise n'a plus aucun repère financier. La tâche est colossale. Avec des centaines de modèles fabriqués, des milliers de clients répartis partout en Amérique du Nord, des dizaines de fournisseurs, trois filiales et plus de cent employés, nous croulons sous la tâche. Nous arrivons difficilement à suivre la cadence. En fait, je ne suis pas sûr que les autres services de l'entreprise mesurent vraiment l'ampleur de notre travail. Nous devons continuellement rappeler aux uns et aux autres l'importance de nous faire parvenir l'information. De plus, comme si notre situation n'était pas déjà suffisamment complexe, voilà que depuis quelques semaines, le nouvel adjoint administratif de M. Waltz empiète sur notre travail. Celui-là n'arrête pas de poser des questions sur notre travail, de nous faire des remarques et des suggestions. Il vient de se joindre à nous, n'a jamais travaillé dans l'industrie et il pense tout connaître. Cela faisait tout juste une semaine qu'il était en poste, qu'il est venu me voir. Il voulait nos formules de coûts de revient et nos budgets, pour se familiariser avec l'entreprise, disait-il. Comme si je n'avais jamais vu neiger. Je lui ai donné nos analyses de coûts de revient, mais pas les budgets. De toute façon, ils ne sont toujours pas disponibles tant il nous manque d'information. Et dire que Steven trouve que notre service est trop lourd et inefficace. Enfin, il ne me l'a pas dit directement, mais c'est ce qui se dit dans l'atelier. Il faudra bien que l'un d'entre nous le remette à sa place avant qu'il mine complètement l'esprit d'équipe. Si jamais à notre prochaine réunion de direction il met encore en doute notre efficacité, je pense que je ne pourrai plus me retenir. Je sais bien que c'est M. Waltz qui l'a choisi, mais nous sommes de plus en plus nombreux à penser qu'il en mène trop large. Il faudra bien qu'il comprenne qu'ici ce n'est pas une multinationale.»

Ventes

Le service des ventes est dirigé par le frère aîné de M. Waltz. Joe est un bon vivant. Toujours de bonne humeur, toujours là pour remonter le moral des troupes, c'est un joueur d'équipe qui dirige un groupe de 25 vendeurs disséminés partout au Canada et sur le territoire du Nord-est des États-Unis. «Mes vendeurs travaillent d'arrache-pied. De nos jours, ce n'est pas aussi simple qu'avant de réaliser des ventes. Pour réaliser le même chiffre d'affaires qu'avant, nous devons étendre sans cesse notre territoire de ventes. De plus, nos clients deviennent de plus en plus exigeants. Ils profitent de la concurrence dans laquelle nous sommes engagés pour tenter d'avoir des prix au rabais, des escomptes de quantité, des facilités de paiement, etc. Ça n'a plus aucun bon sens. Cela dit, nous traitons bien nos clients. Plusieurs d'entre eux font affaires avec nous depuis tant d'années qu'ils font presque partie de l'entreprise.»

«Récemment, le nouvel adjoint de mon frère est venu me voir pour connaître les quotas de vente de mes vendeurs. En fait, ils n'en ont pas. Ils font de leur mieux et ce n'est pas simple. Notre clientèle est constituée à 70% de petits commerçants alors chaque vente prend du temps, beaucoup de temps. Cela dit, nous avons un carnet de commandes de près de 2 millions pour les sacs à main de *Minou Mode*. De plus, il s'agit de commandes fermes signées avec des grandes entreprises nationales. Tout n'est peut-être pas parfait, mais tout n'est peut-être pas aussi sombre que certains le pensent.

Bien sûr, *Minou Mode*, ce n'est pas *Decxx*, mais ça, ce n'est que des complications juridiques dont se régale Jeff.»

Production

Le service de la production est le véritable centre névralgique de l'entreprise et pour l'essentiel, la main-d'œuvre est féminine, multiculturelle, peu mobile et très peu scolarisée. Dédiée à leur travail, cette main-d'œuvre possède un savoir-faire qui s'apprend en atelier et qui se transmet de génération en génération. D'ailleurs, il n'est pas rare de trouver au sein d'une même équipe plusieurs générations d'une même famille. Selon Olivia Ciconne, Présidente du syndicat, la présence de nombreuses familles au sein de l'entreprise est même un de ses atouts de premier plan: «Nous formons une grande famille. Bien sûr, le travail est rude, les journées sont longues et laborieuses et nos salaires sont très peu élevés, mais au moins nous avons un travail et parmi les ouvrières de l'atelier, plusieurs y sont depuis plus de 25 ans et y ont formé leur fille. L'heure du lunch a vraiment l'allure de réunions familiales et c'est cette ambiance qui anime l'atelier.»

John Smith, directeur du service de production, sait qu'il peut compter sur la loyauté de ses ouvrières: «J'ai toujours pu compter sur la loyauté de mes ouvrières. En fait, je suis l'un d'eux et ils le savent. D'ailleurs, c'est ici même, dans cet atelier, voilà près de 30 ans, que j'ai fait mes premiers pas dans l'entreprise. À l'époque, j'étais tailleur. Plusieurs de celles qui m'ont vu faire mes premiers pas y travaillent toujours. Aujourd'hui, je me sens responsable d'elles. Elles me font confiance et jamais, je ne trahirai cette confiance. Rien n'est plus important que ce lien de confiance. De plus, mes ouvrières sont très responsables et adorent leur travail. Elles connaissent leur métier, elles sont minutieuses et très autonomes. Diriger une telle équipe est un réel bonheur. Ici, nous n'avons pas de problème de motivation ou d'absentéisme et lorsqu'un problème survient, je le règle très vite. D'ailleurs, la présidente du syndicat est bien davantage une partenaire, une personne que je n'hésite jamais à consulter, qu'une adversaire comme cela semble si souvent être le cas dans d'autres usines. Récemment, je lui ai fait part qu'il y aurait peut-être quelques petits changements dans l'usine et elle m'a assuré de son entière collaboration. Non, vraiment, il n'y a rien de bien compliqué ici et j'espère sincèrement que le nouvel adjoint ne viendra pas troubler l'ambiance de mon atelier avec ses idées de grandeur. En fait, ce que je souhaite c'est qu'il trouve le moyen de nous libérer de nos inventaires. Il y a de la marchandise partout. Là, il y a des modèles vieux de dix ans, ici ce sont les modèles de l'an dernier et plus loin, nous avons entassé la vieille machinerie. Nous manquons de place. C'est fou, nous avons peine à circuler tant l'espace est réduit. C'est sûr, que pour une entreprise comme la nôtre, cet amas de boîtes de produits finis invendus découle directement du très grand nombre de petites commandes que nous devons fabriquer. Ainsi, le processus de production est tel que l'on doit produire six unités à la fois. Alors, si nos vendeurs acceptent une commande de 4 unités ou encore de 8 unités d'un modèle donné, nous nous retrouvons forcément avec un surplus qui vient ainsi grossir l'inventaire et réduire d'autant l'espace dont nous disposons pour travailler. L'idéal serait, bien sûr, que l'équipe de Joe n'accepte de faire des ventes qu'aux grandes chaînes de magasins, qui commandent toujours des douzaines, mais je sais bien que ce n'est pas possible. En attendant, nous sommes encombrés et si Steven Levine veut vraiment être utile, qu'il s'attaque à ce problème, les autres problèmes nous nous en occupons.»

Achats

Claude Rivard dirige une petite équipe de 5 employés responsables des achats. Ce service a des allures de véritable capharnaüm. Selon Steven Levine: «Dans ce service, tout est en désordre, c'est incroyable, ils ne classent rien. La semaine dernière, alors que l'usine était fermée, j'ai décidé d'aller y jeter un œil et j'y ai trouvé, dans un coin, un stock de 14 000 fermetures éclair enfoui sous un amas de tissu. Je suis sûr que nous perdons un temps précieux à simplement chercher le matériel dont nous avons besoin pour réaliser nos commandes. De plus, l'équipe de Claude ne vérifie même plus les marchandises que nous recevons. Je le sais, car lors de mon inspection, j'ai compté le nombre de mousses que l'on nous avait livré la journée même et il en manquait 88 sur un lot de 600.»

Claude Rivard a eu vent des inspections de Steven, mais il ne s'en formalise pas: «Depuis qu'il est ici, il met son nez partout, alors c'était inévitable qu'il vienne fouiner dans mon service. Moi, ça ne me dérange pas, je n'ai rien à cacher. Mon équipe et moi, nous écumons les fournisseurs à la recherche des meilleures matières premières, alors nous n'avons pas le temps de faire du ménage. Je sais bien que l'inventaire est un peu désordonné, mais ils n'ont qu'à me demander où sont les choses, moi je les retrouve toujours. De toute façon, si Steven tient tant que ça à faire le ménage, il n'a qu'à le faire lui-même.»

Design

Le service de Design vient tout juste d'être créé et il a été confié à David Waltz. Pour Sam Waltz, le jour où son fils a finalement décidé de se joindre à l'entreprise a été un grand jour que jamais il n'oubliera: «Je n'y croyais plus. Cela faisait si longtemps que je l'espérais, mais j'avais fini par me faire une raison. Mon fils ne tenait pas à faire carrière dans l'industrie du vêtement. En fait, il s'est toujours tenu très loin de l'entreprise et, si j'ai toujours souhaité qu'il vienne me rejoindre, j'ai également toujours voulu qu'il devienne ce qu'il voulait devenir. J'ai eu la chance de faire mes propres choix et j'ai toujours été convaincu que mon fils devait lui aussi avoir cette chance. Bien sûr, je voulais qu'il devienne mon bras droit, mais je sentais bien que l'entreprise ne l'intéressait pas beaucoup. Mon fils a l'âme d'un artiste. Lorsqu'il a fait le choix de faire des études en cinéma à Concordia, j'ai compris qu'il n'emprunterait pas le même parcours que le mien. J'étais un peu déçu, mais en même temps j'étais fier qu'il assume pleinement ses propres choix. Cela dit, une part de moi, une toute petite part, se disait qu'un jour ou l'autre, il viendrait nous rejoindre. Lorsqu'il y a un mois, il m'a demandé s'il y avait une place pour lui dans l'entreprise, j'ai été tout à la fois surpris et comblé. Je lui ai demandé quel poste il désirait occuper et il m'a alors dit que l'entreprise devait créer un service de design de façon à s'inscrire dans la tendance actuelle des entreprises de la mode montréalaise qui misent sur la fabrication et la mise en marché de produits haut de gamme. J'ai, bien sûr, accepté.»

Selon David, il était temps pour lui, de se joindre à l'entreprise familiale: «Après mes études en cinéma, j'ai travaillé sur des plateaux de tournage et au sein de boîtes de publicité. L'expérience acquise dans ces milieux me sera très profitable, car *Decxx* a besoin de créativité. Tout est là. Lorsque j'ai lu la *Stratégie de l'industrie québécoise de la mode et du vêtement* publié par le ministère du Développement économique, je me suis dit que l'entreprise de mon père pouvait, en misant sur l'innovation, devenir un chef de file de l'industrie. Le gouvernement nous offre son soutien, nous pouvons obtenir des subventions et surtout, nous pouvons miser sur la réputation de *Decxx* pour nous tailler une place dans l'industrie de demain. Alors que plusieurs fabricants offrent toute la gamme des sacs à main, nous ne produisons que des sacs en cuir ce qui est un atout stratégique qu'il nous faut exploiter. Il y a, bien sûr, beaucoup d'avantages, en termes de ventes, à offrir toute la gamme des sacs à main, mais il vaut nettement mieux être le leader d'un petit créneau de prestige qu'un fabricant parmi tant d'autres. Comme le dit Steven, une telle spécialisation facilite la gestion des inventaires, de la logistique et de la production et nous permet d'avoir une main-d'œuvre qualifiée et efficace. De plus, cela nous permet d'être reconnus comme des spécialistes du cuir plutôt que comme des touche-à-tout ou des fabricants bas de gamme qui acceptent de sacrifier la qualité dans l'espoir d'un petit gain à court terme. Pour nos clients, nous sommes des fabricants de sacs en cuir, nous avons une identité claire et je suis persuadé que cela peut nous procurer un avantage concurrentiel. Nos clients savent qui nous sommes et savent que ce que nous leur offrons est toujours de bonne qualité. Bien sûr, nous n'offrons pas encore des sacs haut de gamme, mais ça viendra. Pour y parvenir, nous devrons innover, mais aussi nous diversifier.

La consommatrice recherche un sac à main qui s'agence avec ses chaussures et il est donc important que la couleur du sac et le matériau soient identiques à ceux de ses chaussures sinon, elle n'achètera pas nos sacs à main. Il en va de même avec les bottes d'hiver et même les gants. Nous devrons nous lancer dans ces marchés. De plus, nous avons présentement beaucoup trop de modèles, il nous faudra faire des choix. Il faut cesser de rechercher des ventes à tout prix, pour ne miser que sur des produits qui nous démarquent clairement de nos concurrents. Nous devrons aussi miser sur le marketing, participer aux défilés de mode, faire de la publicité, établir une image de marque. Tout cela est franchement stimulant. L'entreprise arrive à un tournant historique et j'ai vraiment le goût d'y participer. L'arrivée de Steven dans l'équipe a apporté un vent de fraîcheur et je compte bien y ajouter mon grain de sel.»

LA RÉUNION DE DIRECTION

Comme à tous les lundis matin, les directeurs étaient réunis autour d'une table, histoire de planifier la semaine. Généralement, ces réunions étaient plutôt courtes et elles étaient surtout l'occasion d'échanger librement sur les activités quotidiennes de l'entreprise. Rien ne laissait présager que ce lundi matin serait différent des autres. Joe racontait ses blagues habituelles et tous rigolaient. Puis, comme à l'habitude, M. Waltz lança le tour de table. Selon lui, l'entreprise traversait quelques difficultés, mais ce n'était là qu'une autre occasion à saisir. Tous acquiesçaient et en rajoutaient. En fait, pas tous. Steven et David ne semblaient pas du tout du même avis. Lorsque Steven prit la parole, l'atmosphère de la réunion, jusque-là sereine, devint tendue, très tendue. «Je sais bien que ce que j'ai à dire, vous ne voulez pas l'entendre et si je pensais pouvoir faire autrement, je le ferais. Lorsque j'ai accepté de me joindre à vous, j'avais espoir de pouvoir introduire les changements nécessaires au bon fonctionnement de l'entreprise. J'étais convaincu de pouvoir y parvenir. Aujourd'hui, j'en suis moins convaincu. Rien de ce que je vous propose ne trouve grâce à vos yeux. Je sais que vous trouvez que je suis trop pressé, trop alarmiste, mais ce n'est tout même pas ma faute si tout va mal, si tout est à repenser et à refaire. Tout au long de la semaine, j'ai évoqué notre situation à David et il est du même avis que moi, mais lui, il n'osera pas vous le dire. Il faut pourtant que les choses changent et vite. David croit que c'est encore possible de faire ce qu'il faut pour sauver l'usine, moi non. J'ai la conviction qu'il est déjà trop tard. Je devrais démissionner, c'est ce qui s'impose. Je sais bien que je ne peux pas vous dire qu'il n'y a plus d'espoir et continuer de travailler comme si je n'avais rien dit, mais aussi curieux que cela puisse paraître, je reste tout de même disponible pour sauver les meubles. Je le dois à M. Waltz qui m'a toujours fait confiance et à David qui a compris l'urgence de la situation.»

Après cette douche froide, Steven s'est levé et a quitté la salle de réunion. Tous sont restés un moment silencieux. Jamais personne n'avait tenu de tels propos. M. Waltz semblait dépassé par les événements et ne disait rien. Il se tourna vers Jeffrey qui leva les yeux au plafond en signe de dépit. Puis, la discussion s'est animée. À midi, les directeurs étaient toujours en discussion et Steven se demandait ce qu'ils pouvaient bien se dire. Il savait que sa sortie avait été quelque peu théâtrale, mais il n'avait rien prémédité: «Pour la réunion de ce matin, j'avais préparé mon plan de restructuration de l'usine, je l'avais imprimé et je voulais vraiment l'exposer à tous. Mais lorsque je les ai vus rigoler comme si tout allait pour le mieux dans le meilleur des mondes, lorsque j'ai vu Jeffrey sourire à tout vent alors qu'il a totalement perdu le contrôle des finances de l'entreprise, je n'ai pu me retenir et j'ai explosé. Ça devait bien sortir, et c'est sorti.»

ANNEXE I
MODE EUROMEX

	2004	2005	2006
ACTIF			
Encaisse	- $	- $	13,500$
Comptes clients	652,716$	744,312$	358,002$
Avances aux filiales	- $	- $	- $
Inventaires	274,132$	366,788$	437,136$
Autres actifs à court terme	154,696$	76,096$	253,876$
Immobilisations	56,342$	45,828$	48,942$
	1 137,886$	1 233,024$	1 111,456$
PASSIF			
Avance bancaire	516,360$	442,592$	407,600$
Comptes à payer	122,528$	227,276$	157,054$
Dette à court terme	24,000$	48,000$	- $
Autres passifs à court terme	98,832$	145,346$	82,136$
Dette à long terme	28,000$	32,766$	130,400$
	789,720$	895,980$	777,190$
AVOIR DES ACTIONNAIRES	348,166$	337,044$	334,266$
	1 137,886$	1 233,024$	1 111,456$
VENTES	319,824$	323,982$	415,724$
BÉNÉFICE AVANT IMPÔT	97,974$	88,230$	88,750$

ANNEXE II
MÉTROMODE

	2004	2005	2006
ACTIF			
Encaisse	62,264$	36,176$	18,498$
Comptes clients	- $	12,210$	12,166$
Avances aux filiales	- $	- $	- $
Inventaires	62,174$	77,978$	37,340$
Autres actifs à court terme	- $	- $	21,104$
Immobilisations	21,540$	15,630$	13,014$
	145,978$	141,994$	102,122$
PASSIF			
Avance bancaire	- $	- $	54,002$
Comptes à payer	58,822$	58,638$	- $
Dette à court terme	- $	- $	- $
Autres passifs à court terme	9,782$	12,066$	- $
Dette à long terme	- $	- $	- $
	68,604$	70,704$	54,002$
AVOIR DES ACTIONNAIRES	77,374$	71,290$	47,712$
	145,978$	141,994$	101,714$
VENTES	580,924$	677,070$	677,004$
BÉNÉFICE AVANT IMPÔT	6,222$	4,788$	7,712$

ANNEXE III
MINOU MODE

	2004	2005	2006
ACTIF			
Encaisse	- $	- $	- $
Comptes clients	39,000$	37,390$	66,076$
Avances aux filiales	- $	- $	- $
Inventaires	170,074$	197,716$	199,424$
Autres actifs à court terme	4,696$	4,312$	4,658$
Immobilisations	17,774$	27,922$	25,720$
	231,544$	267,340$	295,878$
PASSIF			
Avance bancaire	35,342$	49,486$	48,134$
Comptes à payer	220,500$	300,002$	272,686$
Dette à court terme	- $	- $	- $
Autres passifs à court terme	33,678$	28,618$	71,370$
Dette à long terme	- $	- $	- $
	289,520$	378,106$	392,190$
AVOIR DES ACTIONNAIRES	(57,976) $	(110,766) $	(96,312) $
	231,544$	267,340$	295,878$
VENTES	1 222,312$	1 379,134$	1 608,112$
BÉNÉFICE AVANT IMPÔT	(23,370) $	(52,790) $	14,454$

ANNEXE IV
DECXX MODE

	2004	2005	2006
ACTIF			
Encaisse	- $	- $	- $
Comptes clients	437,278$	313,632$	760,000$
Avances aux filiales	270,088$	429,912$	- $
Inventaires	868,698$	762,216$	1 600,000$
Autres actifs à court terme	22,354$	108,550$	108,000$
Immobilisations	342,430$	312,376$	1 240,000$
	1 940,848$	1 926,686$	3 708,000$
PASSIF			
Avance bancaire	141,488$	672,834$	1 480,000$
Comptes à payer	638,140$	550,186$	1 280,000$
Dette à court terme	24,000$	24,000$	180,000$
Autres passifs à court terme	36,054$	36,054$	4,000$
Dette à long terme	126,000$	102,000$	1 400,000$
	965,682$	1 385,074$	4 344,000$
AVOIR DES ACTIONNAIRES	975,166$	541,612$	720,000$
	1 940,848$	1 926,686$	5 064,000$
VENTES	3 279 074$	3 032 292$	3 292,000$
BÉNÉFICE AVANT IMPÔT	28,616$	(433,554) $	(668,000) $

Chapitre 21

MEUBLES JOHNSON

Richard Déry

Meubles Johnson est une entreprise de fabrication d'ameublement de bureau qui vise autant une clientèle d'affaires que le marché de la consommation de masse. Depuis quelques années et malgré la très vive concurrence qui caractérise l'industrie de l'ameublement de bureau, l'entreprise arrive à tirer son épingle du jeu concurrentiel, grâce à la qualité de ses produits, à une diversification de la gamme des produits offerts et à de judicieuses acquisitions. D'ailleurs, Marie Johnson, PDG de l'entreprise familiale, rêve de propulser son entreprise vers de nouveaux sommets en partant à la conquête du marché de l'Est des États-Unis et même en traversant l'Atlantique de façon à se tailler une place dans l'espace économique européen. Selon Marie Johnson: «Je sais bien que nous n'en sommes pas encore là, mais je sais aussi que ça s'en vient, peut-être même plus rapidement que certains ne le pensent. En fait, les marchés locaux n'existent plus, puisque tout est global, mondialisé, international et se refuser à l'admettre c'est alors se condamner à voir la concurrence envahir notre espace.»

Toujours, selon Marie Johnson: «Il nous faut maintenant voir grand pour survivre. Bien sûr, comme tout le monde, je souhaite que l'entreprise puisse avoir un espace stable et confortable bien à elle, mais pour l'avoir, il faut accepter d'engager le combat avec les plus grands de ce monde. Notre confort doit maintenant passer par là. Je sais, tout cela peut paraître paradoxal, mais ce ne l'est pas. Il est fini le temps de jadis et de naguère, ce temps d'alors où nous pouvions conquérir à jamais un marché local et y établir avec nos clients des relations de confiance qui perduraient des années et des années. Aujourd'hui, la compétition est féroce et les clients sont toujours à la recherche du meilleur rapport prix-qualité. Nos clients, quoiqu'on puisse en penser, ne sont pas de loyaux partenaires, mais plutôt des consommateurs infidèles à la recherche de la meilleure offre. Si nous voulons les satisfaire, il nous faut poursuivre le travail amorcé au cours des dernières années. Cela signifie devenir encore plus productif, pousser plus loin que nous l'avons fait l'automatisation de la production et pénétrer de nouveaux marchés. Il n'y a pas d'autres façons de faire si nous voulons avoir un avenir. D'ailleurs, avec la récession qui frappe à nos portes, tous vont bientôt comprendre que les transformations des dernières années avaient leur raison d'être. Aujourd'hui, nous sommes certes plus forts, mais il nous faudra le devenir encore davantage. Surtout, il ne faudra plus compter sur les acquisitions pour croître. Si nos dernières acquisitions, nous ont permis de diversifier notre gamme de produits et d'ainsi pénétrer de nouveaux marchés, notamment celui de l'ameublement grand public, elles ont aussi gonflé le niveau d'endettement de l'entreprise, ce qui réduit notre marge de manœuvre. Avec la récession, il faudra être prudent et ne pas nous endetter davantage. Au cours des prochaines années, la croissance devra passer par l'innovation, la pénétration des grands réseaux de distribution et par des gains de productivité. Nous avons ce qu'il faut pour réaliser nos objectifs stratégiques, il suffit de bien jouer nos cartes.»

UNE STRUCTURE EN PLEINE MUTATION

Meubles Johnson compte aujourd'hui plus de 300 employés regroupés au sein d'unités administratives fonctionnelles.

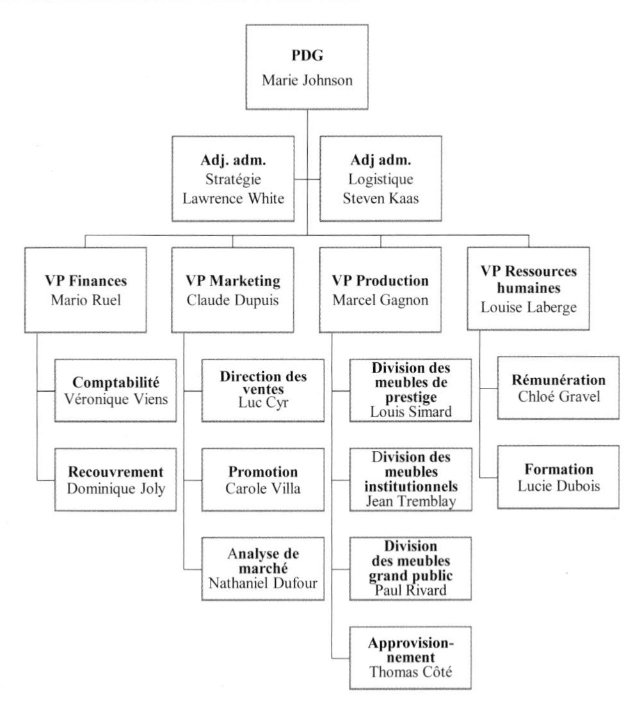

Figure 21.1: Organigramme de *Meubles Johnson*

Si, historiquement, le service de production fut le cœur de l'entreprise, sous le règne de Marie Johnson, *Meubles Johnson* a vu, notamment, le service de marketing prendre toujours plus d'espace, ce qui a favorisé la diversification de la gamme de produits et la pénétration de nouveaux marchés. Selon Claude Dupuis: «Depuis la venue de Marie Johnson à la tête de l'entreprise, la philosophie des ventes a totalement été transformée. Avant elle, nous étions une toute petite équipe de vendeurs. Aujourd'hui, nous réalisons des études de marché, nous établissons des projections de ventes qui orientent l'action de la production, nous faisons même de la publicité. Il faut dire que maintenant nous offrons des ameublements grand public et si nous n'avons toujours pas fait notre entrée dans les *Ikea* et *Wal-Mart* de ce monde, nous sommes sur le point d'y arriver. Il faut juste être un peu plus compétitif. Si nous pouvons réduire nos coûts de 10%, je suis sûr que là, nous pourrons pénétrer tous les marchés de la consommation de masse.»

Par ailleurs, l'insertion d'adjoints administratifs au sein de l'entreprise est une autre initiative de Marie Johnson qui considérait que l'entreprise «ne pouvait faire l'économie de spécialistes qui savent réaliser des analyses qui orientent le développement de l'entreprise. Bien sûr, je suis consciente que dans une petite entreprise comme la nôtre, les analystes ont un petit côté dérangeant, mais c'est précisément pour cela qu'ils sont là. Nous devons changer nos façons de voir et de faire les choses et, pour y arriver, leur apport est crucial. Cela dit, les transformations de la structure n'en sont toujours qu'à l'étape embryonnaire. Après avoir développé le service de marketing, introduit des analystes et donné une forme concrète à la gestion des ressources humaines, il me faut maintenant réfléchir à la possibilité de créer un véritable service de design et un service des technologies de l'information. Avec ces deux ajouts, nous commencerons, enfin, à avoir l'apparence d'une vraie entreprise professionnelle.»

Selon Steven Kaas, responsable de la logistique, *Meubles Johnson* doit continuellement se réinventer: «Depuis que j'ai accepté l'offre de Marie, ça n'arrête pas. Il faut dire que tout était à faire et à refaire. De plus, avec les acquisitions, nous devions repenser toute la production. Nous devions combiner une logique de sur-mesure avec une production de masse et ça, ce n'est jamais simple à réaliser. À cela s'ajoutait la nécessité de construire des ponts entre le marketing et la production de façon à développer une orientation qui soit véritablement tournée vers le marché, plutôt que centrée sur les produits. Sans une telle harmonisation, l'entreprise supporte un surplus d'inventaires ou alors se retrouve en rupture de stock. Dans les deux cas, nous sommes dans le trouble. Bien sûr, Claude Dupuis préfère le premier des scénarios, histoire de ne manquer aucune vente, mais la production étant évaluée sur ses coûts c'est plutôt la logique juste-à-temps qui prévaut. Parfois, cela crée des flammèches entre Claude et Marcel. Dans ces moments-là, je me dis que c'est une chance que de pouvoir compter sur l'aide de Lawrence et sur l'indéfectible soutien de Marie. Je ne dis pas que Marcel et les ouvriers de l'usine sont réfractaires aux changements, mais ils ont leurs petites routines. Surtout, ils ne sont pas au bout de leur peine, car il nous faut accroître la productivité et d'autres changements sont à prévoir. Les gains de productivité passeront toujours par l'usine.»

LE SECTEUR DE L'AMEUBLEMENT DE BUREAU

Le secteur canadien de l'ameublement de bureau, comme en témoigne le tableau 21.1, est constitué de 724 entreprises, largement des PME, voire même des micro-entreprises. Concentré principalement au Québec et en Ontario, le secteur prend essentiellement la forme d'un archipel de PME qui se déploie à l'ombre de quelques géants localisés en Alberta et en Ontario. Au Québec, la situation se compare à celle de l'industrie canadienne à une différence près, soit l'absence d'une grande entreprise. En effet, au Québec, aucune entreprise du secteur ne compte plus de 500 employés. Cela dit, le Québec compte sur 19 entreprises de taille moyenne et d'un grand nombre de micro-entreprises.

Tableau 21.1
Répartition géographique des entreprises au Canada

PROVINCES	Nombre	%	Micro 1-4	Petites 5-99	Moyennes 100-499	Grandes 500+
ALBERTA	46	6,4%	7	37	0	2
COLOMBIE-BRITANNIQUE	72	9,9%	22	49	1	0
MANITOBA	15	2,1%	3	11	1	0
NOUVEAU-BRUNSWICK	5	0,7%	1	4	0	0
NOUVELLE-ÉCOSSE	6	0,8%	2	4	0	0
ONTARIO	394	54,4%	87	263	40	4
QUÉBEC	181	25,0%	36	126	19	0
SASKATCHEWAN	4	0,6%	3	1	0	0
YUKON	1	0,1%	1	0	0	0
TOTAL	724	100%	162	495	61	6
%	100%	100%	22%	68%	8%	1%

Source: Statistique Canada, *Structure des industries canadiennes,* 2008.

Par ailleurs, comme l'indique le tableau 21.2, au cours des dernières années, l'industrie de l'ameublement de bureau a vu l'importance du coût des matières premières dans le total des coûts de fabrication décliner ce qui témoigne d'une gestion logistique plus serrée, mais aussi des transformations d'une industrie qui fait des progrès dans la modernisation de ses façons de faire. Cela témoigne aussi de l'importance accrue du personnel administratif dans une industrie jadis caractérisée par le travail artisanal.

Tableau 21.2
Revenus et coûts de fabrication

REVENUS ET COÛTS	1997	1998	1999	2000	2001	2002	2003	2004	2005	2006
Revenus totaux (milliard)	3,30$	3,80$	3,80$	5,40$	5,40$	5,10$	4,70$	4,80$	5,20$	5,00$
Coût des matières premières (milliard)	1,60$	1,80$	1,80$	2,70$	2,70$	2,40$	2,30$	2,10$	2,40$	2,10$
Salaires des employés de production (milliard)	0,50$	0,60$	0,60$	0,80$	0,80$	0,80$	0,80$	0,80$	0,90$	0,90$
Salaires des employés administratifs (milliard)	0,20$	0,20$	0,20$	0,30$	0,30$	0,40$	0,40$	0,40$	0,40$	0,40$
Total des coûts de fabrication (milliard)	2,30$	2,60$	2,60$	3,80$	3,80$	3,60$	3,50$	3,30$	3,70$	3,40$

Source: Statistique Canada, *Structure des industries canadiennes,* 2008.

LE CHOC DES IDÉES DES UNS ET LE STRESS DES AUTRES

Chaque lundi matin, la présidente réunit ses vice-présidents et ses adjoints administratifs au sein d'un comité de direction. Lors de ces réunions, Mme Johnson diffuse l'information requise pour assurer une coordination d'ensemble. C'est lors de ces réunions qu'elle passe en revue le travail à réaliser au cours de la semaine et qu'elle fixe des mandats particuliers à chacun. De plus, au début de chaque trimestre, Mme Johnson aborde les grandes questions d'ordre stratégique et esquisse, avec les membres du conseil, les enjeux très concrets qui découlent des orientations stratégiques de l'entreprise qu'elle compte mettre de l'avant. Ces rencontres trimestrielles sont toujours l'occasion de discussions franches et ouvertes entre les vice-présidents qui, tout en partageant l'essentiel des intentions stratégiques formulées par la présidente, n'en questionnent pas moins leur faisabilité en termes de capacités opérationnelles et de coordination d'ensemble.

Au terme d'un tour de table, la présidente clôt toujours la discussion en soulignant qu'elle prend bonne note des interventions des uns et des autres et que chacun aura, lors de la prochaine réunion trimestrielle, l'occasion de faire à nouveau entendre sa voix et d'ainsi contribuer à l'élaboration des orientations stratégiques qu'elle peaufine avec l'aide de son adjoint responsable des analyses stratégiques.

Selon Marcel Gagnon: «Il ne faut pas s'y tromper, car lorsque Marie fait un tour de table, lorsqu'elle sollicite notre avis et nous dit que nous en reparlerons, cela veut plutôt dire qu'elle nous annoncera bientôt une décision en soulignant que nous en avions discuté. Ça me fait rire à chaque fois de voir la petite nouvelle, Louise Laberge, se laisser prendre au jeu.» D'ailleurs, selon Steven Kaas un confrère de classe qui s'est joint récemment à l'équipe de direction en tant qu'adjoint administratif à la logistique: «Il faut vraiment se coucher tard et même ne pas se coucher du tout pour réussir à convaincre Marie de changer d'idée. Je la connais bien, car nous avons fait notre MBA ensemble. C'est une femme très volontaire et lorsqu'elle tient à mettre en œuvre une nouvelle orientation ou un nouveau projet, rien ni personne ne peut l'en dissuader. Moi, c'est sûr que je ne me risquerais pas à lui tenir tête. Il vaut toujours mieux être de son côté. De toute façon, depuis qu'elle a sacrifié sa carrière pour prendre la relève de son père, n'a-t-elle pas amplement fait la démonstration de son dévouement pour cette entreprise? Pourquoi devrions-nous contester ses pratiques puisque nous en profitons tous?»

Enfin, une fois par année, chacun des vice-présidents est convié à présenter son unité administrative aux membres du comité de direction. Lors de ces présentations, les vice-présidents décrivent la composition de leur équipe, mettent de l'avant les réalisations de leur unité et esquissent les grands problèmes qu'il leur faudra résoudre.

Initialement mises sur pieds pour favoriser un climat informel d'échanges sereins et une coordination douce et simple entre les services, les réunions du conseil de direction sont devenues, selon Mario Ruel, vice-président aux finances, lourdes et parfois acrimonieuses: «Peu à peu et avec l'introduction de tant de nouveaux vice-présidents et d'adjoints, les réunions ont clairement pris une tournure nettement plus politique que conviviale. Alors qu'au début, les réunions étaient empreintes de camaraderie et d'entraide, il n'est pas rare maintenant que ces rencontres soient plutôt l'occasion de subtils règlements de compte et de petits jeux d'alliances et que, sous le couvert de suggestions constructives qui ont l'art d'enthousiasmer la présidente, les uns et les autres en profitent pour faire avancer leur propre cause, parfois au détriment de l'ensemble. C'est notamment le cas lors des présentations annuelles qui versent souvent dans une logique rhétorique aux allures de véritables procès avec, d'un côté, le vice-président du jour qui défend les réalisations de son unité administrative et de l'autre, les membres du conseil, tout particulièrement le duo des adjoints administratifs, qui passent en revue ses réalisations en multipliant les questions et en formulant des remarques parfois pertinentes et très souvent caustiques lorsqu'elles ne sont pas carrément blessantes. Du coup, tous redoutent cette présentation annuelle. Pourtant, pas moyen d'y échapper puisque c'est là une initiative de la présidente et qu'elle y voit là un nécessaire choc des idées et une salutaire occasion de vider de leur contenu émotif les rancunes des uns et les petites vengeances des autres.»

Comme la présidente l'a maintes fois répété: «Pour escompter prendre la juste place qui doit être la nôtre dans l'univers compétitif de l'industrie de l'ameublement, il faut savoir laver notre linge sale en famille». En théorie, si tous semblent d'accord avec cette philosophie populaire, selon la vice-présidente aux ressources humaines, Louise Laberge, en pratique il en va tout autrement: «Au terme d'une petite brassée de lavage, j'ai souvent l'impression que nous ressortons tous un peu plus sale et que finalement, il serait peut-être plus sage de garder pour soi tout ce qui peut miner l'esprit d'équipe. Au-delà des divergences des uns et des intérêts des autres, ne partageons-nous pas des valeurs communes? Ne sommes-nous pas une seule et même équipe?»

Pour Lawrence White qui est adjoint administratif en matière d'analyses stratégiques, il ne fait aucun doute que certains membres du conseil doivent encore apprendre les rudiments du travail collectif au sein d'une entreprise moderne: «Aucun membre du conseil n'oserait affronter Marie sur le terrain de la pertinence du choc des idées auquel elle tient tant, mais loin de la salle des délibérations du conseil, il n'est pas rare d'entendre certains membres du conseil se plaindre de la nature de nos débats, particulièrement les plus vieux qui ne cessent de répéter de façon plutôt nostalgique que du temps de Gérald Johnson ce genre de débats n'aurait jamais eu lieu, que jamais il n'aurait permis des affrontements pour le simple plaisir du débat ou d'un improbable jaillissement créatif. Pourtant, Marie a bien raison, nous devons aller au fond des choses et ne pas craindre les affrontements qui permettent de faire progresser notre réflexion collective. C'est d'ailleurs là une leçon que nous avons apprise en faisant notre MBA ensemble. En fait, tant que tout cela se fait dans le respect des personnes pourquoi devrions-nous faire l'économie du choc des idées? Il est plus que temps que chacun reconnaisse que nous sommes devenus une véritable entreprise et que cela commande un effort collectif. Bien sur, parfois cela occasionne des échanges plutôt corsés et de la confrontation, mais redouter les débats, c'est aussi renoncer à aller plus avant dans notre professionnalisation. D'ailleurs, Marie m'a, récemment, confié le mandat d'analyser avec les directeurs des divisions les actions stratégiques à mettre en œuvre pour percer de nouveaux marchés. Selon Marcel, c'était à lui de conduire la réflexion, mais Marie en a décidé tout autrement de façon à précisément stimuler le débat. Lors de notre prochaine rencontre, je vais présenter les résultats de nos analyses et là je suis sûr que nous aurons un débat productif. Bien sûr, Marcel ne va peut-être pas être d'accord, mais bon, il faut savoir oser si nous voulons progresser.»

Marcel Gagnon, vice-président à la production, est d'ailleurs perplexe devant les initiatives de Marie: «Moi, je n'ai pas de MBA comme les jeunes cracks que Mme Johnson a embauchés depuis le décès de son père, ni même de formation universitaire. En fait, mon véritable métier, je l'ai appris sur le tas, tout au côté de M. Johnson. Même si personne ne conteste que mon service soit efficace, je croule sous le poids des questions, des suppositions, des suggestions et j'ai toujours l'impression de devoir me justifier et d'expliquer ce qui n'est que du gros bon sens. Il y a vraiment des jours où je me dis que certains confondent la gestion avec de la neurochirurgie et la réalité des affaires avec des cas pédagogiques. Si je peux comprendre que, parfois, ces réunions aient leur utilité, je suis sûr qu'il pourrait y en avoir nettement moins. Nous ne sommes tout de même pas une multinationale. Si quelqu'un veut me parler, il n'a pas à traverser l'Atlantique, il n'a qu'à descendre d'un étage et venir me rencontrer à l'usine! Ce n'est donc pas bien sorcier d'avoir accès à l'information, il suffit de me la demander. Surtout, je ne pense pas que nous ayons à multiplier les réunions et les comités juste pour échanger de l'information qu'il est si facile d'avoir. Ce qu'il y a de sûr, c'est que je ne suis pas le seul à penser de cette façon. Récemment, Lawrence a animé un comité avec mes directeurs et tous sont venus me dire qu'il trouvait cela pour le moins étrange de devoir partager leur point de vue avec lui, plutôt qu'avec moi. Je leur ai dit de ne pas trop s'en faire et que de toute façon, Steven était, lui aussi, venu me voir pour me dire que ce mandat le surprenait. C'est cela qui arrive lorsqu'on multiplie les comités et les réunions. L'esprit d'équipe s'effrite et on finit par voir des complots partout. Lors du prochain comité de direction, Lawrence doit justement nous faire des propositions et là, je compte bien évoquer le malaise que créent certaines de ses façons de faire.»

L'IMPROBABLE ENTREPRISE

Fondée au milieu des années 1960, *Meubles Johnson* fut d'abord l'œuvre de M. Gérald Johnson, son fondateur. Menuisier et passionné de création, M. Johnson fonde son entreprise dans l'unique espoir de pouvoir vivre de ses créations. Méticuleux à l'extrême et passionné d'ébénisterie, M. Johnson n'avait rien de l'entrepreneur typique. Pour lui, être propriétaire d'une entreprise avait très peu à voir avec une quelconque réalité économique. Il considérait plutôt son entreprise comme un espace de création, un lieu où, en toute liberté, il pouvait expérimenter de nouveaux designs et laisser libre cours à une créativité aussi débordante que riche en innovations pratiques. De plus, être propriétaire de son entreprise était pour lui l'occasion de partager sa passion pour le meuble. Créer de l'inédit tout en étant entouré d'autres créateurs qu'il avait lui-même formés était la véritable raison d'être de son entreprise, ce pour quoi il acceptait d'y investir sa vie et son âme.

Dans les années 1960, l'industrie québécoise de l'ameublement de bureau était largement dominée par une myriade de petits fabricants artisanaux. Alors que les grands groupes industriels ontariens et américains profitaient d'importantes économies d'échelles et pouvaient ainsi offrir des meubles à bas prix, les petits artisans devaient se contenter d'œuvrer dans de petites niches locales et dans de très petits créneaux de marché. À cela s'ajoutaient les difficultés de pénétrer les réseaux de distribution qui n'en avaient que pour les joueurs déjà solidement implantés dans le marché. Lors de la création de son entreprise, M. Johnson n'en savait rien, puisqu'il se lança en affaires sans réaliser d'étude de marché, sans consulter qui que ce soit, sans plan d'affaires et sans beaucoup de moyens financiers. Seule la possibilité de pouvoir assouvir librement sa passion l'intéressait. Bien sûr, il était conscient que lancer une nouvelle entreprise n'était pas forcément une partie plaisir, mais il ne doutait pas que ses capacités créatrices, ses habiletés manuelles et sa passion constituaient d'indéniables avantages à partir desquels il pouvait construire son rêve.

Au tout début, l'entreprise n'était donc tout au plus qu'une coquille juridique qui, à l'ombre du marché, abritait un artisan et ses outils. Rien n'aurait alors pu laisser entrevoir le destin de cette improbable entreprise qui allait finalement acquérir une solide renommée nationale. C'est dans le garage de la maison familiale de M. Johnson que l'entreprise prit son envol. Après une année d'opération au cours de laquelle il arrive à produire tout juste ce qu'il faut pour survivre, M. Johnson prend tout de même sous son aile un jeune apprenti, Marcel Gagnon, qui est alors âgé d'à peine dix-sept ans. Au côté de M. Johnson, Marcel allait tout apprendre, le métier, le souci du détail, la passion de l'œuvre bien réalisée et l'art de conduire une équipe d'ouvriers.

La seconde année d'activités fut encore plus laborieuse que la première et c'est en réalisant des sous-traitances de menuiserie que les deux complices arrivaient à subsister. Puis, peu à peu et sans y investir le moindre effort de mise en marché, leur art et leur sens du design créatif leur ouvraient toute grande les portes d'une industrie pourtant cerclée de barrières à l'entrée.

Les ameublements de bureau qu'ils concevaient et réalisaient étaient tout simplement uniques et hors de prix et c'est très précisément ce qui allait devenir leur marque de commerce et leur passeport vers la conquête du marché. Il faut dire que la passion de M. Johnson pour le design se combinait avec un souci compulsif pour la qualité. Tout, mais alors là vraiment tout, devait être impeccable et de la plus grande qualité. Il était intraitable sur la qualité des matériaux, sur les détails à peaufiner avec le plus grand soin et sur la petite différence créatrice qui finit toujours par faire toute la différence. Chaque ameublement de bureau était, pour M. Johnson, une œuvre d'art qui méritait toute l'attention que l'on réserve généralement aux œuvres d'art. Sans surprise, les ameublements qui trouvaient grâce à ses yeux coûtaient une véritable petite fortune en temps et en matériaux. Pour M. Johnson cela importait peu. Il ne ménageait aucun effort et il ne comptait jamais son temps. Seuls comptaient l'œuvre finie et le plaisir de transmettre son art et sa passion à son jeune apprenti.

Seuls quelques riches industriels et professionnels pouvaient donc s'offrir un ameublement *Johnson*. D'ailleurs, peu à peu, les ameublements *Johnson* devinrent un symbole de distinction sociale et l'entreprise se taillait une place enviable dans l'univers des plus grands bureaux d'avocats et dans l'espace de la haute finance montréalaise. Le succès commercial était tel que M. Johnson n'arrivait tout simplement pas à combler toutes les demandes qui lui étaient formulées. D'une certaine façon, les clients de l'entreprise se sentaient privilégiés lorsque M. Johnson acceptait de réaliser pour eux l'un des ameublements dont il avait le secret. Du coup, l'incapacité de M. Johnson à répondre à la demande devenait, paradoxalement, un atout stratégique. Parfois, voyant bien tout le potentiel commercial de l'entreprise, ses riches clients tentaient de le convaincre d'étendre son marché, mais M. Johnson résistait toujours à la tentation de transformer son atelier de menuiserie en véritable petite usine industrielle de l'ameublement. Il ne se voyait pas à la tête d'une grande entreprise, loin des tables à dessin et de l'atelier de fabrication. Il adorait l'ambiance fraternelle de son atelier et ne voulait pas la sacrifier pour le simple plaisir de voir son entreprise conquérir un marché. De toute façon, il y avait des limites à la croissance, notamment celle de son temps. En effet, en plus de participer à la réalisation de ses ameublements, M. Johnson tenait toujours à former lui-même les apprentis qui, peu à peu, grossissaient les rangs de son équipe. Il n'avait donc ni la volonté, ni le temps pour s'investir dans une logique de forte croissance.

Lors de son décès en 2002, l'entreprise était très solidement ancrée dans l'industrie montréalaise de l'ameublement de bureau. Spécialisée dans le créneau des ameublements haut de gamme, l'entreprise n'était encore qu'un modeste atelier qui, toutefois, comptait tout de même plus de 150 ouvriers, tous formés par M. Johnson et son fidèle bras droit, M. Gagnon. M. Johnson laissait donc en héritage à sa fille unique une véritable entreprise riche en traditions et forte d'une renommée qui maintenant dépassait les frontières du Québec pour s'étendre à tout l'est du Canada.

DE L'ATELIER À L'ENTREPRISE

À sa mort, Marie Johnson a donc pris la succession de son père à la tête de l'entreprise. Avocate et détentrice d'un MBA de l'une des plus prestigieuses universités des États-Unis, Marie Johnson n'aspirait pas du tout à la présidence de l'entreprise lorsque le destin en a décidé tout autrement: «Lorsque mon père est décédé, je venais tout juste de terminer mon MBA. Je rêvais de faire carrière dans la haute finance. Je me voyais travailler sur les marchés financiers londoniens et faire le tour du globe allant d'un bureau financier à l'autre, d'une place boursière à l'autre, à la recherche d'aventures et de nouveautés.

«Cela peut vous paraître curieux, mais je ne tenais absolument pas à prendre la relève de l'entreprise familiale. Il faut bien me comprendre, je ne détestais pas l'entreprise, mais c'était là le rêve de mon père, pas le mien. De plus, mes parents m'ont toujours encouragée à aller au bout de mes rêves et mon père ne cessait de me dire que sans nos rêves nous ne sommes rien, tout juste une mécanique, certes vivante, mais laborieuse et sans grandeur.»

«Quelques mois avant son décès, j'avais conseillé à mon père de mettre en vente son entreprise pour qu'il puisse enfin profiter de la vie. Pour lui, c'était tout simplement impensable. C'était, comme il le disait toujours, son bébé et il en était terriblement fier. De toute façon, pour lui, il n'y avait qu'un seul endroit où il était totalement libre et heureux et c'était dans l'usine, entouré de ses ouvriers, à concevoir un nouveau projet. À la mort de ma mère, il m'avait demandé de tenir les finances de l'entreprise, fonction que ma mère avait toujours assumée avec le plus grand soin. Mes parents formaient vraiment tout un duo et si c'est le génie créateur de mon père qui a permis à l'entreprise de se tailler une place enviable dans le marché de l'ameublement de bureau, c'est clairement le talent de gestionnaire de ma mère qui a contribué à faire d'un modeste atelier de menuiserie une véritable petite entreprise. À l'époque, j'étais avocate et lorsque mon père m'a demandé de l'aider, j'ai accepté, mais à la condition de ne pas être impliqué dans la gestion courante de l'entreprise. En fait, mon rôle se limitait à tenir les comptes de l'entreprise, ce que je pouvais faire les fins de semaine. Cumuler le travail d'avocate et de comptable était lourd, mais c'est cela qui m'a donné l'idée d'entreprendre un MBA pour éventuellement faire carrière en finance. Lorsque j'ai annoncé à mon père mon intention de doubler mes études de droit par une formation en gestion, il m'a immédiatement encouragé à réaliser mon rêve. Il n'en disait rien, mais je sentais bien qu'il voyait dans cette réorientation de carrière un pas de plus vers la réalisation du secret espoir qu'il caressait depuis toujours, celui de me compter à ses côtés dans l'entreprise familiale.»

«Lorsque j'ai finalement pris la relève de mon père, j'avais à peine trente ans et l'entreprise n'était encore qu'une PME régionale. Même si j'étais la fille du fondateur et sa légitime héritière, j'ai dû me battre pour me faire accepter. Pour les uns et les autres, je n'étais que la fille à papa, une rêveuse qui voyait trop grand, trop gros et qui était trop pressée. Certains ne le disaient pas ouvertement, mais je sentais bien qu'ils détestaient l'idée d'être dirigé par une femme. Il faut dire que l'univers de la menuiserie est, encore aujourd'hui, un monde d'hommes et que les femmes y sont rares.»

«Pour les ouvriers, j'étais une étrangère qui ne connaissait rien à la menuiserie et au design. Pourtant, tous me connaissaient très bien. Chaque été, je travaillais dans l'entreprise. J'ai grandi au sein de l'entreprise et les plus vieux m'y ont vu faire mes premiers pas. Quoi qu'il en soit, j'avais beau y mettre les formes et compter sur l'indéfectible soutien de mon parrain M. Gagnon, je sentais bien que je devais gagner leur confiance. Je devais surtout transformer la culture de l'entreprise, la moderniser pour qu'elle soit en mesure d'affronter les défis du nouveau millénaire. Sans brusquer qui que ce soit, j'ai changé les choses. En particulier, j'ai institué un véritable conseil de direction au sein duquel de nouveaux visages ont fait leur entrée. En fait, ce n'était pas bien compliqué, puisqu'il n'y avait tout simplement pas de comité de direction. Mon père tenait tous les rôles. Il comptait bien sûr, sur la complicité de Marcel Gagnon et sur le sens des finances de ma mère, mais pour le reste, tout passait par lui. Je me suis donc entourée de jeunes qui avaient le goût de conquérir les marchés et d'être audacieux, sans pour autant pervertir l'âme de l'entreprise. J'ai été très chanceuse. L'entreprise a connu une croissance fulgurante et, aujourd'hui, nous sommes un joueur qui compte dans l'industrie de l'ameublement de bureau. Bien sûr, sans mon comité de direction, nous n'aurions jamais pu croître aussi rapidement. J'ai aussi réalisé plusieurs acquisitions et, dans l'ensemble, tout a fonctionné pour le mieux. En fait, tout cela n'est pas bien compliqué. L'entreprise avait le potentiel pour devenir ce qu'elle est maintenant. Il suffisait de l'autoriser à se dépasser et de miser sur les bonnes techniques de gestion. Il n'y a donc rien de bien magique là-dedans, tout juste une bonne gestion où l'agressivité se combine à l'expertise. Aujourd'hui, tous me respectent et je sens bien dans leur regard que je suis l'une des leurs.»

CULTIVER L'ESPRIT D'ÉQUIPE POUR RÉCOLTER LA PERFORMANCE

Marcel Gagnon est vice-président du service de la production. Gestionnaire respecté par ses collègues du comité de direction dont il est le doyen, M. Gagnon fait l'unanimité dans son service. Tous aiment travailler avec lui. Il est chaleureux, amical et profondément humain. Relativement discret lors des réunions du comité de direction qu'il trouve, d'ailleurs, très formelles, il devient un tout autre personnage au contact des membres de son équipe. Là, entouré des siens, il se sent vraiment chez lui et il donne la pleine mesure de son talent. Doué d'un sens aigu de la loyauté, il ne cesse d'encourager les uns et les autres à toujours *garder le moral*, tout en les protégeant contre vents et marées.

M. Gagnon s'assure toujours que chacun se réalise pleinement dans son travail et puisse compter sur le soutien indéfectible des membres de l'équipe. Pour ce gestionnaire d'expérience, l'équipe est tout à la fois sa plus grande réalisation et ce qu'il considère comme étant le plus important pour atteindre des sommets de performance: «Pour réussir dans le monde d'aujourd'hui, il faut certes miser sur le talent et les performances de chacun, mais il faut surtout savoir construire une équipe solidaire au sein de laquelle chacun a un rôle à jouer et se sent apprécier autant pour ce qu'il fait que pour qui il est. Une équipe n'est pas seulement un assemblage d'individualités productives, c'est surtout un milieu de vie, un tissu social qui nous permet de donner du sens à ce que nous faisons et qui, d'une certaine façon, forge notre identité et nous procure une conscience. Rien n'est donc plus important que de sentir que nous sommes quelqu'un pour les autres et nous ne pouvons l'être que si nous sommes membre d'une équipe qui a une véritable conscience d'en être une. En tant que gestionnaire, mon rôle est donc précisément de maintenir l'esprit d'équipe, de construire cette conscience et de m'assurer qu'elle s'ouvre sur une solidarité à toute épreuve. Je dois aussi, bien sûr, toujours conduire mes troupes vers de nouveaux sommets, mais lorsque l'équipe acquiert une pleine conscience de son identité, cela va de soi. En fait, la productivité, les réalisations et le succès ne sont que des conséquences de la solidarité de l'équipe. Toutefois, si nous mettons l'accent sur les conséquences plutôt que sur les causes, il est alors évident que nous manquerons la cible. Comme je le dis toujours, si nous voulons récolter la performance, il suffit de cultiver patiemment l'esprit d'équipe. Bien sûr, il ne s'agit pas de verser dans l'angélisme. C'est évident qu'au sein d'une équipe, tous ne sont pas aussi productifs les uns que les autres et certains sont même ce qu'il convient de qualifier de cas problème. Sans être naïf, j'ai toujours pensé qu'il valait mieux consacrer toute mon énergie et mon temps à ceux et à celles qui veulent travailler et contribuer à l'effort collectif. D'une certaine façon et je sais bien que certains de mes collègues au comité de direction ne partagent pas mon point de vue, nous n'avons pas de temps à perdre avec les cas problèmes. Ce sont les autres, tous les autres, qui font la grandeur de l'équipe et c'est de ce côté qu'il convient de regarder, c'est là qu'il faut investir pour éventuellement récolter. À trop vouloir régler les cas problèmes, nous finissons par perdre de vue l'essentiel, par négliger ceux et celles qui méritent vraiment notre attention. Il n'y a rien à gagner à s'émietter à tout vent. Il vaut toujours mieux garder le cap sur l'équipe et ceux et celles qui s'en écartent finissent toujours par comprendre qu'il est dans leur intérêt de rallier la troupe.»

«Mes collègues au comité de direction trouvent que, parfois, j'en fais trop, que mon équipe n'est tout de même pas une famille dont il faut, sans relâche, prendre soin et qu'à trop vouloir construire l'unité, je risque de ne récolter que des conflits, de l'ingratitude et de la déception. Selon eux, je devrais apprendre à me détacher un peu de mes troupes, à couper le lien invisible qui me lie à elles. Pourtant, tous envient les résultats de mon service et l'un ne va pas sans l'autre. C'est parce que nous formons une redoutable équipe où chacun est soudé à tous les autres que nous sommes performants. De toute façon, je ne connais pas d'autres façons de faire et celle-là m'a toujours bien servie alors, pourquoi devrais-je en changer?»

Le dévouement et la loyauté à toute épreuve ont, d'ailleurs, toujours bien servi M. Gagnon: «Je sais bien que de nos jours, il faut détenir une formation universitaire pour aspirer jouer un rôle majeur dans les grandes firmes. C'est le cas de tous mes collègues du comité de direction. Moi, je suis d'une autre époque, celle où il était encore possible de faire son chemin hors de l'université. Mon métier, je ne l'ai pas appris sur les bancs d'école, mais bien sur le plancher de l'usine, au contact du bois et des ouvriers, dans le bureau des achats, au service des ventes, dans le bruit et la poussière. Dans cette entreprise, j'ai tout fait et, surtout, je l'ai vu naître, grandir et prospérer au point d'atteindre la stature qu'elle a aujourd'hui. Ce n'est pas surprenant que je la connaisse sur le bout de mes doigts. En fait, je connais tout le monde et tous me connaissent. L'entreprise est mon véritable foyer. J'y ai passé toute ma vie active et chaque jour j'y travaille plus de douze heures, parfois sept jours par semaine. Cela dit, je ne dis pas que les jeunes d'aujourd'hui doivent avoir le même parcours que moi, ni même qu'ils doivent tout sacrifier à l'entreprise. Pour eux, la vie est différente et il est bien que les jeunes fréquentent l'université, histoire d'acquérir des techniques et de nouvelles façons de penser. D'ailleurs, plusieurs membres de mon équipe ont reçu une formation universitaire. Certains ont même obtenu un MBA, d'autres sont ingénieurs. Certains pourraient croire que la présence de nombreux jeunes au sein de mon équipe de direction ne peut que conduire à un choc des générations, mais en fait, ce n'est pas le cas. Entre mes jeunes et moi, il y a une très grande complicité et une complémentarité qui fait, d'ailleurs, la force et l'âme de mon équipe. Si mes jeunes sont toujours à l'affût des dernières connaissances techniques, moi je garde le cap sur notre réalité concrète, sur les petits détails de la vie en usine, sur les rumeurs, sur les bons et mauvais coups des uns et des autres, sur ce qui se passe quotidiennement et qui finit par faire toute la différence entre le succès et l'échec. En fait, la recette est simple, je n'ai qu'à les respecter et ils en font tout autant. Ce n'est pas bien compliqué. Cela ne l'est jamais. Mes collaborateurs ont l'âge de mes enfants et je les connais comme si je les avais moi-même tricotés. Je sais donc comment leur parler, quand les écouter et quoi leur dire pour qu'ils sentent bien que nous formons une équipe dans laquelle ils peuvent contribuer. Oui, c'est tout simple, tout doux et ça n'a rien de vraiment magique.»

LA JOURNÉE DE RECONNAISSANCE

Chaque année, en collaboration avec Louise Laberge, Marie Johnson organise un séminaire de formation auquel participent tous les membres du comité de direction. Pendant deux jours, les membres du comité de direction se retrouvent donc en retraite fermée, loin de la fureur du quotidien, de manière à réfléchir plus sereinement. Selon Louise Laberge, le séminaire annuel de formation est une activité incontournable: «J'adore ces rencontres annuelles avec tous les dirigeants de l'entreprise. Je sais bien que chaque semaine nous nous croisons lors de la séance hebdomadaire du comité de direction, mais là ce n'est pas la même chose. Nous nous retrouvons à l'extérieur de l'entreprise pour une fin de semaine de formation dans un décor enchanteur. Dans ces formations, il n'y a pas d'enjeux, pas de débats politiques, pas de négociations qui n'en finissent plus de finir et pas de stress. Il n'y a que l'équipe de direction qui, le temps d'une fin de semaine, s'amuse tout en apprenant de nouveaux concepts. C'est une occasion en or de souder l'équipe avec, en prime, l'acquisition de nouveaux outils. Au cours des années, nous nous sommes familiarisés avec les techniques des tableaux de bord, de responsabilisation, de gestion des équipes et de formulation stratégique. C'est vraiment fantastique. C'est comme faire un MBA à temps partiel!»

Cette année, Marie Johnson et Louise Laberge ont décidé d'étendre la formule du séminaire à l'ensemble du personnel en organisant une journée de formation dans un hôtel du centre-ville. Il faut dire que l'occasion est spéciale, car *Meubles Johnson* fête ses 40 ans d'existence. Selon Marie Johnson: «C'est bien d'organiser une grande fête pour souligner l'événement. Nous profiterons, d'ailleurs, de l'occasion pour souligner l'apport particulier de certains employés au succès de l'entreprise. D'une certaine façon, ce sera une journée de reconnaissance des employés. Ce sera aussi l'occasion pour souligner aux nouveaux qu'ils font eux aussi partie de la famille.»

Selon Louise Laberge, cette journée de reconnaissance s'impose, «car au cours des dernières années, *Meubles Johnson* a fait l'acquisition de trois usines et a modifié en profondeur la gestion de l'entreprise. Aujourd'hui, *Meubles John*son a vraiment pris le tournant de la professionnalisation. Le personnel est dédié à l'entreprise et avant de pousser plus avant la croissance, il est bien de souligner le mérite des uns et des autres.»

Louise Laberge a décidé que la journée de reconnaissance du personnel serait précédée d'une formation consacrée à l'identité organisationnelle: «Récemment, j'ai suivi une formation sur l'identité organisationnelle et j'ai adoré mon expérience. En fait, il s'agit d'une formation qui prend la forme d'un jeu collectif dans lequel, par des questions, le formateur lève le voile sur l'identité organisationnelle. Ainsi, le formateur distingue six grandes identités organisationnelles, soit les organisations innovantes, prestigieuses, traditionnelles, civiques, marchandes et professionnelles.»

Selon Marie Johnson: «Avec toutes nos acquisitions et la modernisation de l'entreprise, ce sera intéressant de constater, ensemble, tout le chemin que nous avons parcouru. Alors que l'entreprise est devenue très professionnelle, nous allons maintenant nous employer à être une véritable entreprise marchande, une entreprise qui peut viser de nouveaux marchés.»

L'IDENTITÉ DE MEUBLES JOHNSON

Par un beau samedi de mars, tout le personnel de *Meubles Johnson* et ses dirigeants se réunissaient pour la journée annuelle de reconnaissance du personnel. D'abord pensée pour souligner les efforts des uns et des autres au cours de l'année et ainsi construire un véritable sentiment d'appartenance à l'entreprise, cette journée était également dédiée à un questionnement sur l'identité de l'entreprise.

Selon Luc Richard, le formateur de cette journée: «Ils sont nombreux les théoriciens et les consultants à penser le management en termes de grandes orientations stratégiques, de gestes d'éclat qui engagent l'avenir. Sous ce regard, le management serait essentiellement une affaire de positionnement stratégique, d'analyses minutieuses de l'environnement et de questionnements méthodiques sur les structures organisationnelles. Si le management est certes tout cela, il est aussi autre chose. En effet, nous l'oublions parfois, le management se joue surtout au quotidien et il se décline dans un souci constant du détail, ces petits détails de rien du tout qui font pourtant la différence, toute la différence. Ainsi, la première réflexion suite à cette journée de reconnaissance, tient très précisément à ce souci du détail, à l'importance de la préparation d'une activité qui n'a de sens que par l'importance qui lui est consacrée. En effet, cette journée de reconnaissance fut préparée. Tout se déroulait au quart de tour, à la minute près. Pas de retard, pas d'embûche, pas de surprise. Surtout, tout était fluide, comme si la préparation s'effaçait pour laisser la place, toute la place, à la rencontre. Pourtant, cette préparation avait été au rendez-vous. Pour ma part, j'ai eu droit à deux rencontres préparatoires histoire de cadrer l'activité de formation dans un contexte très précis. Le souci du détail, ce souci qui fait la différence, toute la différence, c'est aussi là qu'il prend corps. Une activité de formation n'a pas de sens en soi, mais dans un contexte. Ce contexte était d'abord et avant tout celui d'une équipe à mobiliser, à consolider et à orienter. Mais ce contexte était aussi celui de l'ouverture d'une nouvelle orientation stratégique. En fait, les deux contextes se croisaient, puisque la prise de conscience d'une identité d'équipe est toujours un prérequis à une démarche stratégique. Théoriquement, cela est une évidence, mais encore fallait-il que tous jouent le jeu, la présidente, l'équipe de direction et le personnel.»

Dès l'arrivée, la bonne humeur des uns et des autres était tout particulièrement notable, presque palpable. Bien sûr, c'était un samedi, il était tôt, très tôt pour un samedi et, en outre, le temps était magnifique, trop magnifique pour s'enfermer dans une salle d'hôtel. Toutes les conditions étaient donc réunies pour souhaiter être ailleurs et maugréer à qui mieux mieux. Pourtant, tous semblaient prendre plaisir à leur présence. Il y avait bien, ici et là, quelques remarques qui témoignaient du caractère particulier d'une rencontre un samedi, mais il y avait surtout l'écho d'un plaisir partagé d'être ensemble.

Selon Luc Richard: «Réaliser un diagnostic de l'identité organisationnelle est une activité hautement périlleuse. D'une part, l'identité a un petit quelque chose d'invisible et d'intangible qui la rend toujours abstraite, voire impertinente ou secondaire. En effet, l'identité paraît toujours seconde derrière la réalité du marché, les impératifs financiers, les objectifs à réaliser, les urgences à régler, en un mot comme en mille, le concret et le mesurable. D'autre part, les questions identitaires peuvent très vite devenir une incroyable source de conflits tant il est vrai que les valeurs des uns peuvent heurter profondément les convictions des autres. À cet égard, *Meubles Joh*nson ne fait pas exception. Questionner l'identité de l'entreprise n'était pas sans risque. Au terme du questionnement, plusieurs identités contradictoires pouvaient émerger et laisser entrevoir la nécessité d'une réconciliation identitaire. Cela dit, ce ne fut pas le cas, ce qui ne veut pas dire pour autant que l'entreprise n'a pas à faire face à des défis à saveur identitaire.»

«Bien sûr, nous devons rester prudents face aux résultats d'une formation qui n'a aucune prétention scientifique. Le but de la rencontre était d'amorcer un dialogue relatif à l'identité de l'entreprise, pas de mesurer finement les valeurs des uns et des autres. L'important n'était donc pas que les résultats de l'échange soient scientifiques, mais bien qu'il y ait une amorce de dialogue et une douce et sereine prise de conscience collective.»

«Au terme de l'activité de formation, s'il y a un constat qui s'impose avec force, c'est bien celui que le personnel de *Meubles Johnson* a une conscience très vive de son identité organisationnelle et que cette identité est à l'image du plaisir que les uns et les autres avaient à se retrouver ensemble. Cette identité est aussi clairement marquée par la conscience qu'a le personnel de la nécessité de combiner l'identité souhaitée avec des impératifs de performance.»

Selon Luc Richard: «D'abord, il ressort de l'exercice que le personnel valorise très clairement l'identité traditionnelle. Là se trouve le fondement de l'identité du personnel de l'entreprise. Ce fondement se combine à une identité civique, identité qui est le complément direct de l'identité traditionnelle. Sous ce regard, l'entreprise a donc clairement une identité communautaire. Certains pourraient s'en désoler, trouver qu'il y a là une identité vieillotte, mais en matière d'identité il n'y a pas de formule gagnante. Il n'y a que des formules pleinement assumées, des formules qui, toutefois, ont intérêt à garder ouvertes des possibilités de métissage avec d'autres formules, d'autres identités. En outre, l'identité communautaire est généralement une identité très solide, très robuste. C'est un socle sur lequel il est possible de construire, mais à l'image de toutes les fondations, c'est là un socle qui ne se change pas facilement. Vouloir changer une identité communautaire ce n'est jamais simple ni facile et, généralement, il vaut mieux miser sur elle pour faire émerger le changement que de tenter de l'affronter directement.»

«Puis, il ressort du dialogue collectif que le personnel a pleinement conscience de l'importance de l'identité professionnelle. Être efficace est important et devrait continuer de l'être. Ici, il faut voir un métissage entre l'identité communautaire et le souci de performance. À l'évidence, ce métissage prend forme chez *Meubles Johnson*. D'une certaine façon, nous assistons au passage d'une identité profondément communautaire à une identité professionnelle. Cela peut sembler aller de soi, mais il s'agit là d'un passage particulièrement difficile à réaliser et, ici, il semble se réaliser en douceur et être largement accepté. Enfin et c'est peut-être la surprise de la rencontre, la fibre compétitive, le désir d'être concurrentiel, la volonté de se démarquer des concurrents et le goût de la saine compétition ne semblent pas être au principe du métissage identitaire de l'entreprise. Non seulement l'identité marchande ne paraît pas valorisée par le personnel, mais elle paraît même quelque peu suspecte aux yeux de plusieurs. En effet, à nombre de questions, les valeurs qui concourent à dessiner une identité marchande furent perçues comme les moins importantes de toutes. Sans l'ombre d'un doute, dans le monde excessivement concurrentiel d'aujourd'hui, cela peut surprendre.»

LE TEMPS DU QUESTIONNEMENT

Quelques jours après la formation, Marie Johnson était toujours sous le choc: «J'étais convaincue que nous avions définitivement pris le tournant professionnel et que nous étions même mûrs pour entreprendre le virage compétitif et voilà que je constate que nous en sommes encore et toujours à l'époque de jadis et de naguère. C'est désolant et très frustrant. Surtout, à la veille d'une réorientation stratégique, réorientation au cours de laquelle la fibre compétitive devra forcément être mobilisée, les résultats de la journée de reconnaissance du personnel montrent très clairement qu'il y aura des défis importants à relever et que cela ne sera ni simple ni facile. Comment puis-je faire pour les convaincre que le tournant compétitif est une nécessité, que c'est même une question de survie? Ne le savent-ils pas que la concurrence est féroce dans notre secteur et que nous sommes loin d'être les leaders du domaine? Si nous ne réagissons pas très vite, nous nous ferons distancer par nos concurrents et ça, je ne peux pas l'accepter, pas après tous les efforts des dernières années. C'est vraiment à n'y rien comprendre. Peut-être que nous les avons trop chouchoutés et que, du coup, ils ne perçoivent pas l'urgence d'un virage résolument compétitif.»

«Que dois-je faire? Par où dois-je commencer? Comment ai-je pu être aussi naïve? Que font donc les membres de mon comité de direction? Comment se fait-il que ce ne soit que lors d'une anodine journée de reconnaissance que je fasse le constat de notre échec? Ce devait être une journée festive et c'est devenu un véritable cauchemar. D'un côté, il y a mes directeurs qui fixent l'avenir et, de l'autre, mon personnel qui regarde dans le rétroviseur.

Ça n'a aucun sens et dès lundi, mon comité de direction devra trouver des solutions, pas des discours et des idées, mais bien des solutions pratiques, réalistes, des solutions qui vont fonctionner très rapidement. Il y a urgence et il faudra que, d'une façon ou de l'autre, tous s'en rendent compte. D'ailleurs, au terme de la journée de reconnaissance, Lawrence et Steven partageaient ma déception et, eux aussi, étaient d'avis qu'il faudrait faire bouger les choses. Cela dit, je ne voudrais tout de même pas sacrifier la belle ambiance de mon entreprise. Comme me le disait Marcel, encore sous le charme de la journée de reconnaissance: «Nous avons vraiment une belle entreprise. Ton père serait fier de toi. Moi, en tout cas, je le suis.» En effet, l'entreprise est belle, mais elle doit aussi être compétitive et si la récession frappe aussi fort que je le crois, alors, tous vont comprendre que j'avais raison, mais là ce sera peut-être trop tard.»

Chapitre 22

MARCEL ET LE CHOIX DE SOPHIE

Richard Déry

Marcel, fonctionnaire de carrière, tient, une fois de plus, tête à Sophie, la directrice du service. Excédée, par l'attitude et les agissements du plus vieux fonctionnaire du ministère, Sophie ne sait plus trop ce qu'elle doit faire. Pendant des années, elle a toléré l'attitude de Marcel, mais là elle se dit qu'il est grandement temps qu'elle agisse: «Bon bien là, c'est aujourd'hui que ça passe où que ça casse. Ça n'a tout simplement plus aucun sens. Je perds littéralement mon temps avec lui. Ne le sait-il pas que, même dans un ministère, le temps c'est de l'argent? Nous avons l'obligation d'être efficaces. Les citoyens sont nos clients et ils ont le droit et même le devoir d'être exigeants. Si les techniques de gestion telles la qualité totale et la valeur ajoutée aux yeux du client sont pertinentes pour l'entreprise, elles doivent l'être également pour la gestion d'un ministère. Où est-il écrit que la saine gestion est une affaire d'entreprise? Nous ne vivons pas en vase clos et nous devons apprendre à composer avec les réalités d'aujourd'hui. Si le monde contemporain est plus exigeant et plus compétitif, alors c'est à nous de nous adapter, pas l'inverse. Ceux et celles qui ne sont pas d'accord avec cela n'ont qu'à plier bagage. Le monde d'aujourd'hui ne peut plus être celui d'hier et les nostalgiques du bon vieux temps n'ont qu'à prendre leur retraite. C'est aussi simple que cela. Ce n'est tout de même pas bien sorcier ce que je lui demande et il devrait même être heureux que je lui aie fait confiance en lui déléguant la formation des deux petits nouveaux sur lesquels nous fondons tous tant d'espoir. Mais voilà, Monsieur est trop débordé avec ses chiffriers pour s'en occuper convenablement. Il a toujours trop de travail important à faire pour les former adéquatement. C'est qu'il a ses petites urgences et, surtout, ses gros états d'âme, le Monsieur. Pourtant, lorsqu'il s'agit de placoter à qui mieux mieux, de comploter en catimini et de semer à tout vent ses sarcasmes, là Monsieur a du temps et il en a à revendre en plus. Il faudra bien qu'un jour ou l'autre quelqu'un le rappelle à l'ordre et là, le jour est enfin arrivé. Dans quel monde vit-il, celui-là? S'il ne peut pas livrer les simples mandats que je lui confie, il n'a qu'à faire ce que j'ai fait, déléguer ses autres tâches. C'est même pour ça que je lui ai confié l'avenir de notre service. C'est qu'il n'est plus tout jeune notre Marcel et il faudra bien qu'il nous quitte un de ces jours. Mais en comptant les jours qui nous séparent de cette délivrance, il est là et il commence à sérieusement me pomper l'air avec ses angoisses, ses petites manies, son attitude générale et ses reproches. S'il attend que je m'en mêle, avant de comprendre ce que j'attends de lui, de changer en conséquence son attitude et d'enfin opérer au quart de tour, je vais le faire et il ne va pas me trouver drôle, loin de là. Je vais lui en donner, moi, de vraies raisons de sérieusement regretter le bon vieux temps de sa jeunesse toute boutonneuse. Est-ce que j'ai le temps, moi, d'être nostalgique? Non sûrement pas et s'il ne se met pas à être productif, il va finir pas me trouver sur son chemin. Elle a beau être bien gentille la madame, là il dépasse mes limites.»

DU PROJET DE SOCIÉTÉ À L'ÉTHIQUE AU QUOTIDIEN

Responsable de la gestion budgétaire du ministère, Marcel, sans se douter de ce qui l'attend, contemple dans un calme presque hypnotique ses chiffriers électroniques et, tout en produisant machinalement ses tableaux, ne sait plus si tout cela vaut encore le coup. «Tu donnes ta vie et ton âme au service de l'État et ça ne compte pas, vraiment pas. Bien sûr, les moqueries à l'égard des fonctionnaires sont légion. Je les accepte, car ça fait partie du métier et, d'une certaine façon, ça témoigne de l'importance de notre travail. C'est injuste, mais c'est comme ça et on n'y peut rien. Mais je n'arrive tout simplement plus à me résoudre à accepter l'indifférence des collègues et surtout l'ingratitude des nouveaux gestionnaires. Nous ne sommes tout de même pas une entreprise à ce que je sache, nous sommes au service de l'État. D'où peut bien leur venir, à ces jeunots qui ne savent que jargonner leur litanie de modes administratives à quatre sous, l'idée de nous transformer en entreprise et d'ainsi propulser le citoyen d'hier au rang de consommateur de service d'aujourd'hui? Si nous les écoutons, ça n'aura plus de fin. Hier, c'était la qualité de service, aujourd'hui, c'est la réingénierie de nos processus et demain, nous aurons droit à l'implantation de ces formidables systèmes intégrés de gestion qui, entre autres avantages, feront l'économie de notre travail ou alors nous dicteront ce qu'il y a à faire.»

Marcel est fonctionnaire de carrière. Toute sa vie, il l'a consacrée au service public. Au-delà des moqueries populaires, il avait ce sentiment vivace de contribuer à quelque chose de grand, de noble et d'important. «Lorsque j'ai pris du service, tout était à faire, tout était à construire. Au début, ce n'était certes pas bien payant, mais c'était captivant. La fonction publique permettait alors au Québec d'entrer dans la modernité et j'étais partie prenante de ce mouvement historique. Ce n'est pas rien. À cette époque, nous savions faire la différence entre l'État et l'entreprise. La rigueur administrative, l'obligation permanente de rendre compte, le souci du détail, la justesse de l'analyse, la recherche de la perfection, le regard à long terme, tout cela et tant d'autres choses encore, nous démarquait pleinement de l'activisme à courte vue des milieux d'affaires. Peu à peu, tel un cheval de Troie, ces derniers s'immiscent dans les affaires de l'État. Aujourd'hui, tout est confus. Les entreprises veulent gouverner et les gouvernements veulent gérer. Ça n'a plus aucun sens. Et que l'on ne me dise surtout pas que je suis vieux et nostalgique, car ça n'a rien à voir avec l'âge. Il suffit d'utiliser son jugement pour s'en convaincre et, ça, ce n'est pas l'apanage des vieux, quoique parfois je finis par en douter.»

Pour Sophie, qui dirige quatre chefs de section dont l'un est le responsable immédiat de Marcel, la situation est délicate. Elle voit bien tout le désarroi de Marcel. Lorsqu'elle ne s'emporte pas, elle finit même par le comprendre. Toutefois, selon elle, s'adapter aux nouvelles exigences du monde, ne veut pas dire pour autant abdiquer la noblesse et la pertinence du service public. Tout au contraire, c'est lui donner un second souffle: «Lorsque nous sommes fonctionnaires, nous n'avons pas le droit au cynisme. Il faut croire à ce que nous faisons, sinon comment les citoyens pourraient-ils nous témoigner leur confiance? Je suis triste lorsque je vois des manifestations de cynisme, car je sais que cela ne nous sert pas. Ça distille le découragement et l'impuissance. Bien sûr, de nos jours, tout va plus vite, voire trop vite, mais il faut s'y résoudre, prendre la vague et contribuer sans relâche ni découragement à la construction de notre société. Devant l'urgence des projets et le stress qu'impose le changement perpétuel, il n'y a pas de secret, il faut une éthique du quotidien et sûrement pas de grands discours sur le bien et le mal. Il faut aussi le plaisir doux et combien subtil du travail bien fait, jour après jour. Quand tout va trop vite, il y a le quotidien, le travail à faire pour nous rappeler à l'ordre. Bien sûr, je comprends Marcel, il est de l'époque des grands rêves, des projets à réaliser, de l'avenir, du projet social à enfanter. Mais tout cela se réalise par le travail, par l'éthique du travail et à trop miser sur la perfection, le quotidien perd son charme, le travail n'a plus de sens et l'éthique se confond à l'illusion.»

LE BUDGET DE MARCEL

Être responsable d'un budget de près de 70 millions de dollars est une lourde responsabilité. C'est à Marcel qu'elle incombe et il la prend très au sérieux: «On ne se doute pas de l'énorme complexité de ma tâche. Pour les uns ce ne sont que des chiffres, pour les autres c'est un croisement de détails vaguement insignifiants. À écouter les commentaires, un budget, ça se gère tout simplement et ça se discute à plusieurs. Ce n'est pourtant pas le cas, loin de là. Un budget ce n'est tout de même pas un buffet chinois où chacun peut y prendre ce qu'il veut et laisser le plus gros de la bouffe dans son assiette. Dans un budget, tout est important, tout peut faire de la différence, même le plus infime détail que le profane vaguement inculte considérera comme insignifiant. On ne peut pas faire dans l'approximatif et dans l'à-peu-près pour faire plaisir aux petites urgences des uns et des autres. En matière de budget, la plupart des gens n'ont que des opinions là où nous devons comptabiliser des faits et que des faits. Construire un budget, en faire le suivi et l'analyse, ça prend du temps, beaucoup de temps, tout mon temps. Ce n'est pas un univers d'états d'âme, c'est du solide, du vrai, du précis. La beauté d'un budget se voit dans le souci du détail, dans la justesse des explications, dans la profondeur des analyses, pas dans les *shows Powerpoint* à la mode et les résumés mutilants qui engagent faussement à l'action et créent une illusion de compréhension des vrais enjeux budgétaires. Je sais bien qu'ils attendent de moi des rapports stimulants, des textes synthèses et tout et tout, mais la gestion budgétaire ce n'est pas une opération de séduction pour motiver les troupes, c'est du sérieux, c'est de la vérité chiffrée et seulement cela».

Tout comme Sophie, la sous-ministre comprend bien Marcel. Toutefois, elle n'arrive plus à composer avec ses manies compulsives. Il y a deux semaines, lors d'une réunion au ministère, le malaise était palpable. Marcel devait présenter un sous-volet du budget, mais n'arrivait pas à se faire comprendre. La sous-ministre, fait plutôt rare s'agissant d'elle, a alors clairement témoigné de son impatience en demandant à Marcel d'être plus bref et plus direct dans ses explications. Fidèle à son habitude, Marcel n'a pas bronché. Il s'est à peine cabré et, frondeur, s'en est tenu à ses explications sibyllines et à sa cascade de tableaux. Lorsqu'il eut fini son exposé, telle une huître, il s'est refermé sur lui-même et n'a pas pris part aux discussions qu'au demeurant il trouvait tout à fait oiseuses et futiles. D'ailleurs, se tenir à l'écart des débats lui convenait très bien: «Là, bien à l'écart, je les regardais faire du bruit et alors qu'ils perdaient leur temps, je songeais à d'autres analyses dont j'ai le secret».

Au terme de la réunion, la sous-ministre était furieuse: «Je sais bien qu'un contrôle budgétaire de l'un de nos programmes les plus importants est une opération délicate qui prend du temps. Je peux aussi comprendre qu'un budget est un enchevêtrement de petits et de gros détails, mais l'action commande autre chose qu'un archipel infini de miettes chiffrées et d'explications qui n'en finissent plus de finir. Nous avons besoin de portraits d'ensemble, pas de la formule chimique de chaque nanoparticule d'une situation. C'est simple pourtant, je n'exige que de la simplicité et des faits que tous peuvent comprendre et apprécier à leur juste valeur. Marcel n'arrive pas à comprendre ce que nous attendons de lui, pourtant c'est si simple.»

LES RITES INITIATIQUES

Au lendemain de la réunion où il a eu droit aux signes d'impatience de la sous-ministre, Marcel était dans tous ses états: «J'ai déjà conseillé plus d'un ministre et orienté d'importantes politiques gouvernementales, alors ce n'est pas une sous-ministre qui, de toute façon et comme toutes les autres, ne sera que de passage, qui va m'apprendre mon métier. Depuis qu'ils ont découvert les *Powerpoint*s ceux-là, ils ne comprennent plus rien d'autre. C'est qu'ils ont vraiment l'impression d'avoir réinventé le bouton à quatre trous avec leur cochonnerie technologique à contempler dans l'obscurité. Au moins, on peut y bâiller sans être remarqué. Mais, plus sérieusement, il faut vraiment les voir tous cordés autour de la table, les yeux libidineux et bien rivés sur l'écran, s'émerveiller des couleurs, des dessins et des animations. Franchement! Tout juste des enfants qui s'excitent pour des riens».

Jean et Marie écoutaient, l'air amusé, le discours enflammé de Marcel. Nouveaux au ministère et récemment placés sous la responsabilité de Marcel, ils en étaient encore à comprendre les us et coutumes de la fonction publique. Ils n'en revenaient pas: «Marcel a tout vu, tout fait et lorsqu'il nous raconte comment ça se passe en haut, on se demande forcément si on a fait le bon choix de carrière.» Jean est vraiment troublé: «Récemment, Sophie m'a confié un énorme dossier en me disant de consulter Marcel si je n'arrivais pas à comprendre ce qu'il y avait à comprendre. Au début, je n'en revenais pas. Je venais tout juste d'arriver que déjà on me confiait un mandat important. J'étais enthousiaste, presque euphorique, mais j'ai vite déchanté en comprenant qu'il y avait là un test, un rite de passage. D'ailleurs, Marcel me l'avait bien dit: «On te confie un dossier, on te fait confiance, mais on ne te donne jamais le temps de bien faire. Tu penses qu'ils te font confiance, alors qu'ils ne te donnent que suffisamment de corde pour te pendre». Aujourd'hui, je pense bien qu'il avait raison. Je suis submergé et sans l'aide de Marcel, je n'y arrivais pas.»

Pour Marie, la situation était également limpide: «Je vois bien que Marcel dérange, mais lui au moins, il dit les vraies affaires. Ça choque et ça bouscule, on ne veut pas entendre ses critiques, mais il faut bien que quelqu'un dise les choses comme elles sont. Bien sûr, il n'est pas très diplomate. Puis après? Nous ne sommes pas une ambassade. Moi, je l'aime bien Marcel, il brasse la cage. Il faut bien que quelqu'un le fasse et, lui, il a la crédibilité pour le faire et c'est très bien ainsi.»

LE CHOIX DE SOPHIE

Lorsque Sophie est sortie de la réunion où elle avait convoqué les deux nouveaux, elle était en furie. Semer le doute et l'ironie auprès de la relève était tout simplement inacceptable et elle ne l'acceptait pas. Remettre ouvertement en question son autorité auprès des jeunes était la goutte qui faisait déborder le vase. Elle a donc convoqué Marcel à son bureau pour qu'il s'explique: «J'ai tout vu dans ce ministère et à l'âge que j'ai, je ne vais sûrement pas commencer à me censurer. Lorsque j'ai quelque chose à dire, je le dis ouvertement. C'est direct, parfois cru, mais c'est toujours vrai. Si ça défrise les cœurs sensibles, je n'y peux rien. Les deux jeunes, moi je les aime bien et eux au moins, ils me respectent. Bien sûr que je ne fais pas mystère de ce que je pense des nouvelles orientations du ministère, mais pourquoi le ferais-je? Si ma façon de faire ne convient pas, on n'avait qu'à ne pas me confier ces jeunes. Moi, je n'ai rien demandé et j'ai déjà plus de travail à faire que je peux en accomplir. D'ailleurs, je ne vois pas pourquoi nous avons cet échange. Je sais bien que tu vas encore me dire que je ne sais pas déléguer, mais pour déléguer encore faudrait-il que j'aie du temps pour le faire. Et avec tous les reproches que l'on m'adresse, cela n'arrange sûrement pas les choses. Ce n'est vraiment pas comme ça que j'imaginais ma fin de carrière. Il est peut-être temps que je prenne ma retraite».

Après le départ de Marcel, Sophie ne savait plus quoi penser et, peu à peu, elle se laissait envahir par le doute et par la culpabilité: «Ai-je le droit de le laisser entraîner les jeunes dans son cynisme? Pourtant, la vie serait tellement plus simple s'il acceptait de se joindre au groupe et d'y contribuer pleinement. Marcel est une vraie mine de savoir et nous en profiterions tous, si seulement il voulait être constructif. Mais bon, rien n'y fait. La semaine dernière, j'ai tenté avec l'accord de son chef de section de lui faire entendre raison. J'ai eu droit à sa menace favorite, la retraite! Il y a des jours où je me surprends à penser avec plaisir qu'il la mette vraiment à exécution. Pourtant, j'aimerais tellement qu'il termine sa carrière sur une bonne note, qu'il nous quitte la tête haute. Ce qu'il y a de sûr c'est que je ne peux plus autoriser qu'il sape ouvertement mon autorité auprès de la relève. Si je le laisse faire, ils vont finir par nous quitter.»

Sophie ne savait vraiment plus quoi penser. D'un côté, il y avait le tourment bien réel de Marcel et, de l'autre, un service tout aussi réel à gérer, une relève à former: «Peut-on sacrifier une personne pour le bien de tous? N'est-ce pas mon devoir que de préserver le climat de travail du service? Puis-je me contenter de compter les jours avant sa retraite? Sera-t-il trop tard

Chapitre 23

LA GRANDE DÉLÉGATION

Richard Déry

Chaleureux, amical et profondément humain, M. Tremblay est un gestionnaire respecté de ses collègues et tous ses collaborateurs l'adorent. Récemment, l'organisation a pris le «virage de la responsabilisation des gestionnaires et des employés par la délégation des tâches». Selon la directrice générale: «Ce virage s'impose, car pour composer avec la complexité sans cesse croissante du monde contemporain, il faut être flexible et nous ne pouvons l'être que si tous se sentent concernés et ils ne le seront que s'ils ont des responsabilités à assumer et l'autorité nécessaire pour les mener à bon port. Il est donc fini le temps de jadis et de naguère, ce temps d'alors où les dirigeants au sommet avaient toute l'autorité et toutes les responsabilités. Il nous faut, plus que jamais, partager notre autorité et nos responsabilités. L'avenir passe forcément par une responsabilisation de chacun. Tous doivent avoir à cœur le succès de l'organisation et chacun doit donc avoir un rôle qui permet d'y contribuer. Il n'y a pas moyen d'y échapper, l'avenir est à la responsabilisation de chacun des membres de l'organisation».

Pour que son comité de direction saisisse bien le message et l'urgence d'agir, la directrice générale a même fait de la délégation sa priorité annuelle: «Tous seront évalués sur leur capacité à déléguer. Cela vaut pour vous, mais aussi pour les vôtres, tous vos collaborateurs. Tous les membres de cette organisation doivent maintenant se sentir impliqués. C'est là votre mandat. Vous serez d'ailleurs formellement évalué sur votre capacité à réussir ce processus de délégation et j'escompte aussi que vous évaluerez vos collaborateurs sur cet aspect central de leur travail.»

M. Tremblay n'avait donc pas le choix. Il devait engager ses collaborateurs sur le chemin de la délégation et il devait s'assurer qu'à leur tour, ils conduisent leur équipe sur ce difficile chemin. Il espérait que ce processus ne minerait pas l'esprit d'équipe et l'atmosphère de collaboration qu'il avait patiemment réussi à construire au fil des ans et, surtout, que cela ne soit pas une autre de ces modes qui ont déferlé sur l'organisation au cours des ans. Il en demandait déjà beaucoup à ses troupes et il souhaitait ne pas perdre leur confiance. Cela faisait maintenant quatre ans qu'il était à la tête de son service et, lorsqu'il en avait pris la direction, il avait dû faire face à une équipe peu motivée, démobilisée et très méfiante. Il ne voulait donc pas perdre ce qu'il avait mis tant d'efforts à construire au profit d'un processus d'évaluation de la délégation qui, à l'image des autres modes, risquait de n'être qu'une préoccupation aussi stressante qu'éphémère. Cependant, il n'avait pas le choix, il serait, tout comme ses collaborateurs, évalué sur ce processus de délégation et il devait donc le réaliser.

LE MANDAT

C'est donc à contrecœur, en début d'année, que M. Tremblay a réuni tous les gestionnaires de son équipe pour leur faire part de la nécessité de s'engager dans un vaste processus de délégation et de responsabilisation des employés. Lors de cette réunion, il a été très explicite: «Chacun doit apprendre à déléguer à ses employés certaines de ses responsabilités. Je sais bien que je vous en demande beaucoup, comme je l'ai d'ailleurs fait lors des dernières années. Plusieurs d'entre vous, autour de cette table, doivent se dire que ce n'est ni simple, ni facile à réaliser et que si l'objectif est noble, encore faut-il avoir les moyens de le réaliser. Je sais tout cela et je ne peux que partager votre inconfort. Mais voilà, la directrice générale en a fait sa priorité annuelle et nous n'avons pas d'autre choix que de tenter de relever ce nouveau défi. D'ailleurs, vous pourrez toujours compter sur moi et il ne faudra donc pas hésiter à solliciter mon aide. Je vous le redis, déléguer est un de nos défis et nous serons tous évalués sur notre capacité à le relever, moi comme vous tous.»

Si l'annonce de ce nouveau mandat a suscité de nombreux remous, pour l'essentiel, les discussions ont porté que sur la démarche de la délégation et sur la surcharge de travail qu'imposait cette responsabilisation. Comment savoir ce qu'il fallait déléguer? Comment réussir à convaincre les uns et les autres de la pertinence d'y parvenir? Surtout, tous se demandaient comment ils allaient s'y prendre pour construire des plans de délégation et les réaliser alors qu'ils croulaient déjà sous le poids de leurs responsabilités. Après la réunion, tous se sont dit qu'ils allaient y voir, mais on sentait bien que le cœur n'y était pas. D'ailleurs, la question de la délégation n'a été formellement abordée qu'à cette seule réunion.

L'ÉVALUATION DES TROUPES

Au terme de l'année, alors qu'il était littéralement submergé par la préparation du budget annuel, M. Tremblay reçut un courriel de la directrice générale dans lequel elle rappelait à tous ses directeurs que l'évaluation annuelle des gestionnaires devait porter, en particulier, sur la façon dont ils avaient relevé le défi de la délégation et qu'elle-même fonderait son évaluation annuelle de leur performance sur cet aspect de leur travail. Sans pour autant l'avoir oublié, M.Tremblay avait escompté que cet appel à la responsabilisation ait le sort des autres modes, à savoir s'évanouir tout doucement dans le flot des activités quotidiennes. Ce n'est pas qu'il ne croyait pas à la nécessité de la responsabilisation, mais il doutait que cela soit possible d'y parvenir au moyen d'une évaluation formelle. Visiblement, il n'avait pourtant pas d'autre choix que de se livrer à ce rituel annuel de l'évaluation qu'il détestait profondément. En fait, il ne croyait pas à la pertinence de ces mécanismes formels d'évaluation de la performance qui étaient, pour lui, une source de frustration et un pas de plus vers la bureaucratisation des rapports humains.

En étudiant les dossiers de ses collaborateurs de façon à bien préparer ses réunions d'évaluation, M. Tremblay était fort embêté. Si certains de ses gestionnaires avaient réalisé de façon exceptionnelle le processus de délégation qu'ils devaient réaliser, il constatait que d'autres s'y étaient vraiment mal pris et que d'autres encore n'avaient tout simplement pas réalisé leur mandat. Il ne voulait pas compromettre la chouette ambiance de son service au profit d'un processus de suivi et il détestait l'image de contrôleur que lui imposait cette démarche d'évaluation. Pourtant, la directrice générale lui demandait de jouer ce rôle. Il hésitait et se disait qu'il n'avait qu'à faire *comme si* et que ça conviendrait parfaitement. En même temps, il savait que cela faisait partie de son rôle et que certains de ses collaborateurs avaient vraiment joué le jeu de la délégation et attendaient beaucoup de cette évaluation. C'était notamment le cas de Bertrand. Doué, travaillant, populaire et tout particulièrement arrogant, Bertrand était, pour les uns, l'exemple type de la *face à claques* alors que pour les autres, c'était tout simplement un exemple à suivre. Il n'y avait pas de doute que Bertrand voudrait tirer profit de sa performance pour prendre encore davantage de place dans le service et ça, M. Tremblay le savait très bien et ça ne lui plaisait pas du tout. Il n'a jamais aimé Bertrand et sa performance éclatante de l'année en matière de délégation n'y changeait rien, bien au contraire. Selon M. Tremblay: «Bertrand n'est qu'un opportuniste. Bien sûr, il est performant, très performant même, mais ce n'est là qu'un moyen d'atteindre ses objectifs personnels. Pour lui, une équipe n'est qu'un moyen, qu'un outil au service de son ambition. Étendre son réseau d'influence est son seul objectif et sa performance de l'année ne peut, malheureusement, que l'accroître». L'ambition de Bertrand était d'autant plus menaçante que celui que tous considèrent comme l'étoile filante du service avait, cette année, lamentablement échoué son processus de délégation. En effet, comme tous les autres, Claude avait reçu de nouvelles responsabilités, mais il s'était contenté de poursuivre ses projets, de faire en sorte que la réputation de son équipe soit reconnue par tous. Encore une fois, ses actions avaient été profitables à tous. Selon lui: «la délégation peut attendre. Il y a des urgences et c'est ce qui importe». Il sait qu'il n'a pas relevé le défi des nouvelles tâches, mais il est certain que personne ne va lui en tenir grief, car il a su faire preuve de jugement en ne mettant pas en péril la réputation de l'équipe dont il a la charge.

Pour Sophie, la situation était autrement plus catastrophique que celle de Claude. En effet, selon elle: «la vie est un enfer. Tout va mal et demain sera pire qu'aujourd'hui». Elle savait qu'elle n'allait pas bien, mais là, elle tentait tout simplement de survivre. Son travail était son unique bouée de sauvetage. Elle n'atteignait pas les objectifs fixés, elle le savait, tout le monde le savait. Comme elle le disait: «Je fais de mon mieux et si ce mieux n'est pas terrible, c'est tout de même le mieux que je puisse faire. Que l'on cesse de m'évaluer et je vais rebondir. J'ai déjà été très performante et je vais le redevenir, ce n'est qu'une question de temps. D'ailleurs, les plus vieux ont déjà eu leurs chances, alors pourquoi n'y aurais-je pas droit, moi aussi? Pourquoi, ce serait à nous, les jeunes, de porter à bout de bras la professionnalisation de l'organisation, alors que les plus vieux gestionnaires du service ont tous largement profité de meilleures conditions de travail? Oui, la vie est injuste».

Pour sa part, Julie avait pleinement réalisé le mandat de responsabilisation. Elle avait délégué certaines de ses responsabilités à son équipe. Toujours débordée, elle n'avait, toutefois, pas pris le temps d'expliquer les tâches à accomplir et elle n'avait pas formulé clairement ses attentes, ni de délai de réalisation. Lors d'une réunion, elle avait simplement dit à ses collaborateurs: «Voici vos nouvelles responsabilités et c'est à vous de les assumer. Comme vous le savez, chacun doit réussir et l'échec n'est jamais une option et n'est jamais justifiable». À la fin de l'année, l'équipe de Julie était reconnue comme la plus performante du service. Tous les membres de son équipe avaient assimilé de façon remarquable les nouvelles responsabilités.

Charles s'y était pris autrement. Leader naturel, il avait un *je-ne-sais-quoi* d'indéfinissable qui le rendait irrésistible. Il faisait l'unanimité et son avis comptait toujours. Comme les autres, il avait délégué des responsabilités, mais sans trop y croire. Tous avaient bien compris que Charles n'était pas très *chaud* à l'idée de déléguer ses responsabilités. Personne ne l'était. Les résultats furent décevants, très décevants. M. Tremblay devait l'évaluer et il savait qu'il marchait sur des œufs. Pourrait-il le confronter? Devrait-il le confronter? Tous avaient bien hâte de savoir ce que Charles aurait à dire de son évaluation.

Contrairement à Charles, David avait tout de suite été gagné à l'idéal de la délégation. Il avait pris le temps d'expliquer le processus, il avait clarifié ses attentes, il s'était assuré que chacun sache vraiment quoi faire et il n'avait cessé, tout au long de l'année, d'encourager son équipe. Les résultats furent lamentables: sa délégation fut un échec retentissant dont tout le monde parlait. David ne savait vraiment plus quoi penser, ni que faire. Il savait qu'il serait évalué là-dessus, mais là il était déçu et désabusé. Il avait tout fait, vraiment tout, mais cela n'avait rien donné de bon.

Marie avait eu plus de chance que David. Tous les membres de son équipe avaient relevé avec brio le défi de la responsabilisation. Tous avaient été très performants. Elle se disait que si elle donnait des *10* à tous, ce ne serait pas très crédible. Pourtant, c'est ce que chacun méritait. De plus, elle savait très bien que si elle évaluait de façon très positive ses collaborateurs, elle devrait forcément en payer le prix. Ses collaborateurs exigeraient des récompenses à la mesure de leurs performances et, bien sûr, elle ne pourrait les satisfaire. Enfin, elle était convaincue que si toutes ses évaluations étaient très positives, elle passerait, aux yeux des autres gestionnaires, pour une faible qui n'osait pas donner l'heure juste à son équipe.

Valérie était la plus efficace des gestionnaires du service. Toutefois, elle n'était vraiment pas douée pour la délégation. M. Tremblay doit pourtant évaluer sa performance en matière de délégation. Il hésitait. Il ne voudrait pas que son suivi ait des répercussions sur son rendement général. Il avait besoin d'elle et elle le savait.

Damien était le prototype du gestionnaire que personne n'aimait. Il était hautain, technocratique, cassant et égocentrique. Qu'il soit encore là était un mystère digne du troisième secret de Fatima. Comme tous les autres gestionnaires du service, il devait déléguer certaines de ses responsabilités. À la surprise de M. Tremblay, il s'était acquitté avec brio de ce mandat. Pas de doute qu'il allait en tirer avantage et n'en serait que plus détestable.

Finalement, M. Tremblay se pencha sur le délicat dossier de Simon. Si la maxime populaire veut: «Qu'en affaires il n'y a pas d'ami», dans la vie, il en allait tout autrement. M. Tremblay avait toujours pu compter sur la complicité de Simon. Ils étaient de véritables amis et cela n'avait jamais empêché M. Tremblay d'avoir de l'autorité sur Simon. Jusqu'à ce jour, c'était vrai, mais là M. Tremblay avait des doutes. Il devait évaluer Simon et ce qu'il devait lui dire n'avait rien de bien amical. Simon n'arrivait toujours pas à bien déléguer ses responsabilités et M. Tremblay devait le lui dire. Ce n'était pas une mince tâche, car Simon ne supportait pas la critique et M. Tremblay le savait très bien.

M. Tremblay reposa les dossiers d'évaluation et se dit que tout cela n'avait aucun sens. Il avait mis quatre ans à reconstruire un service qui jadis voguait à la dérive et voilà que le temps d'une évaluation, il risquait de tout détruire. Il devait trouver le moyen de réaliser la quadrature du cercle, mais il doutait d'y parvenir. Il jouait gros et il le savait. Tous les yeux étaient tournés vers lui et il le savait. Son processus d'évaluation était décisif pour l'avenir de son service et le sien. Qu'allait-il faire? Comment allait-il le faire?

Chapitre 24

LES ÉDITIONS FORMATECH

Richard Déry

Selon Jean-Sébastien Brière, fondateur des *Éditions Formatech*: «Pour certains, j'ai créé une entreprise et j'aspire à la richesse alors que, dans les faits, j'ai plutôt naturellement et tout simplement créé les conditions de ma propre liberté. Je n'avais d'ailleurs pas le choix, car je ne peux vivre que libre. La liberté est mon souffle, ma quête et mon projet. Tout le reste n'a de sens qu'au regard de cette quête. D'ailleurs, mes parents aiment à me rappeler l'un de mes cris du cœur lancé alors que j'avais tout juste huit ans: puis-je avoir des minutes de libres? À l'époque, mes parents m'avaient inscrit dans un incroyable éventail d'activités organisées. Baseball, soccer, hockey, judo et leçons de piano meublaient mon quotidien tout au côté de mes études et de mes devoirs. Un véritable casse-tête ludique aux allures de travaux forcés. Ouf! Tout doucement, j'ai sollicité ma liberté et, depuis lors, je l'assume sereinement et je la préserve jalousement.»

«À huit ans, le chemin était donc tout tracé: la vie devait comporter des minutes de liberté, et les heures devaient témoigner de mon autonomie. Depuis ce jour, jamais je n'ai dévié de ma quête. Être libre, vivre libre, rêver, entrevoir l'univers des possibles, multiplier les chemins et toujours cultiver ma liberté sont au cœur de ce que je veux être, de ce que je suis. Alors que pour les uns, je ne suis qu'un rêveur, pour les autres je suis un distrait qui, à force de rêvasser, passera inévitablement à côté de la vie, mais moi, je sais. Je suis certes un rêveur et un distrait, mais je suis surtout libre comme savent l'être tous les rêveurs et tous les distraits. Je sais bien, que tout cela peut paraître terriblement abstrait et philosophique et peut même sembler se situer à des années lumières de mon projet d'entreprise et pourtant c'en est le cœur et l'âme. Créer mon entreprise, c'est essentiellement concrétiser ma liberté, mais surtout c'est lui donner les moyens de son expression. Être mon propre patron, décider de ce que sera ma vie et en assumer les risques, voilà mon projet, voilà ce que je veux être, ce que je suis et ce que je serai. Je ne cherche pas la richesse ni la gloire, je veux seulement rêver librement et concrétiser mes rêves.»

«Lorsque je me réveille, je sais que je suis maître de ma journée. Je décide de ce que sera ma journée et je choisis mes contraintes, mon horaire et mes obligations. Car, il ne faut pas s'y tromper, lancer sa propre entreprise ce n'est pas se retrouver dans un espace exempt de toutes contraintes, c'est plutôt pouvoir librement choisir celles qui vont encadrer notre quotidien.»

«Selon moi, créer une entreprise et la développer, c'est donc d'abord et avant tout être maître de son destin et cela peut vite devenir très envahissant, mais c'est surtout magique et euphorisant. C'est aussi angoissant. À tout moment, on prend conscience que tout pourrait être différent, que nos choix engagent l'avenir, que les risques sont les nôtres. L'angoisse, c'est aussi le reflet du regard des autres. Lorsque je dis aux uns et aux autres que j'ai lancé mon entreprise, je vois bien dans leur regard, un zeste d'inquiétude, une question qui n'est jamais explicitement formulée, mais que je peux traduire par: «*Es-tu certain de ton choix, est-ce le bon choix?*» Lorsque j'y pense, je suis un peu comme eux, comme tous les autres. Ai-je fait le bon choix? Vais-je réussir à faire de mon entreprise un lieu de liberté qui me permettra d'être heureux? Plus j'y pense, plus cela devient angoissant. Plus j'y réfléchis, plus je paralyse, plus je doute, plus je comprends tout le risque qu'il y a à assumer pleinement sa liberté. Alors, je cesse d'y réfléchir pour agir, pour retrouver l'insouciance créatrice et le plaisir de l'action. Cela dit, il n'y a pas que de l'angoisse dans le regard des autres. Pour peu que j'y porte attention, il y a aussi du respect et une envie douce comme tout. Là, l'instant de ce regard, je sens que j'ai fait le bon choix et que leur angoisse n'est peut-être que l'expression d'une empathie toute fraternelle. Ça me donne confiance.»

S'ENVOLER VERS LE BUT

«J'ai toujours su que j'allais créer mon entreprise, mais jamais je n'aurais imaginé la créer au terme de ma première année d'étude à HEC Montréal. Tout s'est passé si vite, très vite, presque trop vite. C'est arrivé comme lorsque je vole un but au baseball. Bien oui, ce sport me passionne. J'y joue depuis l'âge de quatre ans. Pour moi, le baseball est à l'image de la vie. C'est doux et l'instant d'un regard tout bascule, s'active et change brusquement. Avant que la douceur ne reprenne ses droits, tout a changé, tout est différent et puis tout redevient calme. Le lanceur retrouve sa butte, le frappeur s'avance, la défensive se déplace, il y a un échange de regards, un clin d'œil moqueur répond à un sourire et la vie douce reprend son cours.

Ma spécialité, ce qui me démarque des autres, c'est ma capacité de voler des buts. Dès que je suis sur le premier coussin, tous savent que je vais m'envoler vers le deuxième but. Ce qu'ils ne savent pas, c'est quand je vais le faire, mais personne ne doute que je vais le faire. Moi, je ne doute pas que je vais y arriver, que je serai sauf et qu'au moment de me relever, mon objectif sera de m'envoler vers le troisième coussin.»

«Lancer mon entreprise fut très exactement comme voler un but. Tout s'est passé l'instant d'un regard. Tout s'est joué sur un coup dé, sans hésitation, sans autre réflexion que celle qui consiste à ne pas réfléchir pour saisir le moment présent. Quelques secondes, des cris, du sable, de l'énergie brute et un grand frisson. Oui, un vol de but. Le lanceur te regarde, le receveur lui fait des signes, le premier but prend sa position, la défensive se déplace, le lanceur amorce le mouvement et ça y est, je suis parti, je ne pense à rien, je fixe l'objectif, je ne me questionne plus, je regarde le coussin, que le coussin, et j'y mets toute mon énergie, toute mon âme. Quelques secondes d'éternité. La clé, c'est l'intuition, l'absence de réflexion, ne pas y penser et s'abandonner au destin, faire corps avec le mouvement pour n'être plus que le mouvement, que le souffle qui sépare les deux coussins. Pour voler un but, il ne faut jamais hésiter, ne pas craindre le verdict, ne rien escompter, simplement vivre pleinement la course, être la course. Foncer tête baissée et ne penser à rien. C'est comme ça que j'ai fondé mon entreprise en prenant mon envol, en n'y pensant pas et en fonçant tête baissée porté par une pure énergie.»

SAISIR L'OCCASION AU VOL

«Dès mon entrée à HEC Montréal, je savais que j'allais fonder une entreprise. Ne restait qu'à trouver l'idée. C'est au cours de ma première année d'étude que mon choix s'est arrêté sur l'édition. Ce choix s'est facilement imposé à moi, car tout comme le baseball, les livres me passionnent. J'adore faire le tour des librairies d'occasion à la recherche d'un livre. Je ne sais jamais si je trouverai ce que je recherche, car en fait je ne cherche jamais rien de particulier si ce n'est que de trouver un livre qui, lorsque je l'aurai trouvé, sera précisément celui que je cherchais.»

«Au terme de ma première année d'étude, j'ai fait une rencontre décisive. M. Coderre, un propriétaire d'une petite entreprise de consultation que j'avais rencontré lors d'une conférence à l'Université, s'apprêtait à aller donner une formation professionnelle en entreprise et il a sollicité mon avis sur le *Powerpoint* qu'il comptait utiliser. Il avait consacré beaucoup temps à sa préparation pédagogique et, à l'évidence, il était très fier de me montrer le *Powerpoint* qu'il avait préparé pour l'occasion. Son *Powerpoint* prenait la forme d'une série d'énumérations d'idées et de concepts, parsemés ici et là de questions. Cela ne faisait aucun doute dans mon esprit que le contenu était impeccable et stimulant, mais la qualité visuelle du *Powerpoint* était quelconque, voire carrément déficiente. Lorsque je lui ai gentiment souligné que son *Powerpoint* pourrait être bonifié par un plus grand souci esthétique, il a vite pris ombrage et s'est réfugié derrière la robustesse du contenu pédagogique. Pour lui, seul le contenu était décisif et, comme il le disait: «*Ce qui importe, lorsque nous faisons de la formation en entreprise, c'est le contenu et la qualité de la prestation pédagogique, pas les gadgets et la fioriture graphique.*» C'est précisément sur ce point que nous divergions d'opinions et si mes remarques l'avaient piqué au vif, c'est que je visais juste et qu'il le savait. Selon moi, son contenu avait tout à gagner à être pensé en termes esthétiques. En fait, nous sommes à l'ère du multimédia et tous les jours nous sommes nourris de documents toujours plus beaux, plus voyants, plus attirants et stimulants autant visuellement qu'intellectuellement. Pourquoi le contenu des formations professionnelles devrait-il se limiter à l'énonciation de concepts et de théories sans souci esthétique? La beauté ne pouvait-elle être au service de la vérité? Pourquoi fallait-il toujours mépriser l'esthétique en la rabaissant à l'ordre du gadget et de la fioriture?»

«L'idée à la base de mon entreprise prenait forme. Il s'agissait d'éditer du matériel pédagogique sous une forme qui puisse le mettre en valeur. D'une certaine façon, il s'agissait de doubler la valeur intellectuelle du matériel pédagogique par une dimension esthétique qui soit au service du contenu.»

«J'ai rapidement eu à mettre mon idée à l'épreuve lorsque M. Coderre m'a mis au défi de transformer son *Powerpoint* sans en dénaturer le contenu. J'ai tout de suite accepté d'en faire mon premier projet d'édition. Je n'ai pas réfléchi, j'ai vu l'occasion et je l'ai saisie. Mes amis étaient nettement plus craintifs. Selon eux, ce ne serait pas simple que de transformer le matériel pédagogique en objet digne d'être publié. Ils évoquaient les difficultés opérationnelles, les questions d'imprimeurs, d'infographes, de révision linguistique, etc. Pour eux, tout était compliqué, risqué et ils ne voyaient vraiment pas pourquoi je désirais me lancer dans une telle aventure alors que, comme eux, j'étais toujours aux études. Moi, je ne voyais qu'une chose, un projet à réaliser. Il suffisait de garder le cap sur le projet, de foncer sans trop y penser et tout irait pour le mieux. Ce n'était pas le temps de se lancer dans une longue analyse. Il fallait saisir l'occasion et l'analyse viendrait plus tard. Je devais garder l'œil sur le but à atteindre, prendre mon envol et ne pas redouter le verdict. Simplement devenir l'irrésistible mouvement que plus rien ne peut freiner.»

«Mon idée était toute simple. Il s'agissait de transformer le *Powerpoint* de M. Coderre en fiches de format 5''x7'' et de les réunir dans un coffret. La première étape consistait à traduire en termes graphiques le contenu du *Powerpoint.* C'était l'étape cruciale, celle qui déterminerait si le projet pouvait se matérialiser en produit commercialisable. J'ai donc totalement modifié le contenu visuel du *Powerpoint.*»

«Lorsque j'ai présenté le résultat à M. Coderre, j'ai tout de suite su que j'avais gagné son respect. Il aimait le résultat, mais surtout il était fier de ce que cela donnait. Comme il le disait: *«T'avais raison, là ça ressemble à quelque chose de vraiment professionnel»*. Je tenais enfin mon premier produit: le coffret de formation. Il s'agissait d'un produit novateur comprenant un ensemble de fiches cartonnées imprimées en couleur, glacées et de format 5''x7' réuni dans une boîte également cartonnée et glacée. Contenant 30 fiches imprimées recto verso, le coffret de formation que j'avais conçu n'avait pas son équivalent sur le marché et il représentait un produit substitut aux *Powerpoint*s utilisés lors des séminaires de formation professionnelle. Avec les coffrets de formation, c'en serait fini des photocopies en noir et blanc remises à des gestionnaires qui payaient une véritable petite fortune pour suivre des formations. J'allais enfin pouvoir lancer mon entreprise. Bien sûr, tout cela arrivait trop vite. Je n'étais alors qu'à la fin de ma première année d'étude, mais voilà, je devais saisir l'occasion.»

«Mes confrères de classe me disaient sans cesse: *«Rien ne presse, tu peux attendre la fin de tes études avant de te lancer en affaires»*, mais moi je sentais bien l'urgence d'agir. Lorsqu'une occasion se présente, ce n'est plus le temps de l'analyse sans fin, c'est le temps de l'action. Ainsi, même s'ils aimaient beaucoup le coffret de formation que j'avais conçu pour M. Coderre, mes confrères n'étaient pas vraiment convaincus de son potentiel commercial et ils ne cessaient pas de soulever des questions: «Comment peux-tu être sûr que ce produit a un marché? Comment faire pour le vendre? Qui voudra l'acheter? De toute façon, pour te lancer en affaires, il faut bien davantage qu'un produit. Je sais bien que tu as un client qui accepte que tu commercialises son coffret de formation, mais franchement ce n'est pas en vendant 30 ou même 50 coffrets de formation que tu peux faire tes frais. D'ailleurs, en parlant de faire tes frais, as-tu pensé à ce que cela peut coûter de produire tes coffrets de formation? Qui va les imprimer? Combien cela va-t-il coûter? Qui va te financer?»

«J'avais droit au supplice de la question et le temps d'une discussion, je me retrouvais dans une classe à discuter d'un cas. Tout y passait, tout était ausculté, décortiqué, analysé de façon à semer le doute. C'est toujours comme ça avec les études de cas, au début on a la réponse, on sait ce qu'il faut faire, puis peu à peu, on doute, on ne sait plus, on est confus et finalement, il y a tant et tant de variables et de dimensions à considérer qu'on ne fait rien d'autre que de pousser encore plus loin l'analyse et le questionnement. Mais pas cette fois. Le temps n'était pas à l'analyse et n'en déplaise à mes confrères, j'allais lancer mon entreprise.»

DU PROJET AU PRODUIT

«Avoir une idée c'est bien, mais encore fallait-il lui donner vie. C'est là que la myriade de questions sans fin de mes confrères a refait surface. Je devais me trouver un infographe qui allait finaliser de manière professionnelle mon idée, je devais embaucher une personne qui allait réviser le texte, il me fallait un imprimeur fiable, je devais penser à un design de boîte, à la qualité des cartons, je devais consulter un avocat pour donner une forme juridique à mon entreprise, etc.»

«Au bout d'une semaine, j'avais consulté un avocat et mis sur pieds mon premier réseau de production. Infographe, réviseur de texte et imprimeur étaient trouvés. Dans mon entourage, j'ai plusieurs amis qui sont infographes, l'une de mes amies étudie en littérature et est une virtuose de la révision et, enfin, le père d'un autre ami est professeur de graphisme au CÉGEP et c'est lui qui m'a recommandé un bon imprimeur. La révision des fiches n'a pris que quelques jours et la mise en forme graphique n'a nécessité que deux petites semaines de travail. Trois semaines plus tard, j'étais donc fin prêt pour lancer l'impression. J'avais sous la main un produit commercialisable et j'avais une commande pour 40 coffrets de formation. À 25$ le coffret, mon premier contrat pouvait générer 1 000$ de revenus. Bien sûr, à ces revenus, je devais soustraire les coûts d'infographie et de révision, mais cela me donnait tout même un revenu de 500$.»

«Ne restait plus qu'à décider de la quantité de coffrets à imprimer. C'était le premier défi à relever, mais aussi le tout premier casse-tête. Combien devais-je faire imprimer de coffrets? La décision peut sembler banale, mais dans le monde de l'édition, il s'agit d'une décision cruciale. D'un côté, je voulais profiter des économies d'échelle propre au monde de l'imprimerie et, de l'autre, je ne pouvais pas me permettre le luxe de me retrouver avec un lourd inventaire. J'étais sûr de vendre 40 coffrets, mais je ne pouvais pas en imprimer seulement 40, car selon les pratiques de l'impression classique sur presses, l'impression de petites quantités se traduisait par un coût de revient exorbitant. En fait, au regard des coûts d'impression, je comprenais que mon entreprise ne se résumait pas à réaliser des prouesses graphiques. Je devais aussi vendre mes produits. Produire n'était que l'un des volets de l'équation. Surtout, je comprenais que le monde de l'édition était un univers très risqué. Si les économies d'échelle sont alléchantes et riches en promesses de rentabilité, l'investissement est à la mesure des gains potentiels. J'ai alors pris la décision la plus audacieuse qui soit. En effet, j'ai fait imprimer 1 000 coffrets de formation. Toutes mes économies y passaient. Tout l'été j'avais travaillé dans un camp de jour pour enfants et voilà que l'instant d'une décision, je n'avais plus rien. En fait, depuis quelques années, j'économisais pour partir en échange à l'étranger et soudainement je misais toutes mes économies pour lancer une entreprise. Avec le recul, je me dis que c'était un peu téméraire, mais au moment où j'ai pris ma décision, je sentais que je devais me donner pleinement à mon projet d'entreprise, que c'était là ou jamais que je devais concrétiser mon rêve.»

«Si, avec l'impression de mon premier coffret de formation, j'avais, enfin, franchi la distance qui me séparait du monde de l'entrepreneurship, le plus dur restait, toutefois, à faire. En effet, une occasion ne fait pas une entreprise. Je ne pouvais escompter survivre avec la vente d'un seul coffret de formation. J'avais lancé les dés, mais il me restait à jouer le jeu des affaires. Sur la base de mon idée de départ, je devais construire une véritable maison d'édition. Pour y parvenir, je devais donc comprendre les rouages du monde de l'édition.»

L'INDUSTRIE DU LIVRE DE GESTION AU QUÉBEC

Comme le souligne Porter[1], une industrie ne se limite pas à la seule relation entreprise-marché. En effet, une industrie s'articule autour de tous les acteurs que sont les concurrents, les fournisseurs, les distributeurs, les consommateurs, les nouvelles entreprises et les produits substituts. L'industrie du livre n'échappe pas à ce tourbillon de forces qui concourent à faire de ce secteur d'activité économique un lieu très dynamique où la rivalité entre les concurrents est d'une rare intensité.

Les concurrents: les éditeurs

Le monde de l'édition contient tous les ingrédients requis pour que la rivalité entre les concurrents soit très vive. En effet, le marché du livre est étroit, le nombre d'éditeurs est élevé, il y a peu de barrières à l'entrée du secteur, il y a des produits substituts qui sont facilement accessibles et peu coûteux lorsqu'ils ne sont pas gratuits, l'offre de livres excède de beaucoup la demande, le bassin d'auteurs est petit et les marges bénéficiaires des éditeurs sont plutôt minces. Sous ce regard, le nouvel arrivant ne peut que

[1] Voir: Porter, M., *Choix stratégique et concurrence,* Paris: Économica, 1982.

redouter la concurrence. Pourtant, l'intensité de la rivalité dans le secteur de l'édition du livre ne réduit pas pour autant à néant les occasions d'affaires. En effet, malgré la concurrence, il y a toujours de la place pour de nouveaux éditeurs qui sauront discerner des occasions peu exploitées, voire ignorées.

Les éditeurs

Une première façon d'aborder le monde de l'édition est de bien distinguer les éditeurs agréés de ceux qui ne le sont pas[2]. Cette distinction a son importance, car le statut d'éditeur agréé permet d'avoir accès aux différents programmes gouvernementaux de subventions à l'édition, facilite l'accès aux réseaux de distribution, permet de pénétrer les réseaux de librairies et, d'une certaine façon, l'agrément est le signe de la viabilité et de la légitimité de l'éditeur[3]. Pour obtenir le statut d'éditeur agréé au Québec, les éditeurs doivent être la propriété d'un citoyen canadien qui réside au Québec, avoir publié au moins cinq titres d'auteurs québécois et avoir édité au moins trois auteurs différents[4]. C'est donc dire que d'une certaine façon, les éditeurs agréés sont les éditeurs les plus viables et les plus légitimes du secteur de l'édition puisqu'ils ont passé l'épreuve du temps et compte sur un catalogue appréciable de titres et d'auteurs.

Selon, le *Programme d'aide au développement de l'industrie de l'édition* (PADIÉ), en 2005-2006, il y avait un total de 1,222 éditeurs au Canada, dont 222 avaient le statut d'éditeurs agréés[5]. Comme en témoigne le tableau 24.1, les 222 éditeurs agréés ont édité plus de 6 000 livres qui ont généré des revenus de 686 millions de dollars et des profits de plus de 24 millions de dollars.

[2] Ici, il est important de noter que les données relatives à l'industrie de l'édition publiées par les organismes gouvernementaux portent toujours sur les éditeurs agréés.

[3] Il n'y a pas que les éditeurs qui se distinguent par leur statut d'agréé. En effet, dans le secteur de l'édition, il existe aussi des agréments pour les distributeurs et les libraires. Ce fait est important, car certains distributeurs et libraires agréés n'acceptent de faire affaire qu'avec des éditeurs agréés.

[4] Voir: «Les conditions d'agréments», Site Internet du Ministère de la Culture, des Communications et de la Condition féminine, www. mcccf.gouv.qc.ca.

[5] Voir: Programme d'aide au développement de l'industrie de l'édition (PADIÉ), *Rapport annuel, 2005-2006.*

Tableau 24.1
Les éditeurs agréés au Canada
2005-2006

ÉDITEURS AGRÉÉS	NOMBRE	TITRES ÉDITÉS	REVENUS (en million)	BÉNÉFICES (marge de 3,6%)
FRANCOPHONES	100	2 703	310$	11 160 000$
ANGLOPHONES	122	3 297	376$	13 540 000$
TOTAL	222	6 000	686$	24 696 000$

Source: Programme d'aide au développement de l'industrie de l'édition (PADIÉ), *Rapport annuel, 2005-2006.*

À partir de ces données et en considérant que, pour l'essentiel, les éditeurs francophones diffusent leurs livres au Québec, c'est donc dire que le secteur québécois de l'édition du livre francophone comprend 100 éditeurs agréés qui, en 2005-2006, ont publié 2 703 livres et qui se sont partagés 310 millions de dollars en revenu et un peu plus de 11 millions de dollars en bénéfice. Bien que les éditeurs agréés puissent être considérés comme étant les joueurs les plus viables et les plus légitimes du secteur, il ne faut pas pour autant négliger les éditeurs non agréés puisqu'ils représentent une menace potentielle pour les éditeurs établis et grugent les parts de marché des éditeurs agréés. Ces éditeurs non agréés qui regroupent essentiellement les nouveaux venus dans le secteur, les très petits éditeurs et les éditeurs occasionnels représentaient d'ailleurs en 2000-2001 40% du total des éditeurs québécois et contribuaient à l'édition de 31% des livres.

Tableau 24.2
Les éditeurs au Québec[6]
2000-2001

ÉDITEURS	NOMBRE	%	TITRES ÉDITÉS	%
AGRÉÉS	143	60%	3 466	69%
NON AGRÉÉS	94	40%	1 536	31%
TOTAL	237	100%	5002	100%

[6] Il est à noter que le nombre d'éditeurs agréés recensé par l'observatoire de la culture et des communications du Québec (OCCQ) diffère de celui produit par Programme d'aide au développement de l'industrie de l'édition (PADIÉ) évoqué dans le tableau. Cette différence, 100 éditeurs (PADIÉ) vs 143(OCCQ), s'explique principalement par l'année de référence, mais aussi par le fait que les données de l'OCCQ comprennent également les éditeurs québécois anglophones.

La spécialisation éditoriale

Une seconde façon d'aborder le monde de l'édition consiste à prendre en considération la spécialisation éditoriale de l'éditeur. L'étiquette de «spécialisation éditoriale» désigne, dans le monde de l'édition, le segment de marché privilégié par l'éditeur. Sous ce regard, nous pouvons distinguer quatre catégories d'éditeurs, soit les éditeurs scolaires, les éditeurs de livres destinés à la jeunesse, les éditeurs généralistes et les autres éditeurs. Cette dernière catégorie regroupe, selon l'Observatoire de la culture et des communications du Québec (OCCQ), les éditeurs de livres savants, d'ouvrages de référence et les livres professionnels et techniques. Cette dernière catégorie a son importance puisque nombre de livres de gestion sont édités par ces «autres». En 2000-2001, selon l'OCCQ, il s'est publié un total de 5 002 livres et ce sont les éditeurs généralistes qui sont les plus importants en comptant pour 40% de la production totale de livres.

Tableau 24.3
Les spécialisations des éditeurs au Québec
2000-2001

SPÉCIALISATIONS	TITRES ÉDITÉS	%	TITRES DES ÉDITEURS AGRÉÉS	%	TITRES DES ÉDITEURS NON AGRÉÉS	%
SCOLAIRE	1 197	24%	862	25%	335	22%
JEUNESSE	1 180	24%	686	20%	494	32%
GÉNÉRAL	1 999	40%	1570	45%	429	28%
AUTRES	627	13%	349	10%	278	18%
TOTAL	5 002	100%	3 466	100%	1536	100%

Source: construit à partir des données de l'Observatoire de la culture et des communications du Québec, *État des lieux du livre et des bibliothèques*, Sainte-Foy: Institut de la statistique du Québec, Gouvernement du Québec, 2004.

Par ailleurs, selon la SODEC, qui à la différence de l'OCCQ, recense le nombre d'éditeurs par spécialisation, en 1998, 66% des éditeurs agréés du Québec étaient généralistes et produisaient 57% des nouveaux livres[7].

[7] Selon Marc Ménard, économiste de la SODEC, en 2002, il y aurait un total de 158 éditeurs agréés. Toutefois, le découpage selon les spécialisations éditoriales pour l'année 2002 n'est pas disponible. Voir: Ménard, Marc, *Le marché du livre au Québec,* SODEC, 2002, présentation *Powerpoint.*

Tableau 24.4
Les spécialisations des éditeurs agréés au Québec[8]
1998

SPÉCIALISATION	NOMBRE	%	TITRES ÉDITÉS	%	TIRAGE MOYEN
SCOLAIRE	27	24%	707	25%	2 816
JEUNESSE	11	10%	523	18%	5 344
GÉNÉRAL	75	66%	1599	57%	2 154
TOTAL	113	100%	2829	100%	

Ménard, M. *Les chiffres des mots,* SODEC, Gouvernement du Québec, 2001.

En croisant les données de la SODEC avec celles de l'OCCQ, nous pouvons alors dresser un plus juste portrait des spécialisations des éditeurs québécois. En effet, puisque selon l'OCCQ, 40% des éditeurs sont non agréés, il donc possible de doubler le tableau précédent de façon à y inclure, sur la base de ce pourcentage, le nombre estimé des éditeurs non agréés.

Tableau 24.5
Les spécialisations
des éditeurs au Québec[9]

SPÉCIALISATION	NOMBRE D'ÉDITEURS AGRÉÉS	NOMBRE D'ÉDITEURS NON AGRÉÉS	NOMBRE TOTAL D'ÉDITEURS	TIRAGE MOYEN
SCOLAIRE	27	18	45	2 816
JEUNESSE	11	7	18	5 344
GÉNÉRAL	75	50	125	2 154
TOTAL	113	75	185	

Le découpage selon les spécialisations éditoriales est intéressant, puisque l'édition du livre de gestion oscille, selon la classification de la SODEC, entre deux spécialisations, soit la spécialisation scolaire lorsqu'il s'agit

[8] Dans cette classification de la SODEC, la spécialisation généraliste comprend ce que l'OCCQ désigne par la catégorie «autres».

[9] Construit à partir des données de l'Observatoire de la culture et des communications du Québec, *État des lieux du livre et des bibliothèques*, Sainte-Foy: Institut de la statistique du Québec, Gouvernement du Québec, 2004 et de Marc Ménard, *Les chiffres des mots,* SODEC, Gouvernement du Québec, 2001. Ici il faut noter que le nombre d'éditeurs non agréés est une estimation construite sur la base des données de l'OCCQ.

d'éditer des manuels et des livres théoriques en gestion utilisés dans les CÉGEPS et les universités et la spécialisation généraliste sous la forme d'ouvrages pratiques en gestion destinés aux gestionnaires. Il faut aussi noter que dans les deux spécialisations dans lesquelles se retrouvent les éditeurs en gestion, les tirages moyens par titre publié sont relativement faibles. Ces faibles tirages témoignent de l'étroitesse du marché québécois, mais cela peut se traduire par un accroissement de l'intensité de la rivalité entre les éditeurs qui, pour chaque titre édité, ne peuvent escompter que de faibles bénéfices.

Les spécialisations éditoriales des éditeurs généralistes

Il est possible de raffiner encore davantage le portrait des éditeurs en mettant au jour les spécialisations éditoriales des éditeurs généralistes. En effet, la spécialisation généraliste est, en quelque sorte, un fourre-tout dans lequel se trouvent des éditeurs qui publient des livres en tout genre, mais aussi des éditeurs spécialisés en littérature, en livres pratiques, en art, etc. Au Québec, il n'existe pas de classement selon les spécialisations et il faut donc les estimer. Ces estimations sont possibles si nous prenons l'exemple du marché de la France. Ainsi, comme l'illustre la figure 24.1, il est possible d'identifier une grande variété de segments de marché, segments auxquels peuvent correspondre des spécialisations d'éditeurs ou alors des sous-spécialisations qui pourront prendre la forme de collections au sein d'une même maison d'édition.

Figure 24.1
Les segments de marché en France
2003

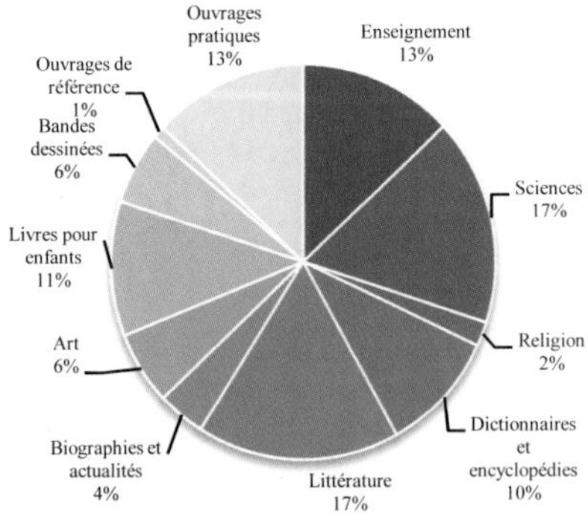

Ouvrages pratiques 13%
Enseignement 13%
Sciences 17%
Religion 2%
Dictionnaires et encyclopédies 10%
Littérature 17%
Biographies et actualités 4%
Art 6%
Livres pour enfants 11%
Bandes dessinées 6%
Ouvrages de référence 1%

Source: Syndicat national de l'édition, France, 2003

À partir des données du marché français, nous pouvons estimer que les éditeurs généralistes se distinguent les uns des autres par l'accent qu'ils mettent à conquérir l'un ou l'autre des segments du marché autre que les segments jeunesse ou scolaire. En transposant les données du marché français au contexte québécois et en les combinant aux données du tableau 24.4 sur les spécialisations, il est alors possible d'estimer le poids relatif des sous-spécialisations des éditeurs généralistes.

Tableau 24.6
Estimation du nombre de titres édités par spécialisation[10]

SPÉCIALISATION	% DE PART DE MARCHÉ	ESTIMATION DU NOMBRE DE TITRES ÉDITÉS N=1599
OUVRAGES PRATIQUES	13	208
SCIENCES	17	272
RELIGION	2	32
DICTIONNAIRES ET ENCYCLOPÉDIES	10	160
LITTÉRATURE	17	272
BIOGRAPHIE ET ACTUALITÉS	4	64
ART	6	96
BANDES DESSINÉES	6	96
OUVRAGE DE RÉFÉRENCE	1	16

Ces estimations, même s'il s'agit de grossières approximations, sont précieuses, car le monde de l'édition du livre de gestion, par la publication de livres destinés aux gestionnaires, s'inscrit dans la spécialisation généraliste et contribue à l'important segment de l'édition des ouvrages pratiques. Cela dit, cette sous-spécialisation est encore trop floue et il faut pousser encore plus loin l'exploration des spécialisations. En effet, la catégorie des ouvrages pratiques regroupe une diversité de champ d'intérêt et il est important d'estimer la part relative des livres de gestion dans cette catégorie. Encore une fois, il n'existe pas de données aussi fines et il faut donc tenter d'estimer cette part relative. Une visite dans un *Renaud-Bray* et une autre dans une succursale *Archambault* permet de constater que les ouvrages pratiques se divisent en quatre grands segments, soit les livres de cuisine, les livres de voyage, les livres de développement personnel et les livres de gestion des affaires[11]. En fonction de la superficie occupée par ces livres, il

[10] Estimations construites sur la base de l'observation en librairie et en fonction de l'édition de 208 livres pratiques en 1998.
[11] Estimations construites sur la base de l'édition de 1 599 livres publiés par les éditeurs généralistes en 1998.

est alors possible d'estimer leur contribution relative au marché du livre pratique.

Tableau 24.7
Estimation du nombre de titres de livres pratiques édités par champ d'intérêt[12]

CHAMP D'INTÉRÊT	% DE PART DE MARCHÉ	ESTIMATION DU NOMBRE DE TITRES ÉDITÉS N=208
CUISINE	25	52
VOYAGE	20	42
DÉVELOPPEMENT PERSONNEL	40	83
GESTION	15	31

En croisant les données du tableau 24.7 avec celles du tableau 24.6, nous pouvons donc conclure que l'édition du livre pratique en gestion compte pour 2% des 1 599 titres que publient les éditeurs généralistes au Québec. Il s'agit donc d'un très petit segment de marché. Toutefois, l'édition de livres pratiques n'est que l'un des deux volets de l'édition des livres en gestion, l'autre, comme nous allons maintenant le voir, étant celui des livres scolaires.

La spécialisation éditoriale en gestion

L'édition de livres de gestion chevauche donc deux spécialisations éditoriales, la spécialisation scolaire (les livres théoriques et les manuels pédagogiques) et la spécialisation généraliste (les livres pratiques). Toutefois, à la lumière du classement des éditeurs aux tableaux 24.4 et 24.5, il ressort que la spécialisation scolaire regroupe en fait deux catégories d'éditeurs, soit les éditeurs universitaires qui publient des livres théoriques et des manuels pédagogiques et les éditeurs qui se concentrent sur l'édition de manuels pédagogiques.

[12] Estimations construites sur la base de l'observation en librairie et en fonction de l'édition de 208 livres pratiques en 1998.

Tableau 24.8
La spécialisation éditoriale
des principaux éditeurs du livre de gestion[13]

ÉDITEURS	LIVRES PRATIQUES	LIVRES THÉORIQUES	MANUELS PÉDAGOGIQUES
GÉNÉRALISTES			
Transcontinental	X		
Les éditions CEC	X		
Les éditions logiques	X		
SCOLAIRES			
Presses de l'Université Laval		X	X
Presses de l'Université du Québec		X	X
Presses de l'Université de Montréal		X	X
Chenelière-éducation			X
Gaëtan Morin (Chenelière)			X
Éditions du renouveau pédagogique			X

Par ailleurs, comme le montre le tableau 24.9, dans la spécialisation du livre pratique, les *Éditions Transcontinental* dominent nettement le marché avec 89% des titres édités pour la période s'échelonnant de 2002-2008.

Tableau 24.9
Nombre de titres édités de 2000 à 2008
par les éditeurs québécois[14]

ÉDITEURS	08	07	06	05	04	03	02	TOTAL	%
GÉNÉRALISTES									
Transcontinental	21	16	20	21	15	16	13	163	89%
Les Éditions Logiques	1	2	2	1	2	0	0	16	8%
Les Éditions CEC	2	3	1		2			5	3%
Total	24	21	23	22	19	16	13	184	
SCOLAIRES									
Chenelière-Éducation	6	11	17	7	5	3	5	65	29%
Presses de l'Université du Québec	8	10	14	7	6			60	27%
Gaëtan Morin	3	5	13	7	4	5	2	54	24%
Presses de l'Université de Montréal	1	1	2	2	4	2	2	19	8%
Éditions du renouveau pédagogique	2	5	6	3				16	7%
Presses de l'Université Laval	1	3	3	3				10	4%
Total	21	35	55	29	19	10	9	224	100%

[13] Recension et évaluation construites à partir des sites Internet des éditeurs et du catalogue du site Internet de la Coop HEC.
[14] *Idem.*

En ce qui concerne la spécialisation scolaire, ce sont les *Éditions Chenelière* qui dominent avec *Chenelière-Éducation* qui a édité 29% des titres de la période et *Gaëtan-Morin* qui, pour sa part, compte pour 24% de l'ensemble des titres édités depuis 2002. C'est donc dire qu'à lui seul, le groupe *Chenelière,* qui est également propriétaire de *Gaëtan-Morin,* a édité 53% des livres scolaires dans le domaine de la gestion et représente donc très clairement le leader de ce segment de marché. De plus, comme nous l'avons vu, puisque le groupe *Chenelière* se spécialise dans l'édition de manuels pédagogiques et laisse l'édition des livres théoriques aux éditeurs universitaires, sa domination dans l'édition du manuel pédagogique est encore plus nette.

Enfin, au regard de ce bref portrait des éditeurs de livre de gestion au Québec, il est clair que le secteur de l'édition du livre de gestion au Québec est essentiellement le terrain de jeu de géants, avec la présence, d'un côté, de grands groupes commerciaux (*Transcontinental, Chenelière et Québecor*) et, de l'autre, de Presses universitaires.

La situation financière des éditeurs

Si la présence d'un grand nombre d'éditeurs devant se partager un marché étroit donne déjà une bonne indication de l'intensité de la rivalité dans le secteur de l'édition du livre, l'analyse des données financières des éditeurs permet de constater que cette rivalité est d'autant plus féroce que les éditeurs ont, en fait, très peu de marge de manœuvre en termes financiers.

Ainsi, comme on peut le remarquer au tableau 24.10, 29 des 113 éditeurs réputés être les plus viables, soit les éditeurs agréés du Québec ont, en 1998, été déficitaires, soit 25,6% du total des éditeurs agréés. Il ressort également de ce tableau synthèse des résultats financiers des éditeurs agréés que ceux-ci comptent beaucoup sur l'aide gouvernementale pour survivre. En effet, selon la spécialisation éditoriale, les revenus tirés des subventions représentent entre 5,7% et 9,6% du total des revenus des éditeurs. Lorsque nous constatons que la marge bénéficiaire nette oscille entre 0,6% et 7,9% avec une moyenne générale de 4,9%, il est alors facile de comprendre toute l'importance de ces subventions pour la survie même des éditeurs.

Tableau 24.10
État des revenus et dépenses des éditeurs agréés en 1998
(en milliers de dollars et en % des revenus totaux)

REVENUS ET DÉPENSES	ENSEMBLE DES ÉDITEURS AGRÉÉS	SEGMENT SCOLAIRE	SEGMENT JEUNESSE	SEGMENT LITTÉRATURE
Nombre d'entreprises	113	27	11	75
Revenus totaux (en '000$)	184 208,20	80 764,80	21 989,90	81 453,60
Revenus totaux (en '000$)	100,0%	100,0%	100,0%	100,0%
Ventes de livres	82,5%	83,7%	90,4%	79,0%
Subventions	7,8%	5,7%	8,5%	9,6%
Autres revenus	9,8%	10,5%	1,0%	11,4%
Dépenses totales	95,1%	92,2%	99,4%	96,9%
CMV	52,5%	50,6%	60,8%	52,1%
Stocks début	22,5%	26,8%	16,9%	17,7%
Production	43,1%	43,5%	47,7%	40,7%
Droits d'auteur	10,4%	8,8%	12,8%	11,9%
Stocks fin	23,5%	28,5%	16,5%	18,1%
Mise en marché	18,9%	16,2%	18,6%	21,7%
Publicité	2,9%	3,8%	1,6%	2,5%
Frais d'administration	22,4%	24,3%	18,5%	21,6%
Frais financiers	1,2%	1,0%	1,5%	1,3%
Marge bénéficiaire nette	4,9%	7,9%	0,6%	3,1%
Entreprises bénéficiaires	84	24	7	53
Entreprises déficitaires	29	3	4	22

Source: Ménard, M. *Les chiffres des mots,* SODEC, Gouvernement du Québec, 2001, p.151

Toujours à la lumière du tableau 24.10, il est à remarquer que 22,4% des dépenses des éditeurs sont consacrées à l'administration. C'est donc dire que si les éditeurs ne peuvent hausser le prix de leurs livres, ils pourraient accroître leur marge bénéficiaire en réduisant leurs frais d'administration. Une autre façon d'accroître la profitabilité des éditeurs serait de réduire les inventaires. En effet, comme on peut le constater au tableau 24.11 qui décrit le bilan financier des éditeurs, les inventaires comptent pour 33,8% de l'actif à court terme des éditeurs.

Tableau 24.11
Bilan financier des éditeurs agréés en 1998
(en milliers de dollars et en % de l'actif total)

BILAN	ENSEMBLE DES ÉDITEURS AGRÉÉS	SEGMENT SCOLAIRE	SEGMENT JEUNESSE	SEGMENT LITTÉRATURE
Nombre d'entreprises	113	27	11	75
Actif total	136 423,3	57 678,2	14 068,5	64 676,6
Actif à court terme	75,9%	80,1%	86,4%	69,9%
Encaisse	9,6%	9,1%	8,1%	10,4%
Comptes clients	17,9%	16,8%	27,5%	16,9%
Stocks	33,8%	38,3%	43,5%	27,7%
Autres	14,5%	15,9%	7,3%	14,9%
Frais payés d'avance	1,8%	2,5%	1,9%	1,0%
Actif à long terme	24,1%	19,9%	13,6%	30,1%
Immobilisations	9,6%	9,4%	9,9%	9,6%
Autres	14,6%	10,5%	3,7%	20,5%
Passif à court terme	49,5%	45,3%	73,5%	48,0%
Emprunts bancaires	12,6%	5,5%	21,0%	17,1%
Comptes fournisseurs	26,7%	29,4%	43,8%	20,6%
Avances	1,5%	2,5%	0,6%	0,8%
Subventions	0,3%	0,0%	0,8%	0,4%
Portion dette à long terme	1,8%	1,2%	1,7%	2,3%
Autres	6,6%	6,6%	5,8%	6,7%
Passif à long terme	12,4%	12,5%	11,9%	12,3%
Dettes à long terme	8,1%	6,4%	9,6%	9,2%
Autres	4,3%	6,1%	2,3%	3,1%
Passif total	61,8%	57,8%	85,5%	60,3%
Avoir des actionnaires	38,2%	42,2%	14,5%	39,7%
Capital action	10,0%	13,2%	8,9%	7,4%
Bénéfices non répartis	26,6%	29,0%	5,7%	29,0%

Source: Ménard, M. *Les chiffres des mots,* SODEC, Gouvernement du Québec, 2001, p.151

Le secteur de l'édition du livre est donc animé par une forte dynamique concurrentielle du fait du très grand nombre d'éditeurs et de l'étroitesse du marché. De plus, la marge de manœuvre des éditeurs est restreinte au regard même de leur faible marge bénéficiaire. Dans un tel contexte, le nouvel arrivant peut s'attendre à devoir rapidement affronter une concurrence féroce. En fait, elle le sera d'autant plus dans le segment du livre de gestion que ce segment est dominé par de très gros joueurs privés et universitaires.

Les fournisseurs: les auteurs et les imprimeurs

L'industrie du livre compte sur deux principaux groupes de fournisseurs, soit les auteurs et les imprimeurs. Alors que les premiers fournissent le contenu qui sera finalement édité sous forme de livre, les seconds assurent sa matérialité. Ces fournisseurs pèsent très lourd dans l'équation financière des éditeurs. En effet, les imprimeurs représentent en moyenne 43,1% des coûts engagés par les éditeurs pour produire un livre et les auteurs représentent en droits d'auteur, 10,4% des coûts totaux. C'est donc dire que combinés, les imprimeurs et les auteurs représentent, en moyenne, 53,5% des coûts totaux des éditeurs.

Les auteurs

Dans l'industrie de l'édition du livre, les auteurs ont un statut très particulier. Ils sont les fournisseurs du contenu, mais ils demeurent les propriétaires de leur contenu. En effet, les auteurs cèdent la commercialisation de leurs idées à des éditeurs en échange de droits d'auteur, mais ils restent toujours les propriétaires de leurs idées. Cela dit, les auteurs peuvent aussi être une image de marque qui fait vendre les livres. C'est notamment le cas des auteurs renommés dont le nom est toujours signe de ventes garanties. En fait, les auteurs peuvent même contribuer à l'image de marque de l'éditeur. C'est tout particulièrement le cas dans l'industrie du livre de gestion où on constate que certains éditeurs se spécialisent dans la publication d'auteurs universitaires alors que d'autres misent plutôt sur des consultants et des journalistes d'affaires. Toutefois, comme on peut le constater au tableau 24.12, tous les éditeurs scolaires misent sur des auteurs qui sont aussi des universitaires. Cela s'explique par le fait que le marché scolaire en est un captif et l'éditeur qui veut pénétrer ce marché doit s'en remettre à des universitaires qui seront ses auteurs.

Tableau 24.12
Les auteurs selon les éditeurs

ÉDITEURS	PRINCIPAUX AUTEURS
GÉNÉRALISTES	
Transcontinental	Journalistes, consultants, universitaires
Les Éditions CEC	Journalistes
Les Éditions Logiques	Journalistes
SCOLAIRES	
Presses de l'Université Laval	Universitaires
Presses de l'Université du Québec	Universitaires
Presses de l'Université de Montréal	Universitaires
Chenelière-Éducation	Universitaires
Gaëtan Morin	Universitaires
Éditions du renouveau pédagogique	Universitaires

Il ressort également de ce tableau que l'éditeur québécois qui domine le marché du livre pratique, *Les Éditions Transcontinental*, se démarque des autres éditeurs de livres pratiques en éditant autant des universitaires que des journalistes d'affaires et des consultants. Cette stratégie permet alors aux *Éditions Transcontinental* d'avoir accès au marché captif que forment les étudiants des écoles de commerce. En effet, selon la logique évoquée plus haut, les professeurs peuvent recommander l'achat de leur livre aux étudiants, même si celui-ci est plus pratique que théorique ou pédagogique.

Par ailleurs, au Québec, les éditeurs ne peuvent compter que sur un très faible bassin d'auteurs qui sont des universitaires. En fait, comme on peut le voir au tableau 24.13, le bassin total d'auteurs potentiels issus du monde universitaire est de 833 et les deux plus gros contingents se trouvent du côté du management et de la comptabilité. Il ressort également de ce tableau que la majorité des auteurs potentiels œuvre à Montréal, soit à HEC Montréal et à l'ESG de l'UQAM.

Tableau 24.13
Le bassin d'auteurs-universitaires
potentiels au Québec[15]

SPÉCIALITÉS	HEC	ESG UQAM	FSA LAVAL	SHER-BROOKE	RÉSEAU DE L'UQ	TOTAL	%
MANAGEMENT-GRH-GOL	94	102	58	21	59	334	40%
COMPTABILITÉ	39	41	17	20	39	159	19%
ÉCONOMIE	40	35	-	14	23	112	14%
FINANCE	26	14	12	14	10	76	9%
MARKETING	25	15	14	7	15	76	9%
MQ-TI	44	-	11	16	5	76	9%
TOTAL	268	207	112	92	154	833	100%
POURCENTAGE	32%	25%	13%	11%	18%	100%	

Au regard du faible bassin d'auteurs-universitaires et en considérant qu'ils sont des joueurs décisifs dans la vente de livres, il est clair que les éditeurs sont non seulement en concurrence pour gagner des parts de marché, mais ils le sont surtout pour convaincre les professeurs d'université d'éditer chez eux leurs livres, car ce sont les professeurs qui induisent la demande.

[15] Données construites à partir des sites Internet des universités et complétées par des appels téléphoniques

Les imprimeurs

Si le bassin des fournisseurs de contenu est relativement restreint au Québec, c'est tout le contraire en ce qui concerne le bassin des imprimeurs. En effet, il y a actuellement au Québec 1 429 imprimeurs[16]. Ces imprimeurs se regroupent en trois catégories, soit les imprimeurs de grandes tailles qui offrent à leurs clients toute la gamme des procédés d'impression, les imprimeurs de taille moyenne qui offrent des impressions offset et laser et, enfin, les petits imprimeurs qui offrent des services d'impression à jet d'encre et laser. Les petits imprimeurs, ceux qui comptent 20 employés ou moins, représentent 75% du total des imprimeurs.

Actuellement, les éditeurs ne peuvent faire imprimer leurs livres chez les petits imprimeurs, car la plupart d'entre eux n'offrent pas le procédé offset. Cela dit, selon une récente étude du secteur de l'imprimerie, de plus en plus d'imprimeurs se tournent vers la technologie numérique et à terme, il sera possible d'éditer numériquement les livres et, cela à faible coût[17]. Plusieurs petits imprimeurs pourront alors offrir leurs services aux éditeurs ce qui aura pour effet d'abaisser les coûts d'impression. De plus, lorsqu'il sera possible et abordable d'éditer numériquement les livres, les éditeurs pourront imprimer de plus petits tirages, ce qui abaissera d'autant leurs coûts de production en plus de diminuer le risque que représentent de gros tirages.

Par ailleurs, il y a au Québec deux géants de l'imprimerie, soit *Québécor* et *Transcontinental* qui comptent pour 50% de la production du secteur de l'imprimerie. Comme nous l'avons vu, ce sont là deux des géants de l'édition et leur présence dans les deux secteurs montre une nette tendance à l'intégration verticale, ce qui a pour effet de favoriser les éditeurs intégrés qui ont un accès privilégié et concurrentiel aux services d'impression[18]. Cette intégration ne va pas sans compliquer encore davantage la situation des nouveaux éditeurs qui, eux, n'ont pas facilement accès aux gros imprimeurs et aux réseaux de distribution que contrôlent les géants de l'édition.

Les distributeurs: les réseaux et les librairies

Dans le secteur de l'édition du livre, les distributeurs jouent le rôle d'intermédiaires entre les éditeurs et les consommateurs. Il y a, d'une part, les réseaux de distributeurs et, d'autre part, les librairies. Ce sont ces intermédiaires qui assurent la diffusion des livres sur le vaste territoire du Québec.

---

[16] GENDRON, C., *L'état de l'imprimerie au Québec*, publié par le comité sectoriel de main-d'œuvre des communications graphiques du Québec (Emploi Québec), 2007.

[17] *Idem*.

[18] Cela dit, l'intégration ne s'arrête pas là comme le montre l'exemple de *Québecor* qui possède également le réseau de librairies *Archambault*.

Ne pas avoir accès à ces distributeurs équivaut à la faillite. Pour y avoir accès, les éditeurs doivent y mettre le prix et celui-ci se chiffre en pourcentage du prix de vente des livres. Ainsi, les réseaux de distribution exigent généralement 20% du prix de vente d'un livre alors que ce pourcentage se situe entre 30 et 40% dans le cas des libraires. C'est donc dire que plus de 50% du prix de vente d'un livre est directement attribuable aux intermédiaires du secteur. Cela dit, ici, il faut noter que les livres scolaires ne sont généralement pas diffusés par les distributeurs, mais sont directement livrés aux librairies scolaires. Dans le cas des éditeurs scolaires, les intermédiaires ne représentent donc que 30 à 40% du prix de vente des livres.

Dans l'industrie du livre, les distributeurs tiennent un double rôle. D'un côté, ils assurent la diffusion des livres et, de l'autre, ils jouent, auprès des libraires, le rôle de représentant des éditeurs. Selon le Ministère de la Culture, des Communications et de la Condition féminine[19], il y a plus de 48 distributeurs au Québec dont sept sont agréés[20]. Pour l'éditeur du livre pratique de gestion qui est contraint d'avoir recours à des distributeurs pour être diffusé, le choix du distributeur est hautement stratégique puisque c'est ce dernier qui lui ouvrira les portes de son réseau de librairies. Cela dit, l'éditeur peut se heurter à la dynamique d'intégration verticale qui caractérise l'industrie. En effet, *Québecor* possède l'un des principaux réseaux de distribution, *Les Messageries A.D.P.*, et diffuse les livres dans le réseau des librairies *Archambault* qui appartient également au groupe *Québecor*. Cela tend donc à confirmer que l'industrie du livre en est une dominée par un petit groupe d'entreprises qui ont su intégrer toute la filière du livre.

---

[19] www.mcccf.gouv.qc.ca, «Diffuseurs et distributeurs».

[20] Pour qu'un distributeur soit agréé, il doit remplir certaines conditions, dont être citoyen canadien résidant au Québec, approvisionner les librairies agréées, distribuer des livres québécois, s'assurer de la diffusion et de la rotation des stocks de livres, fournir des services d'entreposage et garantir des moyens logistiques efficaces et rapides. Voir: «Les conditions d'agréments», Site Internet du Ministère de la Culture, des Communications et de la Condition féminine, www. mcccf.gouv.qc.ca.

Tableau 24.14
Les principaux distributeurs au Québec

DISTRIBUTEURS	CARACTÉRISTIQUES
LES MESSAGERIES ADP (QUÉBÉCOR MÉDIA)	▫ Entreprise québécoise ▫ Éditeurs distribués: + de 160 ▫ Segments: tous ▫ Librairies: toutes ▫ Grandes surfaces et grande visibilité chez *Archambault*
SOCADIS	▫ Groupe français regroupant 7 entreprises de distribution ▫ Segments: tous, mais se spécialise dans la distribution des livres des éditeurs français ▫ Librairies: toutes
DIMEDIA	▫ Entreprise française ▫ Éditeurs: + de 150, la plupart européens ▫ Domaines: tous ▫ Librairies: grandes chaînes québécoises et françaises
PROLOGUE	▫ Entreprise québécoise ▫ Éditeurs distribués: + de 170 ▫ Segments: arts, affaires et sciences ▫ Librairies: grandes surfaces et spécialistes au Québec. Musées et galeries d'art
AMAZON.CA	▫ Entreprise virtuelle ▫ Éditeurs distribués: plusieurs milliers ▫ Domaines: tous ▫ Librairies: aucune

Enfin, la librairie est l'avant-dernier maillon de la filière du livre, juste avant le consommateur. En 2008, le Ministère de la Culture, des Communications et de la Condition féminine recensait plus de 500 librairies au Québec, dont 220 étaient agréés[21]. L'agrément des librairies est soumis à plusieurs conditions, dont celui de posséder un inventaire de plus de 6 000 titres ou celui de recevoir les livres d'au moins 25 éditeurs agréés. Tout comme les éditeurs et les distributeurs, c'est en fonction de l'agrément que la librairie pourra recevoir une subvention du gouvernement. Pour un éditeur de livres d'affaires, il est important d'identifier les librairies spéciali-

[21] Voir: «Les conditions d'agréments», Site Internet du Ministère de la Culture, des Communications et de la Condition féminine, www. mcccf.gouv.qc.ca.

sées dans le livre d'affaires[22] de façon à faire affaires avec un distributeur qui rejoint ces librairies. *Les Messageries A.D.P.* seraient précisément ce distributeur.

Par ailleurs, comme on peut le constater au tableau 24.15, de 2002 à 2003, la vente de livres en librairie n'a pas cessé de croître, passant de 61% du total des ventes de livres en 2001 à 63,4% pour l'année 2003.

Tableau 24.15
Répartition des ventes de livres par canal de distribution[23]

VENTES	2001		2002		2003	
	M$	%	M$	%	M$	%
VENTES TOTALES	616,2	100,0	647,2	100,0	660,3	100,0
ÉDITEURS	108,2	17,6	111,7	17,3	110,8	16,8
DISTRIBUTEURS	28,4	4,6	32,0	4,9	37,0	5,6
COMMERCES DE DÉTAIL	479,6	77,8	503,5	77,8	513,1	77,7
LIBRAIRIES	377,7	61,3	409,8	63,3	418,4	63,4
GRANDE DIFFUSION	101,9	16,5	93,7	14,5	94,7	14,3

Ce que ne dit pas ce tableau, c'est que tout comme les distributeurs et les éditeurs, les librairies sont elles aussi animées par une logique marchande et, peu à peu, elles se donnent des allures de magasins à grande à surface. De plus, puisque les éditeurs publient de plus en plus de livres, c'est dans l'intérêt des libraires d'avoir, en inventaire, le plus de choix possible. Cependant, qui dit inventaire et transformation en magasin à grande surface, dit aussi investissement. C'est donc sans surprise que nous assistons de plus en plus à l'insertion des librairies dans une chaîne d'intégration verticale de façon à pouvoir ainsi compter sur les ressources financières nécessaires à leur développement. C'est notamment le cas de la chaîne de librairies *Archambault* qui appartient au groupe *Québécor*. Ainsi, *Québécor* qui compte 11 400 employés au Québec possède tous les pôles de la filière du livre en misant sur sa filiale Québécor Media (culture) et *Québécor World* (imprimerie). Alors que *Québécor Media* possède quatorze maisons

[22] Il y a entre 50 et 60 librairies spécialisées dans le livre d'affaires au Québec, la plupart étant situées à Montréal et à Québec.

[23] Observatoire de la culture et des communications du Québec, *État des lieux du livre et des bibliothèques*, Sainte-Foy: Institut de la statistique du Québec, Gouvernement du Québec, 2004.

d'édition (dont *Les Éditions Québécor, Les Éditions de l'Homme, VLB éditeur, Les Éditions du Trécarré*, etc.). Pour imprimer les livres de ses éditeurs, *Québécor Media* laisse la tâche à sa filiale fraternelle *Québécor World*. Une fois imprimés, les livres sont alors diffusés et distribués par *Les Messageries A.D.P.* (propriété de *Québécor Media* et distributeur dominant au Québec). Enfin, *Québécor Media* peut compter sur une autre de ses entreprises, le *Groupe Archambault*, pour bien mettre en marché ses livres! Rares sont les entreprises qui contrôlent ainsi tous les pôles. Cependant, il n'est pas rare de voir des maisons d'édition, comme *Gallimard* et *Flammarion*, acquérir des entreprises de distribution en espérant, rentabiliser à long terme le 20% de commission laissé au distributeur.

Encore une fois, mais à un autre maillon de la filière du livre, le nouvel éditeur se retrouve face aux géants d'une industrie qui apparaît de plus en plus concentrée. Pas moyen d'y échapper, car, comme l'illustre l'exemple de *Québécor*, les géants de l'industrie se retrouvent partout et tentent d'imposer leurs choix et leurs façons de faire.

Les consommateurs: le marché du livre

Dernier maillon de la filière du livre, les consommateurs sont au centre du marché du livre, là où l'offre des éditeurs rencontre la demande des consommateurs. Ces consommateurs sont particulièrement choyés puisque l'offre du livre excède la demande, ce qui a pour effet de maintenir les prix à un très bas niveau[24]. Le marché global du livre est tout de même en progression. Ainsi, de 1987 à 2002, les ventes de livres au Québec ont progressé de telle sorte qu'en 1987 elles représentaient un chiffre d'affaires de 360 millions de dollars pour atteindre, en 2002, un sommet avec des ventes de 653 millions de dollars[25].

Par ailleurs, s'il y a une nette progression du marché du livre, elle s'accompagne, comme en témoigne le tableau 24.16, d'une croissance fulgurante de l'offre du livre.

---

[24] Voir: Observatoire de la culture et des communications du Québec, *État des lieux du livre et des bibliothèques*, Sainte-Foy: Institut de la statistique du Québec, Gouvernement du Québec, 2004.
[25] Ménard, M., *Le marché du livre au Québec,* SODEC, 2002, présentation *Powerpoint*.

Tableau 24.16
Évolution de l'offre du livre
1972-2002[26]

ANNÉES	TITRES	EXEMPLAIRES	TIRAGES MOYENS	TITRES PAR 100 000 HABITANTS	EXEMPLAIRES PAR HABITANT
1972	1889	7377	3905	31	1,2
1973	2058	7177	3487	33	1,2
1974	2174	7410	3408	35	1,2
1975	1779	5321	2991	28	0,8
1976	2446	8986	3674	38	1,4
1977	2473	6912	2795	38	1,1
1978	2829	8586	3035	44	1,3
1979	3128	9761	3121	48	1,5
1980	3464	12288	3547	53	1,9
1981	4232	12598	2977	65	1,9
1982	4336	12777	2947	66	1,9
1983	3852	9768	2536	58	1,5
1984	4332	10933	2524	65	1,6
1985	3913	9629	2461	59	1,4
1986	4390	8490	1934	65	1,3
1987	4219	9479	2247	62	1,4
1988	4532	10468	2310	66	1,5
1989	5207	10320	1982	75	1,5
1990	4876	10151	2082	70	1,4
1991	4900	10842	2213	69	1,5
1992	5456	15402	2823	77	2,2
1993	5614	18670	3326	78	2,6
1994	6049	20698	3422	84	2,9
1995	5726	13871	2422	79	1,9
1996	6008	13625	2268	83	1,9
1997	5842	11574	1981	80	1,6
1998	5968	10191	1708	81	1,4
1999	5755	9536	1657	78	1,3
2000	6041	9999	1655	82	1,4
2001	6127	10670	1741	83	1,4
2002	6000	10294	1716	81	1,4

[26] Construit à partir des données de l'Observatoire de la culture et des communications du Québec, *État des lieux du livre et des bibliothèques*, Sainte-Foy: Institut de la statistique du Québec, Gouvernement du Québec, 2004, p.120

Ainsi, sur une période de 30 ans, l'offre de titres est, de manière générale, en croissance. Cependant, au cours de la même période, les habitudes de consommation sont demeurées relativement stables. En effet, alors qu'en 1972, les Québécois se procuraient en moyenne, 1,2 livre par année, ils ne s'en procuraient que 1,4 en 2002. Cette stabilité dans les habitudes de consommation s'est donc accompagnée par une intensification de la rivalité entre les éditeurs, par une relative stagnation du prix des livres et par une diminution du tirage moyen des nouveautés[27]. Si l'abaissement du tirage moyen a eu pour effet de diminuer le niveau de risque pris par les éditeurs, la relative stagnation des prix a eu pour effet de fragiliser leur rentabilité, d'autant que, comme l'illustre la figure 24.2, les revenus que l'éditeur tire de la vente d'un livre ne s'élèvent qu'à 8% du prix du livre.

Figure 24.2
Partage des revenus du livre

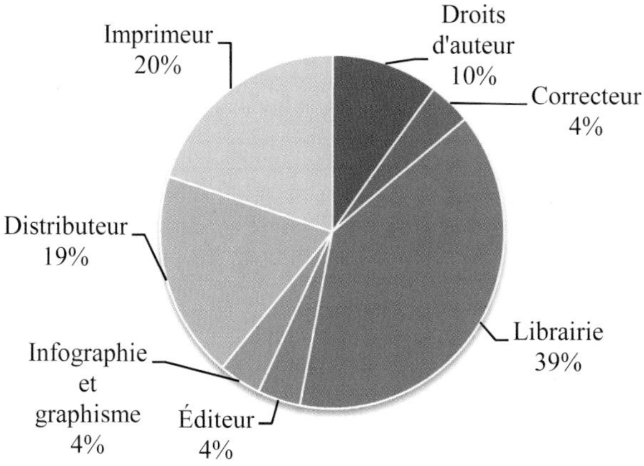

Le marché du livre de gestion

Au Québec, il n'existe pas de statistiques relatives à la consommation du livre de gestion et il faut donc s'en remettre à des estimations. Ainsi, en reprenant la recension du nombre de titres du segment du livre de gestion utilisé dans la première section de cette note sectorielle, il est alors possible d'estimer l'offre du livre de gestion selon le segment visé et les revenus totaux de l'industrie.

[27] Selon Marc Ménard, en 2002, les Québécois investissaient, en moyenne, 88$ par année dans l'achat de livre. Ménard, M., *Le marché du livre au Québec,* SODEC, 2002, p.8.

Tableau 24.17
L'industrie du livre de gestion en 2008[28]

ÉDITEURS	TITRES	TIRAGE	REVENUS
GÉNÉRALISTES			
Transcontinental	21	45 234	1 221 318$
Les Éditions Logiques	1	2 154	58 158$
Les Éditions CEC	2	4 308	116 316$
Total	25	53 850	1 453 950$
SCOLAIRES			
Chenelière-Éducation	6	16 896	760 320$
Presses de l'Université du Québec	8	22 528	1 013 76$
Gaëtan Morin	3	8 448	380 160$
Presses de l'Université de Montréal	1	2 816	126 720$
Éditions du renouveau pédagogique	2	5 632	253 440$
Presses de l'Université Laval	1	2 816	126 720$
Total	21	59 136	2 661 120$

Pour l'année en cours, l'industrie du livre de gestion génère des revenus de 4 115 070$, soit 1 453 950$ pour le segment des livres pratiques et 2 661 120$ pour les livres scolaires. Cela dit, à l'image du marché global du livre, dans le segment du livre pratique, les consommateurs, peu nombreux et consacrant, en moyenne, 88$ par année à l'achat de livre, sont les grands gagnants puisque l'offre excède la demande.

Le marché du livre universitaire et des formations professionnelles

Le marché universitaire en gestion est constitué de 52 431 étudiants qui achètent, en moyenne, pour 50$ de livre par cours pour un total de 26 millions de dollars.

[28] Estimations fondées sur l'observation des prix en librairie en 2008 qui sont de 27$, en moyenne, pour les livres pratiques et de 45$, en moyenne, pour les livres scolaires. De plus, les tirages sont estimés à partir des tirages moyens du marché du livre, soit un tirage moyen de 2 154 pour les livres pratiques et 2 816 pour les livres scolaires.

Tableau 24.18
Répartition des étudiants en gestion
selon les établissements en 2008

ETABLISSEMENTS	1ER CYCLE	2E CYCLE	3E CYCLE	TOTAL	%
HEC ET UdM	10262	3484	202	13948	27%
ESG-UQAM	9615	1909	109	11633	22%
LAVAL	4198	2852	124	7174	14%
SHERBROOKE	1617	2419	131	4167	8%
RÉSEAU DE L'UQ	11037	4390	82	15509	29%
TOTAL	36729	15054	648	52431	100%
%	70%	29%	1%	100%	

Source: Ministère de l'Éducation du Québec.

Pour sa part, le marché de la formation professionnelle prend essentiellement la forme de photocopies réunies dans un cahier à anneaux. Cela dit, à chaque année c'est plus de 600 000 personnes qui participent à des formations offertes par les centres universitaires, les Ordres professionnels et les firmes de formation.

Parmi l'ensemble des réseaux de distribution, les centres universitaires occupent une place particulière, car, du fait de leur association à des universités, ils jouissent d'une réputation prestigieuse. D'ailleurs, il est fréquent que les formations dispensées dans les centres universitaires soient, par la suite, reprises par les Ordres professionnels et des firmes privées de formation.

Tableau 24.19
Séminaires en gestion
selon les Centres universitaires en 2008[29]

ECOLE	SÉMINAIRES	NOMBRE DE PARTICIPANTS	%
UQAM	115	2875	51%
HEC	76	1900	34%
LAVAL	35	875	15%
TOTAL	226	5650	100%

[29] Données construites à partir des sites web des centres de formation.

OSER L'INNOVATION

Selon Jean-Sébastien Brière: «C'est sûr qu'une lecture rapide de la dynamique de l'industrie de l'édition du livre au Québec a de quoi refroidir les ardeurs d'un nouvel éditeur. Pourtant, il y a, là, beaucoup d'occasions à saisir, pour peu que l'on sache innover. Parfois, je me dis que suite à des études en gestion, nous avons tendance à voir partout des problèmes insolubles et des mécaniques complexes, là où, en fait, se trouvent des occasions à saisir et des espaces d'innovation. Bien sûr, il faut savoir oser, il faut s'autoriser à penser autrement et à agir autrement. Par exemple, il est hors de question que je construise une entreprise lourde, comme le sont les grands éditeurs qui dominent l'industrie. Pour réussir dans cette industrie, il ne faut surtout pas tenter d'imiter les grands éditeurs. Il faut savoir s'en démarquer et ce n'est certainement pas en devenant un autre gros éditeur qu'il est possible de le faire. Il faut cultiver sa différence, refuser les stratégies qui ont fait le succès des autres, tourner le dos à leurs pratiques et en inventer de nouvelles. Il faut, par exemple, miser sur une gestion en *juste-à-temps*, faire le pari de la qualité, toujours rechercher la flexibilité, être à l'écoute et au service des auteurs, développer son propre réseau en mettant à contribution tous ceux et celles en qui nous avons confiance, etc. Surtout, ne jamais perdre de vue la nécessité d'innover et de croître tout en évitant de devenir une entreprise qui investit davantage dans sa gestion et ses infrastructures que dans ses produits et ses innovations. Cela dit, je sais bien que faire le pari de l'innovation n'est pas si simple. De plus, tenter de se démarquer en termes de gestion n'est pas plus simple. D'ailleurs, pour la plupart mes cours de gestion au BAA portaient sur des grandes entreprises et mes professeurs n'avaient très souvent que peu de choses à dire sur la gestion des très petites entreprises. Pour plusieurs, ces entreprises n'en étaient pas vraiment jusqu'au jour où, au terme de leur croissance, elles devenaient respectables et méritaient leur regard.»

«Depuis que j'ai lancé mon entreprise, plusieurs professeurs me demandent comment je l'organise, comment je la structure, combien j'ai d'employés, etc. Lorsque je leur dis que je n'ai pas d'employé, que je suis un opérateur de réseau, que je construis des grappes de production et que toute mon entreprise se trouve dans le grand vide électronique entre les connexions internet des uns et les serveurs des autres, je les sens quelque peu déroutés. Pour eux, ce n'est pas cela une entreprise. Lorsqu'ils comprennent que je mets en réseau plusieurs de mes amis, certains d'entre eux me disent que c'est très risqué de combiner les affaires avec l'amitié. Oui, mes professeurs ont peut-être raison. Ma façon de faire n'a rien d'orthodoxe, mais j'en ai l'intime conviction, pour se tailler une place à l'ombre des géants qui dominent l'industrie, il faut innover. Surtout, c'est, là, une manière de faire qui me stimule et qui motive ceux et celles qui gravitent dans mes réseaux.

Tenez, lors de ma seconde année d'étude, alors que je réalisais un séjour d'étude à l'étranger, j'ai réussi à éditer 3 nouveaux coffrets de formation et j'ai fait l'acquisition d'imprimantes professionnelles qui me permettent d'imprimer de les en *juste-à-temps*. Tout cela à distance, via le réseau électronique. Je sais, cela est déroutant, mais c'est surtout très stimulant.»

«Bien sûr, il ne s'agit pas d'être naïf et de se lancer à l'aveuglette dans un marché que l'on ne connaît pas, mais il ne s'agit pas pour autant d'être aveuglé par les analyses qui, toujours, finissent par paralyser l'action. Il faut savoir saisir le moment et plonger dans l'action. De toute façon, comme le soulignait la responsable de la concentration *entrepreneurship* à HEC Montréal, lorsque nous terminons nos études, nous n'avons que 22 ans, alors pourquoi ne pas tenter l'aventure de la création d'une entreprise? Qu'ai-je à perdre? En fait, j'ai tout à gagner. Cela fait seulement trois ans que j'ai lancé ma maison d'édition et, déjà, j'ai édité 8 coffrets de formation qui se sont écoulés à près de 10 000 exemplaires. De plus, j'ai en poche quelques contrats pour d'autres coffrets.»

«Actuellement, je suis le seul éditeur au Québec à offrir des coffrets de formation. Récemment, un éditeur m'a approché pour m'offrir ses services. Selon lui, une alliance stratégique me permettrait de profiter de son expertise pour réaliser l'édition des coffrets sur lesquels mes réseaux travaillent actuellement. Comme il me disait: *«produire du matériel pédagogique est une opération très complexe, particulièrement pour un petit éditeur qui ne dispose pas de toutes les ressources et de l'expérience requises».* Après quelques minutes de discussion, il a vite compris qu'il y avait d'autres façons de faire que la sienne et que, l'un dans l'autre, c'était peut-être lui qui avait besoin de mon aide. Comme j'ai tenté de lui expliquer, la complexité dans l'édition réside parfois dans les façons de faire traditionnelles et pas vraiment dans l'opération en elle-même. À l'image de certains de mes professeurs, je le sentais perplexe et dérouté: *«Mais tu n'as aucun employé, pas même un local de production!»* En effet, je n'ai pas de local, mais une boîte postale et une adresse électronique et, si je n'ai pas d'employé, j'ai des complices disséminés un peu partout qui aiment travailler librement et de façon très autonome en réseau et qui produisent des coffrets de très haute qualité pour une fraction des coûts de cet éditeur. Pour cet éditeur, comme pour beaucoup de personnes qui baignent depuis toujours dans l'économie traditionnelle, une entreprise cela ne peut pas être un réseau virtuel et flexible dans lequel, au gré des disponibilités des uns et des envies des autres, vient se greffer, le temps d'un projet, une équipe motivée et productive. De plus, ce que n'arrive pas à comprendre cet éditeur, c'est qu'actuellement les lieux de travail sont de plus en plus souvent immatériels et que dans le flot des échanges électroniques, nous sommes très nombreux à nous échanger nos services, à miser sur le troc et l'entraide, à nous donner des conseils pour le simple plaisir de voir l'autre construire son projet. À l'ombre de l'économie traditionnelle, c'est toute une nouvelle façon de faire qui émerge. Ce monde fluide qui mise sur la flexibilité, le plaisir, l'autonomie et une gestion par projet n'a rien de déroutant pour nous, c'est même notre quotidien depuis toujours.»

«Par ailleurs, très bientôt, la plupart de mes coffrets de formation seront en vente sous le format numérique alors que plusieurs éditeurs redoutent encore de prendre ce tournant. À défaut de le prendre, c'est le champ qu'ils vont prendre! Je sais bien que la commercialisation numérique ouvre la porte au piratage. Il n'y a rien à y faire. C'est fou, mais c'est un peu comme si tous les produits culturels devaient être gratuits. Après la musique et les films, c'est maintenant les livres qui sont perçus comme étant des biens publics auxquels chacun devrait avoir accès gratuitement. Pour certains, payer une place de stationnement 12$ pour une journée c'est cher, mais légitime, alors que payer le même montant pour l'achat d'un livre ce ne l'est pas. À titre d'éditeur, je peux m'en désoler, mais je dois surtout composer avec cette réalité et c'est ce que je fais. Avec la numérisation des produits et des échanges, ce sont tous les intermédiaires qui disparaissent. Du coup, je vais pouvoir offrir à un marché mondial mes produits à très faible prix. Finalement, cela n'est pas si mal.»

«C'est certain que je rigole en pensant à tous ceux et celles qui me disaient qu'il n'y avait pas de place pour un joueur de plus dans l'industrie de l'édition. Comme me le dit sans cesse l'un de mes professeurs qui depuis le début de l'aventure m'épaule et me conseille: *il y a toujours de la place pour de nouvelles idées et de nouvelles façons de faire*. Même la gestion peut se réinventer. Tout ce que j'ai appris lors de mon BAA, je peux l'utiliser, mais, toujours, je dois l'adapter à ce que je veux faire, à la réalité des réseaux de production que je tisse. Toutes les habiletés de gestion et tous les modèles que j'ai appris, je les mobilise, mais je le fais en ne perdant jamais de vue que ma petite maison d'édition doit sans cesse innover.»

VERS DE NOUVELLES OCCASIONS À SAISIR

«Au cours de la dernière année, j'ai travaillé sans relâche au développement du marché des coffrets de formation. C'est là un créneau inoccupé et je sens bien que, peu à peu, ma maison d'édition gagne en crédibilité. Cela dit, développer un marché, ce n'est ni simple ni facile. Il faut avoir l'âme d'un vendeur. Il faut savoir cogner aux portes, ne pas prendre ombrage devant un refus et garder l'œil ouvert sur toutes les occasions à saisir. Il faut dire que le marché de la formation professionnelle est immense. En fait, je me rends compte qu'il est beaucoup plus vaste que ce que j'imaginais au départ. En effet, au printemps dernier, j'ai eu à concevoir un coffret de formation destiné à des juges. Jamais, je n'aurais pu imaginer que mes coffrets puissent trouver preneur dans l'univers juridique. L'édition de ce coffret m'a ouvert les yeux sur tout le potentiel du marché des coffrets de formation. Alors que je me concentrais sur les formations en gestion, voilà que s'ouvre devant moi un plus vaste marché, soit celui de toutes les formations professionnelles quelque soit le domaine. Bien sûr, si je décide d'explorer tous les segments de ce marché, je risque de m'éparpiller et de ne pas pouvoir me construire une solide réputation. Toutefois, c'est difficile de tourner le dos à des occasions. Lorsqu'elles passent, il faut savoir les saisir. Il me faudra peut-être embaucher un représentant pour m'aider à la tâche. Ce serait génial de pouvoir compter sur un complice, mais j'aime aussi mon autonomie. J'hésite.»

«Par ailleurs, récemment, un professeur d'université qui avait vu mes coffrets m'a contacté pour l'édition de son manuel pédagogique. Il veut que son livre soit édité dans un très court délai. Là aussi, j'hésite. Bien sûr, j'édite déjà du matériel pédagogique, mais là il s'agit d'éditer un gros manuel pédagogique destiné au marché universitaire. Éditer un tel manuel est une tâche énorme et très risquée. D'un côté, cela implique de pouvoir très rapidement rassembler autour du livre une grosse équipe de production et de l'autre, c'est prendre le risque d'aller jouer sur le terrain des gros joueurs de l'industrie alors que, jusqu'à présent, je m'en étais toujours tenu bien à l'écart d'eux. De plus, juste en coût d'impression et de production, c'est toutes mes économies qui devraient y passer. Le professeur m'assure que son livre pourra être utilisé pendant trois ans, mais même en comptant les économies d'échelle, je ne pourrai pas faire mes frais avant la seconde année d'utilisation du livre. C'est là une belle occasion, mais c'est aussi un gros risque. J'hésite.»

«Je ne suis pas du tout sûr qu'il soit sage de me détourner de mon marché de prédilection. D'ailleurs, selon le professeur qui me conseille depuis les débuts de mon aventure, il serait grandement temps que je dresse un véritable plan stratégique, plutôt que de saisir au vol toutes les occasions qui se présentent à moi. Il a probablement raison. S'il savait qu'actuellement, avec l'un de mes amis, je suis en train de lancer une entreprise de commerce électronique dans un marché qui n'a rien à voir avec le monde de l'édition, j'aurais sûrement droit à un discours sur la nécessité de me concentrer sur ce que je sais faire le mieux. Peut-être. Mais, il y a tant d'occasions à saisir et certaines sont si prometteuses qu'il faut juste faire confiance à la vie et oser les saisir au vol.»

Chapitre 25

ASSURANCES ABC

Luc Bélanger-Martin et Anne Mesny[1]

L'entreprise de courtage en assurance[2] Assurances ABC, située dans la campagne québécoise, existe depuis plus de 50 ans et est dirigée par la même famille depuis trois générations. Charles Bérubé a débuté dans le domaine de l'assurance en 1980 et a repris l'entreprise de son père en 1994 (son père continue de participer de loin à l'activité et donne souvent des conseils à son fils). Le principal vecteur de croissance d'Assurances ABC, ces dernières années, a été l'acquisition d'entreprises, la première en 1996, quand Charles Bérubé achète Les assurances Jean Panier, le plus gros cabinet d'assurances du village. Charles Bérubé se positionne ainsi sur un nouveau marché géographique et amorce son plan de croissance dans la région. Le volume de primes annuelles[3], de 500 000$ en 1980, passe à 2,5 millions de dollars en 1996. En 2001, Charles Bérubé procède à plusieurs autres acquisitions. Le volume de primes annuelles passe alors à 9 millions. Charles Bérubé avait pour objectif de faire suffisamment croître l'entreprise afin de pouvoir négocier de meilleures commissions auprès des assureurs. Toutefois, les acquisitions commencent à peser lourd sur les liquidités de l'entreprise. En effet, près de 5% du chiffre d'affaires mensuel est attribuable au remboursement de la dette (capital et intérêt).

---

[1] *Reproduit avec la permission de HEC Montréal.* Merci à Julie Coderre pour sa collaboration à l'écriture de ce cas.

[2] Un courtier d'assurance est une «personne physique ou morale qui s'entremet pour la conclusion d'un contrat d'assurance entre une compagnie d'assurance et un assuré, et qui est habilitée à présenter toute opération d'assurance: conseiller des assurés pour la mise au point des contrats qu'elle négocie avec les compagnies d'assurance de son choix et assister ces assurés dont elle est, le plus souvent, mandataire.» (www.granddictionnaire.com)

[3] Dans le domaine du courtage d'assurance, deux indicateurs principaux servent à apprécier l'importance d'une entreprise: le volume de primes et le chiffre d'affaires. Le volume de primes est l'ensemble des primes d'assurances que le courtier transige pour l'assureur. Le chiffre d'affaires représente les commissions versées par les assureurs au courtier, ainsi que les honoraires facturés par le courtier à ses clients.

L'entreprise s'adresse à deux principaux types de clientèles: les particuliers et les entreprises. Ces deux segments de clientèle correspondent aux deux services de l'entreprise, dont chacun représente environ la moitié du chiffre d'affaires. La moyenne d'âge des employés est de 49 ans au service Particuliers et de 35 ans au service Entreprises[4].

Le service assurance Particuliers compte une directrice, sept courtiers et une commis de bureau. Thérèse Lasalle, la directrice de ce service, possède plus de 25 ans d'expérience en assurance des particuliers et occupe son poste chez Assurances ABC depuis 1998. Elle a pour mandat d'assurer la qualité des dossiers des employés et de leur fournir le soutien informatique dont ils ont besoin. C'est aussi elle qui s'assure que toutes les polices émises respectent les normes de souscription de l'assureur. Elle se charge aussi des dossiers de sinistres plus complexes à régler. Le rôle des courtiers – toutes des femmes – est d'assurer le service à la clientèle, d'effectuer des propositions d'assurance, d'accompagner les clients dans le règlement de sinistres auprès de leur assureur, d'effectuer la facturation et de s'assurer que les renouvellements de contrat des clients soient postés 30 jours avant la date d'échéance. Il n'y a pas d'accompagnement systématique des clients en cas de sinistre: les clients traitent eux-mêmes directement avec l'assureur. Catherine Lussier, la commis de bureau, imprime les lettres, les propositions et les polices, et assemble les documents avant de les poster.

Le service Entreprises, quant à lui, compte neuf employés, dont cinq courtiers (deux femmes et trois hommes), une technicienne d'assurance, une responsable des comptes clients, une adjointe et Charles Bérubé, le président d'Assurances ABC, qui dirige aussi lui-même ce service. Dans ce service, les courtiers ont comme rôle de développer les affaires de l'entreprise et de conseiller les clients sur les produits offerts par les assureurs. Ils doivent aussi s'assurer que les renouvellements des polices des clients soient effectués dans un délai respectable, c'est-à-dire envoyés aux clients trois semaines avant l'échéance de leur police. Josée Maisonneuve, en charge des comptes clients, s'occupe également de l'accompagnement des clients en cas de sinistre. La technicienne imprime les polices pour lesquelles le bureau est émetteur[5] et se charge de la facturation.

---

[4] Le marché ne permet pas pour le moment un renouvellement de la main-d'œuvre. Il y a très peu de diplômés sur le marché et les finissants reçoivent plusieurs offres d'emploi et de stages dans les grandes compagnies d'assurance avant même d'avoir terminé leurs études. Les nouveaux diplômés (DEC en Assurances) ont tendance à aller travailler pour les assureurs directs (Desjardins, Bélair Direct, etc.), qui offrent des avantages que ne peuvent concurrencer les petites compagnies de courtage comme Assurance ABC.

[5] Les contrats émetteur sont attribués par les assureurs à certains courtiers. Ils permettent au courtier d'accepter ou de refuser un risque lui-même, d'attribuer lui-même la prime à l'assuré (dans les normes fixées par l'assureur et en fonction du risque), d'émettre la police et de la facturer à

En dehors des employés qui travaillent dans les deux services Entreprises et Particuliers, Assurance ABC compte également la comptable, Suzanne Lafrance, qui est la sœur de Charles Bérubé et qui travaille pour l'entreprise depuis plus de 20 ans, une aide-comptable, Marie-Christine Godin, et, enfin, une réceptionniste.

Assurances ABC représente quelque 75 assureurs. De ce grand nombre, seule une quinzaine sont des assureurs standards, le reste étant constitué d'assureurs non standards[6] ou très spécialisés. La gamme de produits offerte par Assurances ABC est donc extrêmement large. Cette variété pourrait facilement se transformer en confusion, sans l'excellente connaissance que possède Charles Bérubé du domaine de l'assurance. Il maîtrise complètement l'ensemble des «mots à mots[7]» des assureurs et peut évaluer un risque et, surtout, lui attribuer une prime dans un court laps de temps et avec une justesse remarquable, de l'avis de tous, ses employés comme ses clients. Véritable «encyclopédie de l'assurance», Charles Bérubé voit son bureau presque constamment occupé par des courtiers qui viennent lui poser des questions techniques. Comme le dit l'une des courtiers travaillant dans le service Entreprises depuis trois ans: «C'est simple: si tu n'es pas certain de la tarification d'un risque ou du produit à offrir au client, tu n'as qu'à aller voir Charles et il va te dire exactement quel assureur va prendre le risque et à quel taux.» Qu'il s'agisse d'un bateau, d'une collection d'œuvres d'art, d'une maison de plus de 500 000$, d'une ferme, de matériel agricole, de voyages, etc., Charles est capable de les assurer. Pour lui, «toute personne ou toute entreprise est un risque assurable. Je suis capable d'évaluer n'importe qui dans n'importe quelle situation et je serai en mesure de placer le risque, de trouver du marché». Qu'il s'agisse d'assurer un risque standard ou un risque sous-standard[8], Charles est capable de le faire.

---

l'assuré. Lorsqu'un assureur conclut un contrat émetteur avec un courtier, ce dernier assume des frais plus importants sur le plan administratif (impression des polices d'assurances, frais postaux, etc.) et sur le plan de recouvrement des comptes (le courtier est responsable des comptes clients). En retour, l'assureur verse habituellement autour de 5% de plus de commissions au courtier. En assurance habitation, ces commissions sont alors de l'ordre de 20 à 25%, alors qu'elles tournent autour de 12 à 15% quand il ne s'agit pas d'un contrat émetteur. En assurance automobile, les commissions avec contrat émetteur sont de 12 à 18%, et de l'ordre de 10 à 15% sans contrat émetteur. Les assureurs font des audits réguliers auprès des courtiers auxquels ils ont attribué des contrats émetteur afin de s'assurer que tout est fait selon les normes de l'assureur. Actuellement, les assureurs ont tendance à annuler de plus en plus les contrats émetteur avec les courtiers au profit de leurs propres systèmes.

[6] Un assureur non standard est celui qui accepte des risques qui ne sont normalement pas acceptés par les autres assureurs. Les primes sont nettement supérieures aux primes standards.

[7] Les «mots à mots» sont les conditions exprimées dans les contrats d'assurance des assureurs. Il est particulièrement important de maîtriser cette dimension afin de bien conseiller les clients.

[8] Un risque sous-standard consiste, par exemple, en un client voulant assurer un véhicule dont la fréquence de sinistres fait en sorte qu'un assureur standard refusera de l'assurer.

Depuis quelque temps, Thérèse Lasalle, la directrice du service Particuliers, est préoccupée par la détérioration du service offert aux clients. Le service à la clientèle est déficient autant au service Entreprises qu'au service Particuliers. Pendant les périodes de pointe, soit de mars à août[9], les employés ont de la difficulté à faire parvenir les renouvellements des polices des clients à temps. Le nombre de plaintes des clients augmente et, surtout, la perte de clients devient préoccupante. Thérèse Lasalle décide de rencontrer Charles Bérubé pour discuter avec lui des problèmes que connaît l'entreprise et des solutions à mettre en place.

Thérèse: Cela fait plusieurs mois que je réfléchis à la situation actuelle et au moins deux semaines que je me prépare à cette rencontre. Je suis très heureuse que tu aies pu te libérer.

Charles: Ça me fait plaisir. J'ai un client qui arrive à 11 heures, ce qui nous laisse trois heures pour discuter.

Thérèse: Comme tu sais, du côté de l'assurance des particuliers, nous éprouvons plusieurs difficultés à maintenir un bon taux de conservation de la clientèle. Nous avons perdu plusieurs clients, principalement parce que nous n'entretenons pas de lien assez serré avec eux, et parce que certains renouvellements ont été envoyés trop tard. Je pense que tu as le même problème au service Entreprises. La solution, selon moi, réside dans une nouvelle organisation du travail. D'ailleurs, tu n'as toujours pas commencé à informatiser les polices des clients dans ton service.

Charles: C'est vrai, mais dans le service Entreprises, nous décrochons de nouveaux contrats, ce qui n'est pas vraiment le cas dans le service Particuliers. Ce n'est pourtant pas très compliqué de vendre une police habitation lorsqu'on assure déjà la voiture d'un client.

Thérèse: C'est un autre problème. Ce dont je veux te parler, c'est d'organisation du travail, pour faire en sorte, justement, que les filles aient plus de temps pour solliciter nos clients actuels. Je pense que le développement de l'entreprise passe par la sollicitation de la clientèle actuelle, et non pas par des acquisitions comme ça a été le cas ces dernières années. La dernière acquisition nous a occasionné plusieurs problèmes en matière d'intégration de la clientèle. Il y avait trop de petits clients qui ne rapportaient pas vraiment assez de commissions et, surtout, de telles habitudes de paiement que

[9] Le marché des assurances est cyclique: du mois de mars au mois d'août, c'est l'euphorie, car c'est la période d'achat par excellence à la fois des maisons et des voitures.

nous avons perdu beaucoup d'argent en annulant les polices de clients pour non-paiement de prime. Ça fait plus de 20 ans qu'on se connaît et plus de cinq ans que je travaille ici et j'ai une proposition à te faire pour que le service Particuliers génère davantage de nouvelles affaires.

Charles: Je t'écoute! Mais je suis sceptique. On a essayé un paquet d'affaires en matière d'organisation du travail et ça n'a jamais marché. Il n'y a pas de suivi de ce qu'on dit. On se laisse toujours prendre dans le train-train quotidien. Si tu me proposes quelque chose maintenant, il faut vraiment que ça marche parce que les employés trouvent déjà qu'on les brasse un peu trop. Tu sais que l'assurance est un milieu plutôt conservateur et les filles n'aiment pas particulièrement qu'on change leurs habitudes!

Thérèse: Je sais! Trop de personnes se sont mêlées de l'organisation du travail par le passé. Cette fois-ci j'aimerais que tu me confies officiellement le mandat et que tu me laisses faire le travail jusqu'au bout. Je vais d'abord te parler de mon service. À l'heure actuelle, les filles sont responsables de toutes les opérations auprès d'un client. Que ce soit les comptes clients, la souscription de nouvelles polices, le renouvellement, le suivi des documents demandés au client (spécimen de chèque, autorisation bancaire pour le financement de prime, rapport d'inspection, etc.), l'accompagnement lors de sinistres, le service à la clientèle, c'est la même personne qui réalise toutes ces activités. Seule l'impression de documents est réalisée par Catherine. Dans ces conditions, il est tout simplement impossible que les filles puissent avoir du temps pour solliciter les clients qu'on a perdus l'an dernier, ou pour relancer les clients actuels pour qu'ils souscrivent à une deuxième ou une troisième police.

Charles: Thérèse, je t'arrête. On a déjà eu cette conversation il y a quelques semaines et je ne suis pas d'accord avec toi. Ce n'est pas un problème de surcharge de travail ou de trop-plein de tâches. Les filles sont paresseuses et ne pensent même pas à solliciter un client quand elles l'ont au téléphone. Je songe à changer le mode de rémunération des employés afin de les inciter à être plus proactifs dans la vente. Rendre une partie de la rémunération de chacun des courtiers variable en fonction des revenus générés individuellement devrait donner des résultats.

Thérèse: Charles, pour une fois, écoute-moi jusqu'au bout! Lorsque je considère l'ensemble de leurs activités, j'essaie de le voir autrement que comme une somme de travail. J'essaie plutôt de voir quelles sont les tâches où les filles créent véritablement de la valeur ajoutée. Je ne pense pas que ce soit au niveau des comptes clients, ni du suivi de documents auprès des clients. Être un courtier, c'est d'abord et avant tout représenter le client auprès des assureurs, autant au moment de la souscription de l'assurance, que lorsqu'il y a un sinistre. À mon avis, le volet de leur tâche qui touche à l'accompagnement lors d'un sinistre mérite qu'on s'y arrête. Il est tout à fait anormal, selon moi, qu'il n'y ait aucun accompagnement systématique de sinistre au service Particuliers. Les filles le font quand elles ont le temps et le goût. Certaines ne le font jamais, car elles ne sont pas à l'aise avec cet aspect du travail. Nous devrions être là pour nos clients, en tout cas pour certains d'entre eux, c'est-à-dire appeler le client, vérifier auprès de lui que tout se passe bien avec l'assureur, que tout est correct, que le montant du règlement est à sa satisfaction, lui porter nous-mêmes le chèque, etc.

Charles: Si tu me parles d'engager du monde pour faire ce travail à la place des filles, j'aime autant te dire que c'est non tout de suite! On n'a pas d'argent pour ça. Il y a déjà trop de monde dans le bureau.

Thérèse: Veux-tu me laisser finir! Je suis parfaitement consciente que nous n'avons pas les budgets nécessaires. Je te parle de réaménager les tâches de tout le monde. Tout d'abord, je prendrais Marie-Christine, qui donne un coup de main à la comptabilité, et je lui donnerais les comptes clients du service Particuliers. D'autre part, je libérerais Élizabeth de son portefeuille client afin qu'elle puisse réaliser les tâches des filles qui ne sont pas des tâches à valeur ajoutée. Elle a le plus petit volume et je suis certaine que nous pourrions répartir ses clients parmi les autres courtiers afin de la libérer. Elle pourrait ainsi faire le suivi des demandes de documents, donner un coup de main à tout le monde pendant les périodes de fort achalandage, etc. Tout le travail de bureau se retrouverait entre ses mains. Elle m'a signifié il y a peu de temps qu'elle trouve le travail de courtier trop stressant et qu'elle serait très contente qu'on lui confie des tâches plus faciles et qui ne nécessiteraient pas d'interaction intense avec les clients, quitte à ce qu'elle souffre d'une diminution de salaire.

Charles: C'est pas bête. Quand prévois-tu faire la transition?

Thérèse: Attends, mon idée est beaucoup plus globale que ça. Si on veut mettre les activités qui ne sont pas à valeur ajoutée entre les mains d'Élisabeth, nous devons le faire en réaménageant la gestion des clients. À l'heure actuelle, tous les clients reçoivent le même traitement, indépendamment des commissions qu'ils nous procurent. Qu'ils dégagent 30$ ou 3 000$ de revenus, le service à la clientèle est le même. Actuellement, quelqu'un qui a une maison de 500 000$, une Mercedes de l'année et un bateau, reçoit le même traitement qu'un locataire avec 15 000$ de contenu et une Chrysler 1977. Pourtant, l'un ramène 6 500$ de prime et l'autre 300$. Ça veut dire pour nous 1 200$ de commission contre 60$. Ça n'a pas tellement de sens que les deux reçoivent le même traitement. En fait, il n'y a que le portefeuille de Geneviève qui regroupe des clients importants, mais il y a également des clients de moindre calibre dans son portefeuille. Je te propose donc une révision des portefeuilles clients en fonction des revenus actuels et potentiels des clients. Et quand je parle d'un client, je parle de l'ensemble du client, c'est-à-dire autant son portefeuille particulier que commercial, de même que ceux de l'ensemble de sa famille. Il est clair qu'un client fortuné qui fait déjà affaire avec nous pour son activité commerciale représente un potentiel du côté de l'assurance-particulier, d'autant plus s'il a lui même des enfants, qui ont eux aussi des besoins en assurance particulier ou commerciale.

Charles: C'est pas simple comme projet. Ça demande beaucoup de temps. Ne serait-ce qu'en ce qui a trait au système d'information, je ne suis pas certain que nous sommes en mesure de le faire.

Thérèse: J'ai pensé à cette dimension et je vais t'en reparler plus tard. Laisse-moi terminer avec la réorganisation. Donc, je veux catégoriser la clientèle par classes et changer en profondeur le portefeuille de clients de chacune des filles. Pour le moment, il n'y a aucune logique ou ordre dans la constitution des portefeuilles clients des courtiers, en dehors du portefeuille «VIP» de Geneviève. Le portefeuille de chaque courtier «pèse» environ 700 000$, mais ce volume peut tout aussi bien représenter 50 ou 400 clients. Avec ma réorganisation, les portefeuilles correspondront à différentes classes de clients. En plus, je veux enlever aux courtiers l'accompagnement lors de sinistres. Je voudrais confier cet aspect à Josée, qui s'occupe actuellement des sinistres et des comptes clients au service Entreprises. Je voudrais que Marie-Christine prenne aussi les comptes clients du service Entreprises. Elle aurait donc la responsabilité de l'ensemble des comptes clients du bureau, et Josée celle de l'ensemble des sinistres du bureau.

Charles: Penses-tu qu'elles accepteraient?

Thérèse: Je leur en ai parlé et elles n'étaient pas vraiment chaudes à l'idée. Toutefois, je m'occupe de faire en sorte qu'elles acceptent. J'accompagnerai surtout Marie-Christine dans le processus jusqu'à ce qu'elle soit autonome. Donc, si je récapitule, Josée s'occuperait exclusivement des sinistres. Il faudrait mettre en place une façon de faire uniforme pour chaque classe de client afin de s'assurer qu'ils obtiennent satisfaction lors de leur sinistre et faire tout en notre pouvoir pour que le client soit bien représenté auprès de l'assureur. Tu comprendras que ce que je te propose touche aussi le service Entreprises. Je pense que nous devrions adopter la même façon de diviser la clientèle entre les différents courtiers. Concrètement, tu ne devrais plus t'occuper de comptes mineurs. Tu ne devrais avoir qu'une cinquantaine de comptes majeurs que tu devrais rencontrer sur une base régulière afin de t'assurer de leur fidélité. Actuellement, tu t'occupes de près de 200 comptes. C'est impossible d'offrir un bon service à la clientèle avec autant de comptes. Pas étonnant que les clients commencent à grogner.

Charles: À qui est-ce que je donnerais les autres comptes? Il y a des comptes là-dedans que je ne pourrais donner à personne! Je suis le seul qui peut s'en occuper. Pas un courtier du secteur commercial n'est capable de trouver un marché pour beaucoup de ces comptes.

Thérèse: Dans ce cas-là, il faudrait peut-être que tu te poses la question de savoir si ça vaut la peine de les garder comme clients compte tenu des maigres revenus qu'ils génèrent. Pense à ça.

Charles: ...

Thérèse: Le second aspect de la réorganisation que je te propose touche l'utilisation du système d'information. Nous avons investi une fortune dans l'implantation du nouveau système informatique et nous ne l'utilisons pas à sa pleine capacité. Les filles ont encore de la difficulté à maîtriser l'outil.

Charles: Oui, mais elles ont toutes eu une formation sur le système, elles n'ont qu'à l'utiliser pour être en mesure de le comprendre, c'est tout.

Thérèse: Ce n'est pas aussi simple que ça. Dans le service Particuliers, on commence à peine à utiliser le courriel de manière professionnelle. J'essaie autant que je peux d'exiger de la part des filles d'utiliser le courriel pour communiquer avec les clients et les assureurs, mais je dois avouer que ce n'est pas simple, même pour moi! J'ai 51 ans et même si on est au XXIe siècle, je ne trouve pas évident de communiquer par courriel avec les gens. C'est tellement plus simple par téléphone! Mais c'est une habitude à prendre et, à la longue, c'est plus efficace dans la mesure où l'on peut archiver nos communications dans le dossier électronique du client et ainsi constituer une base de données qui se tient. N'importe qui est alors en mesure de consulter la base de clients et de savoir ce qui s'est passé. Je me tue aussi à dire aux filles de mettre des notes dans chacun de leurs dossiers afin de s'assurer qu'on n'oublie rien, et surtout de garder une trace de toutes les communications avec les clients. Idéalement, j'aimerais avoir le temps de m'occuper de mettre en place un système de «contrôle de la qualité» pour les courtiers. Il s'agirait de définir les critères de qualité d'un dossier et de voir ensuite avec chacun des courtiers, en prenant certains de leurs dossiers au hasard, où il ou elle se situe par rapport à ces critères.

Charles: C'est bien que tu m'en parles, parce que ce matin, avant notre rencontre, j'ai jeté un coup d'œil à certains dossiers du service Particuliers et j'ai constaté qu'il n'y a pas de notes à certains dossiers et que, parfois, le statut même des clients n'est pas clair. Est-ce que le client est assuré ou pas? Ce n'est pas toujours clair! Je trouve ça inacceptable. Il me semble que ce n'est pas compliqué de noter une conversation téléphonique avec un client après avoir raccroché. Ça fait des semaines qu'on le répète!

Thérèse: Je le sais, mais je commence à penser que la formation n'était peut-être pas suffisante et que nous avons sous-estimé à la fois la résistance au changement et l'inconfort des employés avec les technologies de l'information. Je pense que nous devrions bâtir un plan de formation sur le système informatique afin que l'ensemble des employés puisse améliorer leur performance et ainsi améliorer la productivité.

Charles: Je ne suis pas chaud à l'idée. Les coûts de formation et le temps perdu en formation commencent à être trop importants.

Thérèse: Attends un peu! C'est dans le service Entreprises que c'est pire selon moi. Les dossiers électroniques des clients sont pratiquement vides! Les courtiers se refusent à intégrer les dossiers de façon électronique. Ce service est le seul qui a encore des dossiers physiques et le classement est un véritable fouillis!

Charles: Peut-être, mais je te ferais remarquer que les dossiers commerciaux sont autrement plus complexes que les dossiers particuliers. Cela rend l'intégration des dossiers plus difficile. Mais je suis d'accord avec toi qu'il y a un manque de volonté de la part des courtiers dans le service Entreprises.

Thérèse: Au même titre que pour les employés du service Particuliers, je pense que nous devrions mettre sur pied un plan de formation qui permettrait d'avoir des ressources performantes. J'insiste sur la performance. D'après mes calculs, si on réaménage les portefeuilles de clients des employés selon mon idée, on serait probablement en mesure de supprimer un poste. On augmenterait la rentabilité générale de l'entreprise tout en offrant un service à la clientèle de meilleure qualité. Par contre, ça veut peut-être dire que certains clients, qui ne rapportent pas assez de revenus, ne seront pas renouvelés l'an prochain.

Charles: Pourquoi?

Thérèse: Si on veut offrir un service à la clientèle qui se tient, nous devons prioriser certains de nos clients. Je pense que nous devrions offrir différents niveaux de service et en arriver à un service moindre pour ceux qui génèrent moins de revenus. Nous devrions même avoir un seuil minimum de revenus et laisser aux Caisses Desjardins et Bélair de ce monde les plus petits comptes.

Charles: Je ne suis pas prêt à abandonner des clients! C'est grâce à eux qu'on est en affaires et qu'on reste en affaires.

Thérèse: Mais certains clients ne sont pas rentables et ne te permettront justement pas de rester en affaires... J'aimerais en tout cas que tu réfléchisses à tout ce qu'on s'est dit ce matin. On pourrait se revoir dans une semaine et en reparler. C'est un changement majeur que je propose, tant dans les façons de faire que dans les mentalités.

Thérèse Lasalle quitte le bureau de Charles Bérubé après plus de deux heures et demie de discussion. Charles Bérubé est visiblement ébranlé. Cela fait plus de 20 ans qu'il travaille dans le secteur de l'assurance selon les mêmes grands principes. Il est conscient que le marché de l'assurance au Québec est en plein bouleversement depuis plus de 15 ans, et cette transformation s'accélère depuis les cinq dernières années, avec l'arrivée en force des assureurs directs[10] (Bélair Direct, Desjardins Assurances Générales, etc.) qui a suivi l'entrée en scène du Mouvement Desjardins et des banques. Il se rend compte qu'il perd plusieurs clients au profit de ces concurrents aux moyens nettement plus importants que les siens. Il sait qu'il doit faire quelque chose, mais il a de la difficulté à s'y retrouver. Il n'a pour le moment aucune idée de ce qu'il dira à Thérèse Lasalle la semaine suivante lors de leur prochaine rencontre…

[10] Les courtiers d'assurance subissent de plus en plus la concurrence des assureurs directs (comme Desjardins ou Bélair Direct), c'est-à-dire des assureurs qui offrent leurs services directement, sans l'intermédiaire des courtiers. Les assureurs directs «n'offrent pas toujours la gamme de services variée et personnalisée ni tous les conseils que les courtiers peuvent proposer à leurs clients, mais leurs primes sont souvent moins chères et, si un sinistre survient, ils sont en mesure d'indemniser leurs assurés très rapidement.» (www.granddictionnaire.com)

Chapitre 26

FARLEY, GRANGER ET ASSOCIÉS

Marc Cardinal

En 1998, deux anciens étudiants de l'Université de la Colombie-Britannique à Vancouver et comptables agréés s'associent pour acheter un petit cabinet d'experts-comptables situé dans la ville de Kamloops. Ils se consacrent, durant les premières années, à l'expansion de l'entreprise par une réorganisation complète des dossiers et des procédures administratives ainsi que par une recherche active de nouveaux clients. Pour ce faire, ils s'impliquent activement dans leur région, entre autres en tant que membres de comités exécutifs, l'un, Richard Farley, à l'Organisation des gens d'affaires de Kamloops et l'autre, Peter Granger, au Club Optimiste. Sans s'intéresser uniquement aux grosses entreprises, ils cherchent à développer une clientèle stable, qui veuille progresser avec la firme, et qui, comme le dit Richard Farley, «ne regarde pas seulement le prix».

En 1999, un troisième comptable agréé, Charles Borden, s'associe à la firme. Davantage homme d'affaires que comptable, il veut profiter des compétences techniques des deux fondateurs. Ces derniers, quant à eux, espèrent trouver en lui une source potentielle de développement des affaires et d'expansion. Cette expérience s'avère toutefois un échec. Un an plus tard, les deux fondateurs se retrouvent à nouveau seuls à la tête de l'entreprise. Selon Richard Farley: «C'est triste que notre association avec Charles Borden n'ait pas donné les résultats escomptés. Peter et moi fondions tellement d'espoir sur ce partenariat. En fait, Charles devait donner une nouvelle dimension à l'entreprise, une dimension entrepreneuriale. Au fil des années, notre cabinet s'est construit une solide expertise, un savoir-faire de premier plan qu'il était grandement temps de mettre en valeur pour prendre de l'expansion. Bien sûr, Peter et moi avons beaucoup développé notre entreprise, mais pas autant que nous l'aurions voulu et certainement pas autant que son potentiel le permet. Il faut dire qu'il est très difficile, pour les associés d'une boîte comme la nôtre, de ne pas mettre la main à la pâte, de ne pas se laisser prendre au jeu de l'expertise. De toute façon, nous n'avons pas vraiment d'autre choix que de plonger dans l'expertise, puisqu'au fil du temps, nos clients sont devenus des amis que nous ne pouvons pas délaisser.»

L'EXPANSION

En 2003, deux nouveaux associés viennent se joindre à la firme, y apportant un complément d'expertise respectivement en fiscalité et en évaluation d'entreprise. L'année suivante, l'équipe accueille un cinquième associé possédant plus de quinze années d'expérience en redressement d'entreprise. Le bureau devient le seul, à l'extérieur des grands centres de Vancouver et Victoria, à offrir ce service. En 2005, Farley, Granger et associés absorbe un second bureau situé à Vernon. Cette association fera passer l'effectif à une soixantaine de personnes, dont sept associés. Selon Richard Farley, l'expansion de l'entreprise était une nécessité: «Après l'échec de notre association avec Charles Borden, nous avons pris le temps de repenser à notre stratégie d'expansion. Il ne s'agissait plus de vouloir grossir pour le simple plaisir d'occuper davantage d'espace sur le marché. Croître, nous le savions, était devenu une nécessité, une exigence du marché. En effet, avec la déréglementation de l'industrie financière, nous assistions alors à la naissance de grands groupes financiers qui offraient à leurs clients un éventail complet de services. Dans un tel contexte, les petits cabinets comme le nôtre étaient de plus en plus convoités par les gros joueurs et ils devaient soit se laisser absorber par les gros joueurs, soit croître rapidement. Nous avons alors opté pour une croissance en misant sur ce qui avait fait notre réussite, à savoir l'expertise. C'est ainsi que nos associés étaient retenus sur la base de l'expertise nouvelle qu'ils apportaient au cabinet et sur la synergie que leur venue engendrait.»

LA FUSION

Un événement marquant survient au début de l'année 2006: M. Granger décide d'abandonner la profession. Ce départ aura des répercussions considérables sur l'entreprise: «Le départ de Peter a laissé un très grand vide dans le cabinet. Non seulement je perdais un associé et un ami, mais l'entreprise perdait l'un de ses piliers. Dans le monde de l'expertise, la valeur ajoutée d'une entreprise est toujours incarnée par des personnes. Ce sont les personnes qui font la différence qui, à terme, fait toute la différence. Dans le cas de Peter, c'était particulièrement notable. À lui seul, il s'occupait de près de 50% de la clientèle et ses clients tenaient toujours à ce que Peter jette un œil sur leurs affaires et leur donne ses précieux conseils.»

Tout au long de son association avec Peter Granger, Richard Farley avait toujours refusé les offres de fusion avec d'autres firmes comptables. En 2007, il accepte finalement de s'intégrer au Groupe Walker. Les raisons invoquées se résument à trois principales:

1. Certains des clients de Farley, Granger et associés ont connu une expansion considérable ces dernières années et ont maintenant des points de service à l'extérieur de la région de Kamloops et de Vernon. D'autres proviennent de l'extérieur.
2. La décision de confier des mandats de redressement d'entreprises est prise par les banques, généralement de Vancouver ou de Toronto.
3. La carrière de monsieur Farley a atteint un plafond avec les seuls bureaux de Kamloops et de Vernon.

Selon Richard Farley: «Nous avions vraiment l'embarras du choix, car nous étions courtisés de toute part, et, cela, depuis plusieurs années. L'idée n'était toutefois pas de fusionner à tout prix. Je devais faire le bon choix, celui qui convenait à l'entreprise. Vous savez, lorsqu'on investit son âme dans une entreprise, une fusion ce n'est jamais un simple contrat financier. Cela dit, le Groupe Walker était vraiment le choix à faire. Leur offre tombait à point nommé et la refuser aurait été une erreur. Puis, le Groupe Walker a toujours été renommé pour l'autonomie consentie à ses succursales, ce qui nous permettait de conserver une partie de notre identité. Enfin, j'étais rassuré par le fait que les décisions du Groupe Walker étaient toutes prises en Colombie-Britannique et, donc, qu'elles tenaient compte de notre réalité.»

La fusion fut complétée en deux mois. Tout l'effectif du service de redressement d'entreprise fut transféré au bureau de Vancouver, ce qui ramena le nombre d'employés des bureaux de Kamloops et Vernon à une trentaine. Cette fusion sembla, dans l'ensemble, bien acceptée, sauf par deux directeurs qui, un an plus tard, partent à leur propre compte. Selon Richard Farley: «Le départ de Claude m'a attristé. Il était mon bras droit et il allait devenir associé. Dans l'entreprise, il jouait un rôle de plus en plus central et la plupart des *producteurs d'états financiers* se référaient à lui pour tout conseil ou information. Quant à l'autre, il ne représente pas une lourde perte. Nous allions de toute façon le remercier de ses services pour raison d'incompétence.»

Le départ des deux directeurs a provoqué une baisse sensible de clientèle, chacun d'eux offrant le même service, mais à des tarifs sensiblement moins élevés que ceux pratiqués par Farley, Granger et associés. Durant cette même période, un autre des associés, victime d'épuisement professionnel, quitte lui aussi le bureau.

L'INTERROGATION

Avec deux directeurs et un associé en moins, Richard Farley ne peut plus, faute de temps, répondre aux demandes de soutien de ses employés: «C'est sûr que le départ de mon bras droit a été un coup dur. Dans notre bureau, la moyenne d'âge des vérificateurs est d'à peine 25 ans et il ne fait pas de doute qu'ils ont besoin d'un mentor. Claude jouait ce rôle à merveille. À tout instant les membres de son groupe le consultaient pour des conseils techniques ou des directives. Depuis son départ, son équipe se retrouve sans chef et puisqu'aucun d'entre eux n'avait de relations privilégiées avec les clients, je les sens tout particulièrement démunis. Je voudrais bien combler ce vide, mais ça m'est impossible, car je ne peux intervenir partout et tout le temps. Il aurait été souhaitable que la direction du Groupe Walker nous offre davantage son soutien, mais pour des raisons que je m'explique plutôt mal, ce n'est pas le cas. Parfois, je me surprends à regretter le temps où tout était à construire et où, portés par l'enthousiasme des débuts, Peter et moi jetions les bases de notre bureau. Au moins, à l'époque, les choses étaient claires. Dès que nous avions déterminé une stratégie, tous savaient à quoi s'en tenir. J'imagine que ce temps est révolu et qu'il faut maintenant composer avec les nouvelles réalités.»

Toutes ces situations sont source de tension, de frustration et d'instabilité au sein de l'entreprise. L'équipe que formaient les membres du bureau est d'ailleurs en train de se dissoudre sous le poids des tensions et des incertitudes.

Sensible à ces problèmes, Richard Farley est décidé à prendre des mesures pour les régler. Compte tenu de son manque de disponibilité, il décide de faire appel à un consultant externe, d'autant plus que, dit-il, «la venue d'une personne de l'extérieur devrait pousser les employés à bouger et à prendre des initiatives.»

L'INTERVENTION

À la même époque, soit à la mi 2008, Jim Brown, professeur de gestion à l'université de Colombie-Britannique, s'interroge sur les conséquences de la crise économique pour les grands bureaux d'experts-comptables, dont l'activité principale est la production d'états financiers. Selon lui: «En période de récession, ces bureaux risquent de voir les demandes de services baisser, les clients pouvant estimer comme trop onéreux des états financiers qu'ils perçoivent comme un mal nécessaire et relativement peu utiles à leur entreprise. La seule façon pour ces bureaux d'attirer et de conserver des clients est de convaincre ceux-ci que leur cabinet est en mesure de leur fournir de l'information utile et même essentielle à leur expansion. De *pro-*

ducteurs d'états financiers, ils doivent devenir *pourvoyeurs d'information utile*. Pour ce faire, un changement de mentalité s'impose afin que les experts-comptables soient toujours à l'affût d'informations dont leurs clients pourraient bénéficier, et de les leur transmettre.»

Contacté par Richard Farley, Jim Brown accepte avec joie le mandat de consultation qui lui est confié, car, dit-il: «Richard Farley est une personne dynamique, soucieuse du service aux clients et ouverte aux nouvelles idées. Bien sûr, c'est mon métier que d'intervenir dans des organisations en difficulté, mais ce que j'aime par-dessus tout, c'est de faire une différence, de pouvoir concrètement contribuer à l'essor des entreprises de mes clients. Pour que cela soit le cas, je dois pouvoir compter sur l'ouverture d'esprit des dirigeants. Lorsque j'ai rencontré Richard Farley, j'ai tout de suite senti son désir de faire bouger les choses. Il voulait vraiment régler les problèmes. Il désirait surtout faire de mon intervention le premier jalon d'une nouvelle expansion de son cabinet.»

Pour Richard Farley, l'intervention de Jim Brown arrivait à point nommé: «Après tant de départs, avec la morosité et les tensions dans le bureau, il fallait réagir. La venue de Jim Brown est une excellente chose. C'est un consultant dynamique et, surtout, il semble vraiment savoir comment s'y prendre avec la nouvelle génération. Ce sera, d'ailleurs, son principal défi que d'arriver à motiver ces jeunes à prendre des initiatives, eux qui ne s'impliquent pas facilement et qui semblent toujours avoir besoin de consignes claires et précises pour travailler efficacement.»

Après une première rencontre, le mandat de Jim Brown prend forme et comprend les trois volets suivants:

1. Sensibiliser les employés à la nécessité de s'impliquer;
2. Faire comprendre aux dirigeants les avantages découlant de l'implication de la base;
3. Faire émerger cette implication de tous.

Selon Jim Brown: «L'implication des employés s'inscrit dans le cadre de profonds changements en organisation du travail. D'une mentalité traditionnelle, où l'exécutant ne fait qu'effectuer une tâche déterminée par la direction, les entreprises d'aujourd'hui doivent passer à une façon de faire où la base, par définition en contact direct avec le produit et le client, est appelée à prendre beaucoup des décisions relatives tant à la conception qu'à l'exécution du travail. Pour moi, l'intervention sera un succès si tout un chacun arrive à ressentir l'importance d'une implication, et cela, à tous les niveaux de l'organisation.»

L'intervention se divise en trois blocs: une fois par semaine, Jim Brown rencontre durant deux heures les quelque vingt-cinq comptables des bureaux de Kamloops et de Vernon réunis, puis il fait de même avec les cinq employés de soutien (secrétaires et préposées au traitement de texte). Par la suite, il discute avec les cinq cadres durant le repas du midi. «C'est important, nous dit Jim Brown, d'être sur place, de palper l'atmosphère de l'équipe et de prendre le temps d'échanger fréquemment et librement avec les cadres, car un changement de mentalité, comme celui que je leur propose, suppose de nombreuses modifications tant au niveau de l'organisation et de la gestion qu'en ce qui a trait aux rôles respectifs des différents membres de l'organisation. De la stratégie à la culture d'entreprise en passant par la structure, la communication efficace, la prise de décision, la tenue de réunions, les attentes des clients, plusieurs concepts sont abordés tout au long des diverses séances. Vouloir que les membres de l'entreprise soient impliqués demande donc une refonte globale de la gestion et cela ne peut se faire rapidement, ni sans le soutien indéfectible des dirigeants.»

C'est par une note émise par la Direction que tous les employés sont convoqués à une première rencontre, rencontre durant laquelle Jim Brown demande à tous de s'interroger sur la mission de l'entreprise. Il sensibilise les employés à l'importance de la préoccupation des besoins seconds, ces besoins pouvant être définis comme les besoins psychosociaux que cherche à satisfaire le client, autres que celui auquel s'adresse à priori la seule fonction utilitaire d'un produit. Tous les bureaux de comptables étant en mesure, par la production d'états financiers, de répondre aux besoins premiers, ce n'est qu'en arrivant à satisfaire les besoins seconds des clients que l'on peut espérer se distinguer de la concurrence. Comme il le fait remarquer, «Les besoins premiers sont en quelque sorte secondaires, car tous les concurrents dans un même secteur sont en mesure de les satisfaire. Ce sont les besoins seconds qui sont devenus primordiaux, car c'est à leur façon de les identifier et d'y répondre que se distinguent désormais les entreprises performantes. La question est alors la suivante: hors le prix, pour quelles raisons un client préférera-t-il faire affaire avec vous plutôt qu'avec un de vos concurrents?» Il signale également que les besoins premiers sont explicites tandis que les seconds sont implicites, exigeant, par le fait même, de développer la capacité d'écoute active, dans tous les sens du mot.

Quant aux dirigeants, Jim Brown met l'emphase, dès le premier contact, sur la nécessité de devoir porter en permanence de l'attention, sous toutes ses formes, aux employés. Mais, insiste-t-il: «de l'attention vraie, de la reconnaissance intègre. En d'autres mots, il ne faut pas dire à une femme qui louche qu'elle a de beaux yeux, juste pour lui faire un compliment, ni à un garçon complexé par sa taille que c'est dans les petits pots que se trouvent les meilleurs onguents. De plus, il est important d'être extrêmement exigeants sur la qualité du travail des employés afin de fournir un service de qualité, d'autant plus que cette façon de faire se traduit, en soi, par un accroissement sensible de l'attention qu'on leur porte. Il vous faut créer régulièrement des occasions de rencontres sociales avec tous les membres de l'organisation afin de renforcer l'esprit de groupe et le sentiment d'appartenance.» Qui plus est, Jim Brown met de l'avant l'encouragement à l'initiative de tous, insistant sur le fait qu'il soit normal de se tromper de temps en temps lorsqu'on essaie de faire différemment pour faire mieux: «Félicitez ceux qui font des erreurs en essayant de faire autrement, car ce sont eux qui font avancer l'entreprise. D'autant plus que l'on retire toujours quelque chose de constructif de ses erreurs.»

Quelques événements sont caractéristiques de l'évolution des mentalités suscitée par l'intervention. De prime abord, les comptables acquiescent à la suggestion de Jim Brown de tenir des réunions autres qu'en sa présence. Ils s'attirent cependant la réprobation de la haute direction lorsqu'ils demandent à être rémunérés pour le temps qu'ils y consacrent en dehors des heures normales de bureau. Jim Brown leur explique alors que cette façon de faire est antinomique avec le but poursuivi. La démarche visant en effet à faire en sorte que tous les membres *s'approprient* l'entreprise et en deviennent partie prenante, tant en ce qui a trait à ses buts qu'en ce qui concerne l'intégralité du travail, il serait contradictoire d'exiger de l'organisation qu'elle rétribue chaque minute qu'ils passent en réunions de réflexion et d'orientation. Les comptables réagissent très positivement à cette remarque et acceptent sans hésitation de ne pas être rétribués pour le temps qu'ils consacrent à ce genre d'activité.

Une autre situation permet aux employés de mettre en œuvre les concepts mis de l'avant par Jim Brown. Subséquemment à l'une des premières séances, les demandes de formation pleuvent sur les bureaux de l'associé responsable de l'administration qui ne sait plus comment y répondre. Jim Brown propose alors aux employés de prendre eux-mêmes en mains le dossier de la formation et de proposer à la direction un plan global, tenant compte des ressources disponibles.

Au terme de l'intervention de Jim Brown qui s'est déroulée sur une période de deux mois, Richard Farley fait le bilan suivant: «Les cadres se sont impliqués dans le projet à 150%, les comptables à 110%, le personnel de soutien de Kamloops à 80% et celui de Vernon à moins 50%.»
Selon Jim Brown: «D'entrée de jeu, les secrétaires de Vernon furent réticentes face à l'intervention, soutenant qu'elle était superflue pour elles. Une

employée de ce bureau cessa même d'assister aux rencontres dès la deuxième séance.»

Mais il y a plus. Une employée de soutien du cabinet de Kamloops interpréta à la lettre les propos de Jim Brown sur la nécessité de s'impliquer pour changer les choses et alla jusqu'à multiplier les remarques acerbes à Richard Farley, sous prétexte qu'il fallait oser dire ce qui n'allait pas pour escompter changer les choses. Par-dessus le marché, cette employée, qui exerçait une forte influence sur ses collègues de travail, critiqua sans relâche toutes les tentatives d'amélioration au sein de l'organisation. Six mois après la fin de l'intervention, et après maintes tentatives pour l'intégrer au groupe, Richard Farley n'eut d'autre choix que de la remercier pour rétablir la paix dans le bureau.

Selon Richard Farley: «C'est désolant que certaines des employées de soutien n'aient pas voulu saisir l'occasion de l'intervention pour s'impliquer dans l'orientation de l'entreprise. Pour ces personnes, l'intervention n'a fait que bouleverser leur quotidien et représenter une surcharge qu'elles ont perçue comme inutile. N'aspirant qu'à la paie à la fin de la semaine, elles ne voient pas l'intérêt d'être davantage impliquées dans la conception de leur travail. Elles n'en retirent qu'un surcroît de fatigue, sans plus.»

L'explication fournie par l'une des secrétaires va dans le même sens que celle de Richard Farley. Elle affirme percevoir peu ou pas de relation entre rédiger un rapport et le souci constant du client. N'étant jamais en contact direct avec ce dernier, elle se sent peu concernée par les propos tenus par Richard Farley. Elle reconnaît cependant que la communication entre les différents groupes d'employés – de soutien, comptables et cadres supérieurs – s'est sensiblement améliorée.

LES RÉSULTATS

L'intervention a cessé lorsque les exécutants ont affirmé à Richard Farley ne plus avoir besoin du consultant pour se prendre en main. L'un des comptables a toutefois fait part de son désir de voir Jim Brown tenir des réunions, peut-être moins fréquentes, mais régulières, de façon à ne pas voir les améliorations notées décliner. La direction n'a pas donné suite à cette demande, ne voulant pas que le consultant soit une *béquille* sur laquelle tous vont continuer de s'appuyer.

Dans leur ensemble, les comptables ont perçu plusieurs changements positifs suite à l'intervention de Jim Brown. D'une part, ils se considèrent plus autonomes dans l'exécution de leur travail. Le départ de deux directeurs, dont l'un était fortement apprécié et consulté avant le début de l'intervention, avait laissé un grand vide, les professionnels ne sachant plus à qui demander conseil ni à qui adresser leurs questions. Ils ont aujourd'hui beaucoup plus de contacts directs avec le client et leur travail s'en trouve enrichi. Bien qu'il s'agisse d'une augmentation des responsabilités, ces jeunes en début de carrière apprécient ce supplément de confiance que leur accordent leurs supérieurs. D'autre part, ils ont vu en Jim Brown un motivateur qui ouvrait la voie à un grand nombre de possibilités d'amélioration dans le travail exécuté.

De leur côté, les associés ont noté plusieurs améliorations au sein de l'organisation. Richard Farley se dit satisfait de l'intervention et des résultats obtenus. Il croit cependant que certains de ses confrères sont quelque peu déçus, car, dit-il, «ils s'attendaient à ce que ces séances soient un remède à tous les maux.» Lui-même avait requis l'intervention en étant conscient qu'il ne s'agissait que d'un outil pour trouver des solutions aux problèmes. Il a remarqué, entre autres, une nette augmentation de la productivité des comptables, tant en quantité qu'en qualité. Les professionnels des deux bureaux de Kamloops et Vernon se côtoient et travaillent désormais régulièrement ensemble sur des dossiers conjoints. Il constate, en outre, une plus grande autonomie de leur part. «Je suis personnellement très satisfait des résultats obtenus, déclare-t-il, mais je dois avouer que je me sens quelque peu frustré, car l'esprit qui règne ici aujourd'hui existait déjà chez nous, et ce jusqu'en 2003. C'était vraiment la marque de commerce de notre bureau.» Il avoue que le fait que les comptables prennent des initiatives rend sa tâche plus facile, particulièrement depuis qu'il a hérité d'un important mandat qui accapare beaucoup de son temps et qui l'a même forcé à quitter pour l'Angleterre pendant une période de plusieurs semaines sans qu'il ait même eu le temps de rencontrer ses employés avant de partir. Il remarque, par ailleurs, que le travail des professionnels n'a pas connu de changement significatif. «Ce qui a changé, c'est la perception qu'ils ont de leur devoir. Mais il y a aussi autre chose. Ainsi, je constate qu'il y a davantage de réunions, tant entre professionnels que pour l'ensemble des membres de l'organisation. Lors de ces rencontres, des problématiques sont soulevées et des solutions mises de l'avant en vue de l'amélioration de la performance de l'entreprise. Enfin, l'un des résultats concrets de l'intervention est la mise sur pied d'un service de gestion d'immeubles. Ce projet a été conçu et géré entièrement par l'un des vérificateurs et démontre que l'implication et l'innovation sont des concepts déjà endossés par des membres de l'organisation. La haute direction n'est pas peu fière de ce projet et l'a souligné à maintes reprises.»

UN AN PLUS TARD

À l'heure actuelle, l'intervention semble être reléguée aux oubliettes. Pour la responsable des préposées au traitement de texte, la situation ne s'est pas améliorée: «C'est très frustrant. On nous avait dit que nous devions nous impliquer pour que l'entreprise soit tout à la fois la nôtre et performante et voilà que tout cela semble déjà être chose du passé. Les routines reprennent leurs droits, l'atmosphère d'alors revient. Pourtant, j'étais prête à jouer le jeu. Nous étions contentes de participer à des sessions de travail qui nous permettaient enfin de former une équipe unie et fière de travailler pour cette entreprise. Mais tout cela c'est de l'histoire ancienne et je ne m'impliquerais pas une seconde fois, pas après les tensions qu'a suscitées la première intervention. De toute façon, ici, si on s'implique à fond on risque le renvoi.»

Une des causes de la réaction négative de son groupe réside, selon elle, dans l'incompréhension des buts poursuivis par ces rencontres. «Cette période a été pénible pour le personnel de soutien, n'ayant engendré que discussions, critiques et réprobation au sein de cette équipe. Tout ceci n'a résulté qu'en une démotivation qui a provoqué une baisse sensible de leur productivité. Aujourd'hui, la situation semble être redevenue «normale», comme elle l'était il y a plus d'un an.»

Les associés se disent, dans l'ensemble, satisfaits des résultats. L'amorce du projet de gestion d'immeubles par un vérificateur est, selon eux, un bon exemple des conséquences constructives de ces réunions. Il semble, de plus, que la communication s'est améliorée entre les différents niveaux. Richard Farley, qui paraissait toujours trop occupé pour s'intéresser aux subordonnés, se fait un devoir de s'enquérir, auprès des comptables qui reviennent au travail, s'ils ont passé de bonnes vacances.

Les professionnels qui se sont particulièrement impliqués pendant l'intervention sont aujourd'hui désenchantés des résultats. L'esprit d'équipe ne semble pas être plus développé qu'auparavant. Les employés sont peu portés à partager succès et erreurs avec le groupe. L'individualisme prime encore. D'autre part, ils s'attendaient à des résultats concrets, à un changement tangible du travail, alors que tout ce sur quoi l'on a travaillé a été un changement de mentalité. Une fiscaliste du bureau émet l'hypothèse que le fait que son équipe soit composée majoritairement de femmes pourrait expliquer leur peu d'implication. «En effet, dit-elle, les valeurs traditionnelles – en particulier la famille – laissent peu de place au travail dans leur vie.» Elle s'avoue déçue du manque d'enthousiasme démontré par ses collègues de travail.

Chapitre 27

GOHIER BRUNELLE-MILLER WILDER SUTHERLAND

Marc Cardinal

Dans le but d'élargir son réseau de clientèle à des clients locaux, de s'ouvrir au marché de l'Ouest canadien ainsi que d'atteindre une masse critique de clientèle permettant la mise en place de certains services tels que la spécialisation par industrie, le cabinet comptable *Gohier Brunelle* entama en 2007 des discussions avec *Miller Wilder Sutherland*, une firme ontarienne ayant des bureaux dans toutes les provinces au Canada sauf au Québec. Une complémentarité des marchés est-ouest, un réseau et un volume de clientèle intéressant ont mené les deux cabinets à leur fusion le 1er septembre 2008. Pour certains, il s'agissait bien davantage d'une acquisition que d'une fusion, car la majorité des postes de direction du nouveau cabinet, *gahier Brunelle-Miller Wilder Sutherland* (GBMWS) était occupée par des membres issus du cabinet Miller Wilder Sutherland.

Miller Wilder Sutherland était le fruit du regroupement de trois cabinets, dont deux de l'Ontario et un de l'Ouest canadien. La firme regroupait plus de 230 experts-comptables parmi les mieux rémunérés et les plus productifs au pays. Bureaucratisée et hiérarchisée, elle jouissait d'une réputation enviable de hauts standards de qualité de service aux clients. Comme se plaisait à l'affirmer l'associé principal, M. Peter Claighorn, «Que vous fassiez affaires avec notre cabinet d'Ottawa, de Saskatoon ou de Calgary, vous obtiendrez toujours le même service: le meilleur! Chez nous c'est la règle.»

De son côté, *Gohier Brunelle*, depuis ses débuts quelque 14 ans auparavant, était une entreprise que l'on pourrait qualifier de pure, c'est-à-dire n'ayant jamais été sujette à fusion. Elle comptait 86 experts-comptables répartis dans huit bureaux au Québec. Mis à part quelques firmes de grande taille, sa clientèle était principalement composée d'entreprises petites et moyennes. Ses dirigeants considéraient que son principal facteur de succès était la capacité de ses professionnels à être à l'écoute des besoins de ses clients.

LE FONCTIONNEMENT DU BUREAU

Le fonctionnement d'un bureau comptable est assez standard d'une firme à l'autre. Les différents services offerts le sont dans l'ensemble des cabinets[1]. Seule la taille de l'organisation peut permettre d'en élargir la gamme, par exemple par la mise sur pied d'un service de recherche et de développement, la réalisation de certaines publications ou encore des services spécialisés par industrie.

GBMWS est structurée par services à la clientèle qui sont autant de services administratifs. Monsieur Jacques Casabon, associé du bureau de Montréal, nous en explique le fonctionnement.

«Un département de vérification compte généralement plus d'une équipe. Chacune de ces équipes est habituellement formée d'une trentaine de personnes et devient un centre de profit qui relève de certains associés. On évalue la performance sur différents critères tels la facturation, le pourcentage de recouvrement des créances et le développement des affaires. Au sein de l'équipe, mis à part les stagiaires, il existe différents niveaux hiérarchiques qui sont fonction du nombre d'années d'expérience ainsi que de la compétence de la personne[2].»

Les firmes comptables sont considérées comme des écoles de formation des futurs détenteurs du titre de C.A. Les stagiaires y reçoivent une formation postuniversitaire par l'acquisition de connaissances sur le terrain ainsi que par le *coaching* de collègues plus expérimentés.

LE REGARD D'UN STAGIAIRE

Monsieur Robert Senneville nous décrit son expérience au sein de la firme en tant que stagiaire de presque deux ans d'ancienneté.

«Les premières semaines, quand tu regardes autour de toi tu te dis que même si le bureau se vidait ils n'auraient aucun problème à mettre d'autres personnes à ta place. Surtout quand tu sais le nombre de personnes compétentes qui ont postulé pour le même emploi que toi. Mais un peu plus tard, tu t'aperçois que si c'est toi qu'ils ont choisi, c'est qu'ils ont vu en toi ce qu'ils recherchaient, de la confiance en soi, de la maturité, des habiletés de communication, pas uniquement les résultats scolaires.»

---

[1]Les principaux services offerts sont: Vérification, fiscalité, solvabilité, P.M.E., fusions et acquisitions, évaluation d'entreprise, juricomptabilité.

[2]Niveaux hiérarchiques et années d'ancienneté requis pour être promu: Associé 10 ans et plus, Directeur principal 7 à 10 ans, Directeur 5 à 7 ans, Vérificateur senior 2 à 5 ans.

«On apprend beaucoup quand on est dans un grand bureau comme *Gohier Brunelle-Miller Wilder Sutherland*, mais il faut savoir se débrouiller, on a accès à de très nombreuses ressources et on est bombardés d'informations de toutes sortes. On doit suivre une méthode précise, le manuel du vérificateur GBMWS est la source de référence. Il est important de s'y conformer, car elle est rigoureuse et permet de diminuer les risques de poursuite judiciaire, puisqu'il s'agit d'une méthode reconnue et éprouvée. Je crois qu'il est important qu'il y ait des standards et des normes à respecter, on s'assure ainsi d'un meilleur fonctionnement. De toute façon, selon moi, des règles il n'y en a jamais assez.»

«Moi je suis au sein d'une équipe anglophone même si je suis francophone. On peut indiquer nos préférences quant à l'équipe à laquelle on désirerait se joindre et quant aux domaines de vérification que l'on aimerait expérimenter pour mieux fixer l'orientation de notre carrière. S'il y a un problème dans l'équipe on doit faire preuve de professionnalisme et attendre que le mandat soit terminé pour procéder à des modifications mineures telles que changer de groupe de travail.»

«Le plus difficile dans une équipe est de se communiquer entre nous l'ensemble des informations et que chacun reste conscient de l'interdépendance des membres du groupe. On doit respecter les délais et prendre des informations chez les clients qui peuvent être plus ou moins pertinentes pour soi, mais qui peuvent s'avérer primordiales pour un de nos collègues.»

«La collaboration et la débrouillardise sont au cœur de notre travail. On est évalué après chaque mandat, soit toutes les 35 ou 40 heures de travail. C'est beaucoup, mais c'est constructif. On discute avec nos supérieurs et on peut se justifier ou expliquer notre point de vue; c'est très positif. Il faut savoir communiquer ses idées et surtout sentir que l'associé à la tête de l'équipe a besoin de toi. Sinon, si tu ne ressens pas ça, c'est que tu n'es pas à ta place. Moi, je me sens chez moi dans mon équipe avec les seniors, les directeurs et même certains associés. On semble miser beaucoup sur l'esprit d'appartenance ici, mais il faut dire que certaines personnes se plaignent de ne pas connaître l'associé directeur du bureau et de ne pas savoir ce qu'il fait.»

L'IMPORTANCE DE L'EQUIPE

L'importance de l'équipe est indéniable, car elle est décisive quant à l'atmosphère de travail et a même un impact sur la qualité de la formation et du travail. Julie Massé, stagiaire de première année, nous fait part de ses impressions.

«Au départ, nous étions une équipe d'environ une soixantaine de personnes avec dix associés à sa tête. Le nombre compliquant la gestion, l'ensemble a été scindé en deux groupes d'une trentaine de personnes chacun et dirigé par cinq associés. Le premier groupe en compte quatre qui proviennent de *Miller Wilder Sutherland* et à la tête du second, dont je fais partie, on trouve cinq anciens de *Gohier Brunelle*.»

«Je suis contente d'être dans cette équipe, car la majorité de mes amis de travail en font partie. D'autant plus que le fonctionnement de ce groupe me convient beaucoup plus que celui de l'autre. Mon équipe se démarque par son esprit de camaraderie, par la sociabilité de ses membres et par son côté moins formel et moins structuré. Je ne veux pas dire qu'on travaille moins fort ou qu'on perd notre temps, bien au contraire. Mais on a un bon esprit d'équipe, on appelle nos directeurs et même les associés par leur prénom et s'il y a des retards dans la journée, on se rattrape le soir. Bien qu'on ne soit pas payés pour nos heures supplémentaires, en général, mais surtout durant certaines périodes comme en début d'année par exemple, on travaille énormément d'heures. C'est une des raisons qui semblent être à l'origine d'un certain nombre de départs. Mais le fait d'avoir une bonne collaboration et une atmosphère agréable de travail rend la tâche plus intéressante.»

«Dans mon groupe, ce n'est pas le paradis pour tout le monde. On travaille fort. Certains préfèrent une autre formule plus hiérarchisée et plus structurée, où l'on appelle ses supérieurs «Monsieur» et où on respecte davantage le travail régulier de neuf à cinq. Je dois dire que selon moi mon équipe fait exception. Si dans l'ensemble du bureau les gens participent aux activités officielles en grand nombre, au quotidien dans les autres groupes les liens ne sont pas tissés aussi serrés que chez nous.»

«Je suis allée en stage en juricomptabilité et là j'y ai expérimenté le phénomène de la hiérarchie et de la relation formelle supérieur subordonné. À mon avis, le fait que les gens des services autres que la vérification ne soient pas régulièrement en contact avec nous, les «petits nouveaux», rend les changements de mentalité plus lents. La porte d'entrée pour le sang neuf c'est le service de vérification.»

«Moi j'aime mon travail, car j'apprends beaucoup et j'ai des mandats diversifiés. Lorsque j'ai fait mon choix de carrière je me suis fait dire qu'il était facile de passer d'un grand cabinet comptable à un plus petit, mais qu'il était beaucoup plus difficile de faire l'inverse. Mon choix s'est donc arrêté sur *Gohier Brunelle-Miller Wilder Sutherland* car, lors de la visite, les gens étaient souriants et se saluaient entre eux. Je suis chanceuse qu'ils m'aient choisie. Mon plan de carrière est esquissé. Mais je ne sais pas si une femme peut, sans sacrifier sa vie de famille, espérer devenir un jour associée. Il n'y a actuellement qu'une seule femme associée. C'est une carrière qui exige beaucoup de temps et de travail. Vu le nombre croissant de femmes dans la profession, des programmes sont à l'étude, mais pour l'instant ce sont, comme toujours, des postes occupés principalement par des hommes.»

«Tous les six mois, on a des rencontres pour discuter de nos plans de carrière et nous sommes également parrainés par des supérieurs, c'est une bonne façon de se sentir appuyé.»

LE TRAVAIL APRES LA FUSION

Pour les personnes ayant vécu l'après-fusion de 2008, il est possible de reconnaître les deux entités qu'ils identifient comme Gohier, pour *Gohier Brunelle*, et Miller, pour *Miller Wilder Sutherland.*

La méthode employée maintenant est celle dite de Miller. Certains ont remarqué que les gens qui ont dû s'adapter et changer de méthode font certaines observations à l'effet que la nouvelle méthode ne consiste qu'à «cocher des cases» sans chercher à justifier ou motiver leur choix. Mais d'une façon générale, au niveau inférieur de la hiérarchie on ne ressent pas de réels conflits dus à la fusion récente.

La rationalisation, suite à la fusion, couplée à l'effet de la récession, s'est traduite par un certain nombre de licenciements. En effet, en septembre 2008 on comptait près de 320 professionnels au Canada chez GBMWS. En 2010, il en reste 295.

Monsieur François Charbonneau, Directeur principal de vérification du bureau de Laval, a vécu l'avant et l'après-fusion. Il nous présente sa vision du regroupement et de ses répercussions.

«La fusion ne s'est pas opérée dans des conditions faciles puisque déjà on sentait les effets de la récession. La rationalisation, les nouveaux postes que l'on doit ouvrir pour placer des gens, les réaffectations et les départs rendent une telle situation assez difficile et un temps d'adaptation est nécessaire pour tout le monde. Les modifications à la méthode de travail, les nouvelles règles de fonctionnement, les changements de supérieurs dans certains cas et le nouveau groupe de collègues avec qui l'on doit travailler sont de petits exemples du quotidien suivant une fusion. Mais d'une façon générale, en faisant preuve de professionnalisme, on accepte les changements et la vie continue. Bien sûr que d'autres ajustements sont survenus durant les premières années. Certains bureaux ont été combinés, de nouveaux se sont ouverts au sein desquels des regroupements par affinités se sont réalisés et ont teinté la gestion et le fonctionnement de certains d'entre eux bien qu'ils soient assujettis aux mêmes règles que l'ensemble des bureaux.»

«À Laval, nous sommes plusieurs anciens de *Gohier Brunelle*. Notre bureau est plus petit que celui de Montréal et on essaie de voir le cabinet d'une façon globale. On fonctionne ensemble, les gens de vérification, ceux de fusion-acquisition et ceux de solvabilité. Les associés de chaque service rencontrent ceux des autres et discutent des problèmes auxquels ils sont confrontés, échangent des informations et génèrent des occasions d'affaires entre eux. C'est important, si l'on veut saisir certaines opportunités, d'être informés. La vérification c'est la porte d'entrée du cabinet pour les clients et il y a une foule d'autres services que nous pouvons leur offrir. Il nous faut détecter les besoins de notre clientèle et connaître les ressources dont nous disposons pour agir au moment opportun.»

«Notre politique au bureau de Laval: demeurer en contact avec notre clientèle. On doit suivre le cheminement des entreprises de nos clients. Des vérificateurs aux associés, on se doit de faire du développement et de collaborer avec l'ensemble du bureau. Le service de vérification est comme le quart arrière de la firme. Nous ne sommes pas uniquement des vérificateurs, on doit être des gens d'affaires. Les comptables sont réputés pour ne pas être des gens très imaginatifs, mais à force de côtoyer des entrepreneurs on le devient.»

«C'est important d'aimer ce que l'on fait. Bien qu'on ne puisse pas contourner les règles de promotion, on permet à une personne en ayant les capacités de relever de nouveaux défis. Dans tel cas, bien qu'elle n'ait ni le titre ni le salaire — elle est rémunérée selon une échelle de A à E correspondant à son niveau hiérarchique — elle hérite d'une tâche beaucoup plus intéressante pour elle.»

«J'ai moi-même dû attendre pour être promu au poste de directeur principal de vérification, vu les conditions économiques et les besoins de la firme. Eh bien, dans les faits, étant donné mes capacités, je me voyais confier des mandats encore plus intéressants et représentant des défis, ce qui compensait pour le retard dans l'attribution du titre de directeur principal sur ma carte professionnelle.»

«Agir de cette façon ne convient pas à tout le monde et est très exigeant. Nous ne contrôlons pas entièrement notre recrutement, car il est sujet à l'approbation de Toronto et il est vrai que l'on exige beaucoup des gens qui travaillent ici. Mais il faut dire que nous leur donnons beaucoup de ressources, de support, de confiance et de liberté. Par exemple, si les gens engagent des frais de déplacement, on va les régler; le montant n'est pas fixé selon un barème précis, on leur fait confiance. Ils n'ont qu'à nous montrer ce dont ils sont capables.»

«Maintenant que nous avons instauré notre façon de fonctionner, tout va très bien pour l'ensemble du bureau. Ceux qui ne se sentaient pas à l'aise ont demandé à être transférés ou sont partis. Il est primordial de s'entourer de personnes qui partagent les mêmes idées de base pour pouvoir travailler dans le même sens.»

«Nous misons sur une vision globale et évitons toutes les formes possibles de frontières entre nous, qu'elles soient hiérarchiques, de services administratifs, d'équipes et même, lors des activités sociales, les barrières familiales. En effet, nous accordons une importance particulière à la présence du conjoint ou de la conjointe lors de certaines activités sociales et également, à certaines occasions, à celle de la petite famille. Une autre barrière importante que nous tenons à écarter est celle d'ordre linguistique pour éviter à tout prix les regroupements francophones-anglophones.»

Les dirigeants qui se voient forcer de gérer un changement tel qu'une fusion doivent eux-mêmes s'adapter aux nouvelles conditions et mettre en place des moyens facilitant l'adaptation rapide et en profondeur de l'ensemble du bureau, car les opérations doivent continuer. C'est en tant qu'associé que Monsieur Jacques Casabon nous brosse le tableau de la fusion et de la situation actuelle.

«De façon générale, ma perception du bureau peut être quelque peu biaisée, car je tends à comparer l'actuel cabinet avec ce que j'ai connu dans le passé. Nous avons hérité d'une hiérarchie pesante et moins dynamique, une structure centralisée où l'associé est roi, voilà en résumé ce qui ressort de mon évaluation comparative. Avoir besoin de demander l'autorisation à Toronto si je désire me procurer un nouveau fauteuil, je n'avais jamais vu ça avant. Recevoir mon évaluation par mémo non plus.»

«Auparavant, la collaboration sur le terrain entre l'associé et l'équipe de vérificateurs était pratique courante. Maintenant on sent davantage la relation hiérarchique. Auparavant, nous avions une équipe de hockey où stagiaires et associés se côtoyaient. Maintenant, nous avons toujours des équipes de sport, mais plus les gens montent dans la hiérarchie et moins ils participent. Même le rôle de l'assistante administrative, qui est une collaboratrice précieuse, semble être réduit à celui de secrétaire.»

«Il est vrai qu'auparavant on avait un leader, un homme par qui l'âme du bureau vibrait. Les standards étaient élevés, les salaires aussi, mais c'était proportionnel au travail réalisé. On travaillait pour nos clients. C'est pour moi d'autant plus significatif quand un de mes clients me dit «vous êtes une grosse boîte maintenant.» Il n'en demeure pas moins que les services que nous rendons à notre clientèle sont de très grande qualité et sont basés sur une expertise à la fine pointe, nos publications en font foi. C'est surtout à l'interne que l'on ressent les effets secondaires de la fusion.»

«On sent bien que des groupes informels se sont formés. On porte toujours l'étiquette de notre ancienne appartenance. Cela rend le fonctionnement plus compliqué lorsqu'il faut faire passer ses idées par personnes interposées.»

«Personnellement j'ai confiance en l'avenir quand je vois agir certains jeunes directeurs qui font preuve d'ouverture et d'esprit d'équipe. Je me plais à voir en eux de futurs associés qui changeront des mentalités qui semblent bien ancrées. J'espère seulement qu'ils ne se décourageront pas à cause de la lenteur de leur promotion, car c'est souvent comme ça que l'on perd certains de nos meilleurs atouts.»

Chapitre 28

LA VIEILLE GARDE[1]

Catherine Lebrun

Fondé en 1985, le Centre Micro-Cosme est une filiale du Collège Universel, qui offre une gamme de programmes de formation technique dans des domaines aussi variés que l'électronique, le tourisme, la bureautique et le commerce. À cette époque, de par ses nombreux contacts avec l'industrie, le Collège pressent une croissance exponentielle des besoins en termes d'automatisation bureautique, redevable à l'essor fulgurant de la micro-informatique dans le monde des affaires. Créée pour répondre à ces besoins, la division Micro-Cosme s'applique à offrir des services de formation sur mesure aux entreprises pour l'utilisation des outils micro-informatiques les plus courants sur le marché. Les cours sont dispensés sur une base modulaire et de façon intensive afin de permettre une intégration plus rapide des notions acquises et d'en favoriser l'application immédiate, de retour en milieu de travail. Bien positionné sur le marché, situé au cœur du centre-ville, le Centre Micro-Cosme jouit d'une situation privilégiée, d'un chiffre d'affaires croissant de l'ordre de 6 millions de dollars par année et compte à son actif une équipe interne d'un dynamisme et d'un dévouement incontestables. Sa clientèle se compose presque exclusivement de grandes entreprises, au sein desquelles il est possible d'élaborer et de déployer des plans de formation continue de plusieurs millions de dollars. Parallèlement, l'industrie de la formation sur mesure s'est elle aussi épanouie: une kyrielle de petites entreprises se sont improvisées expertes en formation bureautique, conscientes de l'opportunité intéressante qu'offre un marché en plein développement. À ses débuts, le Centre Micro-Cosme se distinguait de la compétition surtout au niveau de la gamme des cours, le défi consistant en effet à développer une expertise sur une variété de produits très différents sur le plan conceptuel: en l'absence d'interface commune, qui plus est, graphique et conviviale, les logiciels présentent de profondes disparités.

---

[1] Reproduit avec la permission de HEC Montréal.

Au Centre, l'enseignement est dispensé par des professeurs de haut calibre, tant aux niveaux technique que pédagogique, grâce à un intérêt marqué pour la technologie et à des capacités autodidactes très développées... et nécessaires étant donné qu'il n'existe pas de programmes d'éducation en micro-informatique dans les institutions d'enseignement supérieur. Quoique pigistes et enregistrés sous une raison sociale, les professeurs ont développé un solide sentiment d'appartenance à l'égard de la division. La plupart se considèrent comme employés à part entière et n'hésitent pas à investir temps et efforts pour acquérir de nouveaux champs d'expertise qui bénéficient directement à la réputation de la compagnie et à l'excellence de ses services. Des évaluations sont distribuées à la clientèle à la fin de chaque cours, ce qui permet de mesurer son degré de satisfaction eu égard aux locaux, à l'accueil, au matériel didactique, au professeur ainsi qu'aux méthodes d'enseignement. Environ 90% des évaluations affichent un excellent taux d'appréciation des professeurs et la majorité des motifs d'insatisfaction sont reliés au matériel didactique (manuel, cahier d'exercices, etc.).

En octobre 1992, Claude Tremblay, le directeur général, recrute Pauline Dumas, 28 ans, à titre de nouveau professeur. Ayant récemment perdu son emploi d'analyste en informatique au sein d'une multinationale d'envergure, Pauline tente par tous les moyens de réintégrer le marché du travail. Son entrée à la division ne tarde pas à prendre des allures d'initiation: la gamme de cours qu'on lui demande d'enseigner est d'une élasticité hors du commun, qui lui demande des heures intenses de préparation, voire des jours lorsqu'elle ne possède pas la matière. Sur son horaire, on lui assigne des cours de niveau débutant et elle prend conscience, une fois en classe, qu'il s'agit de cours avancés... L'équipement matériel fait très souvent défaut et les impacts s'en font sentir au niveau de l'évaluation. Malgré les remarques qu'elle a adressées au technicien, les erreurs ne sont jamais corrigées et les configurations sont toujours déficientes.

Un mois plus tard, la situation est intolérable et Pauline décide d'en faire part à Claude. Au cours de l'entretien, Claude l'écoute attentivement, hochant parfois la tête en signe d'approbation, l'incitant à poursuivre.

«Je ne sais pas si tu es au courant, mais il serait temps de faire quelque chose au sujet du matériel. Les manuels regorgent d'erreurs d'orthographe, quand ce n'est pas la syntaxe qui fait hurler. Je suis continuellement en train de m'excuser de leur pauvreté auprès des étudiants. D'autre part, les ordinateurs ne fonctionnent pas bien, et très souvent les logiciels ne sont pas installés adéquatement. Je suis persuadée que mes frustrations se répercutent sur la qualité de mon enseignement.»

De nature flegmatique, réfléchie et très rationnelle, Claude se montre très réceptif aux récriminations de Pauline. Conscient de son immense potentiel de travail et de son perfectionnisme, il ne veut pas la perdre. Aussi lui fait-il une offre surprenante:

«Le fait que tu prennes tant les choses à cœur me réjouit. Je suis parfaitement au courant des points que tu soulèves. Depuis quelques mois, j'avais l'intention de remédier à la situation qui, je te l'accorde, va en se détériorant. À mon avis, il nous faut quelqu'un pour prendre en charge la qualité des cours et du matériel didactique: nous avons les budgets, mais nous n'avons pas encore trouvé la perle rare… Comme ton implication témoigne d'un professionnalisme certain, je ne crois pas me tromper en t'offrant ce nouveau poste de cadre, directeur au développement pédagogique. Les responsabilités inhérentes à ces fonctions engloberaient non seulement la qualité de nos services, mais aussi la gestion et le recrutement des professeurs ainsi que des techniciens.»

Pauline comprend enfin le sens de son initiation: Claude cherchait tout simplement à tester sa capacité d'absorption à la tension et à évaluer ses aptitudes à réagir en des circonstances négatives. Après une période de réflexion, elle accepte la proposition de Claude. La nouvelle de sa nomination est automatiquement diffusée auprès de l'équipe interne ainsi que des professeurs. Parmi ceux-ci, les réactions sont mitigées. Certains se montrent ravis et n'hésitent pas à lui présenter leurs sincères félicitations. D'autres, cependant, observent un silence fort éloquent: Pauline apprendra plus tard qu'ils convoitaient le poste depuis longtemps, notamment ceux qui comptaient plusieurs années d'ancienneté à leur service. Aucun ne peut toutefois évoquer le principe de l'ancienneté, car c'est un terme qui s'applique à des employés et non à des partenaires-fournisseurs. Malgré tout, certains d'entre eux espéraient une reconnaissance informelle de leurs années de loyaux services pour le compte du Centre et se sentent lésés par Pauline: de quel droit cette nouvelle venue s'appropriait-elle ce qui, à leurs yeux, leur revenait de plein droit?

Au nombre des déçus, les plus influents sont incontestablement Bernard, Hélène et Lucien. La présence de Bernard dans l'enceinte de la compagnie remonte à sa fondation: il fut l'un des pionniers à mettre sur pied la division Micro-Cosme. Pendant environ deux ans, il a même occupé un poste similaire à celui de Pauline, à titre d'employé permanent, pour ensuite devenir professeur pigiste pour des raisons financières: en effet, hautement spécialisé en gestion des réseaux informatiques et des télécommunications, Bernard est en mesure d'exiger un taux horaire qui dépasse largement le salaire des cadres de l'interne et la rémunération moyenne des autres professeurs. C'est un homme à la mi-trentaine, qui a développé toute son expertise des réseaux de façon autodidacte. Fier et imbu de lui-même, il n'hésite pas à coincer ses interlocuteurs par des discussions hautement techniques et à affirmer ainsi sa supériorité. La nomination de Pauline ne lui a pas plu: quoiqu'il ne désirait pas réintégrer ce poste, il se croit irremplaçable et ne tolère pas l'idée qu'une autre occupe ses anciennes fonctions.

Après avoir été secrétaire pendant de longues années, Hélène s'est lancée dans l'enseignement du traitement de texte exclusivement. Elle ne connaît pratiquement rien d'autre sur le plan technique, mais elle est reconnue comme la meilleure dans le domaine, d'autant plus qu'environ 25% des revenus du Centre puisent leur source à même ce type de cours. La trentaine avancée, c'est une femme extrêmement provocante à la fois dans sa façon de se vêtir et dans ses manières. Elle flirte avec ses étudiants, chemisier transparent, encolure entrouverte, jupe de cuir et bas de résille. Plusieurs clients ont porté plainte eu égard à son comportement et son image est l'une des plus controversées au sein du Centre: on l'adore ou on la déteste. Elle est véhémente, d'approche compliquée et son caractère fait légende par ses excès.

Également au compte du Centre depuis plusieurs années, Lucien est le professeur le plus réservé et le plus discret. Il est devenu progressivement expert en micro-informatique, et ce, sous l'égide de Bernard qu'il vénère comme un père spirituel. On ne peut jamais lui demander une faveur au pied levé. Il a besoin de réflexion et de se sentir en pleine possession de ses moyens. Jamais il n'a enseigné un logiciel qu'il ne connaissait pas sur le bout de ses doigts, aussi ses évaluations s'avèrent-elles littéralement remarquables: on reconnaît toujours sa maîtrise parfaite de la matière et ses méthodes pédagogiques axées sur la douceur, la patience et l'humour discret.

Ces trois professeurs forment donc ce que l'on nomme communément la «vieille garde». Ils ont une confiance absolue en Claude, seule personne avec laquelle ils veulent transiger. Que ce soit pour l'assignation des cours, l'horaire, la rémunération ou les conditions de travail, ils n'acceptent que ce qui est issu de Claude. La nomination de Pauline ne change rien à cet état de fait pour eux: leur seul supérieur est encore et toujours Claude. Il faut dire que ce dernier est un expert à tous les niveaux: lui seul peut enseigner les quelque 200 cours offerts par le Centre, et il possède dix ans d'expérience en enseignement malgré ses 32 ans. Son haut calibre technique lui attire respect et vénération: personne n'a même déjà songé à remettre ses connaissances en question.

Le reste de l'équipe enseignante se compose de professeurs généralistes, qui dispensent une formation de base et de niveau intermédiaire sur les logiciels les plus courants. Quoique très motivés et très performants sur le plan pédagogique, ils demeurent limités quant à l'expansion de leurs connaissances. La plupart ne sont pas réfractaires aux changements de l'industrie, étant donné le faible niveau d'ajustement que cela peut exiger de leur part. Plusieurs de ces professeurs ont été recrutés par Claude, mais ont vécu le transfert de pouvoirs sans broncher, à la venue de Pauline.

Consciente des disparités de personnalité qui existent au sein de sa nouvelle équipe, Pauline décide donc de ne pas brusquer les choses. Avec le temps, se dit-elle, les professeurs les plus réticents finiront bien par admettre sa compétence et sa crédibilité. Aussi ne ménage-t-elle pas les relations publiques: la porte grande ouverte, son bureau semble une invitation perpétuelle où il fait bon discuter et prendre un café. De semaine en semaine, elle gagne définitivement la confiance des généralistes, mais elle n'a pas réussi à attirer les autres. Le premier trimestre s'achève donc sur une note sombre: à l'occasion de l'évaluation de ses performances pour les trois premiers mois, Claude lui souligne son échec du côté des anciens:

«Je sais que ce n'est pas chose facile. Mais tu dois comprendre que je t'ai embauchée pour me seconder et me relayer dans certaines fonctions. S'il faut encore que je m'en mêle, je suis mieux de m'en occuper entièrement. Tu devrais te montrer plus dure avec eux, c'est la seule façon d'obtenir le respect.»

Pauline n'en est pas convaincue: à son avis, le respect se gagne progressivement et ne se conquiert pas. Quoiqu'apte à enseigner quelque 80 cours différents, elle ne connaît pas parfaitement chacune des spécialités développées par les professeurs. Ses objectifs à atteindre font toutefois bien mention d'une saine gestion des professeurs et de la qualité de l'enseignement. Comment gérer une telle équipe? Comment parvenir à établir une culture d'entreprise étroitement liée à la qualité tout en ralliant chaque membre de la vieille garde sans risquer une troisième guerre mondiale?

Chapitre 29

HÔTEL DU NORD[1]

Eve-Marie Thibault et Yves-Marie Abraham[2]

ATMOSPHÈRE, ATMOSPHÈRE!

Comme tous les jours, Monsieur Cimon[3], le directeur de l'Hôtel du Nord, arrive au travail un peu avant 8 heures. Et comme tous les jours, il éprouve une certaine fierté en franchissant le seuil de cet établissement de luxe dont il est responsable: 261 chambres, 150 employés, un superbe hôtel qui s'est rapidement taillé une belle réputation en plein cœur de Montréal. Comme tous les jours aussi, Monsieur Cimon ressent les effets de l'adrénaline et du stress, au moment d'affronter les mille et un problèmes qui font le quotidien d'un poste comme celui qu'il occupe. Lui seul ou presque sait la somme d'efforts nécessaires pour que les clients passent un séjour agréable dans ces murs.

À la différence de la plupart des entreprises, l'hôtel est ouvert 24 heures sur 24, 365 jours par an. Il regroupe également un nombre impressionnant d'emplois différents: cadres supérieurs, préposées aux chambres, cuisiniers, réceptionnistes, vendeurs, agents de sécurité, valets, serveurs, comptables, etc.[4] Et tous doivent se coordonner pour que les opérations roulent avec souplesse! Il faut pouvoir faire face à toutes sortes de situations souvent difficiles, sans jamais importuner les clients: la foule qui veut envahir le hall d'entrée pour voir les pilotes de Formule 1 logeant à l'hôtel, la découverte d'un client mort dans sa chambre, l'absence d'une partie du personnel à cause d'une tempête de neige, le client furieux d'avoir raté son avion

[1] En hommage au film homonyme de Marcel Carné et à la réplique culte d'Arletty: «Atmosphère, atmosphère! Est-ce que j'ai une gueule d'atmosphère, moi?» (*Hôtel du Nord*, 1938, avec notamment Arletty et Louis Jouvet). Reproduit avec la permission de HEC Montréal.

[2] Nous tenons à remercier les trois évaluateurs anonymes de la première version de ce cas, dont les remarques et les suggestions nous ont permis d'améliorer sensiblement notre travail.

[3] Ce cas est basé sur des faits réels. De même que le nom de l'hôtel, les noms des personnes dont il est ici question ont été modifiés de façon à ce que leur identité reste confidentielle.

[4] Voir l'organigramme à la fin du cas.

parce qu'il n'a pas été réveillé à l'heure prévue, etc. Mais, au-delà de ces péripéties, la clef du succès dans ce métier repose sur une attention de chaque instant accordée à une multitude de petits détails. Sans relâche, de jour comme de nuit…

Justement, ce matin, Monsieur Cimon trouve devant la porte de son bureau deux «auditeurs de nuit», Nathalie et Antoine, accompagnés d'Éric, l'un des «préposés de jour à la réception»[5]. Manifestement, les deux auditeurs sont restés après la fin de leur quart de travail pour pouvoir rencontrer leur directeur. Sur le coup, Monsieur Cimon ne comprend pas très bien ce qui se passe. Les trois employés n'ont pas nécessairement l'air fâchés, simplement très déterminés.

«Bonjour Monsieur Cimon, on ne veut pas vous tomber dessus avant même que votre journée commence, mais on voudrait vraiment vous rencontrer en privé. Avez-vous un peu de temps?»

Généralement, dès son arrivée, Monsieur Cimon dépose ses affaires dans son bureau et part sur le plancher pour aller saluer tous les employés. Ensuite, il va prendre un café avec le contrôleur financier avant la réunion quotidienne des chefs de service à 9 heures. Que faire ce matin, face à ces trois employés? Un instant, il pense les renvoyer à sa secrétaire pour qu'ils prennent rendez-vous, d'autant que la journée s'annonce particulièrement chargée. Mais, il se ravise immédiatement. D'une part, il s'est toujours présenté à son personnel comme un fervent défenseur de la politique de la porte ouverte. Ne pas les recevoir serait par conséquent très mal perçu. D'autre part, les auditeurs de nuit ont fait l'effort de l'attendre pendant une heure plutôt que de rentrer se coucher. C'est donc que l'affaire dont ils veulent lui parler leur tient très à cœur. Et puis, Monsieur Cimon sait le rôle essentiel que jouent les employés de la réception, en particulier ceux d'entre eux qui travaillent la nuit. À la manière des officiers de quart sur la passerelle d'un navire voguant en pleine nuit, ces auditeurs sont pendant quelques heures les seuls maîtres à bord. Le bon fonctionnement de l'établissement est entre leurs mains, tous les cadres étant alors absents. Il s'agit d'un poste aussi difficile qu'essentiel. Le directeur général leur ouvre donc son bureau et va se chercher un café. À son retour, il leur lance:

«Alors, qu'est-ce que je peux faire pour vous?

---

[5] Les «auditeurs de nuit» effectuent le travail des «préposés de jour à la réception» (enregistrement et départ des clients, gestion des réservations, manipulation de la caisse, etc.), mais assurent en outre la fermeture des systèmes informatiques et sont responsables de faire la réconciliation financière des revenus quotidiens de chaque point de vente (restaurant, banquets, films, Internet, minibars, buanderie, etc.). D'où leur titre d'«auditeurs».

- C'est concernant la réunion de la semaine dernière. De ce qui s'est passé par après, en fait... C'était le premier meeting depuis l'arrivée de Marc et ça s'est plus ou moins bien passé.»

Monsieur Cimon est un peu étonné. Il avait lu rapidement l'ordre du jour de cette réunion du service, lundi dernier, et il n'y avait pas repéré de sujets épineux... Mais, il sait qu'il y a quelques petites tensions depuis l'arrivée de Marc, le nouveau directeur du service. Ces tensions auraient-elles occasionné des frictions pendant la réunion?

Les employés expliquent que la réunion elle-même s'est très bien déroulée. Les choses ont dégénéré dans les jours qui ont suivi. Pour eux, le problème vient du fait qu'à la fin de la réunion, Nathalie a fait ce qu'on appelle la *Conscience*, une pratique bien particulière à la chaîne hôtelière dont fait partie l'établissement dirigé par Monsieur Cimon.

DES RÉUNIONS PAS COMME LES AUTRES

Le déroulement de ces réunions de service est strictement codifié. La préparation de l'ordre du jour relève de la compétence du chef de service ou de son assistant. Il doit être affiché et accessible à tous les employés du service concerné deux semaines avant la tenue de la réunion. Les employés doivent être en mesure de proposer et d'ajouter des points dont ils souhaitent discuter. Il est recommandé de varier les jours de la semaine et les heures pour la tenue des réunions de service pour permettre à tous les employés, sans discrimination, d'y participer[6]. Un ordre du jour final est remis à tous les participants cinq jours avant la tenue de la réunion. Ce document indique également le nom des participants qui se sont portés volontaires pour assumer l'un des rôles prévus par le règlement. Ces rôles, qui ne doivent pas être pris en charge par les mêmes personnes d'une réunion à l'autre, sont les suivants:

Le Décideur: il s'agit du seul rôle qui ne peut être attribué à un employé, puisqu'il s'agit par défaut du chef de service. Le Décideur a l'autorité d'imposer une décision et de mettre fin à un débat; il est censé rester passif, à moins qu'un thème de discussion ne s'avère sans issue. Et avant de trancher, le Décideur a le devoir d'écouter les différentes propositions des participants et de favoriser l'expression de solutions venant de l'équipe.

[6] La réception ne peut en effet être fermée pour la tenue de la réunion, donc il est impossible que tous les employés y participent, d'où l'importance de changer le jour et l'heure à chaque réunion.

Le Scribe: il doit prendre note de l'ordre du jour, des décisions et de toutes les informations pertinentes durant la réunion. Il est chargé de produire et de distribuer à tous les employés du service, et ce dans un délai raisonnable, un procès-verbal complet de la réunion. Pour toute décision portant sur des responsabilités à assumer ou des tâches à accomplir, ce compte-rendu doit mentionner le nom des personnes concernées, le mandat précis qui leur est confié, la date d'implantation du plan d'action, les ressources disponibles, etc.

L'Horloger: ces réunions devant durer entre 1 heure 30 et 2 heures, chaque point à l'ordre du jour doit être traité dans une période de temps prédéterminée. L'Horloger doit intervenir, au besoin, pour s'assurer du respect du temps prévu afin de couvrir l'ensemble des points figurant à l'ordre du jour.

Le Modérateur: il est responsable du bon déroulement des réunions. Il doit donc veiller à ce que les débats soient circonscrits aux points figurant à l'ordre du jour, qu'il n'y ait pas de débordements ou d'empiètements, que tous les participants aient la possibilité de prendre la parole, etc. Il travaille à encadrer les discussions.

La Conscience: ce rôle permet à l'employé qui le joue de partager ses opinions personnelles quant à la gestion de son service, à son chef, à ses subordonnés et à ses collègues. En fin de réunion, la Conscience effectue donc un tour de table; elle doit absolument émettre à chacun une critique constructive, soulever un point négatif ou à améliorer. La personne qui reçoit le commentaire n'a le droit ni de répliquer, ni de se défendre. De même, à la suite de la réunion, les participants ne sont pas censés revenir sur les propos tenus par la Conscience et surtout, ne doivent pas rapporter ces propos à des membres d'autres services de l'établissement.

Ce cinquième rôle fait toute la particularité des réunions de service dans cette chaîne hôtelière. Conçu pour désamorcer des conflits potentiels entre des membres de l'équipe, il doit également favoriser la capacité d'autocritique et de remise en cause chez les employés, et en particulier chez les cadres. Pour être remplie de manière efficace, une liberté de parole totale, dans le respect de chacun, doit être accordée à la Conscience, d'où l'importance de la clause de confidentialité qui porte sur ses critiques. Ce mécanisme de confrontation plutôt original n'est pas seulement utilisé pour les réunions départementales, mais aussi dans le cadre des réunions mensuelles de direction, entre chefs de service.

L'instauration du rôle de la Conscience s'avère tout à fait cohérente avec les cinq valeurs clefs que l'entreprise tente de faire partager à ses salariés: la confiance, la responsabilité, le professionnalisme, la transparence et l'innovation. En principe, un tel dispositif doit favoriser la mise en œuvre et la diffusion de ces valeurs qui définissent officiellement la culture de l'entreprise. En pratique, il déconcerte bien souvent les nouveaux venus. Mais, il n'est peut-être pas pour rien dans le fait que les employés des deux établissements montréalais appartenant à cette chaîne hôtelière ne sont pas syndiqués. Cette absence des syndicats est plutôt rare dans le domaine de l'hôtellerie, d'autant plus que les employés de Monsieur Cimon sont moins bien payés que dans des établissements concurrents.

UNE CONSCIENCE QUI DÉRANGE?

Nathalie a donc fait la Conscience de Marc, son chef de service, lors de la dernière réunion de service. Et aux dires de tous, elle s'est montrée tout à fait respectueuse et correcte dans sa manière de jouer son rôle. Monsieur Cimon n'a pas de peine à croire ses interlocuteurs. Il connaît bien Nathalie puisqu'elle est là depuis l'ouverture de l'hôtel, et il lui fait toute confiance sur ce plan. Il demande alors:

«Mais que lui avez-vous dit, à Marc?
- Je lui ai dit que j'avais l'impression qu'il manquait parfois de contrôle dans certaines tâches. Des petites choses, en fait. À quelques reprises, il s'est trompé dans les horaires, il a oublié des choses qu'on lui avait demandé de vérifier pour nous, etc. Il a fait une erreur sur le système informatique et c'est moi qui me suis fait engueuler par les clients; il m'a laissée toute seule pour ramasser les pots cassés. Peu importe, je lui ai simplement dit qu'il avait souvent l'air dans la lune, et il a semblé bien prendre mon commentaire.
- Il vous a répondu quelque chose?
- Normalement, il n'a pas le droit de répliquer, alors il m'a juste dit qu'il en prenait note et qu'il ferait des efforts. Jusque-là, tout était OK!»

Silence. Les trois employés se regardent et ont l'air mal à l'aise. Ils semblent hésiter, ne sachant qui va devoir lâcher la bombe... C'est finalement Nathalie qui reprend la parole:

«Comme je disais, ça allait super bien... Mais depuis la réunion, Marc a vraiment changé d'attitude envers moi. Il a changé mon horaire et je n'ai même plus mes deux journées de repos collées; c'est vraiment difficile à vivre quand on travaille de nuit... Aussi, il vient de me refuser une demande de congé sans solde pour dans trois semaines, mais il n'a même pas de bonne raison: l'hôtel n'est pas très occupé et il y a au moins deux personnes qui peuvent reprendre mes heures. Il repasse derrière tout ce que je fais et il cherche des erreurs dans mon travail; il essaie juste de me coller. Il a imprimé un document sur lequel j'avais fait une petite faute, il l'a affiché sur le babillard du *back office*, et il a écrit en gros «inacceptable!!!» dessus au marqueur. Hier encore, il m'a fait une remarque vraiment désobligeante, et devant tout le monde: c'était condescendant et gratuit... D'autres employés m'ont dit qu'il leur avait parlé de moi en mal, comme quoi je ne travaillais pas super bien, etc. Il peut ressortir ma dernière évaluation, s'il veut, j'ai eu un des meilleurs scores du département!»

Nathalie se tait d'un coup, cherchant manifestement à ne pas s'emporter. Mais tout montre qu'elle est profondément indignée et blessée. Monsieur Cimon reprend:

«En avez-vous parlé avec lui?
- J'ai essayé de lui en parler, mais il ne veut pas m'écouter. Il m'a répondu qu'il était sans doute trop *relax* avec nous depuis son arrivée, mais qu'il fallait redresser la situation et être plus strict, maintenant. Comme par hasard, je suis la seule sur qui il est tombé... Quand j'ai vu qu'on ne pouvait pas régler le problème entre nous, j'ai demandé conseil à des collègues. Vous êtes la seule personne au-dessus de lui qui a l'autorité d'intervenir, donc on a décidé de vous en parler... C'est vraiment plate et injuste: il est là, à prôner les valeurs de la chaîne sur le professionnalisme et l'intégrité, il a insisté sur le fait que c'est important de parler ouvertement et de ne pas avoir peur quand on fait la Conscience en réunion et tout! Par contre, entre ce qu'il dit et ce qu'il fait... Je n'ai jamais voulu l'attaquer ou miner sa crédibilité devant les autres! Je comprends très bien le but de la Conscience et la manière de la faire et j'ai été tout à fait correcte avec lui! C'est quoi, les fameuses valeurs qu'il défend s'appliquent seulement quand ça fait son affaire? Il n'est pas habitué et ne s'attendait peut-être pas à ce qu'on ose le confronter, mais de toute évidence il n'a pas digéré ce que je lui ai dit et il me le fait payer. Je n'ai pas à subir ça...»

Pour Monsieur Cimon, ces doléances sont plutôt embarrassantes. Comment ne pas entendre et tenir compte de la plainte de cette employée modèle? Et puis, il ne lui échappe pas qu'ils sont trois à avoir pris la peine de venir le rencontrer ce matin. En même temps, Marc n'est là que depuis quelques mois, son poste est particulièrement délicat et le contexte dans lequel il est arrivé n'était pas forcément favorable. Par ailleurs, il a toutes les qualités pour réussir dans ses fonctions. C'est Monsieur Cimon lui-même qui l'a recruté.

LE RESPONSABLE DE LA RÉCEPTION

Le chef de réception est l'un des dix directeurs de service dans l'hôtel[7]. Il gère une équipe d'en moyenne 25 personnes, selon les saisons. Il participe à l'élaboration des stratégies à plus long terme avec ses pairs, gère le budget de son service, détermine ses besoins en personnel, fait le suivi des évaluations hebdomadaires de qualité du service avec le siège social, etc. Sur le plan opérationnel, il établit les horaires de tous les employés sous sa supervision (répartition des quarts de travail, allocation des congés et des vacances), leur prête main-forte pour gérer certaines situations (les clients mécontents qui demandent à parler à un patron, par exemple), organise les réunions de service, et sert de liaison entre la haute direction et ses employés. Le bon fonctionnement de ce service constitue un enjeu particulièrement sensible, puisque ce sont les préposés à la réception qui assurent l'essentiel des contacts avec la clientèle.

L'Hôtel du Nord est ouvert depuis un an et demi. À l'origine, c'était Ariane qui dirigeait le service de la réception. Elle travaillait déjà à ce poste, avec Monsieur Cimon, lorsque celui-ci dirigeait l'établissement de New York. Ensemble, ils ont affronté avec succès la crise provoquée par les attentats du 11 septembre 2001, survenus non loin de l'hôtel. Mais, il y a six mois, la jeune femme a démissionné pour suivre son mari en Europe. Ce départ inattendu a causé bien du souci à Monsieur Cimon: il appréciait beaucoup Ariane, qui faisait un excellent travail. Son remplacement s'est avéré d'autant plus problématique que son équipe s'était énormément attachée à elle. Elle avait réussi en peu de temps à créer autour d'elle une belle dynamique, en se montrant proche de ses subordonnés et attentive à leurs besoins, tout en leur accordant une forte autonomie. Pour Monsieur Cimon, il a fallu se mettre en quête de la perle rare qui saurait la remplacer, tout en faisant taire avec tact les ambitions de certains membres de l'équipe qui convoitaient la place de leur ancienne directrice.

Au siège, on lui a alors recommandé Marc, qui travaillait à l'époque en Ontario et dont ils avaient reçu la candidature. Sur papier, ce jeune homme offrait exactement ce que Monsieur Cimon recherchait: une expérience conséquente et variée, allant de la restauration à l'entretien ménager. Certes, Marc n'avait encore jamais travaillé à la réception, mais après une série d'entretiens avec lui, Monsieur Cimon et Monsieur Régny, le directeur des opérations, ont été emballés par sa candidature, au point d'ailleurs de négliger totalement certaines réticences exprimées par la directrice des ressources humaines. D'après les résultats des tests psychométriques réalisés,

[7] Voir l'organigramme à la fin du cas.

elle avait des raisons de croire que son profil n'était pas très compatible avec l'équipe de réception et qu'il y aurait des conflits de personnalité. À l'évidence, il s'agissait d'un homme très ambitieux, bien décidé à gravir rapidement les échelons. Monsieur Cimon était d'ailleurs persuadé que Marc avait déjà en vue le poste de directeur des opérations. Mais après tout, peut-on reprocher à un jeune cadre d'être ambitieux? La décision de l'embaucher a donc été prise sans hésitation.

Quand Marc est entré en fonction, il y a quatre mois, Ariane était partie depuis déjà deux mois. Pendant cette période, l'équipe de la réception avait continué de fonctionner sans chef direct et sans avoir de grosses difficultés. L'avantage pour Marc est qu'il n'y avait pas eu de feux à éteindre en arrivant. En revanche, il n'avait pas pu être formé par son prédécesseur dans ses tâches.

Tout dernièrement, Monsieur Cimon a parlé avec plusieurs préposés à la réception pour prendre le pouls de la situation. C'est là qu'il a pu détecter certaines tensions. Il semble que pas mal de choses se passent dans le dos de Marc. Les employés prétendent qu'il est encore assez «perdu». Par conséquent, ils prennent souvent des décisions sans lui en parler parce qu'ils ne veulent pas perdre du temps à tout lui expliquer. Certains se disent aussi agacés d'avoir à aider leur directeur dans des tâches courantes, notamment dans l'utilisation du système Fidelio[8]. Et puis, il semble y avoir eu un petit accrochage avec son personnel de nuit. Pour avoir travaillé sur ce quart en début de carrière, Monsieur Cimon est particulièrement au fait de la réalité du travail de nuit. Il sait à quel point ce poste est exigeant, et à quel point aussi ceux qui l'occupent sont sensibles à la manière dont on les traite…

Apparemment, Marc a promis aux auditeurs de nuit, à son arrivée quatre mois plus tôt, de leur donner plus d'encadrement pour améliorer leurs conditions de travail. La nuit, les auditeurs gèrent non seulement la réception et l'hôtel, mais doivent aussi effectuer la réconciliation financière de toutes les activités de la journée. Marc leur avait promis deux choses. Premièrement, un employé de soir finirait son quart plus tard pour que les auditeurs puissent se concentrer davantage sur leurs tâches de vérification. Deuxièmement, Marc s'était engagé à arriver plus tôt à l'hôtel une journée par semaine, et à organiser des petits-déjeuners avec les auditeurs. Étant donné leur horaire, ces derniers avaient rarement l'occasion de voir leur supérieur pour échanger des informations directement ou pour faire le suivi de dossiers importants. Concrètement, rien n'a changé, disent les auditeurs.

---

[8] Fidelio est le système informatique qui gère toute la réception, les dossiers des clients, les réservations et les transactions financières.

Il semble n'y avoir eu qu'un seul petit-déjeuner en seize semaines... Quant aux horaires, Marc aurait prétendu avoir les mains liées par la direction et ne pouvoir modifier la structure de travail.

Monsieur Cimon n'a pas encore trouvé le temps de discuter avec Marc de cet épisode. Mais, au cours des dernières semaines, son directeur de réception lui a toujours affirmé que tout se passait bien de son côté. Marc se montrait même tout à fait enthousiaste, lorsqu'il évoquait son travail. Par ailleurs, tous les indicateurs montrent que le service fonctionne vraiment bien. Enfin, à l'occasion des réunions de direction, Monsieur Cimon a pu apprécier la grande rigueur de Marc sur le plan de la gestion de son budget, en même temps que sa créativité. À plusieurs reprises, le jeune manager a suggéré des idées très intéressantes et originales pour résoudre des problèmes auxquels ses pairs ont été confrontés.

Annexe 1
Organigramme de l'Hôtel du Nord

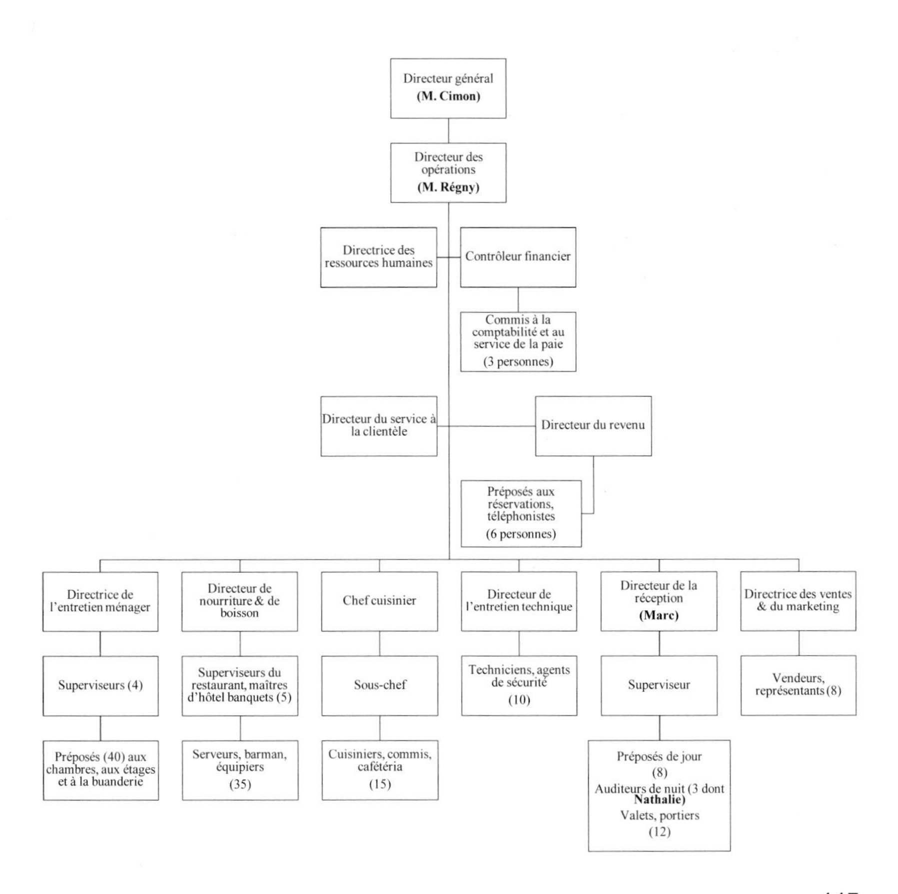

Chapitre 30

VERIFONE: L'ENTREPRISE VIRTUELLE INCARNÉE[1]

Catherine Lebrun

Dès sa création en 1981, VeriFone a décidé de faire tout autrement: pour le leader mondial du créneau prometteur des systèmes d'automatisation de transactions monétaires, esprit d'innovation, anticonformisme, dynamisme et structure virtuelle[2] ont été les ingrédients d'une recette à succès. Un succès qui attire l'attention et qui fait beaucoup jaser, car l'entreprise s'est moulée dans un processus de virtualisation dont elle est très fière, et qui lui vaut, à répétition, le titre de *first virtual organization*[3]. Être virtuelle ou ne pas l'être, seul moyen, selon la direction, d'être plus efficace que la concurrence et de s'imposer sur le marché du mouvement de l'argent, dont les possibilités ne cessent de croître. Qu'on en juge par les données des analystes: pour la seule année 1994, pas moins de 9,2 milliards de transactions par carte de crédit se sont conclues, et 57 milliards par voie de chèque[4]. On imagine aisément l'attrait que peut représenter un tel bassin de possibilités! Pour VeriFone, rien de moins que la part du lion: avec une part de marché frôlant les 80%, elle est décidément le numéro 1 mondial en matière de terminaux de paiement, ces fameux petits appareils où l'on glisse les cartes de débit et de crédit pour procéder à l'autorisation de la transaction, et dont la vue nous est maintenant très familière.

Il y en a pratiquement partout: boutiques, restaurants, banques, hôtels, etc., ils se multiplient à un rythme effréné. C'est tout le commerce en général qui vit une mutation technologique.

---

[1] Reproduit avec la permission de HEC Montréal.

[2] Tiré de Inc. Online, *Running a Virtual Organization*, 17 septembre 1996.

[3] Tiré de Information Week, Wilder, C., *Who Needs an Office*, 6 juin 1994.

[4] Tiré de Direct IPO, Industry Spotlight, *The Next Big Thing Since Sliced Bread.(www.directipo.com/ weekly/sparchives1.shtml)*

UNE COURSE
À LA RÉUSSITE

Le parcours de l'entreprise, en moins de 20 ans d'existence, est révélateur d'une détermination peu commune; à sa naissance, en 1981, elle est d'abord spécialisée dans la fabrication de terminaux de bonne qualité et à prix abordable, comme en témoigne le dispositif ZON vendu à 500 dollars[5], et a progressivement étendu son éventail de produits à des imprimantes, des lecteurs de carte à puce, pour ensuite explorer le monde du logiciel en développant des solutions intégrées de paiement électronique. Après son entrée publique sur le parquet de la Bourse en 1990, VeriFone commercialise une nouvelle gamme de systèmes, Gemstone, qui incorporent aux opérations de transaction certaines fonctions utilitaires internes aux commerces, comme le contrôle des stocks et la vérification des prix. Dans le même souffle, elle consolide ses compétences distinctives en se concentrant sur le «cœur» de ses produits et en pratiquant l'impartition.

«VeriFone voyait son habileté manufacturière comme une arme stratégique. Comme résultat, la production de tous les composants spécifiques aux systèmes d'automatisation de transaction (c.-à-d. les lecteurs de cartes) a été intégrée à l'interne. Ceci a permis à l'entreprise d'investir dans ses propres besoins et priorités indépendamment du succès ou progrès des autres. La production de modems, microprocesseurs, puces de mémoire et autres composants non exclusifs aux systèmes d'automatisation de transaction a été impartie.»

«Nous nous tiendrons à l'écart de ce que nous savons que nous ne savons pas, et rien ne pourra nous ébranler dans nos compétences distinctives[6].»

Avide de se positionner partout où son expertise peut être mise à profit, elle fait l'acquisition en 1995 de la société *Enterprise Integration Technologies* (EIT), spécialisée dans le commerce électronique, et l'année suivante conclut une alliance avec Netscape pour le développement de systèmes sécuritaires et performants de transferts de fonds sur Internet. Pourquoi ce nouvel intérêt, alors que les achats par l'autoroute électronique ne représentent que 1% des 7,5 billions de dollars totalisant les achats effectués annuellement à l'échelle mondiale? La réponse est simple: malgré qu'actuellement, «l'économie sur Internet ressemble au Moyen Âge, c'est-à-dire qu'il n'existe aucun moyen de paiement standardisé[7]», VeriFone est

---

[5] Voir les produits de VeriFone.(http://www.VeriFone.com/products/html/product_library.html)

[6] Tiré de: Galal H., Stoddard D., Nolan R. et Kao J., *VeriFone: The Transaction Automation Company (A)*, HBS, cas no. 195-088, Harvard Business School Publishing, 1994. Traduction libre.

[7] Tiré de Direct IPO, Industry Spotlight, *The Next Big Thing Since Sliced Bread. (www.directipo.com/ weekly/sparchives1.shtml)*

profondément persuadée qu'il y aura, là aussi, une croissance sans précédent.

«La probabilité est que, d'ici les cinq à dix prochaines années, le nombre de transactions de consommation qui s'effectueront sur Internet – biens et services – sera plus élevé que celui des transactions de consommation qui s'effectuent dans l'espace physique aujourd'hui[8]», présage son PDG, Hatim Tyabji. Bien sûr, pour qu'une telle transition puisse voir le jour, il appert évident que l'on doive faire confiance au cyberespace de la même façon qu'on accorde foi à la monnaie, ce dont Tyabji semble intimement convaincu.

«Avec le temps, d'ici 25 ou 30 ans, les gens vont commencer à éprouver le même niveau de confiance. Et quand ce niveau de confiance commencera à se générer par lui-même, les gens vont être à l'aise. Ce n'est pas une question de technologie, c'est une question de psychologie[9].»

VeriFone n'est d'ailleurs pas la seule à croire en cette future évolution, car en 1997, elle se voit offrir le titre de filiale de la deuxième plus grande société américaine d'ordinateurs, Hewlett-Packard (HP), moyennant la jolie somme de 1,29 milliard de dollars[10]. Ainsi unies, les deux entreprises entendent bien être aux premiers rangs d'une standardisation de la sécurité transactionnelle et s'activent au développement du fameux protocole SET (*Secure Electronic Transaction*) de concert avec Microsoft, Visa et MasterCard. Le commerce électronique constitue bel et bien une voie d'avenir fort séduisante, et la position de VeriFone est plus qu'enviable: les revenus annuels dépassent les 500 millions de dollars, les bénéfices frisent les 50 millions et la croissance atteint un taux de 28%. On ne s'étonne plus de l'attention que lui porte le géant informatique, comme en témoigne Dan Brenda, PDG canadien de HP.

«Des 800 milliards de dollars (US) de transferts électroniques d'argent réalisés aux États-Unis seulement en 1996, les produits de VeriFone en ont supporté plus de 500 milliards de dollars[11].»

---

[8] Tiré de New Media News, The Spotlight, *VeriFone*, 1996. (http://www.newmedianews.com /92196/ts9v.html)

[9] Tiré de New Media News, The Spotlight, *VeriFone*, 1996. http://www.newmedianews.com /92196/ts9v.html)

[10] Voir le communiqué de presse de VeriFone par HP, 25 juin 1997. (http://www.VeriFone.com/ corporate_info/press_rel/html/pr062597_hp_merger.html)

[11] Tiré de The World of Electronic Business, *How will your Company Compete*, 1998. (http://www.hpcanconnect.com/vision/v1.html)

La mission de l'entreprise ne semble donc pas mentir: «Créer l'industrie de l'automatisation de transaction à l'échelle mondiale et en être le chef de file[12].» Chef de file d'une industrie alléchante, qui invite inévitablement la concurrence: côté matériel, VeriFone supplante Hypercom, NBS et IVI, une nouvelle entreprise issue d'une fusion d'International Verifact et de Checkmate Electronics[13], alors que, côté logiciel, elle doit affronter les Equifax, DigiCash, CheckFree, CyberCash (fondée par le fondateur de VeriFone, grâce à l'investissement initial de cette dernière, qui, depuis, s'en est détachée, étant donné la rivalité opérationnelle grandissante[14]), First Data (filiale d'American Express), First Virtual, First USA Paymentech, Total System Services et tous les grands réseaux d'accès Internet (American OnLine, CompuServe, Microsoft, Netscape, Prodigy, etc.). Il y a un nombre croissant de joueurs dans l'arène, ce qui explique la nécessité d'établir des ententes, de conclure des alliances, pour s'accaparer ne serait-ce qu'une portion de cette mine d'or que constitue le *cybercommerce* en plein essor, et les formidables défis qui en découlent, comme le prévoient les analystes.

«Dans l'une de ses prévisions de la taille du marché SET, Killen, firme de consultation en télécommunications, services financiers et technologie, estime que ce marché de matériel, logiciels, intégration de systèmes et services de soutien va atteindre deux milliards de dollars en l'an 2000. La part la plus importante reviendra aux ventes de logiciels, de l'ordre de 1,2 milliard en 2000[15].»

De telles perspectives ne laissent pas de glace les grandes entreprises de services financiers et l'industrie de l'informatique: qu'il s'agisse de MasterCard, NOVUS Services, la Banque Royale du Canada, Universal Savings Bank, VISA, Wells Fargo, ou de AT&T, GTE, Microsoft, Oracle, RSA[16], tous gravitent autour de VeriFone et ourdissent ensemble un solide réseau de coalitions et de conventions. On se donne la main pour bénéficier d'une mise en commun des expertises particulières.

«De concert avec huit des institutions financières les plus éminentes au monde [Citibank, Mondex, Paymentech, Banque Royale du Canada, Siste-

[12] Tiré de: Galal H. et al., *op.cit.* Traduction libre.

[13] Se partagent approximativement 15% du marché mondial, laissant 5% à une multitude d'entreprises diverses.

[14] Voir le communiqué de presse de VeriFone par HP, 25 juin 1997. (http://www.VeriFone.com/corporate_info/press_rel/html/pr062597_hp_merger.html)

[15] Tiré de C/NET, Clark, T., *E-Commerce duo may be Unstoppable*, 14 août 1997. (http://www.news.com/ News/Item/0,4,13404,00.html)

[16] Voir le communiqué de presse de RSA Data Security, 18 juin 1996. (http://www.rsa.com/set/html/VeriFone.htm)

ma 4B, Sumitomo Credit, Visa International et Wells Fargo], HP, VeriFone et EDS ont annoncé aujourd'hui la création de First Global Commerce, une initiative de l'industrie à l'échelle mondiale destinée au développement et à la promotion du commerce et des opérations bancaires électroniques [...] qui se compose de deux éléments majeurs, un forum interactif pour l'industrie et une plate-forme initiale de solutions de commerce électronique[17].»

Même avec les concurrents (dont le géant IBM), on tisse des liens, toujours dans l'intérêt du marché.

«IBM, HP et VeriFone, leaders mondiaux dans l'élaboration de solutions de paiement sécuritaire sur Internet, ont annoncé aujourd'hui qu'ils travaillent ensemble pour assurer que leurs produits basés sur le protocole SET soient compatibles, afin que l'interopérabilité, si critique à l'acceptation de SET dans le marché, soit garantie[18].»

LA GLOBALITÉ VIRTUELLE

Plus de cinq millions de terminaux de paiements portant la griffe VeriFone ont été expédiés dans plus d'une centaine de pays[19]; quand on sait que l'entreprise a vu le jour en 1981, on peut se demander comment elle a pu grimper de si hauts sommets, en si peu de temps. Même son PDG manifeste de l'étonnement: «C'était un rêve. Et sentions-nous que nous aurions une telle pénétration? Non. Honnêtement, c'était un rêve à l'origine[20].»

Dès ses débuts, VeriFone adopte un design organisationnel qui tranche avec les structures traditionnelles, envers lesquelles d'ailleurs le fondateur, William Melton, «vouait une aversion certaine[21].» Les cinq premiers pionniers se dispersent à travers le monde, préférant se tenir à proximité du client pour mieux en anticiper les besoins et y apporter une solution mondiale et satisfaisante, plutôt que de profiter de la synergie d'une coprésence physique. Comme le mentionne Will Pape, cofondateur et chef de l'information:

[17] Voir le communiqué de presse de VeriFone, 2 décembre 1997. (http://www.VeriFone.com/corporate_info/press_rel/html/pr120297_first_global.html)

[18] Voir le communiqué de presse de VeriFone, 11 novembre. (http://www.VeriFone.com/ corporate_info/press_rel/html/pr111197_ibm_hp.html)

[19] Tiré de: Galal H. et al., *op.cit.* Traduction libre.

[20] Tiré de New Media News, The Spotlight, *VeriFone*, 1996. (http://www.newmedianews.com/92196/ts9v.html)

[21] Tiré de: Galal H., et al., *op.cit.* Traduction libre.

«VeriFone a transigé avec GTE, AT&T, Northern Telecom, Japan Inc. et nous n'étions que cinq hommes. Sans notre structure virtuelle, nous n'aurions jamais été capables de battre la concurrence. Ce que nous avons fait, c'est de changer les règles pour servir nos clients, et les grandes entreprises établies ne pouvaient tout simplement pas nous concurrencer[22].»

Qui plus est, comme les frontières sont, à toutes fins utiles, abolies à la faveur de cette ouverture à l'éloignement, on peut envisager le développement d'unités spécialisées en fonction d'expertises locales: c'est le cas à Taiwan, où VeriFone a installé un centre d'ingénierie, de fabrication et de distribution en raison de l'excellence régionale en matière de design électronique; c'est également le cas de Bangalore, en Inde, qui abrite un centre de développement de systèmes, la zone étant reconnue pour la qualité de ses programmeurs.

C'est en vertu d'une décentralisation à tous les niveaux d'activité que VeriFone s'octroie le caractère d'organisation virtuelle, qu'elle distingue d'une entreprise multinationale.

«VeriFone pense mondialement et agit localement. Les sociétés dites «multinationales» font souvent tout sauf la fabrication régionale. Pour VeriFone, être mondiale implique une décentralisation des activités de développement, de fabrication et de service[23].»

Au fur et à mesure que l'entreprise croît, on accentue cette décentralisation géographique, même dans les fonctions de gestion habituellement concentrées au siège social: chez VeriFone, les dirigeants de ces fonctions n'ont aucune obligation de se rassembler à Redwood, adresse nominale de l'entreprise. Ils s'établissent là où ils le veulent, selon leurs goûts.

«Le concept de bureau ne compte pas beaucoup. Les dirigeants de VeriFone choisissent là où ils veulent vivre. La résidence de Tyabji se trouve au nord de la Californie, mais le chef de l'information vit à Santa Fe, au Nouveau-Mexique, et le VP ressources humaines vit à l'extérieur de Dallas. Pourquoi? Parce que ça leur plaît[24].»

---

[22] Tiré de Inc. Online, *Running a Virtual Organization,* 17 septembre 1996. (http://inc.com/ internet/ objects/73.html)

[23] Tiré de Structural Dynamics Research Corporation, *I-DEAS Case Study : VeriFone*, 1998. (http://www.sdrc.com/ideas/case/VeriFone/)

[24] Tiré de Fast Company, Archives, Taylor, W. C., *At VeriFone It's a Dog's Life (And They Love It!*). (http://www.fastcompany.com/online/01/vfone.html)

Cette dispersion ne semble cependant pas affaiblir leur poids décisionnel, puisque chaque site est considéré égal aux autres: c'est ce que Tyabji appelle communément sa «tarte aux bleuets[25]».

«Les gens chez VeriFone sont comme des bleuets – ils sont tous égaux quant à leur importance dans la société. Le fruit, c'est l'infrastructure de la compagnie, les processus, les choses qui lient les employés ensemble et qui en font des *VeriFoneurs*[26].»

C'est grâce à ce concept d'égalité que, selon lui, la mondialisation est possible.

«Mondial n'est pas synonyme d'international. La plupart des entreprises qui disent être mondiales ont une certaine présence internationale en établissant des bureaux dans différents pays, qui servent de comptoirs de ventes et de poste d'écoute pour ces sociétés au lieu d'être des pairs (égalité de lieu)[27].»

Résultat? En 1997, l'entreprise compte plus de 3000 employés – on croit même approcher les 4000[28] – répartis dans le monde entier, dans plus d'une trentaine d'emplacements[29].

«Tyabji affirme que VeriFone n'a pas de siège social, ne se reconnaît aucune origine nationale, et se sent chez elle partout dans le monde. [...] Cette portée mondiale crée d'énormes avantages par rapport aux entreprises, localement ancrées, qu'elle concurrence[30].»

Une telle structure pourrait mener au chaos en ce qui a trait à la coordination, alors que chez VeriFone, elle constitue un indéniable avantage stratégique dont on tire habilement profit, non seulement en vertu de l'effet de levier des expertises régionales, mais aussi grâce à l'exploitation des différentes plages horaires qui permet à l'entreprise d'être ouverte 24 heures sur 24!

---

[25] Tiré de: Galal H. et al., *op.cit.* Traduction libre.

[26] Tiré de Fast Company, Real Time, «*Creating a Culture of Urgency: Ode to a Blueberry Pancake*», 14-16 juin 1998. (http://www.fastcompany.com/realtime/monterey/sessions/pancake.html)

[27] Tiré de: Galal H., et al., *op.cit.* Traduction libre.

[28] Tiré de Fast Company, Real Time, «*Creating a Culture of Urgency: Ode to a Blueberry Pancake*», 14-16 juin 1998. (http://www.fastcompany.com/realtime/monterey/sessions/pancake.html)

[29] Voir les sites de VeriFone. (http://www.VeriFone.com/corporate_info/locations/).

[30] Tiré de Fast Company, Archives, Taylor, W. C., *At VeriFone It's a Dog's Life (And They Love It!)* (http://www.fastcompany.com/online/01/vfone.html)

«VeriFone fait même en sorte que le décalage horaire entre les centres de développement œuvre en sa faveur, l'utilisant pour répondre aux demandes de changement de design des clients pendant la nuit[31].»

C'est donc une véritable culture de l'urgence[32] que l'on pratique chez VeriFone, et qui en fait un concurrent redoutable.

«La compression du temps: VeriFone l'appelle la *culture de l'urgence*, et c'est l'ultime cri de guerre de l'entreprise. Tyabji se vante du fait que VeriFone réalise une journée de travail de 24 heures. Les projets de logiciels, par exemple, suivent le soleil selon une routine établie. Les programmeurs travaillant à Bangalore, Paris, Dallas ou Honolulu s'envoient le code des uns aux autres pour garder le processus de développement en mouvement pendant qu'ils dorment[33].»

Non seulement la nuit porte-t-elle conseil, mais encore devient-elle stratégiquement rentable. «Il n'y a aucune occasion d'affaires que nos concurrents peuvent dénicher avant nous[34]», prétend Tyabji, fier de constamment remettre en question l'ordre établi pour en tirer des avantages concurrentiels.

«Les entreprises et les personnes qui sont satisfaites d'elles-mêmes ne pensent pas avoir besoin de changer, de fournir un effort additionnel, ou de ramer fort pour atteindre leur but parce qu'elles ont déjà du succès. Que le ciel vienne en aide à toute organisation qui se contente de s'asseoir sur ses lauriers[35].»

AU CŒUR DU SUCCÈS: LA GESTION DU VIRTUEL

Bien entendu, VeriFone doit veiller à ce que tous ses membres coordonnent entre eux leurs activités respectives; c'est d'ailleurs un enjeu capital pour l'entreprise, qui, tout en maintenant une vision mondiale, doit composer avec une multitude de sites égaux qui sont exploités localement.

«Gérer la tension entre pensée mondiale et pensée locale est aussi un problème majeur. Avec l'éclosion de nouveaux sites VeriFone partout dans le

[31]Tiré de Structural Dynamics Research Corporation, *I-DEAS Case Study: VeriFone*, 1998. (http://www.sdrc.com/ideas/case/VeriFone/index.html)

[32]Tiré de: Galal H., et al., *op.cit.* Traduction libre.

[33]Tiré de Fast Company, Archives, Taylor, W.C., *At VeriFone It's a Dog's Life (And They Love It!)*. (http://www.fastcompany.com/online/01/vfone.html)

[34] Tiré de: Galal H., et al., *op.cit.* Traduction libre.

[35] Tiré de: Galal H., et al., *op.cit.* Traduction libre.

monde et la croissance rapide de ceux qui existent déjà, comment [Tyabji] serait-il apte à prévenir l'émergence de cultures indépendantes affichant des valeurs différentes? Peut-être plus important, comment pourrait-il maintenir l'effet de levier des ressources locales à un niveau mondial et prévenir la tendance naturelle des sites décentralisés à glisser vers la pensée et l'action locales[36]?»

VeriFone semble très consciente de cet enjeu fondamental: «Comme entreprise, exister virtuellement peut rendre vos employés plus heureux et vos profits plus importants. Mais ça vient avec un ensemble spécifique de défis», soutient Will Pape. Pour porter ses ambitions, la société s'appuie sur deux facteurs clés: le facteur technologique et le facteur humain.

LE FACTEUR TECHNOLOGIQUE

Chez VeriFone, l'arsenal technologique est impressionnant, car il relie non seulement la multitude de sites de l'entreprise, mais aussi 90% de ses fournisseurs, tels que Motorola, et de ses clients, comme Citibank. Même les agents de voyage attitrés ont accès au réseau WAN (*Wide Area NetWork*). L'entreprise utilise un système DEC VAX doublé d'un réseau local PC, ainsi qu'une passerelle à l'Internet, auxquels peuvent accéder tous les utilisateurs, quel que soit leur emplacement. Et la convivialité n'a pas été négligée, car tous les sites sont dotés d'une même et unique interface, selon Pape.

«Les ramifications du menu aux différentes applications, ainsi que le fait que l'application soit différente, sont transparents pour l'utilisateur. Une application peut être installée à Taïwan, une autre en Inde, une troisième à Honolulu, etc., mais pour l'employé, elles paraissent toutes faire partie de son *logon*, et il n'a pas à se rappeler des commandes spéciales ou un protocole sophistiqué[37].»

De plus, le modèle d'architecture de programmation est standard, ce qui constitue un net avantage pour tirer profit des décalages horaires par le relais du code.

«Des côtés mécanique et design industriel du processus de développement, un solide modèle constitue notre principal moyen de communication [...]

---

[36] *Ibid*

[37] Tiré de Inc. Online, *Running a Virtual Organization,* 17 septembre 1996. (http://inc.com/ internet/objects/73.html)

Nos ingénieurs peuvent envoyer leurs fichiers à n'importe qui, n'importe quand, et être certains qu'ils seront compris[38].»

On ne s'étonnera pas que le courrier électronique soit le principal véhicule de la communication entre les intervenants, qu'ils soient employés, gestionnaires, hauts dirigeants, clients ou fournisseurs, car il est à la portée de tous, facile d'utilisation, rapide et... à coûts minimes. Même les familles immédiates des employés y ont accès (voir l'annexe 1)! Chez VeriFone, pas de papier, pas de secrétaire. On échange, approuve, modifie, commente par le réseau, qui recèle, en outre, une imposante banque de données en temps réel permettant à tout un chacun de se tenir informé.

«En fait, ce n'est pas une seule base de données, mais plus de 65 bases différentes, quoiqu'accessibles à partir d'un même et unique point d'entrée. [...] Les nouveaux employés n'ont besoin de se rappeler que d'un mot: MENU, et ils peuvent alors accéder à un vaste éventail d'informations[39]».

«VeriFone, est une entreprise «sans papier» et sans secrétaire. Approbation, classement d'information, etc. sont effectués par l'intermédiaire du WAN. Les gestionnaires de VeriFone ont aussi accès, grâce au WAN, à la performance globale de l'entreprise à la Bourse. Des informations à jour concernant les livraisons de leurs matières premières et de leurs produits sont également accessibles sur le WAN. L'itinéraire de voyage de tous les gestionnaires de VeriFone est aussi transmis électroniquement[40].»

À l'interne, les outils technologiques sous-tendent la stratégie de mondialisation adoptée par l'entreprise en lui permettant de pallier la décentralisation géographique, voire en s'y substituant (voir l'annexe 2); d'ailleurs, ils sont sélectionnés en fonction de leur pertinence et de leur efficacité, et non de leur performance absolue: «Si vous n'utilisez que le courrier électronique, vous n'avez pas besoin d'un Pentium... Vous n'avez pas besoin d'une Ferrari pour aller au supermarché[41]», plaisante Pape. À l'externe, les technologies sont axées sur une perpétuelle vision *service à la clientèle* et, là encore, on opte pour la pertinence.

«Nulle part ailleurs est-il plus important d'avoir la bonne technologie que dans le domaine du service à la clientèle. Malheureusement, plusieurs en-

[38] Tiré de Structural Dynamics Research Corporation, *I-DEAS Case Study : VeriFone*, 1998. (http://www.sdrc.com/ideas/case/VeriFone/)

[39] Tiré de Inc. Online, *Running a Virtual Organization,* 17 septembre 1996. (http://inc.com/ internet/objects/73.html)

[40] De la division VeriFone Software Systems PVT. LTD. (VSSPL), Bangalore, Inde.

[41] Tiré de: Galal H., et al., *op.cit*. Traduction libre.

treprises prennent de mauvaises décisions à cet égard, car elles s'enflent la tête avec des technologies dernier cri[42]», fait remarquer Pape, pour qui, indéniablement, la technologie est seulement un facilitateur, pas le but du jeu[43].

Mais la communication électronique, malgré ses indéniables avantages, comporte des lacunes, car elle perpétue la perte de contact visuel et physique. Pour y remédier, les sites sont également équipés d'un système de vidéoconférence, psychologiquement plus engageant (voir l'annexe 3), comme en témoigne Pape:

«Quand vous devenez une organisation virtuelle, votre personnel perd soudainement toutes les interactions dans les corridors, dans les ascenseurs et près des fontaines, qui peuvent aider à faire avancer les projets et à atténuer les conflits. [...] Établissez une procédure qui aide les employés à savoir quand établir une réunion par téléphone ou par vidéoconférence – s'ils ont un désaccord majeur, par exemple. Quand les travailleurs communiquent surtout par le courrier électronique, de petites irritations peuvent aisément dégénérer en conflits majeurs. Apprendre comment être en désaccord à distance est une caractéristique importante de l'aptitude à œuvrer virtuellement[44].»

Paradoxalement, l'entreprise qui incarne la virtualité utilise de façon très intensive les déplacements, histoire de multiplier les rencontres physiques, en face à face, et de développer des liens de confiance et de camaraderie. Ainsi, une fois tous les six ou huit semaines, les dirigeants de VeriFone se rassemblent dans un des sites de l'entreprise chaque fois différents, pour prendre le pouls de l'ensemble, définir des orientations et jeter les bases du tissu social.

«Nous en sommes venus à la réunion aux huit semaines par essai-erreur. Plus tôt que ça, vous passez trop de temps en réunion. Plus tard que ça, et vous commencez à sentir que vous perdez contact[45]».

«Nous travaillons ensemble 18 heures par jour. Les sessions sont si intenses que nous faisons connaissance très vite des nouvelles personnes. [...] Et

---

[42] Tiré de Inc. Online, *Making Technology Serve Your Customers*, 20 mai 1997. (http://www.inc.com/ peertopeer/transcripts/052097ch.html)
[43] Tiré de Inc. Online, *Running a Virtual Organization,* 17 septembre 1996. (http://inc.com/ internet/objects/73.html)
[44] Tiré de Inc – The Magazine for Growing Companies, Pape W., *Remote Control*, 17 septembre 1996. (http://www.home-office-mall.com/virtual.htm)
[45] Tiré de Inc. Online, *Running a Virtual Organization,* 17 septembre 1996.(http://inc.com/ internet/objects/73.html)

ça aide à construire des amitiés solides, qui sont essentielles – sans égard au fait que vous travailliez ou non dans le même bureau, affirme encore Pape. Et ces réunions ne font pas figure de cas isolés: chez VeriFone, le tiers du personnel passe la moitié de son temps à se déplacer, alors que Tyabji voyage quelque 800 000 km par année: l'équivalent de 20 fois le tour de la Terre!»

«Comme leur PDG, les *VeriFoneurs* passent beaucoup de temps dans les avions et devant leurs ordinateurs. Tout ça fait partie d'une obsession de déploiement vers l'avant – une orientation pour demeurer physiquement près des clients[46].»

Déplacements et face-à-face doivent faire contrepoids à l'arsenal technologique potentiellement aliénant; de ça, les dirigeants en sont profondément convaincus. Être une organisation virtuelle, c'est beaucoup plus qu'un bon courrier électronique, des lignes de transmission rapides et des bases de données bien conçues et accessibles. Au contraire, clame Pape.

«Rien ne peut être plus loin de la vérité. La gestion est, fondamentalement, une activité hautement interpersonnelle. Lorsque vous substituez des outils électroniques à un espace de travail physique, vous perdez la synergie qui ne peut émerger que du contact informel quotidien, et vous risquez d'éloigner les employés autant les uns des autres que des objectifs de l'entreprise[47].»

LE FACTEUR HUMAIN

Au-delà de la technologie et de la décentralisation massive à portée mondiale, VeriFone assoit sa réussite spectaculaire essentiellement sur un facteur complexe et fascinant dont elle s'enorgueillit: l'être humain. Comme le mentionne Tyabji en entrevue:

«La majorité de ce qui a été écrit [à propos de VeriFone] se concentre sur la forme – courrier électronique, systèmes d'information – et non sur la substance. Le vrai pouvoir de diriger une entreprise, le vrai pouvoir de faire croître n'importe quelle société consiste en 5% de technologie et en 95% de psychologie. Avec toute cette technologie, vous courez le risque de devenir un robot. Le leadership n'est pas une question de robotique. Le leadership

---

46 Tiré de Fast Company, Archives, Taylor, W. C., *At VeriFone It's a Dog's Life (And They Love It!)*. (http://www.fastcompany.com/online/01/vfone.html)

47 Tiré de Inc – The Magazine for Growing Companies, Pape W., *Remote Control*, 17 septembre 1996. (http://www.home-office-mall.com/virtual.htm)

est une question humaine. Le leader regarde les gens dans les yeux, leur pompe la chair, les excite, se soucie de leur famille[48].»

Principaux leitmotiv du *VeriFoneur*: initiative et responsabilité. Comme le note l'un d'entre eux:

«L'environnement du *VeriFoneur* peut être mieux décrit comme étant entrepreneurial. Les dirigeants qui réussissent ici sont typiquement ceux qui sont stimulés par le succès et qui retirent de l'estime de soi en effectuant leur travail. Nous avons une culture maniaque du travail. Les gestionnaires ne reçoivent pas d'ordres à exécuter. Ils sont tenus responsables de leurs actions et de leurs performances, mais c'est un environnement où les gens sont récompensés pour prendre des risques et essayer de nouvelles choses[49].»

Afin de s'assurer que cet environnement demeure entrepreneurial et virtuel et se caractérise par un dynamisme très profitable à l'entreprise, le recrutement se fait également de façon virtuelle: les premières entrevues se font par courrier électronique, pour ensuite évoluer vers la communication téléphonique et la vidéoconférence, pendant lesquelles Tyabji cherche surtout à mesurer le potentiel de *virtualisation* du futur candidat et ses capacités à œuvrer conformément à la culture déployée.

«J'interroge les gens intensément, et alors je prends une décision en me basant sur mon impression que cette personne correspond à notre culture. Si je prends une décision en fonction de données purement logiques, ça prend trop de temps. Mon intuition est beaucoup plus fiable[50].»

Une fois le recrutement terminé, tous les membres sont exhortés à la fois à prendre des risques, tout en performant: ce sont les seules conditions à respecter, les processus de travail, l'allocation des ressources, l'aménagement spatial ou temporel étant laissés à la discrétion de chacun, dont Tyabji exige une maturité et une autodiscipline indubitables.

«Nous nous attendons à ce que vous performiez et à ce que vous livriez la marchandise. Peu importe si vous ne venez pas au bureau ou si vous prenez de longs déjeuners. Vous performez, vous faites ce que vous voulez. Vous

---

[48] Tiré de Fast Company, Archives, Taylor, W. C., *At VeriFone It's a Dog's Life (And They Love It!)*.(http://www.fastcompany.com/online/01/vfone.html)

[49] Tiré de: Galal H., et al., *op.cit*. Traduction libre.

[50] *Ibid.*

ne performez pas, vous êtes dehors. Beaucoup de personnes sont très peu sûres d'elles-mêmes. Alors, nous tirons ça au clair[51].»

Et en matière de performance, Tyabji s'y connaît: la jeune cinquantaine, natif de Bombay en Inde et émigré aux États-Unis à l'âge de 22 ans où il a obtenu deux diplômes d'études supérieures, Tyabji a gravi les échelons de la Sperry Corp (depuis devenue Unisys), de simple gestionnaire de projets à responsable des opérations informatiques, avant d'être recruté à titre de président et directeur général par Melton, fondateur de VeriFone. C'était en 1986, et VeriFone *vivotait*; en deux ans seulement, Tyabji a réussi à lui insuffler un taux de croissance constant d'environ 25%. C'est sous son égide que l'entreprise a pris son véritable envol, et qu'elle s'est taillée une place de choix dans un univers qui n'a pas fini d'éblouir. Véhément et contestataire, il cultive le leadership et l'autorité morale pour façonner une culture d'entreprise capable de sous-tendre le déploiement vers l'avant et la portée mondiale; un leadership qui puisse favoriser la responsabilisation à tout prix, à tous les niveaux, et que Tyabji illustre au moyen d'un poster affiché dans son bureau. Les 12 cases du poster montrent chacune un setter irlandais, à qui on donne manifestement l'ordre de s'asseoir; l'animal ignore l'impératif pendant les 11 premières cases, et finit par y obéir à la douzième. On gratifie alors son exploit d'un *Bon chien*.

«Pour moi, c'est ça l'essence du leadership. C'est étonnant à quel point les gens oublient ça. Pourquoi est-ce que je renforce constamment la philosophie de VeriFone? Pourquoi publions-nous notre *Engagement à l'Excellence*? Pourquoi est-ce que je distribue des messages électroniques à propos du leadership? Parce que les êtres humains sont pires que le setter irlandais. Le leadership est un processus continu, incessant, en mouvement. Je ne peux me désillusionner quand je dis *Assis* et que personne ne s'assied. Alors, je continue simplement à répéter le message[52].»

Comment Tyabji s'y prend-il pour *répéter le message*? La panoplie des outils culturels est, tout comme pour les systèmes d'information, impressionnante: manuel de philosophie d'entreprise traduit en huit langues, *Engagement à l'excellence* (voir l'annexe 4), communiqués électroniques, bulletins de *L'Excellence en pensée* et de *L'Excellence en action* (voir les annexes 5 et 6) sont distribués à profusion et à répétition. Ils ont été rédigés par Tyabji lui-même, car il leur impute un rôle stratégique: la culture pour lui porte tout le crédit du succès de VeriFone.

---

[51] Tiré de Fast Company, Archives, Taylor, W. C., *At VeriFone It's a Dog's Life (And They Love It!)*.(http://www.fastcompany.com/online/01/vfone.html)
[52] Tiré de: Galal H., et al., *op.cit.* Traduction libre.

«Ce qui distingue VeriFone, c'est un ensemble de règles qui n'ont absolument rien à voir avec les affaires. Nous sentions que le succès découlerait de notre culture d'entreprise, mais notre but principal était d'améliorer la qualité de vie de nos gens. [...] Nous voulions créer un environnement sur une base mondiale qui fasse en sorte qu'il soit plaisant d'aller au travail, et qui soit un lien unificateur sans égard à l'origine ethnique ou géographique d'un employé[53].»

Tyabji ne lésine donc pas sur tout ce qui peut optimiser le bien-être et la qualité de vie, non seulement au travail, grâce à un respect des normes environnementales, mais également en famille: à preuve, une gamme étonnante de programmes sociaux (voir l'annexe 1) qui vont de l'assistance psychologique en cas de besoins, à l'échange international d'enfants de *VeriFoneurs*, en passant par les banques de congés accumulés dont on ne se sert pas et que l'on met à la disposition des familles de *VeriFoneurs* en difficulté!

«Nous avons prouvé qu'humanisme et compassion d'une part, et succès et profits d'autre part ne sont pas mutuellement exclusifs sur le marché. La plupart des entreprises pensent que c'est le cas, mais c'est de la foutaise[54]», dit-il. Il prône une interpénétration mutuelle du travail et de la vie privée, un investissement personnel total, gage, selon lui, d'une forte communauté. Il s'attend donc à ce que chaque membre de l'entreprise soit branché au réseau mondial en permanence, de façon à pouvoir réagir promptement en toute situation, même si, comme il l'affirme, il ne l'exige pas:

«La distinction entre la vie chez VeriFone et la vie à l'extérieur de VeriFone, entre le professionnel et le personnel, cette distinction, dans notre entreprise, est estompée. Nous travaillons très fort à l'estomper. [...] Si vous êtes une entreprise mondiale, vous ne pouvez dire «C'est dimanche aux États-Unis, alors je ne penserai pas au travail». Si c'est dimanche ici, c'est lundi en Australie, et les gens là-bas peuvent avoir besoin de vous. Alors, c'est un cycle sans fin: je n'y vais pas avec le dos de la cuiller à ce sujet[55].»

L'adhésion culturelle est encouragée, stimulée, moussée inlassablement afin, toujours, de faire autrement.

---

[53] Tiré de Reporter, Goldbaum E., *Distinguished Visitor: His Corporate Philosophy Gets Global Attention*, University of Buffalo, vol. 28, n° 27, 10 avril 1997. (http://www.buffalo.edu/ reporter/vol28/vol28n27/n7.html)

[54] Tiré de Fast Company, Real Time, *Creating a Culture of Urgency: Ode to a Blueberry Pancake*, 14-16 juin 1998. (http://www.fastcompany.com/realtime/monterey/sessions/pancake.html)

[55] Tiré de Fast Company, Archives, Taylor, W. C., *At VeriFone It's a Dog's Life (And They Love It!)*. (http://www.fastcompany.com/online/01/vfone.html)

«Si vous vous demandez ce qui fait la différence de VeriFone, la réponse est simple: nous pratiquons ce que nous prêchons. Les gens voient un renforcement constant, jour après jour, de ce à quoi nous adhérons. Nous avons presque une religion – et j'utilise ces mots prudemment – de «Faites ce que je fais, non ce que je dis». Je communique ça en tout temps à mes gens: la vie chez VeriFone n'est pas un sport de spectateur. Vous avez la profonde et fondamentale obligation de vivre votre vie professionnelle selon la philosophie de VeriFone[56].»

En réaction, on perçoit chez quelques membres une réticence à ce renforcement constant, cette «religion» prêchée par la direction.

«On m'a recruté pour mes performances, pas pour mes beaux yeux. Je dépasse toujours les objectifs fixés, de sorte que je peux me permettre de les envoyer paître lorsqu'ils me cassent les oreilles avec leur culture. Ma culture, je l'ai acquise dans ma famille, dans les écoles que j'ai fréquentées, dans les amitiés que j'ai entretenues. Et je ne connais que celle-là; je travaille chez VeriFone et ma vie privée se passe en privé[57]».

«C'est sûr, c'est excitant, mais je me questionne souvent à propos des récompenses. Dans un milieu aussi intense, on travaille plus que la moyenne et pourtant, avec tous ces nouveaux venus accédant à des postes élevés dans l'entreprise, notre promotion potentielle est devenue en quelque sorte limitée[58].»

De l'extérieur, certains s'interrogent, questionnant la menace potentielle d'un endoctrinement aveugle.

«Il y a de moins en moins de frontières entre la vie professionnelle et la vie personnelle. Quand les gens se joignent à VeriFone, signent-ils pour un travail ou pour leur vie[59]?»

En revanche de leur performance et de leur adhésion culturelle, les *VeriFoneurs* reçoivent la confiance et la liberté.

«Notre fonctionnement n'est pas très différent de celui d'un pays. C'est une société libre. Ce qui signifie que nous vous faisons confiance. Ce qui signi-

---

[56] Tiré de Fast Company, Archives, Taylor, W. C., *At VeriFone It's a Dog's Life (And They Love It!)*. (http://www.fastcompany.com/online/01/vfone.html)
[57] De la division de Mexico, Mexique.
[58] Tiré de: Galal H., et al., *op.cit.* Traduction libre.
[59] Tiré de Fast Company, Archives, Taylor, W. C., *At VeriFone It's a Dog's Life (And They Love It!)*. (http://www.fastcompany.com/online/01/vfone.html)

fie qu'il n'y a pas de règle. Ce qui signifie que nous nous attendons à ce que vous vous comportiez de façon responsable. [...] Quand je pense à l'évolution de cette société, c'est presque comme l'évolution d'une nouvelle démocratie. Les gens apprennent à manier la liberté. Nous devons leur faire confiance entièrement[60].»

La réussite de VeriFone, selon Tyabji, est une espèce de «contrat social» à saveur morale, établi à l'image d'une autorité morale qui prêche par l'exemple.

«Ce que nous essayons de cultiver, c'est l'autorité morale. Quand vous avez une autorité morale, vous pouvez faire n'importe quoi. Ce concept n'est pas très bien compris dans le monde de l'entreprise. Les gens cherchent une autorité de façade, et non une autorité morale[61]».

«Vous ne pouvez avoir d'autorité morale si vous agissez différemment de vos gens[62].»

«Faites ce que je fais, non ce que je dis[63].»

ÉPILOGUE

Santa Clara, Californie, le 24 mars 1998. Un communiqué de presse est émis à l'effet que Tyabji compte se retirer de VeriFone à la fin de l'année. Serait-ce, comme il l'affirmait, parce qu'il aurait réussi et que, dès lors, l'on n'ait «plus besoin de lui[64]»? Ou encore était-ce prévu dans le plan d'acquisition de HP, en 1997?

«Hatim a construit une entreprise exceptionnelle avec une très forte culture, similaire à celle de HP. Lorsqu'il quittera à la fin de l'année, il laissera une organisation forte, mondiale, qui est un chef de file dans le marché du paiement et une société qui continuera de jouer un rôle important dans l'orientation future de HP vers le commerce électronique. Nous lui sommes reconnaissants de son apport, qui bénéficiera à HP pour plusieurs nées[65]», mentionne Lewis E. Platt, président du conseil et chef de la direc-

[60] Tiré de Fast Company, Archives, Taylor, W. C., *At VeriFone It's a Dog's Life (And They Love It!)*.(http://www.fastcompany.com/online/01/vfone.html)

[61] Tiré de Fast Company, Archives, Taylor, W. C., *At VeriFone It's a Dog's Life (And They Love It!)*.(http://www.fastcompany.com/online/01/vfone.html)

[62] Tiré de OEG, Quote Archives 1997 (http://www.oeg.net/qarc97.html).

[63] Tiré de OEG, Quote Archives 1997 (http://www.oeg.net/qarc97.html).

[64] Tiré de: Galal H., et al., *op.cit.* Traduction libre.

[65] Voir le communiqué de presse de VeriFone, 24 mars 1998.(http://www.VeriFone.com/ corporate_info/press_rel/html/pr032498_hatim_retires.html)

tion de HP, qui s'attend à ce que le processus de sélection du successeur de Taybji prenne plusieurs mois. À peine deux semaines plus tard, toutefois, VeriFone annonce la nomination de Robin Abrams à titre de PDG. Âgée de 46 ans, Abrams était auparavant responsable des ventes, des opérations et du marketing pour le groupe des Amériques de VeriFone, incluant le Canada, les États-Unis et l'Amérique latine. Son cheminement de carrière indique également un poste de vice-présidente chez Unisys, entreprise née d'une fusion de Burroughs et de la Sperry Corp; elle semble bien avoir l'intention de suivre les traces de son prédécesseur.

«Hatim a créé une culture vibrante et une philosophie gagnante qui ont établi VeriFone comme chef de file mondial du paiement électronique. Je veillerai à construire sur ces forces pour déployer le leadership de VeriFone en paiement électronique au comptoir du marchand, dans le monde virtuel et dans nos nouvelles affaires centrées sur le marché du consommateur[66].»

Prochain cap: rien de moins que de rendre caducs les guichets automatiques bancaires, tels que nous les connaissons aujourd'hui. En développant ses solutions mondiales de paiement électronique sécuritaire, VeriFone veut introduire sur le marché le concept de monnaie électronique et tout ce que cela implique en ce qui a trait aux matériels et aux logiciels pour l'actualiser: une petite boîte, à brancher au téléphone, munie d'un lecteur de carte qui communiquerait avec le compte bancaire voulu, et qui recevrait le montant d'argent désiré en tant qu'information encodée sur la bande magnétique. La carte pourrait ensuite être utilisée pour effectuer des achats selon le même principe qu'une carte de débit. VeriFone pourra-t-elle atteindre, voire dépasser une fois de plus, ses propres rêves?

---

[66] Voir le communiqué de presse de VeriFone, 6 avril 1998. (http://www.VeriFone.com/ corporate_info/press_rel/html/pr040698_abrams_ceo.html)

ANNEXE 1
Les programmes sociaux *Verivie*
mis sur pied chez Verifone[67]

Programme d'assistance à l'employé: ressource confidentielle et service de référence pour les employés et leur famille qui ont besoin d'aide à l'égard de problèmes personnels ou reliés au travail, tels que: relations conjugales, relations parent/enfant, difficultés émotives, drogues/alcool.

VeriCadeau: programme permettant aux *VeriFoneurs* d'aider leurs collègues qui, en raison d'une situation familiale ou personnelle difficile, doivent s'absenter du travail sans recevoir de paie. Grâce à *VeriCadeau*, un employé peut donner à un autre des heures de congé qu'il a personnellement gagnées et dont il ne s'est pas servi, aidant par le fait même son collègue qui peut recevoir sa rémunération habituelle.

VeriSanté: foires de santé régulièrement offertes pour promouvoir le bien-être et une meilleure qualité de vie.

VeriFamille: un programme d'échange culturel qui permet aux familles de *VeriFoneurs* de s'initier aux mœurs et coutumes des autres *VeriFoneurs* à travers le monde. Le programme offre aux enfants de *VeriFoneurs*, âgés entre 15 et 18 ans, la chance de vivre une expérience unique dans un autre pays pour un été, un semestre ou une année académique. Le programme encourage les familles à accueillir les étudiants visiteurs. La société aide à subventionner le coût de l'échange.

VeriCopain: permet de brancher les enfants des VeriFoneurs au courriel de l'entreprise. Les enfants, âgés entre 8 et 18 ans, sont encouragés à échanger des messages à propos de leurs intérêts et de leurs activités quotidiennes. Les parents peuvent aider leurs enfants à se brancher sur le VAX depuis la maison, ou encore peuvent envoyer et recevoir les lettres échangées par courriel au bureau, après les heures de travail.

VeriPartage: donne l'occasion aux VeriFoneurs de s'engager davantage dans leur communauté et auprès d'organisations qui ont besoin de personnes-ressources. La société commandite jusqu'à 80 heures de bénévolat par année, pour chaque site de VeriFone qui compte 20 employés ou plus. Les bénévoles sont payés pour le temps qu'ils donnent à ces activités communautaires.

---

[67] Tiré de Stoddard, D.B., Donnellon, A., et Nolan, R.L., *VeriFone (1997),* HBS, cas no 398-030, Harvard Business School Publishing, 1997. Traduction libre.

Annexe 2
Quelques exemples d'outils technologiques chez Verifone[68]

Courrier: Système VAX de courrier électronique. Moyen de communication capital utilisé à tous les niveaux de l'organisation.
Vview : Fournit des données chiffrées précises sur la performance de la société à un moment donné (c.-à-d., revenus, profit avant impôt, etc.). Les données peuvent alors être traitées selon les exigences individuelles et elles sont mises à jour sur une base horaire et quotidienne.
Today : Base de données qui inclut des bulletins de nouvelles, affichage de postes, communiqués de l'industrie, etc. Les *VeriFoneurs* sont encouragés à utiliser cet outil afin de se tenir au courant des tendances et changements de l'industrie.
VFI ITIN : Fournit les itinéraires détaillés de tous les employés qui voyagent, permettant alors une communication plus efficace dans l'organisation décentralisée.
VFISkills : Base de données sur les habiletés et le profil de chaque employé, utilisée pour la sélection des membres appelés à œuvrer au sein d'une équipe décentralisée et multidisciplinaire.
MAXIM : Système intégré de fabrication, approvisionnement et inventaire.
TOLAS: Système intégré de Grand livre, comptes (fournisseurs/clients) et ventes.
STOCKPRICES : Information boursière de VeriFone.

Annexe 3
Information en continu telle que définie
par Will Pape, chef de l'information[69]

Les outils de communication pour une gestion décentralisée s'échelonnent sur des continuums en termes de coût, temps, efficacité, ainsi qu'interaction psychologique:

LOWEST Psychological Interaction

U.S. Mail-Pmail (Snail Mail)
Courrier Pmail
Electronic Mail (addressed)
Electronic Mail (bulletin board)
Fax
Voicemail
Electronic "Chat" 1 to 1
Electronic "Chat" 1 to Many
One-way Broadcast audio
One-way broadcast video
Store-and-forward compressed audio on demand
Audio annotation to files/e-mail
Store-and-forward compressed video on demand
One-way broadcast audio with audio back channel
Point-to-Point Telephone Call (Standard Telephone)
Point-to-Point Telephone Call (Full Duplex Audio Conferencing)
Multi-Point Telephone Call (Standard Telephone)

---

[68] Tiré de: Galal H., et al., *op.cit.* Traduction libre.
[69] Tiré de: Galal H., et al., *op.cit.* Traduction libre.

Multi-point Telephone Call (Full Duplex Audio Conferencing)
Live Board with point-to-point audio
Live Board with multi-point audio
One-way broadcast video with audio back channel
Point-to-point video conference (56-112 Kbytes)
Point-to-point video conference (>112 Kbytes)
Multi-point video conference (56-112 Kbytes)
Multi-point video conference (>112 Kbytes)
Virtual Reality meeting
Face-to-face meeting

HIGHEST Psychological Interaction

Annexe 4
L'engagement à l'excellence chez Verifone[70]

Philosophie de gestion:
Un système de concepts ou de principes motivants;
le système de valeurs selon lequel on vit.

Nous nous engageons[71] à:

- Bâtir une entreprise excellente
- Répondre aux besoins de notre clientèle
- Reconnaître l'importance de chaque individu
- Promouvoir un esprit d'équipe
- Viser la responsabilité dans tout ce que nous faisons
- Favoriser les communications ouvertes
- Renforcer les liens internationaux
- Vivre et travailler avec éthique

[70] Tiré de: Galal H., et al., *op.cit*. Traduction libre.
[71] Engagement: La promesse de faire une action ou une chose spécifique; l'état d'être lié émotivement et intellectuellement à une ligne de conduite.

Annexe 5

Exemple de note de *L'excellence en pensée* envoyée au personnel[72]

1-MAR-1989 08: 35:43.66
From: HATIM_T
To: 1_STAFF
Subject: Innovation

Two of the basic tenets of our company are "We do not merely compete, we set new industry ground rules" and "We constantly challenge traditional methods of conducting business." In a word, if we are to be true to our credo, we must constantly innovate in all disciplines.

Another major characteristic of our company is we listen and act on ideas, as appropriate, wherever they emanate from. I feel very strongly that we must create an environment where our people are motivated to bring forth fresh exciting initiatives, so that we can evaluate then and do what is right for the overall company.

In that context, I am attaching (below) an e-mail from Dick Cowan, which I have read and reflected on many times. Let us take Dick's statements to heart and most importantly put them into practice. Intelligent execution of the principles Dick puts forth will make us a much stronger company.

Hatim

10-APR-1988 08:42
From: HATIM_T
To: I_EXEC
Subject: Innovation

All: Thought you would find Dick Cowan's ideas refreshing and helpful, as each of you embark on making this important initiative a reality in your respective groups.

Hatim

4-APR-1988 14:46
From: RICHARD_C
To: JIM_P, LANCE_N, MIKE_C, KHAN_M, DOUG_E, DAVID_CO, RICHARD_C
Subject: Innovation Management Mindset

My Action Item,

"Develop a management mindset and management techniques for fostering innovation at the individual and department levels."

After looking at all the books on innovation I realized that nowhere is there to be found a simple set of techniques that management should follow to produce innovation. We should be very happy about this for were such a set available our competition could immediately kill us! A technique that worked in one situation may be a disaster in another.

[72] Source: Galal, H. et al., *op.cit.*

What I would like to come up with is an ever-changing set of techniques which we become aware of and follow. The techniques themselves are always changing as what works today may not apply tomorrow. Innovative techniques are themselves an S curve! With regard to product, we should always perceive ourselves to be at the top of an existing curve; hence the immediate need.

This will be an ongoing activity and I would greatly appreciate feedback from any of you so that I can groom our list of techniques.

Here is a list of what most of people smart about innovation offer:

1) *Challenge assumptions.*
2) *Understand the fundamental limits of your products.*
3) *Never pass judgment on an idea as to its being right or wrong without really understanding it and its origin.*
4) *Have "outsiders" investigate existing camps. We tend to polarize job assignments. Ex: Joe has been working on interpreters for years. The problem here is that Joe will continue to do things as he knows how for years to come using techniques of years gone by. Stir the pot when possible!*
5) *Understand the competition. Look at their products, not just their success stories but their failures. Often in their failures may be a potential opportunity which they perceive but moved in the wrong direction on.*
6) *Recognize that during a period of transition, as we move between S curves, there will be a period of discontinuity or "chaos". We need to learn to be effective managers during this time of hard sailing.*
7) *Have frequent visits with the ultimate users of our products. This cut through the many layers of interface and puts the person who can make a change happen in immediate contact with those requesting that a change take place. Don't kid yourself for a moment that you know what the customer really wants.*
8) *Look at existing products if currently existing limits vanished. For example, what if the time for a host computer to authorize a transaction went to zero. What would that do to the user's view of our product. Would our product be more or less attractive? Would we then do things differently?*
9) *Simplify. If you have a hard time understanding or using something, the customer will only have a harder time. For example, and this is not meant against any of our platforms, but have you ever watched the number of keystrokes required to pull a download? Could this not be done using a special card swipe?*
10) *Make bureaucracy-busting a habit throughout your organization.*
11) *Look for differences in what your department is doing and what the company says it's doing.*
12) *Investigate interfaces. Interfaces are weak areas and weak areas cause problems. Studying interfaces often produces the insight we need to be innovative.*
13) *Foster competition for different solutions to problems. Reward the best. Make certain that the worst solution is rejected by its author as a true endorsement of the best solution. Understand all proposals because even if they appear to miss the target, they may offer something which can further improve the best.*

Annexe 6

Exemple de note de *L'excellence en action*[73]

What We Do Says Who We Are

Customers are quick to separate "doers" from "talkers". Deeds that demonstrate a company's commitment to excellence do more to establish its reputation than all other factors combined.

In June 1991, VeriFone President and Chief Operating Officer Hatim Tyabji flew to Paris for an important meeting with the representatives of Credit Agricole, one of the top three French banks. Marc Vaillant, Marketing and Sales Manager for VeriFone S. A., the company's Paris operation, had arranged the meeting, literally working months to bring it to fruition. VeriFone was still a newcomer to the Transaction Automation market in France. Marc hoped that a meeting between Hatim and Credit Agricole would help to establish the company's reputation as the industry leader and generate sales in the French market. On the morning of the meeting, as Marc mounted his motorcycle for the short trip to Hatim's hotel, is started to drizzle. By the time he arrived, the light rain had become a downpour with no sign of letting up. From the hotel, the two had planned to take a taxi to the meeting, 18 miles outside the city. But when it rains in Paris, taxis become scarce and traffic snarls in an impenetrable gridlock. Marc called for a taxi, hoping the weather would improve. Half an hour later, when the taxi failed to appear, Hatim had to make a difficult decision. He could not leave the customer wait indefinitely. But he also know if he canceled, it would be months before another meeting could be arranged. Not wanting to disappoint either the customer or Marc, Hatim asked, "Is there any other way to get to the meeting?"After a moment's hesitation, Marc responded, "My bike", pointing to his 600 cc Honda motorcycle – a street bike. To Marc's surprise, Hatim said, "Okay, let's go." The two men donned rain suits and helmets and, amid the downpour, set off for the meeting.

The motorcycle solved their transportation problem, but traffic on the thoroughfare remained at a standstill. Surveying his options, Marc decided on an alternate route. Going against the traffic flow, he drove onto the sidewalk and started off again, horn blaring. At the end of each block, Marc would jump the motorcycle off the curb, weave through cross traffic and climb the next curb. About 20 minutes later, damp from the rain, Hatim and Marc entered the bank where the meeting was to be held. Though surprised to learn that VeriFone's CEO had arrived by motorcycle, the bankers were delighted to see him and impressed by the effort he had made to keep the appointment. Within days, the story of Hatim's ride had circulated throughout the Paris banking community. "In essence, Hatim showed our customers that VeriFone's superior work ethic and commitment to excellence start at the top," says Marc. "I could not have asked for a more powerful selling tool." Since the meeting, Marc has received numerous calls from bankers asking about VeriFone's strategy for the French market. By putting the needs of customers first, VeriFone continually demonstrates that its commitment to excellence goes beyond products and services. It extends to every facet of the company and every individual within the company – beginning with the senior management.

---

[73]Source: Galal, H. et al., *op.cit.*

Chapitre 31

UNE RONDE AU-DESSUS DE LA NORMALE[1]

Cédric Prince

La fenêtre s'ouvrait sur une vue magnifique. Au loin se profilaient des dunes aux longues herbes bercées par la douceur d'un vent frisquet et matinal. Cet horizon fut jadis le déclencheur d'un rêve, la source d'une vision, l'inspiration d'une passion. Aujourd'hui, le rêve s'était incarné et la vison prenait enfin corps. Ainsi, là, à quelques mètres du chalet, l'herbe longue avait cédé la place au gazon et le chant des oiseaux ainsi que le bruissement sourd des feuilles faisaient maintenant écho aux mouvements gracieux des golfeurs.

Assis au deuxième étage, dans la salle à manger du chalet du club de golf, Alain se demandait maintenant quel tournant allait prendre son rêve. C'est que les temps avaient bien changé depuis le début de l'aventure. Du matin de *La plus longue journée de l'histoire* en passant par *Le départ de Frank* et par *Le grand raz-de-marée*, il en avait vécu des émotions et des péripéties. En cette fraîche matinée d'automne, tant de questions demeuraient sans réponse. «Lorsque je prends un peu de recul, je ne sais plus si j'ai vraiment fait les bons choix. Bien sûr, j'ai eu la chance de concrétiser mon rêve et je suis fier de ce que j'ai construit, mais là j'hésite et c'est troublant. Je sais bien que ça fait prétentieux de le dire, mais ce n'est pas dans ma nature d'hésiter. J'ai toujours été un fonceur, un bâtisseur qui, jamais, n'a hésité et qui, toujours, est allé de l'avant. Aujourd'hui, pourtant, j'ai des doutes. Mon rêve est toujours vivant, mais il peut aussi devenir un véritable cauchemar. Comment en suis-je arrivé là? N'était-ce finalement qu'un rêve, un mauvais rêve?»

[1] Cas fictif basé sur des faits réels.

AU PREMIER DÉPART, UNE VISION

L'idée de construire et de posséder son propre club de golf lui est venue comme ça. Ayant fait fortune dans le domaine de l'immobilier, Alain a décidé de construire son propre terrain de golf. Son rêve, c'est d'offrir une expérience unique dans le domaine du golf au Québec. Ce qu'il souhaite, c'est de créer un club public[2] haut de gamme se distinguant par l'expérience unique offerte aux golfeurs en termes de qualité de parcours et de service. Offrir un produit vraiment distinctif et une riche expérience compte pour beaucoup à ses yeux. C'est certes une vision de grandeur, mais elle correspond exactement à l'homme d'affaires. C'est un artiste à sa façon et il ne craint jamais de se lancer dans de nouveaux projets. Il possède également la faculté de rallier des gens autour de ses idées. Malgré son côté innovateur, Alain reste un traditionaliste du golf. Ayant eu l'occasion de beaucoup voyager et de jouer sur quelques-uns des parcours les plus prestigieux en Amérique du Nord et en Europe, Alain veut s'inspirer des parcours d'autrefois pour concevoir son club. Il tient à conserver les zones d'habitats naturels qui se trouvent sur le site du club de golf. Une attention spéciale est donc portée à la végétation et aux considérations écologiques, pour ne pas briser l'équilibre naturel des lieux. De plus, aucune affiche ni aucun élément artificiel ne doit nuire au coup d'œil sur le terrain. En un mot, il recherche de la verdure, des marécages et… des trappes de sable!

En termes stratégiques, Alain veut créer un club haut de gamme. Il tient toutefois mordicus à ce que ce soit un club public, de sorte que tous aient une chance d'aller y jouer, malgré le prix élevé. D'ailleurs, plusieurs clubs parmi les plus prestigieux dans le monde sont publics, comme le célèbre St-Andrews en Écosse et Pebble Beach aux États-Unis, sur lesquels se jouent périodiquement l'Omnium Britannique[3] et l'omnium des États-Unis, deux des plus prestigieux tournois au monde.

Situé à proximité d'un centre urbain, le club profite d'une excellente localisation. Cela lui permet d'avoir accès à une clientèle d'affaires, en plus de favoriser sa visibilité auprès de visiteurs étrangers. De plus, des négociations avec des hôtels sont en cours afin d'offrir des rabais sur les droits de jeu pour les clients. Alain espère ainsi que son club obtiendra rapidement

---

[2] Il existe trois types de clubs de golf au Québec: privés, semi-privés et publics. Les clubs publics sont ceux accueillant tous les visiteurs. Quant à eux, les clubs privés sont composés de membres actionnaires qui assument toutes les dépenses relatives à l'administration et aux opérations du club et dont l'accessibilité est réservée aux membres et à leurs invités. Puis, les clubs semi-privés sont composés de membres dont la plupart sont actionnaires. Ces clubs sont par contre accessibles au public durant certaines plages horaires qui varient en fonction des jours de la semaine.

[3] D'ailleurs, pour montrer le caractère public de ces terrains et tournois, l'expression Open est utilisée, ce qui veut dire que professionnels et amateurs peuvent tenter de se qualifier pour ces championnats. L'Omnium britannique est encore appelé «The Open» en Europe.

un statut élevé et une renommée parmi la communauté d'affaires. Cela dit, selon Alain, c'est l'expérience du produit et son caractère unique qui reste les véritables pierres angulaires de la stratégie du club.

DES INSTALLATIONS COÛTEUSES

Bien évidemment, les installations sont coûteuses. Que ce soit l'achat du terrain, la construction du chalet, la construction du garage pour la machinerie ou l'achat d'équipements, tous les ingrédients sont réunis pour mettre, dès le départ, une forte pression financière sur le dos du propriétaire. D'abord, la superficie du terrain est énorme, ce qui ne manque pas d'engloutir une bonne part des fonds dès le départ. Toutefois, Alain a réussi à s'entendre avec les autorités municipales sur un bail emphytéotique, ce qui diminue de beaucoup les coûts. Puis, pour réaliser la stratégie haut de gamme visée, les achats d'équipements sont également de haut de gamme. On parle ici dans le jargon de *walk-behind*, de *triplex*, et de *machines à fairway*... En gros, ce sont des tondeuses de qualité qui répondent à des tâches spécifiques en fonction de la longueur de coupe désirée: les *walk-behind* sont manuelles et servent pour la coupe des verts et la *triplex* est une tondeuse pour les verts, mais qui n'offre pas la précision ni l'exactitude des *walk-behind*[4]. Quant aux *machines à fairway*, on s'en sert pour couper l'allée, soit la surface de jeu proprement dite, qui se démarque de l'herbe longue, plus punitive pour les golfeurs. Ainsi donc, plusieurs tondeuses spécialisées doivent être achetées, en plus de l'équipement de base comme les *carts* pour les travailleurs, les *lifts* pour la réparation de la machinerie et les engrais nécessaires à l'entretien du terrain. Est-il nécessaire de préciser que ce sont des engrais d'excellente qualité qui sont achetés? En fait, deux types de gazons sont utilisés dans la conception du parcours, soit le *blue grass* pour les allées et l'herbe longue et le *bent grass* pour les verts. Ce dernier a des propriétés qui permettent un meilleur roulement de la balle. Il est toutefois beaucoup plus onéreux que le *blue grass*.

Pour leur part, les aires de pratiquesont ce qui se fait le mieux dans le domaine: grand vert de pratique, avec fosse de sable à proximité, beaucoup d'espace pour pratiquer tous les types de coups et champ d'exercice à la fine pointe. En outre, c'est un endroit parfait pour apprendre et pour donner des leçons, puisque toutes les situations de jeu peuvent y être recréées.

---

[4] En fait, les «walk-behind» sont surtout utilisées dans les clubs à gros budgets, puisqu'il est beaucoup plus long, et donc plus cher, de couper le gazon avec ce type de tondeuse comparativement à une «triplex». Par exemple, 1 personne peut faire les 18 trous avec une «triplex» en deux heures trente minutes, alors que ça prend 4 personnes pour faire les 18 trous dans le même temps avec des «walk-behind». Les triplex n'offrent toutefois pas la même qualité de coupe que les «walk-behind». Enfin, l'utilisation de «walk-behind» peut aussi être justifiée pour les nouveaux clubs, puisque les verts ne sont pas encore suffisamment compactés et que l'utilisation immédiate de la «triplex», beaucoup plus lourde, pourrait endommager la surface.

Finalement, en raison du manque de liquidité, le chalet principal à bien davantage l'aspect d'un espace d'accommodements que celui d'un véritable chalet. Ainsi, il est plutôt petit et n'offre pas beaucoup de commodités pour les golfeurs. Par exemple, il n'y a qu'un très petit vestiaire et deux petites salles de bain pour accommoder les clients. De plus, le restaurant contient un nombre de cent places. Il devient alors ardu d'y tenir de grandes réceptions. Un autre aspect notable est l'absence de bureau dans le chalet principal. Les gens qui y travaillent sont plutôt placés dans des «aires de travail» ouvertes qui donnent sur le hall d'entrée. La seule exception est le tout petit bureau pour la comptabilité de caisse et les factures nécessaires à l'opération du club (buanderie, achats de vêtements, livraisons, etc.). Pour le reste, les aires de travail sont à la vue de tous et les golfeurs s'y font un malin plaisir d'y jeter un coup d'œil en passant.

Selon Alain, tout cela n'est pas bien dramatique, car dans le monde du golf, il n'est pas rare qu'on offre d'abord une qualité de parcours et, en fonction des revenus, agrandir le chalet. Pour Alain, ce n'est d'ailleurs pas le plus important. Selon lui, ce qui compte vraiment et fait toute la différence, c'est que le parcours soit impeccable.

UNE ÉQUIPE QUI *DRIVE*

Alain ne s'est pas lancé seul dans cette aventure. En effet, il s'est entouré d'un groupe de personnes expérimentées et aussi passionnées que lui. L'équipe de gestion est composée d'Alain, de la comptable et d'une assistante qui s'occupe des tâches administratives. À ses débuts, le club n'a pas de directeur général. Les autres membres de l'équipe de gestion sont: Frank, le directeur de golf, Sophie, la directrice des opérations, Jean, un professionnel de golf responsable des cours et des activités connexes et Marc qui est surintendant. Tous ont une certaine expérience dans le domaine, le plus expérimenté étant Jean, qui a œuvré pratiquement toute sa vie dans un club de golf. Il connaît les rouages du métier, et pas seulement comme professionnel, puisqu'il a déjà été gestionnaire de boutique.

Frank a une quinzaine d'années d'expérience en golf, principalement en enseignement. Il a aussi occupé le poste de directeur de golf dans un club privé prestigieux pendant deux ans avant de se joindre au club. Il est méthodique et rigoureux. Pour lui, chaque idée doit être évaluée attentivement avant d'adopter une action précise. Ses tâches consistent à gérer les relations avec les clients, à établir et à gérer les partenariats avec les hôtels, à organiser des tournois corporatifs et de groupes ainsi qu'à voir à la satisfaction de la clientèle.

Sophie, la directrice des opérations, bien que son expérience soit limitée en golf, a déjà occupé, pendant 1 an, un poste similaire dans un autre club. Son dynamisme et son attitude fonceuse lui ont valu la confiance du propriétaire. Sophie est très proactive dans ses démarches et n'hésite pas à faire valoir son point de vue. Elle gère l'équipe de la boutique, la caisse, les comptes relatifs aux marchandises, etc. De plus, Sophie supervise le travail de tous les préposés au terrain et c'est elle qui fait les horaires de travail.

Jean est le professionnel en titre du club. Il a beaucoup d'expérience. Certains le décrivent comme une véritable encyclopédie vivante du golf. Lui aussi est un passionné et l'idée de se joindre au club le motive grandement. Il a deux assistants professionnels sous sa supervision, Dave et James, qui s'occupent de donner des cours, particulièrement aux juniors. De plus, Jean travaille fréquemment avec Frank pour de l'organisation de tournois.

Puis, il y a Marc, qui est un surintendant reconnu, ayant déjà œuvré pour un des plus beaux clubs privés de la province. Il possède une vingtaine d'années d'expérience dans ce métier. Il supervise une quinzaine d'ouvriers responsables de l'entretien du terrain. Il a l'entière collaboration et la confiance d'Alain pour faire en sorte que le terrain soit d'une qualité exceptionnelle, et ce, dès l'ouverture.

Par ailleurs, l'équipe comprend également une vingtaine de personnes. D'un côté, il y a les préposés à l'accueil des clients, au champ de pratique, et à l'entretien des voiturettes et, de l'autre, se trouvent des patrouilleurs[5] et des préposés au départ[6]. Alors que le premier groupe est composé d'étudiants, le second est surtout constitué de retraités. Pour diminuer les coûts, un salaire moindre combiné à certains avantages, telle la possibilité de jouer gratuitement sur le parcours a été offert à tous les employés, offre qui fut particulièrement prisée des patrouilleurs et des préposés au départ.

Avec tout ce beau monde en place[7], tout était finalement prêt pour accueillir les premiers golfeurs.

---

[5] Patrouilleur est le terme français pour «marshall». Les patrouilleurs sont des employés du club qui veillent au bon fonctionnement des groupes sur le terrain (temps de jeu, respect des règles, etc.). Leur rôle est plus important dans les clubs publics, parce que les visiteurs y sont de toutes sortes comparativement à un club privé où ce sont les mêmes membres qui jouent.

[6] Préposé au départ est le terme français pour «starter». Les préposés au départ œuvrent dans une cabane limitrophe au premier départ, de façon à faire partir les groupes selon leur heure de départ. Ils peuvent également veiller à l'appariement des joueurs, dans l'éventualité où des joueurs omettraient de se présenter selon leur réservation.

[7] Voir l'organigramme à la fin du cas.

LA PLUS LONGUE JOURNÉE DE L'HISTOIRE

La plus longue journée de l'histoire fut un 26 avril. C'était un frais matin de printemps particulièrement nuageux. Quelques éclaircies osaient se faire voir, mais le souffle du vent nous rappelait que l'été était encore loin. Ce jour-là, toute l'équipe est arrivée tôt au club. Pour la première fois de son histoire, le club allait accueillir des visiteurs sur son parcours. Évidemment, on avait pris soin d'annoncer la date d'ouverture dans diverses publications. Ce jour-là, Alain l'avait attendu avec fébrilité pendant toutes les étapes de la construction de son club. Son rêve allait enfin se réaliser.

L'équipe accueillit donc ses premiers clients, les golfeurs ayant répondu à l'appel, malgré une météo incertaine. Toute l'équipe était heureuse de pouvoir faire découvrir au public ce nouveau parcours, et de lui faire vivre une «expérience de golf» comme disait Jean. Selon ce dernier: «Faisant partie de l'équipe fondatrice du club, c'est sûr que j'ai la passion de le faire connaître. Ma motivation est très forte et j'essaie de transmettre la vision d'une expérience de golf. Quand les golfeurs viennent ici, je veux leur transmettre ça. Je veux entendre le wow des clients, autant au niveau de l'accueil que relativement à la qualité du parcours.»

Somme toute, *La plus longue journée de l'histoire* s'est relativement bien déroulée, sans trop d'anicroches. Les employés se sont rapidement adaptés et ont contribué au bon déroulement de la journée. Quant aux golfeurs, ils avaient l'air satisfait, en grande partie à cause de la qualité impeccable du parcours. Tout était de bon augure pour la suite des activités.

Du haut du deuxième étage du chalet, Alain observait à travers la grande fenêtre les golfeurs. Il se disait que le premier pas avait été franchi dans la bonne direction.

LE PREMIER ÉTÉ

LA GESTION

Comme toute entreprise qui démarre, certains ajustements sont inévitables. Entre autres, le prix élevé est un des facteurs qui revient souvent dans les commentaires des golfeurs. Comme le souligne Jean: «Les gens qui appellent pour réserver demandent toujours en premier: «Combien ça coûte?» Si le prix ne leur convient pas, ils raccrochent immédiatement. Leur réflexion s'arrête à ça. Ils ne tiennent pas compte d'autres facteurs, comme la proximité du terrain, la qualité du parcours ou l'expérience qu'ils vivront.» Alain tient toutefois à maintenir ses tarifs élevés, parce que sa vision est précisément d'en faire un club haut de gamme. De plus, l'avantage d'avoir des tarifs élevés est que le terrain n'a pas besoin d'être utilisé à sa pleine capacité pour générer des revenus intéressants. Ainsi, il vaut mieux avoir cent soixante quinze personnes qui paient leur droit de jeu 65$ que deux cent cinquante personnes qui paient 45$. Moins de golfeurs qui utilisent le parcours cela veut aussi dire moins d'entretien à faire et moins de dégradation du terrain. En ayant moins de golfeurs, cela permet également d'avoir une atmosphère plus conviviale sur le terrain, ce qui accroît leur expérience de golf.

Certains éléments doivent toutefois faire l'objet d'ajustements, notamment les cartes corporatives offertes[8], l'équipement et les services offerts. Bien sûr, il s'agit là de modifications mineures qui ne perturbent en rien les activités du club. Par contre, il y a plus préoccupant. En effet, à mesure que l'été avance, l'équipe constate que les golfeurs se font attendre. Il n'est pas rare de voir des plages horaires de 30 minutes vides, ce qui n'est pas normal pour un club public qui mise avant tout sur les revenus des visiteurs. Les plages horaires les plus difficiles à combler sont les lundis, mardis et mercredis, de même que les samedis et les dimanches après-midi. L'équipe espère que les vacances du mois de juillet aideront à redresser la situation. La faiblesse dans l'achalandage n'est pas pour aider une situation financière déjà lourdement hypothéquée par les investissements de départ. La patience d'Alain commence, d'ailleurs, à s'effriter et il espère un redressement de la situation rapidement. La faible fréquentation du club affecte aussi le moral des troupes, puisqu'il est difficile de se motiver à travailler quand les clients se font rares. Les temps morts deviennent coutumes et s'accompagnent de conséquences difficiles à vivre. Par exemple, lorsqu'il n'y a pas assez de réservations, Frank se voit dans l'obligation de dire au préposé aux départs et aux employés chargés de laver les voiturettes électriques qu'il n'a pas besoin de leurs services ce jour-là. Ces situations peuvent compromettre la qualité du service, qui, selon Jean est, pourtant cruciale: «En tant que club public, c'est avant tout le service à la clientèle qui compte. Les employés doivent être motivés et courtois. Le service est très important. C'est un peu mon rôle d'être sur place et de transmettre aux employés cette passion du service, même dans les moments plus difficiles. Il faut se rappeler que chaque client est important, parce que le bouche à oreille constitue peut-être la meilleure publicité pour le club. J'appelle cela un effet multiplicateur. Chaque client est donc très important.» De plus, toujours selon Jean : «Pour un club qui vise haut, chaque petite activité doit être accomplie avec le plus grand soin et cela nécessite un esprit d'équipe à toute épreuve. Il faut créer un sentiment d'appartenance, une cohésion dans l'équipe. Tout le monde doit savoir ce qui se passe ici. La communication

---

[8] Le club a décidé au début du premier été d'émettre des cartes prépayées corporatives, qui donnent droit aux détenteurs de jouer gratuitement. Ainsi, la carte peut être transférée aux clients sans problèmes.

est très importante. Par exemple, le préposé aux départs doit être informé des *walks-in*[9] qui arrivent au club, de sorte qu'il puisse constituer des groupes de quatre rapidement et ne pas faire attendre des gens inutilement. C'est un peu mon rôle de faire en sorte que les employés deviennent autonomes, qu'ils soient capables d'agir par eux-mêmes devant les situations qui se présentent.»

LES VISITEURS

Bien qu'ils se fassent discrets, les premiers visiteurs trouvent le terrain magnifique et en très bonne condition. Les golfeurs ont l'impression de se trouver ailleurs, littéralement. Au cours de leur ronde de golf, marécages au bleu irréel se mêleront aux verdoyantes allées, dans un décor accordé aux chants des cardinaux et des geais bleus. Le parcours en soi offre un défi intéressant pour tous les types de golfeurs. Sans être trop faciles, les obstacles y sont bien conçus afin de permettre à chacun de ressentir la satisfaction des bons coups, mais de subir également, le cas échéant, les conséquences des mauvais. C'est d'ailleurs ce que semble rechercher la clientèle, à savoir un parcours qui offre un défi stimulant, mais sur lequel il est possible de bien jouer lorsque les coups sont réussis.

Il est par contre à noter que plusieurs golfeurs occasionnels se présentent aux installations de pratique dans une tenue non conforme aux politiques du club. Ceci engendre des situations pour le moins bizarres, alors que des golfeurs qui ont payé une somme importante pour jouer dans un endroit qu'ils escomptent prestigieux se retrouvent à côté de golfeurs en jeans qui sont venus uniquement dans le but de frapper des balles pour s'exercer. Le problème se pose également lorsque ces golfeurs occasionnels vont dans le chalet, puisque les jeans n'y sont pas tolérés. Le propriétaire se montre d'abord autoritaire sur la question, exigeant le respect des règlements. Toutefois, il a tôt fait de revoir sa décision et d'accepter que les golfeurs qui viennent pratiquer soient en jeans, puisque plusieurs se plaignaient de l'attitude fermée du propriétaire sur la question et répandait la rumeur selon laquelle le club en était un de snob. L'effet était aussi amplifié du fait qu'un club public avoisinant acceptait les gens qui venaient uniquement pour pratiquer sans restriction vestimentaire. La comparaison était facile à faire, puisqu'il s'agissait de deux clubs publics. De plus, à l'avantage de l'autre club, le chalet était très spacieux et il était possible d'y organiser plusieurs activités complémentaires au golf, comme la tenue de réceptions et de mariages. Le fait de ne pouvoir disposer d'un tel chalet handicapait beaucoup le club.

---

[9] *Walk-ins customers* est un terme couramment utilisé pour désigner les gens qui se présentent au club de golf pour y jouer sans avoir au préalable réservé un temps de départ proprement dit.

Sous un autre aspect, les visiteurs apprécient également le service offert par les employés, notamment l'accueil. Les clients y sont pris en charge dès leur arrivée au club, par des employés souriants qui prennent leurs sacs directement dans le coffre de la voiture et les installent sur des voiturettes motorisées ou sur des *pull cart*[10] à main. Les préposés aux départs sont aussi des plus courtois.

Cependant, quelques irritants persistent, particulièrement le prix, jugé trop élevé par plusieurs golfeurs qui, après avoir goûté à l'expérience du club, n'y retournent plus. Ainsi, pour nombre de golfeurs, le club devient une attraction que l'on se paie une fois par an, mais à laquelle on ne revient que rarement au cours de la même année. Les indications routières déficientes sont un autre irritant. Cette situation a d'ailleurs causé de nombreux retards, puisque souvent, un quatuor devait attendre son 4e joueur qui ne trouvait pas le terrain. Pour un club qui vise une clientèle d'affaires, parfois étrangère à la localité, cette situation est irritante.

LE COUP DE DÉ

En cette première année d'exploitation, les rôles de chacun au sein du club sont un peu ambigus. Ainsi, il arrive fréquemment que les ordres aux employés viennent de Jean, Frank et Sophie, selon les circonstances. On improvise selon les situations. Par exemple, lorsque des livraisons pour les machines distributrices arrivent, personne n'a pour tâche spécifique d'aller prendre la marchandise, de la vérifier et de signer le bon de livraison. Du coup, à tour de rôle, des personnes différentes s'occupent de cette tâche, selon la disponibilité. De plus, les procédures de travail n'étant pas développées, les employés y vont de leur jugement, ce qui n'est pas toujours évident, notamment lors des pannes d'électricité ou lorsqu'il y a des avis de contamination de l'eau potable.

Par ailleurs, Alain, qui était plus ouvert aux initiatives au début de la saison, reprend peu à peu le contrôle des opérations. Ainsi, fréquemment, il fait valoir l'importance de son investissement financier pour justifier son intrusion dans les affaires de la directrice des opérations et du directeur de golf qui sentent bien alors qu'ils perdent la marge de manœuvre dont ils profitaient depuis le lancement du club. Donc, plus la saison avance, plus les décisions sont prises par Alain, ce qui ne fait pas l'affaire de tous. Lors des réunions de l'équipe de direction, Jean et Alain ont souvent des idées opposées sur l'orientation stratégique que devrait emprunter le club. Plus d'une fois, Alain a mis un terme à ces discussions en disant que, au regard

[10] L'expression anglaise *pull cart* est de plus en plus traduite en français par *chariot* ou plus couramment par *voiturette à main*.

des sommes qu'il avait investies, les décisions stratégiques lui revenaient. À mesure que cette première année d'opération avance, les tensions deviennent donc plus vives au sein de l'équipe. Même Marc, qui s'occupe du terrain, voit le propriétaire s'immiscer dans ses décisions concernant les coupes de gazon et la façon de faire les différents arrangements décoratifs sur le terrain. Mais, les tensions les plus palpables sont celles entre Jean et Alain, qui ne s'entendent pas sur l'approche à privilégier pour les clients. Alors que Jean est flexible et qu'il veut transmettre sa passion du service aux employés, Alain est plus rigide et fait toujours valoir les aspects financiers du club. Pour Alain, il est temps de diminuer les coûts en sabrant dans le nombre d'heures travaillées par les employés ce qui se répercute sur la qualité du service offert à la clientèle.

Les défis sont donc multiples. D'abord, il faut augmenter le nombre de joueurs en faisant connaître le club. D'ailleurs, le faible achalandage déplaît aussi au propriétaire de la concession qui exploite le restaurant du club. Non seulement ce dernier doit-il composer avec une clientèle restreinte, mais il doit également convaincre des golfeurs réticents à rester, après leur partie, pour consommer une bière dans un décor somme toute quelconque. Bien que des promotions soient instaurées afin de combler les périodes creuses, comme des forfaits golf et des soupers les samedis et les dimanches, la clientèle se fait encore attendre. Du coup, peu d'employés sont affectés à la restauration, ce qui déplaît grandement aux golfeurs matinaux qui se font dire que les déjeuners ne sont pas prêts.

Puis, pour certains membres de l'équipe, c'est le statut même du club qui pose problème. En effet, de statut public, le club doit essentiellement compter sur les revenus de ses visiteurs occasionnels, plutôt que sur des abonnements de membres, ce qui le rend vulnérable aux aléas de la météo.

Enfin, la qualité du parcours demande des ressources importantes qui commencent à s'épuiser.

LE DEUXIÈME ÉTÉ

LE DÉPART DE FRANK

Au début du deuxième été, les employés sont surpris d'apprendre le départ de Frank. Celui-ci, ayant des différents trop importants avec Alain et ayant vu sa marge de manœuvre diminuée considérablement, a jugé préférable de quitter pour un autre club de golf. En fait, il réoriente un peu sa carrière, délaissant le poste de directeur des opérations pour retourner enseigner le golf, lui qui est aussi un professionnel accrédité. C'est donc sans Frank que s'amorce cette deuxième saison. Toutefois, Alain a tôt fait de trouver une autre personne pour ce poste. Il s'agit de Marie, sa nouvelle copine. Marie ne s'y connaît pas trop en golf, mais une chose est certaine; l'équipe aura à composer avec elle pour le reste de la saison.

De plus, une directrice du marketing[11], Linda, est engagée afin de s'occuper d'accroître la visibilité du club. C'est elle qui sera responsable de développer un nouveau créneau: les tournois corporatifs. Ces tournois qui réunissent 150 golfeurs sont très lucratifs, parce qu'en plus des droits de jeu, les golfeurs louent des voiturettes motorisées, s'achètent des accessoires à la boutique et, généralement, ils restent pour le souper. Afin de développer ce créneau, le club fait la location d'un chapiteau extérieur pouvant accommoder jusqu'à 200 personnes, soit davantage que la salle à manger actuelle. Selon Linda, «l'ambiance festive et champêtre proposée par un souper sous le chapiteau est un nouvel attrait stratégique pour le club.»

Finalement, il y a également eu un important roulement de personnel entre la première et la deuxième année. Parmi ceux qui ont quitté le club se trouve Diane, une préposée aux départs très expérimentée, qui ne s'entendait plus du tout avec Alain qu'elle trouvait trop directif.

C'est à Marie que fut confié le mandat de renouveler l'équipe, même si Jean, qui connaît les rouages du club et qui a une vaste expérience dans le domaine, avait manifesté son intérêt pour cette tâche.

LA GESTION

Ayant repensé le modèle d'affaires du club et avec l'aide de la nouvelle directrice marketing, le club offre maintenant divers types d'abonnements aux golfeurs. Ces abonnements prennent la forme de cartes privilèges prépayées. Ainsi, des cartes à 500$, 1000$ et 1500$ sont émises. Lors de l'achat d'une partie ou d'un article à la boutique, on déduit le montant de la carte avec un escompte variant de 5 à 20% selon le produit acheté. Plusieurs cartes sont vendues, ce qui laisse présager une bonne saison. La gestion générale du club se fait assez bien pendant les premiers mois du deuxième été, si bien que les résultats en termes de nombre de joueurs et de revenus s'améliorent. Les tournois corporatifs connaissent aussi du succès auprès de la clientèle. Les périodes vides s'estompent peu à peu.

Cette année encore, la qualité exceptionnelle du parcours est au rendez-vous, au plus grand plaisir des golfeurs. Il faut dire qu'il faut parfois compter sur l'aide de Dame Nature, parce que l'hiver peut être très dommageable pour un terrain de golf. L'idéal est d'avoir une bonne couche de neige qui sert d'isolant. Quoiqu'il arrive, il faut à tout prix éviter que de la glace

[11] Voir l'organigramme à la fin du cas pour les changements survenus au début du deuxième été.

se forme sur le terrain, que le gazon soit alors étouffé et que le parcours soit endommagé au printemps.

Toutefois, d'autres problèmes se pointent par contre à l'horizon, notamment du côté de la machinerie et de celui des employés de terrain. Les employés de Marc sont la plupart du temps des jeunes de vingt à trente ans qui travaillent à l'entretien parce qu'ils résident près du parcours. Comme ils aiment bien s'amuser, certains ne font pas vraiment attention à la machinerie et n'hésitent pas à faire des courses sur les chemins menant au garage. Le hic, c'est que ces chemins sont en gravier plutôt qu'en asphalte, ce qui, selon Alain, aurait coûté trop cher. Du coup, plusieurs bris mécaniques surviennent et on ne compte plus le nombre de pneus à plat qu'il a fallu réparer. Malgré les avertissements répétés de Marc, les comportements de la plupart des employés ne changent pas.

LE GRAND RAZ-DE-MARÉE

Au sein de l'équipe de gestion, la situation se détériore rapidement depuis l'arrivée de Marie. Même si ça ne fait que quelques semaines qu'elles travaillent ensemble, les tensions les plus palpables sont entre Marie et Linda. Elles ne font pas bon ménage ensemble. C'est que, selon plusieurs, ce sont deux «têtes fortes». Ainsi, alors que Linda veut lancer plusieurs nouveaux projets, Marie s'en mêle toujours et retarde leur mise en œuvre. En fait, Linda et Marie ne s'entendent pas très bien sur la façon de mener à bien les projets. La plupart du temps, les conflits entre les deux remontent jusqu'à Alain qui constate comme tous les autres qu'une guerre de tranchées s'est installée entre les deux, guerre ayant des répercussions sur le climat de travail du club. Finalement, constatant qu'Alain donnait trop souvent son appui à Marie, Linda quitte le club.

Alain, ayant vu les bénéfices que pouvait générer une personne responsable du marketing, décide d'engager un autre directeur marketing. Il s'agit de David, une personne qu'Alain avait rencontrée l'année précédente au cours de l'une de ses réunions d'affaires. David était une personne intéressante pour Alain, du fait de ses contacts dans l'industrie du tourisme. Ainsi, quelques semaines après l'embauche de David, quelques nouveaux partenariats avec des hôtels de la région ont pris forme.

Mais *Le grand raz-de-marée* n'a pas fini de faire des vagues. Cette fois-ci, c'est Jean qui commence à avoir des problèmes avec Marie. Du fait de ses qualifications et de ses connaissances autant en gestion qu'en golf, Jean revendique clairement la responsabilité de la formation et de la supervision des employés qui sont sous les ordres de Marie: «Étant donné que je suis ici depuis le tout début, avant même la construction du parcours, je sens que j'ai un rôle important à jouer auprès des employés, pour qu'ils sentent qu'ils font partie d'une équipe unie. Je veux leur faire aimer leur club, leur faire apprécier leur travail. Étant donné la faible rémunération qu'ils ont, je veux m'organiser pour que l'atmosphère de travail soit la plus agréable possible. Je sais que s'ils quittent le club, tout le travail de formation sera à refaire. Les taux de roulement élevés amènent une perte d'expertise, que nous ne pouvons pas nous permettre. Les clients ont des attentes et il faut les satisfaire. Je veux que les employés aient du *fun* à venir travailler. Actuellement, l'ingérence des supérieurs crée une réelle tension.»

Bref, tout n'est pas au beau fixe dans l'organisation. Bien que la situation financière ne soit pas aussi catastrophique que l'été précédent, le club enregistre des pertes pour une deuxième année consécutive. La situation commence à devenir sérieusement insoutenable.

UN DERNIER REGARD SUR L'HISTOIRE

Le dernier regard sur l'histoire fut jeté un 27 octobre. En ce frais dimanche d'automne, Alain entama la grande montée des escaliers qui le menaient à la salle à manger. Ce chemin, il l'avait fait jour après jour depuis les débuts du club. Il le connaissait par cœur. Ses pieds se posaient toujours de la même façon sur les marches, avec la même précision, et savaient exactement la chorégraphie qui le menait vers sa chaise favorite. Pour un jour de plus, il s'assied à sa chaise habituelle, sachant très bien que cette fois, son regard serait différent. Vu la configuration de la pièce, Alain dominait la scène. Droit devant lui se trouvait une grande surface vitrée, où miroitait la lumière timide d'un soleil orangé qui se levait à l'horizon. Il avait vu mille fois cette scène. La grande fenêtre au milieu donnait toujours sur une vue magnifique. Au loin, on pouvait apercevoir les dunes aux longues herbes bercées par le vent, qui avaient autrefois été un rêve, une vision. Cette fois-ci, le rêve avait été vécu. Il l'avait été au son des oiseaux et du bruissement des feuilles, par le mouvement gracieux des golfeurs et par la passion qui anime les vrais visionnaires. Mais, après tout ce temps, que restait-il de cette passion? Alain se demandait bien quel tournant prendrait son rêve. C'est que les temps ont bien changé depuis le début de l'aventure. Du matin de *la plus longue journée de l'histoire* en passant par *le départ de Frank* et par *le grand raz-de-marée*, son club en avait vécu des émotions et des péripéties. En cette fraîche matinée d'automne, tant de questions demeurent sans réponse. Toutefois, Alain savait qu'il lui faudrait faire quelque chose pour sauver son rêve, son club.

Annexe 1
Organigramme de départ

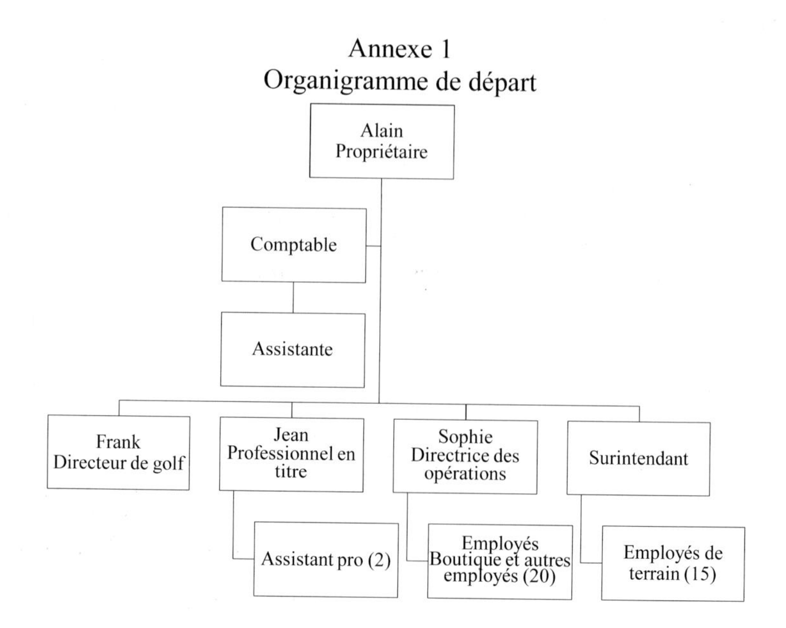

Annexe 2
Organigramme avec l'arrivée de Marie et Linda

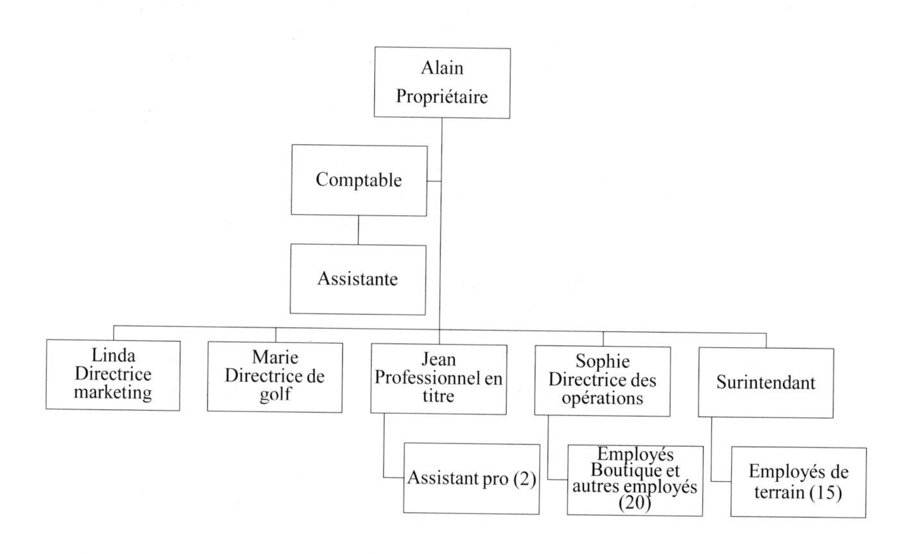

BIBLIOGRAPHIE

Abrahamson, E. et G. Fairchild, «Management Fashion: Lifecycles Triggers, and Collective Learning Process», *Administrative Science Quarterly,* Vol. 44: 708-740, 1999.

Abrahamson, E., «Management Fashion», *Academy of Management Review,* Vol. 21: 254-285, 1996.

Abrahamson, E., «Managerial Fads and Fashions: the Diffusion and Rejection of Innovations», *Academy of Management Review*, 16, (3): 586-612, 1991.

Aktouf, O., *La stratégie de l'autruche. Post-mondialisation, management et rationalité économique,* Montréal: Écosociété, 2002.

Aldrich, H., *Organizations and Environments,* Englewood Cliffs, N.J.: Prentice-Hall, 1979.

Alexandre, V. et Gasparski, W. W. (Ed.), *The Roots of Praxiology*. New-Brunswick, New Jersey: Transaction Publishers, 2000.

Alleau, R. «Tradition», *Encyclopédie Universalis,* 2006.

Allison, G. T., *Essence of Decision,* Boston, Little Brown, 1971.

Alvesson, M. et H. Willmott, (eds.), *Critical Management Studies,* Londres: Sage, 1992.

Amabile, T. M., Conti, R., Coon, H., Lazenby, J. & Herron, M., «Assessing the Work Environment for Creativity», *Academy of Management Journal*, 39 (5): 1154-1184, 1996.

Amabile, T. M., *Creativity in Context*, Boulder, Col.: Westview, 1996.

Andrews, K. R., *The Concept of Corporate Strategy*, Homewood, Ill.: Irvin, 1971.

Ansoff, H.I., *Corporate Strategy,* New York: McGraw-Hill, 1965.

Anthony, R. N. et J. Dearden, *Management Control Systems. Text and Cases,* Homewood, Ill., Richard D. Irwin, 1976, [1965].

Anthony, R. N., *Planning and Control Systems. A Framework for Analysis,* Cambridge, Mass: Graduate School of Business Administration, Harvard University, 1965.

Arendt, H., *Condition de l'homme moderne,* Paris: Calmann-Levy, 1983.

Argiris, C., «T-Group for Organizational Effectiveness», *Harvard Business Review,* Mars-Avril, 1964.

Argyris, C. et D.A. Schön, *Organizational Learning. A Theory of Action Perspective,* Reading, Mass.: Addison-Wesley, 1978.

Argyris, C., *Knowledge for Action,* San Francisco: Jossey-Bass, 1993.

Argyris, C., *Personality and Organization,* New York: Harper & Row, 1957

Argyris, C., *Reasonning, Learning and Action,* San Francisco: Jossey-Bass, 1982.

Aristote, *Politiques*, I: 2; III.

Aron, R., *Les désillusions du progrès.* Paris: Gallimard, 1969.

Attali, J., *Histoire du temps*, Paris: Fayard, 1982.

Aubert, N. (dir.), *L'individu hypermoderne*, Paris: Éres, 2004.

Aubert, N., *le culte de l'urgence. La société malade du temps*, Paris: Flammarion, 2003.

Audet, M. et Déry, R., «La science réfléchie: quelques empreintes de l'épistémologie des sciences de l'administration», *Anthropologie et Sociétés*, 1996, 20, (1): 103-123.

Audet, M. et J.-L. Malouin (dir.), *La production des connaissances scientifiques de l'administration/The Generation of Scientific Administrative Knowledge.* Québec: Les Presses de l'Université Laval. 1986.

Audet, M., Landry, M. et R. Déry, «Science et résolution de problème: liens, difficultés et voies de dépassement dans le champ des sciences de l'administration», *Philosophie des sciences sociales,* 1986, 16: 409-440.

Baechler, J., *Les origines du capitalisme,* Paris: Gallimard, 1971.
Barnard, C.I., *The Functions of the Executive,* Cambridge, Mass: Harvard University Press, 1938.
Barney, J. B. «Organizational Culture. Can it be a Source of Sustained Competitive Advantage?», *Academy of Management Review,* Vol. 11, No. 3: 656-665, 1986.
Baumard, P., *Organisations déconcertées. La gestion stratégique de la connaissance,* Paris: Masson, 1996.
Beck, U., A. Giddens et S. Lash, *Reflexive Modernization.* Cambridge: Polity Press, 1994.
Beck, U., *La société du risque. Sur la voie d'une autre modernité.* Paris: Aubier, 2001.
Beckhard, R.E., *Organizational Development: Strategies and Models,* Reading, Mass.: Addison-Wesley, 1969.
Bédard, R. et A. Chanlat, «Être patron aujourd'hui», *Agora,* juin 1993: 10-11.
Bédard, R., «Au coeur du métier de dirigeant: l'être et les valeurs», *L'Agora: Métier et Management*, Octobre, (Hors-série), 1995: 38-41.
Benn, S.I. et G.W. Mortimore, «Technical Models of Rational Choice», S.I. Benn et G.W. Mortimore (eds.) *Rationality and the Social Sciences,* London: RKP, 1976: 157-195.
Bennis, W.G., *Changing Organizations,* New York: McGraw-Hill, 1966.
Bennis, W.G., *Organization Development: its Origins and Prospects,* Reading, Mass.: Addison-Wesley, 1969.
Berle A.A. et G.C. Means, *The Modern Corporation and Private Property,* New York: Harcourt Brace Josanovitch, 1933.
Bilton, C. et S. Cummings, *Creative Strategy,* New York: Wiley, 2010.
Bilton, C. *Management and Creativity: From Creative Industries to Creative Management,* Oxford: Blackwell, 2006.
Blake, R.R. et J.S. Mouton, *The Managerial Grid,* Houston: Gulf publ., 1964.
Blanchard, K. et S. Johnson, *The One Minute Manager,* New York: Berkley Publ. Group, 1983.
Blau, P.M., *Bureaucracy in Modern Society,* New York: Random House, 1956.
Bolman, L. G et T. E. Deal, *Repenser les organisations pour que diriger soit un art,* Paris: Maxima, 1996 [Bolman, L. G. et T. E. Deal, *Reframing Organizations. Artistry, Choice and Leadership,* San-Francisco : Jossey-Bass, 1991].
Boltanski, L. et E. Chiapello, *Le nouvel esprit du capitalisme,* Paris: Gallimard, 1999.
Boltanski, L. et L. Thévenot, *De la justification. Les économies de la grandeur* Paris: Gallimard, 1991.
Boudon, R. et F. Bourricaud, *Dictionnaire critique de la sociologie,* Paris: PUF, 1982.
Boudon, R., «Action», *in Traité de sociologie,* Paris: PUF, 1992.
Boussard, V., *Sociologie de la gestion. Les faiseurs de performance,* Paris: Belin, 2008.
Bower, J. L., *Managing the Resource Allocation Process: A Study of Planning and Investment,* Cambridge, Mass.: Graduate School of Business Administration, Harvard University, 1970.
Braverman, H., *Labor and Monopoly Capital,* New York: Monthly Review Press, 1974.
Burns, T. et G.M. Stalker, *The Management of Innovation,* Londres: Tavistock, 1961.
Caillé, A., *Critique de la raison utilitaire,* Paris, Éditions de La Découverte, 1989.
Callon, M., Lascoumes, P. et Y. Barthe, *Agir dans un monde incertain. Essai sur la démocratie technique*, Paris: Seuil, 2001.
Castells, M., *The Information Age: Economy, Society and Culture.* Oxford: Blackwell, 1996.
Chandler, A., *Strategy and Structure,* Mass.: Harvard University Press, 1962.

Chandler, A., *The Visible Hand,* Cambridge: Mass.: Harvard University Press, 1977.

Chanlat, A., «Gestions et humanismes: Une archéologie de la gestion, conférence prononcée lors du 125e anniversaire de l'Université Saint-Joseph, au Liban, en mars 2000

Chanlat, A., «Pourquoi réintroduire le métier au cœur de la gestion contemporaine?», *L'Agora: Métier et Management*, Octobre, (Hors-série), 1995: 2-6.

Chanlat, J.-F. (dir.), *L'individu dans l'organisation,* Québec: PUL, 1990.

Chevrier, S., *Le management interculturel,* Paris: PUF (Que sais-je?), 2003.

Covey, S.R., *The Seven Habits of Highly Effective People,* New York: Simon and Schuster, 1989.

Crozier, M. et E. Friedberg, *L'acteur et le système.* Paris: Seuil, 1977.

Crozier, M., *Le phénomène bureaucratique,* Paris: Seuil, 1963.

Cyert, R. M. et J. G. March, *A Behavioral Theory of the Firm.* Englewood Cliffs: Prentice-Hall, 1963.

Daft, R. L, *Organization Theory and Design,* Cincinnati, Ohio: South-Western College Publishing, 2001.

Dalton, G. E., Lawrence P. R. et J.W. Lorsch, *Organizational Structure and Design,* Homewood, Ill.: The Dorsey Press, 1970.

Dalton, M. *Men Who Manage,* New York: John Wiley, 1959.

Davel, E., Dupuis, J.-P. et J.-F. Chanlat (dirs.), *Gestion en contexte interculturel,* Québec: Presses de l'Université Laval, 2008.

Davis, L.E. et A.B. Cherns (eds.), *The Quality of Working Life,* New York: The Free Press, 1975.

Deal, T.E. et A.A. Kennedy, *Corporate Cultures,* Reading, Mass.: Addison-Wesley, 1982.

Dejours, C. *Observations cliniques en psychopathologie du travail,* Paris: PUF, 2010.

Deming W.E., *Out of the Crisis,* Cambridge, Mass: MIT Center for Advanced Engineering Study, 1982.

Den Hond, F., de Bakker, F.G.A. et P. Neergaard (eds.), *Managing Corporate Social Responsibility in Action: Talking, Doing and Measuring*, Burlington, Ashgate Publishing Company, 2007.

Déry, R., «Enjeux et controverses épistémologiques dans le champ des sciences de l'administration», *in* Bouilloud, J.-P. et Lecuyer, B.-P. (Ed.), *L'invention de la gestion.* Paris: L'Harmattan, 1994, 163-189.

Déry, R., Homo-administrativus et son double: du bricolage à l'indiscipline, *Gestion, revue internationale de gestion*, 1997, vol. 22(2): 27-33.

Déry, R., L'impossible quête d'une science de la gestion, *Gestion, revue internationale de gestion*, septembre 1995: 35-46.

DiMaggio, P.J. et W.W. Powell, «The Iron Cage Revisited: Institutional Isomorphism and Collective Rationality in Organizational Fields», *American Sociological Review,* 1985, vol. 48: 134-149.

Drucker, P. F., *Management: Task, Responsibilities, Practices,* New York: Harper & Row, 1974.

Drucker, P. F., *The Concept of the Corporation,* New York: Harper & Row, 1946.

Drucker, P. F., *The Effective Executive,* Londres: Heinemann, 1967.

Drucker, P.F. *La pratique de la direction des entreprises.* Paris: Les Éditions d'organisation, 1957, [*The Practice of Management,* New York: Harper & Row, 1954].

Duncan, R., «What is the Right Organization Structure? Decision Tree Analysis Provides the Answer», *Organization Dynamics,* Winter 1979.

Dupuis, J.-C. et C. le Bas (dirs.), *Le management responsable,* Paris: Économica, 2005.
Durkheim, É., *De la division du travail social,* Paris: PUF, 1996.
Ellul, J., *La technique ou l'enjeu du siècle,* Paris: Economica, 1990.
Ellul, J., *Le bluff technologique,* Paris: Hachette, 2004.
Ellul, J., *Le système technicien,* Paris: Le cherche-midi, 2004.
Ellul, J., *Métamorphose du bourgeois*, Paris: La Table Ronde, 1998, [1967].
Emerson, H., *The Twelve Principles of Efficiency,* New York: Engineering Magazine Co., 1913.
Etchegoyen, A., *La valse des éthiques,* Paris: François Boutin, 1991.
Fayol, H., *Administration industrielle et générale,* Paris: Dunod, 1918.
Finetti, B., «Dans quel sens la théorie de la décision est-elle et doit-elle être normative», *La décision.* CNRS, 1961.
Finnigan, J.P. *The Manager's Guide to Benchmarking: Essential Skills for the New Competitive-cooperative Economy,* San Francisco: Jossey-Bass, 1996.
Fisher, W. et M. Ury, *Getting to Yes,* Boston: Houghton Miffin Company, 1981.
Flichy, P., *L'imaginaire d'internet,* Paris: Éditions de La Découverte, 2001.
Florida, R., *The rise of the Creative Class. And How it's Transforming Work, Leisure, Community and Everyday Life,* New York: Basic Books, 2002.
Follett, M.P., *Creative Experience*, Londres: Longmans, Green and Co, 1924.
Foray, D., *L'économie de la connaissance,* Paris: Éditions de La Découverte, 2001.
Foulquié, P. et R. Saint-Jean, *Dictionnaire de la langue philosophique,* Paris: PUF, 1978.
Fourastier, J. *Les Trente Glorieuses, ou la révolution invisible de 1946 à 1975*, Paris: Fayard, 1979.
Freeman, R.E., *Strategic Management. A Stakeholder Approach,* Boston: Pitman, 1984.
Friedberg, E., *Le pouvoir et la règle,* Paris: Seuil, 1993.
Galbraith, J. R., *Organization Design,* Reading Mass.: Addison-Wesley, 1977.
Galbraith, J.K., *The New Industrial State,* Londres: Hamish Hamilton, 1967.
Gantt, H.L., *Organizing for Work,* New York: Harcourt, Brace Javanovitch, 1919.
Gaulejac, V. (de), *La société malade de la gestion. Idéologie gestionnaire, pouvoir managérial et harcèlement social,* Paris: Seuil, 2005.
Giddens, A., *Les conséquences de la modernité.* Paris: L'Harmattan, 1994.
Gilbreth, F. B. et L.M. Gilbreth, *Applied Motion Study,* New York: Sturgis and Walton, 1917.
Glueck, W.F., *Business Policy,* New York: McGraw-Hill, 1976.
Goleman, D., *Emotional Intelligence,* New York: Bantam, 1995.
Goshal S. et C.A Bartlett, *The Individualized Corporation. A Fundamentally New Approach to Management,* New York: Harper Business Book, 1997.
Granger, G.-G., *La raison,* Paris: PUF, 1955.
Guillebaud, J.C., *La refondation du monde,* Paris: éditions du seuil, 1999.
Gulick, L., «Notes on the Theory of Organization», *in* Gulick, L. et L. F. Urwick (eds.), *Papers on the Science of Administration,* New York: Institute of public Administration, Columbia University, 1937.
Hafsi, T., «Du Management au Méta-management: les subtilités du concept de stratégie», *Gestion*, Vol. 10, no 1, février 1985.
Hammer, M. et J. Champy, *Reengineering the Corporation: A Manifest for Business Revolution.* New York: Harper Collins Publishers. 1993.
Hannan, M.T. et Freeman, J.F., «The Population Ecology of Organizations». *American Journal of Sociology,* vol. 82: 929-964, 1977.
Harndt, M. et A. Negri, *Empire,* Paris: Exils Éditeur, 2000.

Harrington, H. J. et J. S. Harrington, *High Performance Benchmarking. 20 Steps to Success,* New York: McGraw-Hill, 1995.
Hayek, F. A. *Droit, Législation et Liberté,* Paris: PUF, 1980.
Herzberg, F., *Work and the Nature of Man,* Cleveland: World publ., 1960.
Hobbes, T., *Le Léviathan,* Paris: Éditions Sirey, 1971.
Hofstede, G., *Cultural Consequences: International Differences in Work-Related Values,* Beverly Hills: Sage, 1980.
Iribarne, P. (d'), *La logique de l'honneur,* Paris: Seuil, 1989.
Jackson, B., *Management Gurus and Management Fashions*, New York: Routledge, 2001.
Jensen, M.C. et W.H. Meckling, «Theory of the Firm: Managerial Behaviour, Agency Cost, and Ownership Structure», *Journal of financial Economics,* vol.3: 305-360, 1976.
Johnson, G., Scholes, K., Whittington, R., Fréry, F., *Stratégique,* Paris: Pearson, 2005.
Jung, C.G., *Psychological Types,* New York: Princeton University Press, 1976.
Juran, J. *Planning for Quality,* New York: The Free Press, 1988.
Kahneman, D, Slovic, P. et A. Tversky (eds.), *Judgment under Uncertainty: Heuristics and Biases,* Cambridge: Cambridge University Press, 1982.
Kanter R.M., *The Change Master,* New York: Simon & Schuster, 1983.
Kaplan, R. et D.P. Norton, *The Balanced Scoreboard,* Boston, Mass.: Harvard Business School Press, 1996.
Kaplan, R. et D.P. Norton, *The Strategy Focused Organization: How Balanced Scoreboard Companies Thrive in the New Business Environment,* Boston, Mass.: Harvard Business School Press, 2001.
Katz, D. et R.L. Kahn, *The Social Psychology of Organizations,* New York: Wiley and Sons, 1966.
Kepner, C. et B. Tregoe, *Le nouveau manager rationnel,* Paris: Interéditions, 1985.
Kets de Vries, M.F.R. et D. Miller, *L'entreprise névrosée,* Paris: McGraw-Hill, 1985.
Koontz, H. et C. O'Donnell, *Management. Principes et méthodes de gestion.* Paris: McGraw-Hill, 1980 [*Essentials of Management*, New York, McGraw-Hill, 1978].
Kotter, J. *The Leadership Factor.* The Free Press, 1988.
Kurzwell, R., *The Age of Spiritual Machines,* Londres: Penguin, 1999.
Lalande, A. (dir.), *Vocabulaire technique et critique de la philosophie*, Paris: PUF, 1926.
Lambert, J., *Management intergénérationnel,* Paris: Lamarre, 2009.
Laplante, L., *L'angle mort de la gestion,* Montréal: IQRC, 1995
Latour, B., *Politiques de la nature. Comment faire entrer les sciences en démocratie*, Paris: Éditions de La Découverte, 1999.
Laurin, P., (dir.), *Le management. Textes et cas,* Montréal: McGraw-Hill, 1973.
Lawrence, P. et J. Lorsch, *Adapter les structures de l'entreprise,* Paris: Les Éditions d'organisation, 1989 [*Organization and Environment. Managing Differatition and Integration,* Boston: Harvard University, 1967].
Le Goff, J.-P., *Les illusions du management. Pour le retour du bon sens,* Paris: Éditions de La Découverte, 2000.
Le Moigne, J.-L., «Sur "l'incongruité épistémologique" des sciences de gestion», *Revue française de gestion*, spécial, (96): 123-135, 1993.
Learned, E.P, Christensen, C.R., Andrews, K.E, Guth,W.D., *Business Policy,* Homewood, Ill: Irwin, 1965.
Lévy, P., *Cyberculture,* Paris: Odile Jacob, 1997.

Likert, R., *New Patterns of Management,* New York : McGraw-Hill, 1961.
Likert, R., *The Human Organization: Its Management and Value,* New York: McGraw-Hill, 1967.
Lipovetsky, G., *Le bonheur paradoxal. Essai sur la société d'hyperconsommation*, Paris: Gallimard, 2006.
Lipovetsky, G., *Les temps hypermodernes*, Paris: Grasset, 2004.
Lorsch, J. W., «Introduction to the Structural Design of Organizations», *in* Dalton, G.W, Lawrence, P. R. et J. W. Lorsch, *Organizational Structure and Design,* Homewood, Ill: Irwin and Dorsey Press, 1970: 1-2.
Mander,J., Cavanagh, J. et J. B. Gélinas, *Alternative à la globalisation économique,* Montréal, Écosociété: 2005.
March, J. G. et H. A. Simon, *Les organisations,* Paris: Dunod, 1974 [*Organizations,* New York: Wiley, 1958].
March, J., G., *Decisions and Organizations*, New York: Basil Blackwell, 1988.
Martinet, A. C. (Ed.), *Épistémologies et Sciences de Gestion*. Paris: Economica, 1990.
Maslow, A.H., *Motivation and Personality,* New York: Harper and Row, 1954.
Mason, R.O. et I.I. Mitroff, *Challenging Strategic Planning Assumptions. Theory, Cases and Techniques,* New York: Wiley, 1981.
Mattelart, A., *Histoire de la société d'information,* Paris: Éditions de La Découverte, 2001.
Mauss, M., «Essai sur le don», *Sociologie et anthropologie,* Paris: PUF, 1950.
Mayo, E., *The Human Problems of an Industrial Civilization,* New York: Macmillan, 1933.
Mayo, E., *The Social Problems of an Industrial Civilization*. Cambridge: Harvard University Press, 1945.
McGregor, D., *La dimension humaine de l'entreprise*, Paris : Gauthier-Villars, 1971 [*The Human Side of Enterprise,* New York: McGraw-Hill, 1960].
Miliband, R., *The State in Capitalist Society,* Londres: Quartet, 1973.
Mintzberg, H., *Le management,* Paris: Éditions d'Organisation, 1990.
Mintzberg, H., *Power in and Around Organizations*, Englewood Cliffs, N.J: Prentice-Hall, 1983.
Mintzberg, H., *Structure et dynamique des organisations.* Paris : Éditions d'organisation, 1986. [*The Structuring of Organization*, Englewood Cliffs, 1979].
Mintzberg, H., *The Nature of Managerial Work,* New York: Harper and Row, 1973.
Mintzberg, H., *The Rise and Fall of Strategic Planning,* New York: The Free Press, 1994.
Mintzberg, H.,*Managers Not MBAs. A Hard Look at the Soft Practice of Managing and Management Development*, San Francisco: Berrett-Koehler, 2004.
Mooney, J., *The Principles of Organization,* New York: Harper and Brothers, 1947.
Mooney, J.D. et A.C. Reiley, *The Principles of Organization,* New York: Harper and Row, 1939.
Morgan, G, *Images de l'organisation, 2e édition,* Québec: Presses de l'Université Laval, 1999.
Mumford, L. *Technique et civilisation,* Paris: Seuil, 1950.
Musso, P., *Saint-Simon et le saint-simonisme,* Paris: PUF (Que sais-je?), 1999.
Myers, I.B., *Manual: The Myers Brigg Type indicator,* Palo Alto, CA, Consulting Psychologist Press, 1975.

Newman, W. H., *L'art de la gestion. Les techniques d'organisation et de direction,* Paris : Dunod, 1969, [*Administrative Action. The Technique of Organization and Management,* Englewood Cliffs, New Jersey., 1963].

Nisbet, R. A., *La tradition sociologique,* Paris: PUF, 2005.

Noël, A., «Strategic Cores and Magnificent Obsessions. Discovering Strategy Formation Through Daily Activities of CEOs», *Strategic Management Journal,* vol. 10: 30-49, 1989.

Noël, M.X., *Savoirs en management: hybrides d'action et de connaissance,* Montréal: Éditions JFD, 2009.

Nonaka I. et H. Takeuchi, *The Knowledge-Creating Company,* New York: Oxford University Press. 1995.

Odiorne, G.S., *Management by Objectives: A System of Managerial Leadership,* New York: Pitman, 1955.

Ohno, T., *Toyota Production System,* Cambridge, Mass.: Productivity Press, 1988.

Ohno, T., *Workplace Management,* Cambridge, Mass.: Productivity Press, 1982

Ouchi, W.G., *Theory Z,* Reading, MA, Addison-Wesley, 1981.

Pascale, R.T et A.G. Athos, *The Art of Japanese Management,* New York: Warner Book, 1981.

Pauchant, T., *Pour un management éthique et spirituel,* Montréal: Fides, 2000.

Payaud, M. et A.C. Martinet, «Frénésie, monotonie et atonie dans les organisations liquéfiées: régénérer les formes et rythmes de la politique d'entreprise», *Management International,* 2007, 11(3): 1-16.

Pearce, J.A et R.B. Robinson, *Strategic Management.,* New York: Irwin/McGraw-Hill, 2000.

Peters, T. et R. Waterman, *In Search of Excellence,* New York: Harper & Row, 1982.

Pfeffer, J. et R. Sutton, *The Knowing-Doing Gap: How Smart Companies Turn Knowledge into Action,* Boston, Mass.: Harvard Business School Press, 2000.

Pink, D.H., *A Whole New Mind. Why Right-Brainers Will Rule the Future,* New York: Riverhead, 2006.

Pitcher, P., «L'artiste, l'artisan et le technocrate», *Gestion, revue internationale de gestion,* 1993, vol. 18(2): 29.

Pitcher, P., *Artistes, artisans et technocrates,* Montréal: Québec/Amérique, 1994.

Polanyi, M., *The Tacit Dimension.* New York: Double Day, 1966.

Porter, M. E., *L'avantage concurrentiel,* Paris: InterÉditions, 1986 [*Competitive Advantage: Creating and Sustaining Superior Performance:* New York: The Free Press, 1985].

Porter, M.E., *Choix stratégiques et concurrence,* Paris: Économica, 1982 [*Competitive Strategy: Techniques for Analysing Industries and Competitors,* New York: The Free Press, 1980].

Pouget, M., *Taylor et le taylorisme,* Paris: PUF (Que sais-je?), 1998.

Project Management Association, *Guide du corpus de connaissances en management de projet (Guide PMBOK),* Newton Square, Pennsylvanie: Project Management Association, 2008.

Prost, R. et L. Rioux, *La planification. Éléments théoriques pour le fondement de la pratique.* Montréal: Presses de l'Université du Québec, 1977.

Quinn, J. B., *Intelligent Enterprise. A Knowledge and Service Based Paradigm for Industry.* New York: The Free Press, 1992.

Raufflet, E., et A.J. Mills, *The Dark Side: Critical Cases on the Downside of Business,* Greenleaf Publ., 2009.

Roethlisberger, F. J et W. J. Dickson, *Management and the Worker,* Cambridge, Mass.: Harvard University Press, 1939.

Rousseau, J.-J., *Du contrat social,* Paris: Marabout, 1974.

Ryan, L. V., Nahser, B. F. et Gasparski, W. W. (Ed.), *Praxiology and Pragmatism.* New-Brunswick, New Jersey, Transaction Publishers, 2000.

Saint-Onge, J.-C., *L'imposture néolibérale,* Montréal, Écosociété: 2000.

Saint-Sernin, B., *La raison,* Paris: PUF, 2003.

Salmon, A., *La tentation éthique du capitalisme,* Paris: Éditions de La Découverte, 2007.

Savage, L. J., *The Foundations of Statistics* New York: Dover, 1954; Suppes, P., *Logique du probable,* Paris: Flammarion, 1981.

Schein, E., *Organizational Culture and Leadership,* San Francesco: Jossey-Bass, 1985.

Schein, E.H., *Process Consultation: its Role in Organizational Development,* Reading, Mass.: Addison-Wesley, 1969.

Schön, D., *The Refexive Practicionner. How Professionals Think in Action.* New York: Basic Book, 1988.

Segrestin, D., *Les chantiers du manager,* Paris: Armand Colin, 2004.

Sen, A. et B. Williams, (eds.), *Utilitarianism and Beyond,* Cambridge: Cambridge University Press, 1982.

Senge, P., *The Fifth Discipline: The Art and Practice of the Learning Organization,* New York: Doubleday, 1990.

Simon, H. A., *Administration et processus de décision.* Paris: Économica, 1983, [*Administrative Behavior,* New York: The Free Press, 1947].

Sitkin, S.B. et R.J. Bies, *The Legalistic Organization,* Londres: Sage, 1994.

Sloan, A.P. Jr., *My Years with General Motors,* New York: Doubleday, 1963.

Smart, J.J.C. et B. Williams, *Utilitarianism for & Against.* Cambridge: Cambridge University Press, 1973.

Smith, A., *La richesse des nations,* Paris: Flammarion, 1991.

Spender, J.-C., *Industry Recipes. The Nature of Managerial Judgment.* Oxford: Blackwell, 1989.

Steiner, G.A., *Top Management Planning,* New York: McMillan, 1969.

Stengers, I., *Sciences et pouvoirs: la démocratie face à la technoscience.* Paris: Éditions La Découverte, 1997.

Sternberg, R.J. (ed.), *Handbook of Creativity,* Cambridge: Cambridge University Press, 1999.

Taguieff, P.-A., *Le sens du progrès,* Paris: Flammarion, 2004.

Tannenbaum, R. et W.H. Schmidt, «Comment choisir son style de leadership», *in* Laurin, P. (dir.), *Le management. Textes et cas,* Montréal: McGraw-Hill, 1973, pp.555-577.

Tapscott, D. et A.D. Williams, *Wikinomics,* New York: Portfolio, 2006.

Tapscott, D., *The Digital Economy,* New York: McGraw-Hill, 1996.

Taylor, F.W., *Shop Management*, New York: Harper and Row, 1903.

Taylor, F.W., *The Principles of Scientific Management,* New York: Harper & Brothers, 1911.

Teece, D. J., *Managing the Intellectual Capital,* New York: Oxford University Press, 2001.

Thomas, K.W., «Conflict and Conflict Management», *in* D. Dunette (ed.), *Handbook of Industrial and Organizational Psychology,* Chicago: Rand McNally, 1976: 889-935.

Tixer, D., Matte, H. et J. Colin, *La logistique d'entreprise, vers un management plus compétitif*, Paris: Dunod, 1998.

Tönnies, F., *Communauté et société,* 1887.

Trist, E.L. et K.W., Bamforth, «Some Social and Psychological Consequences of the Longwall Method of Coal Getting», *Human Relations,* vol 4: 3-338, 1951.

Urwick, L., *Scientific Principles of Organization,* New York: AMA, 1938.

Vergara, F., *Introduction aux fondements philosophiques du libéralisme,* Paris: La Découverte, 1992.

Walton, R.E., *Interpersonal Peacemaking: Confrontation and Third Party Consultation,* Reading, Mass.: Addison-Wesley, 1969.

Waridel, L., *Acheter c'est voter,* Montréal, Écosociété: 2005.

Weber, M., *Économie et société,* Paris: Plon, 1971.

Weber, M., *Histoire économique,* Paris: Gallimard, 1981.

Weber, M., *L'éthique protestante et l'esprit du capitalisme*, Paris: Plon, 1964.

Weber, M., *Le savant et le politique,* Paris: Plon, 1959.

Weick, K.E., *The Social Psychology of Organizing,* Reading, Mass.: Addison-Wesley, 1979.

Whyte, W. H. (Jr.), *L'homme de l'organisation,* Paris: Plon, 1959.

Wiener, N., *Cybernetics or Control and Communication in the Animal and the Machine,* New York: John Wiley, 1948.

Wildavsky, A. «If Planning is everything maybe It's nothing», *Policy Science*, 1973, 4: 141.

Wildavsky, A., *The Politics of the Budgetary Process*. Boston: Little, Brown, 1979.

Williamson, O.E., *Markets and Hierarchies,* New York: The Free Press, 1975.

Young, W. et R. Welford, *Ethical Shopping: Where to Shop, What to Buy and What to Do to Make a Difference*, Londres: Vision, 2002.

Zaleznik, A. et M.F.R. Kets de Vries, *Power and the Corporate Mind,* Boston: Houghton Mifflin, 1975.

Zaleznik, A., *Human Dilemmas of Leadership,* New York: Harper and Row, 1966.

Zucker, L., *Institutional Patterns and Organizations: Culture and Environment,* Cambridge, Mass.: Ballinger, 1988.